W9-DBE-543

Les Plantes *qui* Guérissent

Le guide le plus complet sur le pouvoir curatif des remèdes offerts par la nature

par Michael Castleman

Conseiller médical: le Dr Sheldon Saul Hendler,
également docteur en biochimie, chercheur et professeur clinique adjoint
à l'université de Californie, à San Diego

Éditions Rodale

Copyright © 1991 par Michael Castleman

Tous droits réservés. La reproduction d'un extrait quelconque de ce livre, par quelque procédé que ce soit, tant électronique que mécanique, en particulier par photocopie, microfilm, bande magnétique, disque ou autre, est interdite sans le consentement de l'éditeur.

Prevention est une marque déposée de Rodale Press Inc.

Imprimé aux États-Unis sur papier recyclé 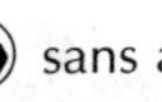 sans acide 

Éditorial: Alice Feinstein
Conception de la couverture: Stan Green
Illustration: Wayne Michaud
Photographie de la couverture: Angelo Caggiano
Traduction et infographie: Édition électronique Niche
Consultation médicale: Dr François Croteau

Pour de plus amples renseignements, veuillez vous adresser à:

Éditions Rodale
Parc Club des Prés
5, rue Papin
59658 Villeneuve d'Ascq Cedex

ISBN 0-87596-386-2

À certains endroits, le masculin a été utilisé dans le but d'alléger le texte. La lectrice et le lecteur verront à interpréter selon le contexte.

Remarque

Les Plantes qui Guérissent a pour but de vous informer des plus récentes découvertes concernant l'utilisation des plantes à des fins thérapeutiques. Compte tenu du fait que chaque personne est unique, les médecins doivent personnaliser leur diagnostic et suivre les patients à qui un traitement à base de plantes a été prescrit. Les plantes et autres remèdes naturels ne sauraient remplacer des soins médicaux appropriés. Aussi, nous vous demandons de vous informer le mieux possible afin que vous puissiez prendre des décisions éclairées.

Certaines plantes ne sont vendues que dans certains pays, comme les États-Unis. Même si elles ne sont pas disponibles en France, nous les avons sciemment laissées dans le présent ouvrage, à titre d'information.

À Mellissa Joan Rubin
22 janvier 1966 – 4 octobre 1987

Mélisse officinale — *Mellissa officinalis*

La mélisse contente le cœur
comme l'esprit … et fait s'éloigner
tous soucis et préoccupations…

Herbier de Culpeper, 1652

TABLE DES MATIÈRES

Deuxième partie

Chapitre 5

REMERCIEMENTS

La famille: Anne Simons, M.D., Jeffrey et Maya Castleman.

Les gens de Rodale: Alice Feinstein, Debora Tkac, William Gottlieb et Sharon Faelten.

Les collaborateurs de la société John Brockman et Associés: Katinka Matson et John Brockman.

Ainsi que Paul Bergner, éditeur de *Medical Herbalism*; Mark Blumenthal, directeur général de l'American Botanical Council et éditeur de *HerbalGram*; Wade Boyle, N.D., historien et auteur; Maureen Buehrle, directeur général de l'International Herb Growers and Marketers Association; Lyle E. Craker, Ph.D., éditeur de *Herb, Spice, and Medicinal Plant Digest*; Ara der Marderosian, Ph.D., pharmacognose et auteur; James A. Duke, Ph.D., herboriste et auteur au U.S. Department of Agriculture Research Service; Eclectic Medical Publications; Peter Finkle, directeur de la recherche chez Yerba Prima; Steven Foster, herboriste et auteur; H. Winter Griffith, M.D., auteur; Sheldon Saul Hendler, Ph.D., auteur; Christopher Hobbs, herboriste et auteur; *Lawrence Review of Natural Products*; Lawrence Liberti, M.S., pharmacognose et auteur; Albert Y. Leung, Ph.D., spécialiste en pharmacognosie et auteur; Lloyd Library; Robert McCaleb, président de Herb Research Foundation; Daniel Mowrey, Ph.D., herboriste et auteur; Michael Murray, N.D., herboriste et auteur; Paula Oliver, auteur et culture des herbes; Jeanne Rose, herboriste et auteur; Lynda Sadler, directeur de la recherche chez Traditional Medicinals; Linda Sparrowe, éditeur de *The Herb Quarterly*; Varro E. Tyler, Ph.D., spécialiste en pharmacognosie et auteur; Susun Weed, herboriste et auteur; Michael Weiner, Ph.D., herboriste et auteur; Rudolph Fritz Weiss, M.D., spécialiste des plantes et auteur.

INTRODUCTION

REMÈDES ANCIENS ET MÉDECINE MODERNE

Les PLantes qui Guérissent est un guide pratique qui vous permettra d'utiliser en toute confiance et avec le maximum d'efficacité un large éventail de végétaux à vertus curatives. Le présent ouvrage répertorie les 100 plantes médicinales reconnues pour leurs usages ancestraux. Pour chacune d'elles, vous trouverez un léger historique, un rappel des croyances populaires qui l'entourent ainsi que son usage thérapeutique. L'ouvrage est étayé des plus récentes données scientifiques qui confirment ses bienfaits et mettent en garde contre certains de ses usages.

L'Organisation Mondiale de la Santé estime que les deux tiers de la population mondiale, soit quatre milliards de personnes, ont recours à des plantes médicinales comme premiers remèdes. Les détracteurs reconnaissent que la guérison par les plantes joue un rôle de premier plan dans les soins de la santé du Tiers Monde, mais lui refusent une place dans la médecine moderne, médecine de laboratoire à la fine pointe de la technologie. Ces personnes devraient revoir leur jugement. Aux États-Unis, 25 % des ordonnances contiennent des substances actives dérivées de plantes, et chaque omnipraticien en prescrit en moyenne huit par jour. Quant aux détracteurs les plus virulents, ils utilisent eux-mêmes des plantes médicinales tous les jours, souvent sans le savoir.

Café, cola ou chlorophylle?

Vous êtes-vous soigné avec des plantes médicinales dernièrement? Savez-vous que vous vous servez fréquemment d'herbes à propriétés thérapeutiques? Avez-vous commencé votre journée avec un café ou du thé? Le café n'est pas seulement le stimulant matinal préféré de bien des gens. Les scientifiques ont démontré qu'il décongestionne les bronches. Le thé, stimulant plus faible que le café, est aussi un décongestionnant efficace. Bonne source de fluorure, il prévient également la carie dentaire.

Aimez-vous les boissons légères? Les boissons gazeuses vendues aujourd'hui étaient dans des temps anciens des médicaments à base d'herbes. Il y a des milliers d'années, les Chinois buvaient du thé au gingembre pour soulager l'indigestion. La science moderne confirme cette pratique. Durant l'époque élisabéthaine, les Britanniques créèrent leur propre remède contre les maux d'estomac: une boisson gazeuze à base de gingembre appelée *ginger beer* ou *ginger ale*.

Le coca-cola, à base de cola, a d'abord été utilisé à titre d'essai comme un remède à base d'herbes dans les cas de céphalées. Il a été inventé durant les années 1880 par un apothicaire d'Atlanta, aux États-Unis, qui gardait en inventaire la noix de cola. D'ailleurs, les médecins du XIXe siècle prescrivaient cette dernière pour traiter les troubles respiratoires. Un article du *Journal of the American Medical Association* a récemment suggéré de faire boire du cola aux enfants asthmatiques à des fins préventives.

Au restaurant, votre assiette estelle souvent garnie de brins de persil? Cette herbe se classe parmi les herbes à vertus curatives. Dans le passé, les gens avaient l'habitude de mâcher du persil afin de se rafraîchir l'haleine après le repas. Cet aromate a une forte teneur en chlorophylle, substance que l'on retrouve souvent dans les chewing-gums ou les autres produits à la chlorophylle.

Certains restaurants offrent à leurs clients une pastille à la menthe à la fin du repas. Cette coutume remonte à l'époque où les gens sirotaient du thé à la menthe après les festins pour bien digérer. Elle est confirmée aujourd'hui pas la science moderne.

Des origines à aujourd'hui

Qui d'entre nous n'a pas une armoire à pharmacie pleine de médicaments? Savez-vous que le mot drogue est étroitement lié à la guérison par les plantes? Le mot drogue vient en effet de l'allemand *droge*, qui veut dire sec comme dans l'expression faire sécher les plantes, la première étape dans la préparation des plantes médicinales. Mais ce n'est pas la seule origine du mot. Bon nombre des médicaments que l'on a à la maison sont à base de plantes médicinales.

À l'origine, l'aspirine était fabriquée à partir de deux herbes médicinales, l'écorce de saule blanc et la reine-des-prés. En fait, *spirin* dans aspirine vient de *spirea*, nom scientifique latin de la reine-des-prés.

Des millions de gens prennent du Sudafed® pour soulager la congestion causée par le rhume ou les allergies. L'un de ses constituants actifs, le pseudoéphédrine, a été développpé à partir de l'herbe médicinale la plus ancienne, le *ma huang*. Cette plante fut prescrite par les médecins chinois pendant plus de 5 000 ans pour soulager la congestion de la poitrine.

Il y a des milliers d'années, on a découvert que plusieurs aromates aidaient à soulager les douleurs dentaires. Nous savons maintenant que la carie dentaire et les maladies des gencives sont causées par une bactérie orale. La science a démontré que les plantes médicinales utilisées dans le traitement d'affections dentaires tuent lesdites bactéries. L'une des herbes antibactériennes est la menthe poivrée, dont l'huile, le menthol, se retrouve dans de nombreux dentifrices. L'un des constituants actifs du thym, le thymol, entre dans la composition de certains rince-bouche.

La constipation est un trouble fréquemment rapporté dans le monde. La plupart de laxatifs sont à base de plantes. Les divers produits à propriétés laxatives disponibles sur le marché contiennent notamment des graines de plantain, du cascara sagrada ou du nerprun.

Si vous avez des enfants, vous tenez sûrement à la maison un antitussif parfumé à la cerise. Cette saveur a sa raison d'être. Les Indiens d'Amérique traitaient la toux à l'aide d'écorces de cerises sauvages. L'usage s'est transmis jusqu'à aujourd'hui.

Le «trou noir» de la médecine

Les médecins européens prescrivent souvent des herbes médicinales de pair avec des produits pharmaceutiques ou pour les remplacer. En Amérique du Nord, certains médecins adhèrent à cette pratique, bien que la plupart d'entre eux restent incrédules, voire hostiles à l'herboristerie. Pourquoi?

La réponse est simple. Il existe un énorme «trou noir» dans la formation médicale américaine. Les écoles de médecine ignorent l'histoire de la guérison. La plupart des futurs médecins n'apprennent pas que jusqu'au XXe siècle les médicaments étaient fabriqués à base de plantes. Les professeurs de pharmacologie mentionnent rarement qu'un fort pourcentage de médicaments vendus aux États-Unis sont dérivés de plantes.

À l'occasion, un journal ou un magazine médical réputé rapporte l'efficacité d'une plante quelconque. Par exemple, un article récemment paru dans le *Journal of the National Cancer Institute* mentionne que l'ail préviendrait le cancer de l'estomac. Cependant, la plupart des études portant sur les plantes médicinales paraissent dans des publications inconnues, rédigées le plus souvent en allemand, auxquelles les médecins n'ont jamais accès. À vrai dire, la plupart des médecins américains ne sont pas informés des nombreuses publications qui démontrent la fiabilité et l'efficacité des plantes à propriétés thérapeutiques dans un grand nombre de maladies.

Le plus regrettable est que le médecin typique américain n'a d'autres sources d'information que les articles de certaines revues médicales qui ont tendance à insister sur les effets nocifs des plantes médicinales. Le nombre de personnes qui se montrent allergiques aux plantes est minime par rapport aux personnes qui supportent mal les produits pharmaceutiques et les traitements médicaux reconnus. Cependant, les médecins ne connaissent des plantes que leurs effets négatifs. Il n'est donc pas étonnant qu'ils doutent de leurs propriétés thérapeutiques.

Heureusement, l'opinion commence à changer grâce à la publication de nombreuses recherches sur les plantes médicinales dans des revues de prestige. Les spécialistes des maux de tête recommandent aujourd'hui le matricaire pour prévenir les migraines, après que plusieurs études fortement publicisées ont démontré son efficacité. Bon nombre de médecins suggèrent aujourd'hui de consommer du gingembre afin de prévenir le mal des transports et les nausées provoquées par le traitement de chimiothérapie. Une étude publiée dans la célèbre revue médicale britannique *Lancet* démontre en effet que le gingembre prévient mieux les nausées que le traitement standard à la dramamine. Beaucoup de cardiologues recommandent aujourd'hui un régime à base d'ail, suite à des études qui démontrent son extraordinaire efficacité dans la diminution du taux de cholestérol et d'autres facteurs de risques des maladies du cœur.

Les chirurgiens encouragent l'utilisation de préparations à base d'allantoïne, produit chimique extrait de la consoude, afin de favoriser la cicatrisation des incisions. Certains gastrœntérologistes prescrivent aujourd'hui une forme de réglisse modifiée pour le traitement des ulcères, suite à des études qui démontrent qu'elle est presque aussi efficace que le Tagamet, traitement standard. Les plantes médicinales jouent même un rôle en chimiothérapie. Deux substances, la vincristine et la vinblastine, extraites de la pervenche de Madagascar, servent aujourd'hui à traiter les enfants atteints de leucémie et de la maladie de Hodgkin.

De nos jours, l'opinion des scientifiques au sujet des remèdes anciens change peu à peu. Au fil de leurs découvertes, ils se font moins hésitants quand ils ont à parler des remèdes naturels. Il est maintenant plus facile et plus sûr que jamais de profiter des bienfaits des plantes médicinales.

Comment se servir de ce guide?

Certaines personnes sont tellement férues d'herbes médicinales qu'elles rejettent complètement la médecine moderne. Elles commettent une grave erreur. La médecine par les plantes peut contribuer grandement à une bonne santé, mais elle a aussi ses limites. Les herboristes responsables devraient consulter les médecins et conseiller, dans certains cas, des produits pharmaceutiques appropriés. En général, si une personne qui souffre d'une maladie bénigne ne réagit pas à un traitement à base de plantes au bout de deux semaines, elle doit consulter un médecin.

Pour certaines maladies, le remède à base de plantes est fortement conseillé: l'aloès pour les brûlures mineures, l'aneth pour les coliques du nourrisson ou l'huile de clou de girofle pour des maux de dent passagers.

Il va de soi que bon nombre de maladies exigent des soins professionnels, notamment l'hypertension artérielle, le diabète, les maladies cardiaques et l'insuffisance cardiaque congestive.

Cependant, les plantes médicinales peuvent compléter vos traitements type et vous procurer de nombreux bienfaits. Consultez néanmoins votre médecin avant de les utiliser.

Avant d'entreprendre un traitement à base de plantes:

- Lisez attentivement le chapitre 2 afin de connaître les plantes et les dangers qu'elles présentent. Les plantes étudiées dans *Les plantes qui guérissent* peuvent être utilisées en toute sécurité. Par contre, elles peuvent s'avérer nocives en cas de mauvaise utilisation.
- Avant d'utiliser l'une des plantes présentées dans le chapitre 5, lisez les sections intitulées «Préparation et posologie» et «Mise en garde».
- Avant de consommer des plantes médicinales, lisez les chapitres 3 et 4 pour savoir comment les préparer. Qui dit infusion ne dit pas forcément thé.
- Si vous comptez utiliser des plantes médicinales pour traiter une affection qui nécessite un traitement médical, apportez le présent guide lorsque vous irez consulter votre médecin. La liste de références qui figure à la fin du livre donne les sources scientifiques des données sur les plantes médicinales.

PREMIÈRE PARTIE

Tout ce qui constitue la médecine
la plus avancée trouve son origine
dans la médecine du passé.

Maximilien E. P. Littré

CHAPITRE

DE LA MAGIE À LA MÉDECINE: 5 000 ANNÉES DE MÉDECINE PAR LES PLANTES

Les propriétés thérapeutiques des plantes n'ont pas changé au fil des siècles. Ce qui était une plante médicinale il y a des milliers d'années l'est encore aujourd'hui. Les médecins des temps anciens étaient censés connaître leurs plantes. Ces dernières donnaient des pouvoirs de guérison à ceux qui les étudiaient, les utilisaient et les respectaient. Dans plusieurs pays et à différentes époques, les guérisseurs passaient leur temps à cueillir des plantes médicinales dans les champs et les forêts. Ils se souvenaient de ce qu'ils apprenaient et transmettaient leurs connaissances.

Ce savoir accumulé au cours des siècles nous est donné en partage. Aujourd'hui, les herbes que nous choisissons de planter pour soulager certains de nos maux et malaises sont sûres et efficaces. Cependant, les usages abandonnés au fil des ans restent fascinants. L'histoire des plantes médicinales est émaillée d'épisodes comiques et d'événements dramatiques marqués par des sacrifices humains et des héros dont le travail mérite d'être connu.

Avant d'aller plus loin, nous devons répondre à une question essentielle. *Qu'est-ce qu'une plante médicinale?* Le mot *plante* signifie herbe verte en latin. Théoriquement, les plantes sont des végétaux qui fânent à l'automne. Même si les arbustes et les arbres ne font pas partie de la famille des plantes, plusieurs d'entre eux sont reconnus pour leur usage thérapeutique, notamment l'épine vinette, le laurier et l'orme rouge. Pour un herboriste, le terme «plante médicinale» comprend *toutes* les plantes qui ont des propriétés thérapeutiques.

Les animaux se soignent avec des plantes

Les plantes médicinales qui nous sont familières aujourd'hui existaient bien avant l'apparition des premiers humains sur la terre. On ne sait combien de temps il a fallu à l'homme pour découvrir le pouvoir curatif des plantes, mais certains sites préhistoriques en Irak révèlent que l'homme de Néanderthal utilisait déjà l'achillée, la guimauve et d'autres plantes médicinales il y a 60 000 ans.

Du temps des hommes préhistoriques, les animaux mangeaient certaines herbes lorsqu'ils étaient malades. Nos ancêtres en firent l'essai à leur tour, et constatèrent bien souvent qu'elles avaient des effets étranges. Selon la plante qu'ils consommaient, ils se sentaient très vifs ou complètement assoupis. Tantôt, ils bénéficiaient de son action laxative ou, au contraire, de ses effets diurétiques. Les herbes qui provoquaient de telles réactions étaient confiées aux prêtres chamaniques de la préhistoire et furent un peu plus tard utilisées par les médecins.

L'observation du comportement des animaux continue de servir à l'homme d'aujourd'hui. Récemment, des naturalistes du Parc National Gombe, en Tanzanie, ont remarqué que des chimpanzés malades mâchaient les feuilles d'un arbuste appelé aspilia. Par la suite, les scientifiques découvrirent que les feuilles de l'arbuste contiennent un antibiotique puissant, la thiarubrine-A.

Magie aromatique

Les premiers humains étaient également séduits par les arômes des plantes médicinales. Ils frottaient des herbes fortement odorantes sur leur corps afin de repousser les insectes et masquer leur odeur aux animaux qui les terrifiaient ou qu'ils chassaient. Ils se parfumaient aussi à l'aide d'herbes odorantes pour séduire leur partenaire.

Pourtant, ce sont les herbes malodorantes qui ont joué un rôle de tout premier plan dans la guérison. Les premiers humains utilisaient le romarin, le thym, le pissenlit et à peu près toutes les épices à usage culinaire pour masquer l'odeur des viandes pourries. De nos jours, les herbes et les épices ne servent plus qu'à relever le goût des aliments. Mais, pour nos ancêtres préhistoriques, l'arôme n'entrait pas en ligne de compte dans la conservation des aliments.

Durant la préhistoire, l'homme n'avait pas la possibilité de réfrigérer les aliments. Par conséquent, les viandes pourrissaient très vite. La moisissure détruisait aussi les précieuses réserves de nourriture. Aussi, les premiers humains apprirent à leur détriment que manger de la viande pourrie peut rendre malade et même provoquer la mort. Il est évident que, tout au long de la préhistoire, les chasseurs et les femmes déposaient les viandes en état de putréfaction sur un lit de menthe sauvage, de sauge, de basilic ou de toute autre plante aromatique dans l'espoir que l'arôme des plantes utilisées masquerait leur odeur nauséabonde. Non seulement, il la masquait, mais il retardait le processus de pourrissement.

L'école de l'expérimentation

Nos ancêtres découvrirent aussi les vertus des plantes médicinales en en faisant l'essai. Ils apprirent ainsi à leurs dépens que certaines plantes guérissent alors que d'autres sont nocives. Ils avaient peu de contrôle sur leur corps et sur leur milieu. Leur espérance de vie était à peine de 30 ans. Leur vie était tellement pleine de dangers et de découvertes dangereuses, parfois fatales, que *tout* ce qui permettait de maîtriser un tant soit peu les événements revêtait une aura de magie.

Les principaux effets thérapeutiques des plantes, tels que les vomissements et les hallucinations, impressionnaient beaucoup l'homme préhistorique qui savait aussi reconnaître leurs bienfaits. Nous ne connaîtrons jamais le secret du paysan de la Chine ancienne qui faisait son thé à partir des petites tiges disgrâcieuses de *ma huang*, l'éphédra. Mais il y a 5 000 ans, le détenteur de ce secret découvrit le plus vieux médicament du monde, un décongestionnant ancêtre de la pseudoéphédrine, produit chimique similaire à l'éphédra toujours utilisé dans les rémèdes contre le rhume. Nous ne saurons jamais combien de racines les Indiens durent extraire avant de découvrir le gingembre il y a plus de 4 000 ans ni pourquoi les Indiens d'Amérique considéraient que le cimifuga pouvait provoquer des contractions utérines. Une chose est sûre: nos ancêtres extrayaient, séchaient, mâchaient, pilaient, frottaient et laissaient infuser les plantes, et c'est en procédant par tâtonnements qu'ils découvrirent la grande majorité des plantes médicinales utilisées de nos jours.

Des cultures différentes et des plantes similaires

Le principe du tâtonnement est d'autant plus surprenant que des cultures éloignées de plusieurs milliers de kilomètres ont abouti aux mêmes conclusions en ce qui concerne l'usage des plantes médicinales.

La guérison par les plantes repose essentiellement sur les traditions ayurvédique de l'Inde ancienne, chinoise, européenne et indienne d'Amérique. Jusqu'au XVe siècle, les cultures du vieux monde étaient isolées des Amériques. Cependant, les herboristes de l'ancien et du nouveau monde utilisaient bon nombre de plantes de la même façon.

L'angélique et la réglisse. Les Asiatiques, les Européens et les peuples autochtones d'Amérique utilisaient ces mêmes plantes dans les cas de maladies respiratoires.

Le houblon et les menthes. On retrouve ces herbes censées soulager l'estomac dans toutes les traditions d'herboristerie anciennes.

La mûre et la framboise. Ces deux plantes populaires sont reconnues dans le monde entier pour le traitement des diarrhées.

L'arbousier. Les Asiatiques, les Européens et les peuples autochtones de l'Amérique découvrirent les propriétés diurétiques de cette plante.

Le saule blanc. Cette plante est commune à toutes les pratiques d'herboristerie. Elle est notamment excellente pour soulager la douleur et les inflammations.

Au cours du XIXe siècle, les chimistes profitèrent de cette communauté d'usages pour fabriquer les premiers produits pharmaceutiques. Selon un rapport publié dans le journal *Science*, 74 % des 121 médicaments sur ordonnance dérivés des végétaux supérieurs attirent l'attention des compagnies pharmaceutiques en raison de leur utilisation en médecine traditionnelle.

Hommage aux «sages-femmes»

L'histoire médicale rapporte les découvertes des grands hommes, notamment Hippocrate, le père de la médecine, et Alexander Fleming qui découvrit la pénicilline. Certes, il ne faut pas sous-estimer leur contribution. Mais de tous temps, un nombre relativement faible de médecins de sexe masculin ont fait les grandes découvertes et soigné les princes et les rois, alors qu'un très grand nombre d'herboristes de sexe féminin ont offert leurs soins au petit peuple.

Les guérisseuses ont été diversement nommées: sages-femmes, femmes sages, femmes vertes, sorcières, vieilles épouses et infirmières. La plupart des médecins n'ont jamais pris la médecine populaire au sérieux, et les scientifiques font de la sagesse populaire une histoire de vieilles femmes.

Un fait demeure: les femmes dépourvues de connaissances médicales fournissent encore aujourd'hui la plupart des premiers soins de santé dans le monde. Même aux États-Unis, beaucoup de gens consultent les médecins en dernier ressort. La profession médicale fait valoir que le médecin de famille devrait être notre «premier fournisseur de soins de santé». Cependant, des études démontrent qu'avant de se rendre chez le médecin, *environ 90 % des gens* consultent un ami ou un membre de la famille, et essentiellement des femmes.

Les femmes ont également toujours été les premières bénéficiaires des soins de santé. Aujourd'hui, on estime que les deux tiers des consultations chez le médecin et les trois quarts des ordonnances leur sont attribuables. Ce n'est pas un hasard si, au cours des siècles, un grand nombre de plantes ont servi à calmer les douleurs abdominales, déclencher les règles, provoquer les avortements, favoriser l'allaitement maternel ou, au contraire, le sevrage, soulager les coliques du nourrisson et la diarrhée infantile, l'une des premières causes de mort infantile dans le monde. Tels étaient les maux les plus courants que les femmes dotées de pouvoirs de guérison avaient pour mission de soulager.

Parfois, des femmes herboristes sans aucune connaissance médicale initiaient des médecins formés à l'université à leurs techniques de guérison par les plantes. Ainsi, une guérisseuse révéla à un médecin britannique les secrets de la digitale pour traiter les cas d'insuffisance cardiaque. La digitale contient en effet de la digitaline, médicament reconnu pour le cœur. Pourtant, les médecins n'avaient bien souvent que du mépris pour les guérisseurs qu'ils considéraient comme les praticiens ignorants d'une médecine de bas étage. On ne peut pas dire que l'opinion de la plupart des médecins sur la médecine par les plantes ait beaucoup changé. Pourtant, les femmes herboristes ont joué un rôle déterminant dans l'histoire médicale, mais leurs témoignages sont inexistants. Tout comme on oublie que les plantes médicinales sont à l'origine d'un grand nombre de médicaments encore utilisés aujourd'hui, les «sages-femmes» sont les guérisseuses oubliées qui nous ont légué leur savoir et le fruit de leurs expériences.

Si l'on en juge par le nombre de plantes destinées à traiter les problèmes de santé typiquement féminins, ces guérisseuses méconnues sont les instigatrices des quatre grandes traditions en herboristerie. Cependant, peu d'entre elles font l'objet d'une mention dans l'histoire des plantes médicinales.

Shen Nung et le *Grand Classique des plantes médicinales*

Les origines de l'herborisme chinois se perdent dans la nuit des temps, mais la légende veut que, aux alentours de l'an 3400 avant notre ère, l'empereur et grand sage Shen Nung inventât l'agriculture et découvrît les propriétés médicinales de plusieurs plantes. Ce personnage illustre prit sur lui de les expérimenter, et en nota les effets. L'une d'elles était empoisonnée. Il en mourut sur-le-champ.

Les herboristes chinois reconnaissent à Shen Nung la paternité du premier grand herbier de la Chine, le *Pen Tsao Ching (Le Grand classique des plantes médicinales)*. Cet ouvrage comprend 237 ordonnances prescrites à partir de plus d'une dizaine de plantes dont l'éphédra, la rhubarbe et le pavot. Les empereurs qui lui succédèrent commandèrent de nouveaux herbiers, tous plus détaillés les uns que les autres. En 1590, Li Shih-Chen publia son remarquable ouvrage en 52 volumes intitulé *Pen Tsao Kang Mu ou Catalogue des plantes médicinales*, riche de 1 094 descriptions de plantes médicinales et de 11 000 formules de préparation.

Au milieu du XIXe siècle, les colonialistes européens introduisirent la médecine occidentale en Chine au mépris de l'herboristerie traditionnelle chinoise et de l'acupuncture. Les Chinois pour leur part éprouvaient la même méfiance à l'égard de la médecine des «démons étrangers». Les deux systèmes semblaient irréconciliables.

Quelque temps après l'instauration de la République chinoise en 1949, le gouvernement chinois déclara que l'immense population chinoise négligée au point de vue médical pourrait désormais bénéficier d'une médecine chinoise occidentalisée. Concilier ces deux types de médecine ne fut pas chose aisée, mais après 40 ans de tentatives, des progrès considérables furent accomplis. Dans la Chine actuelle, des médecins initiés à la médecine occidentale côtoient les herboristes et les acupuncteurs formés à l'ancienne. Les médecins chinois et occidentaux examinent les mêmes patients, se consultent mutuellement et s'échangent les recommandations.

L'année 1972 constitue une période charnière pour les Américains. C'est en effet avec la première visite du président Nixon en Chine que les Américains se réconcilièrent avec la médecine chinoise. La télévision diffusa un étonnant reportage sur une intervention chirurgicale réalisée sur une Chinoise qui souffrait de douleurs au ventre. Parfaitement consciente, cette dernière avait été anesthésiée à l'aide de quelques aiguilles piquées dans le lobe des oreilles et dans les pieds. Quelque temps plus tard, un éditorialiste du *New York Times* qui avait accompagné Nixon pendant son séjour demanda à être traité en acupuncture pour se relever d'une appendicectomie. Ce fut un succès. Grâce à son récit publié dans le journal le plus influent de la nation, les États-Unis ouvrirent leurs portes à l'herboristerie et à l'acupuncture chinoises.

Jivaka et les Veda

L'herboristerie indienne est presque aussi ancienne que celle de la Chine.

Elle aussi a ses héros mythiques. À l'époque de l'exode des juifs hors d'Égypte, vers 1200 avant notre ère, un jeune Indien sans fortune nommé Jivaka voulait étudier la médecine. Un jour, il fit la connaissance du grand Punarvasu Atreya, fondateur de la première école médicale de l'Inde, et lui proposa de le servir en échange d'une formation médicale. Au terme de sept ans d'études, il demanda au professeur émérite à quel moment il aurait son diplôme. Pour toute réponse, Jivaka se fit demander d'aller cueillir dans la campagne toutes les plantes qu'il jugeait inutiles au plan médical. On ne revit pas Jivaka de plusieurs jours. Quand il réapparut, il était bredouille et profondément attristé. Il raconta à son mentor qu'il n'avait pu trouver une seule plante qui ne possédât un quelconque pouvoir de guérison. Le professeur Atreya le rassura en disant: «Tu as désormais tout le savoir nécessaire pour faire un bon médecin.»

Les Indiens des temps anciens appelaient leur médecine *ayurveda*. Deux mots sanskrits sont à l'origine de ce mot: *ayur* qui veut dire vie et *veda*, savoir. La médecine ayurvédique s'est élaborée à partir des Veda, les quatre livres sur la sagesse. Le plus ancien, le Rig Veda, date de 4 500 ans et contient des descriptions incroyablement détaillées sur les interventions chirurgicales de l'œil, les amputations d'un membre ainsi que les formules de préparation de remèdes à partir de 67 plantes médicinales, dont le gingembre, la cannelle et le séné.

L'une des plantes que les guérisseurs ayurvédiques firent connaître était le *Rauwolfia serpentina*. Cette plante est à l'origine de la resperine qui est utilisée en médecine occidentale dans les cas d'hypertension artérielle.

Vers l'an 600 de notre ère, la médecine ayurvédique influença la médecine arabe qui regroupait les pratiques médicales du Moyen-Orient, du monde gréco-romain et de l'Asie. Les médecins arabes introduisirent à leur tour en Europe certaines pratiques ayurvédiques.

Au cours du XIXe siècle, les Britanniques renversèrent le processus en introduisant la médecine occidentale en Inde. On estime cependant qu'encore 70 % des Indiens et des Pakistanais remettent leur sort entre les mains des médecins ayurvédiques et se soignent avec les plantes médicinales qui leur sont prescrites.

Ces habitants du Nil qui «empestent»

Bien qu'une partie de l'herboristerie chinoise et indienne se soit implantée en Europe grâce aux Arabes, l'herboristerie occidentale doit ses connaissances à un autre pays de culture ancienne, l'Égypte. En 1874, dans la Vallée des Tombeaux près de Luxor, l'égyptologue allemand Georg Ebers découvrit le plus ancien ouvrage médical du monde, un papyrus de 20 m de long qui datait approximativement de 1 500 ans avant notre ère. L'*Ebers Papyrus* résume plus de 1 000 années de médecine égyptienne ancienne et contient 876 formules élaborées à partir de plus de 500 plantes, dont environ un tiers font partie de la pharmacopée occidentale moderne.

Certaines de ces formules ont de quoi surprendre, par exemple un shampoing fabriqué à partir d'une patte de chien, de feuilles de palmier pourries et du sabot d'un âne préalablement bouillis dans de l'huile que l'on frotte ensuite sur la tête. Certains principes, par contre, sont indéniablement modernes, notamment celui de bander les blessures avec du pain moisi afin d'éviter l'infection. Les antibiotiques modernes sont bel et bien dérivés de la moisissure.

L'engouement des Égyptiens pour les plantes aromatiques céda la place à une passion pour deux herbes que l'on considérait, dans les temps anciens, comme des plantes nauséabondes, l'ail et l'oignon. Les Égyptiens croyaient que l'ail et l'oignon donnaient de la force et prévenaient les maladies. (Cette conception est confirmée par la science moderne.) Ils en mangeaient tellement que l'historien grec Hérodote les appelait «ces gens qui empestent». (On a retrouvé six gousses d'ail dans la tombe du roi Tut).

Aux environs de l'an 500 avant notre ère, les herboristes égyptiens avaient la réputation d'être les meilleurs de toute la Méditerranée. Les souverains et dirigeants, depuis Rome jusqu'à Babylone, les recrutaient comme médecins de la cour. Les futurs médecins, la plupart natifs de Rome et, parmi eux, un certain Galien, partaient en Égypte étudier avec les plus grands maîtres de la médecine du Nil. C'est par ces jeunes médecins exilés que la médecine par les plantes égyptienne influença la médecine occidentale.

Les guérisseurs de l'Europe et ses assassins

Le véritable premier botaniste spécialisé dans la médecine par les plantes fut Pedanios Dioscoride. Né en Turquie en l'an 40 de notre ère, Dioscoride était grec, mais il exerça la profession de médecin auprès des légions romaines de l'empereur Néron. En l'an 78, il publia *De materia medica (À propos des remèdes)*, le premier véritable herbier de l'Europe. Cet ouvrage faisait l'étude de 600 plantes, dont 90 sont encore utilisées aujourd'hui.

De materia medica fut l'ouvrage de référence par excellence pendant 1 500 ans. Après l'invention de l'imprimerie vers 1450, *De materia medica* fut l'un des premiers ouvrages à être publiés.

Les herboristes romains étaient aussi prompts à tuer qu'à soigner. La cour impériale de l'empire romain bouillonnait d'intrigues et de complots meurtriers ourdits par les factions hostiles qui se disputaient les faveurs politiques. Entre autres méthodes d'élimination, notamment le poignard et les présumés accidents fréquents, l'empoisonnement par les plantes avait la faveur des meurtriers. La mort survenait tardivement et, par conséquent, le meurtrier pouvait décamper ou trouver un alibi. À une époque où l'on ne faisait pas encore d'autopsies et où des gens apparemment en bonne santé tombaient malades et mouraient peu après, les empoisonneurs pouvaient fuir sans être soupçonnés. Par conséquent, tous les dirigeants de l'empire romain tenaient à connaître les poisons à base de plantes et leurs antidotes.

À la chute de Rome, les Barbares s'emparèrent non seulement des terres et des richesses de Rome, mais de ses immenses réserves de plantes et d'épices. Lors d'une attaque, ils exigèrent des chevaux, de l'argent et 3 000 livres de poivre noir.

Monastères et liqueurs

Après la chute de Rome, la médecine européenne fut dominée par l'église catholique qui officiellement considérait la maladie comme un châtiment divin que seules la prière et la pénitence pouvaient racheter. Cependant, des moines catholiques protégeaient l'héritage gréco-romain de l'herboristerie en recopiant des textes anciens.

Parmi les ordres monastiques qui encourageaient l'herboristerie, les Bénédictins étaient les plus passionnés. Ils furent les premiers Européens à adopter la pratique arabe qui consistait à transférer à l'alcool les pouvoirs de guérison des plantes. Ainsi, ils aromatisèrent le vin à l'aide de plantes digestives et inventèrent un certain nombre de liqueurs, dont l'une porte le nom de Bénédictine.

Charlemagne, empereur du Saint Empire romain germanique, était si impressionné par les vastes jardins des Bénédictins qu'il ordonna à tous les monastères de son vaste royaume de faire leurs «jardins» afin de ne jamais manquer de plantes médicinales. Charlemagne appelait ces dernières «les amies du médecin et du cuisinier».

Le plus remarquable des herboristes bénédictins fut une femme, Hildegard de Bingen (1098-1179), abbesse au couvent de Ruperstburg, en Rhénanie. Entrée dans les ordres à l'âge de 15 ans, Hildegard soutenait que Dieu lui avait ordonné de soigner les malades et d'inventorier ses formules d'herboristerie. Son ouvrage, *La médecine de Hildegard*, conciliait le catholicisme mystique et la médecine populaire allemande à sa profonde connaissance des plantes médicinales.

Hildegard était une femme exceptionnelle. Elle écrivit un traité de médecine inédit à une époque où les quelques Européens cultivés, surtout les moines, se contentaient de recopier les Grecs et les Romains. Et elle fut la seule femme du Moyen Âge à transmettre par écrit les pratiques de guérison d'une «sage femme». Certains de ses conseils nous semblent ridicules. Par exemple, elle conseillait aux personnes qui avaient la vue faible de frotter leurs yeux avec une topaze trempée dans du vin. Cependant, beaucoup de ses recommandations étaient sensées. Par exemple, elle préconisait un régime équilibré et conseillait de se laver les dents avec de l'aloès et de la myrrhe, deux plantes reconnues pour leurs propriétés antibactériennes et qui aident à prévenir les caries.

À l'époque où les Bénédictins inventèrent la liqueur, les Angles et les Saxons germaniques s'implantèrent en Angleterre. Instruits en herboristerie dans leurs pays, ils s'enrichirent des connaissances des Celtes et de leurs prêtres, les druides. Aux alentours de 950 de notre ère, un noble qui s'appelait Bald, persuada le roi Alfred de commander le premier herbier britannique. L'ouvrage rassemblait les connaissances anglo-saxonnes et celtiques, de même que les pratiques gréco-romaines et arabes. Connu sous le nom de *Leech Book of Bald*, cet ouvrage présente 500 plantes médicinales, dont la verveine et le gui, plantes sacrées pour les druides.

Les sages-femmes: des guérisseuses accusées de sorcellerie

Hildegard de Bingen eut de la chance de vivre au XIe siècle. Si elle avait pratiqué l'herboristerie de 1300 à 1650, elle aurait sûrement été brûlée comme sorcière.

On ne connaît pas vraiment l'origine des chasses aux sorcières très répandues en Europe pendant 350 ans. Les féministes prétendent qu'elles sont directement reliées à la montée de la médecine laïque que s'approprièrent les hommes. D'autres affirment que la peste bubonique ou mort noire, qui balaya l'Europe et fit mourir la moitié de la population, en est responsable.

Quelle qu'en soit la cause, après l'an 1300, la réputation des femmes herboristes au savoir tant respecté changea radicalement. De femmes sages, elles devinrent des sorcières. Les chasses aux sorcières commencèrent en Allemagne et graduellement atteignirent toute l'Europe. Les accusations de «relations sexuelles avec le diable» étaient corroborées par des témoignages démontrant que la présumée sorcière utilisait des plantes médicinales et concoctait des potions, des produits de beauté, des philtres d'amour, des aphrodisiaques et des poisons, en plus d'aider les femmes à avorter.

Les accusations d'empoisonnement étaient particulièrement accablantes. Il n'est pas impossible que certaines herboristes aient perpétué la tradition romaine de l'assassinat au moyen de plantes. Mais c'était avant qu'on ne découvre la «relation entre le dosage et la réaction», ou principe selon lequel plus le dosage est fort, plus l'effet est important. Beaucoup de plantes dites plantes de sorcières sont toxiques en grandes quantités, mais ne présentent aucun danger lorsqu'elles sont utilisées en petites quantités à des fins thérapeutiques ou comme produits de beauté.

Les chasses aux sorcières ne parvinrent pas à éliminer l'herboristerie au féminin, mais elles réussirent à le marginaliser. Plus d'un siècle après les dernières chasses aux sorcières, la «vieille femme» qui aida à faire connaître la digitale, ancêtre de la digitaline et médicament pour le cœur, déclara que sa «recette était un secret de famille». Un secret que ses ancêtres avaient eu bien raison de garder.

Nicholas Culpeper: le Robin des bois de l'herboristerie britannique

Avec l'invention de l'imprimerie vers l'an 1450, on découvrit une grande quantité d'herbiers, surtout en Angleterre.

Nicholas Culpeper était de loin l'herboriste anglais le plus influent. Son ouvrage, *Complete Herbal and English Physician*, d'abord publié en 1652, a été réédité plus d'une centaine de fois depuis lors. À ce jour, seules la Bible et les œuvres de Shakespeare ont bénéficié d'un plus grand nombre de rééditions.

Culpeper était et est toujours un personnage aussi détesté qu'aimé. Son contemporain et herboriste William Coles le dénonça comme «un homme qui ne connaissait rien aux simples plantes médicinales». Aujourd'hui, les scientifiques raillent la passion de Culpeper pour l'astrologie.

Égotiste et effronté, Culpeper atteignit sa majorité durant la guerre civile qui opposa Oliver Cromwell au Parlement puritain britannique. Vainqueurs, les Puritains abolirent la monarchie et exécutèrent le roi Charles. Culpeper était d'origine aristocratique, mais c'était un Puritain. Il se battit au côté de Cromwell. Un coup de mousquet reçu en pleine poitrine altéra sa santé jusqu'à la fin de ses jours et le décida à étudier la médecine.

En tant qu'aristocrate, Culpeper fréquenta l'université de Cambridge, tomba amoureux et envisagea de ravir sa fiancée. Mais celle-ci fut foudroyée dans le carrosse qui la conduisait à leur lieu de rendez-vous. Fou de douleur, Culpeper quitta Cambridge et se fit engager comme apprenti chez un apothicaire, comble de la déchéance sociale pour qui avait fréquenté l'université de Cambridge.

Culpeper était un homme étrange. Formé à Cambridge, il savait lire le grec et le latin aussi bien que les médecins. Il était parfaitement conscient du mépris que ses anciens camarades d'université éprouvaient pour les apothicaires. De plus, le Puritain qu'il était s'insurgeait de voir que le Collège monarchique des médecins ignorait les besoins de santé des classes inférieures essentiellement puritaines. Culpeper décida de devenir le «Robin des bois de la médecine».

En 1649, Culpeper traduisit du latin vers l'anglais le *Pharmacopœia Londinensis*. Il appela ce manuel des médecins *The London Dispensatory and Physical Directory*. L'ouvrage permit aux apothicaires et à tous ceux qui ignoraient le latin d'accéder à des milliers de formules qui constituaient l'état des connaissances médicales au XVIIe siècle. L'audace de Culpeper lui attira la haine des autres médecins. Mais les apothicaires, les sages-femmes et le peuple lui étaient reconnaissants de leur avoir donné accès à la connaissance médicale.

Afin de rendre la médecine par les plantes encore plus accessible, Culpeper publia son *Herbier* en 1652. Cet ouvrage révolutionnaire donnait autant d'importance à l'herboristerie officielle des grands maîtres du passé qu'à la sagesse populaire des campagnards.

Les critiques contemporains rejettent le savoir de Culpeper en raison de sa passion pour l'astrologie. Culpeper avait la fâcheuse tendance à considérer chaque plante médicinale comme une panacée. C'est ainsi qu'il vanta les mérites de dizaines de plantes censées «guérir toutes les blessures internes et externes». Il présenta environ un tiers des plantes de son *Herbier* comme des remèdes garantis contre les «morsures et les piqûres des créatures venimeuses». Il faisait aussi l'éloge de plusieurs plantes qui favorisaient le «déclenchement du flux menstruel».

Culpeper n'est pas complètement répréhensible. Dans les années 1650, on savait très peu de choses sur le corps humain et les déclarations qui nous semblent grossières aujourd'hui ne sont peut-être pas aussi farfelues qu'on le croit. Selon les médecins, la plupart des problèmes de santé s'autoguérissent, c'est-à-dire que si l'on attend assez longtemps, ils disparaissent d'eux-mêmes. Il suffit de prendre n'importe quelle plante destinée à soigner des «blessures internes et externes», pas forcément celles que Culpeper recommandait, pour qu'elles guérissent.

Malheureusement, le principe selon lequel chaque maladie peut être soignée par une plante est devenu la règle en herboristerie. Plusieurs herbiers très populaires aujourd'hui encensent les thèses de Culpeper et fournissent des armes aux détracteurs de l'herboristerie. Nicholas Culpeper était une figure riche et originale de la médecine botanique, mais son *Herbier* devrait être replacé dans son contexte historique. Il ne s'agit en aucun cas d'un ouvrage de référence pour la médecine par les plantes d'aujourd'hui.

Les colons maladifs face aux Indiens d'Amérique robustes

La quatrième grande tradition en herboristerie vit le jour dans les contrées lointaines du Nouveau Monde. Les Européens considéraient les Indiens d'Amérique comme d'«ignorants sauvages», sauf lorsque ces derniers soignaient les malades. Les explorateurs et les colons étaient tous exposés aux fléaux, à la peste et aux souffrances de retour dans leur pays. Aussi, ils s'émerveillaient de voir que les Indiens étaient en bonne santé, qu'ils résistaient à la maladie et qu'ils avaient les dents en parfait état. Il n'est pas surprenant que les colons se montrèrent soucieux de connaître les secrets de l'herboristerie amérindienne.

Cotton Mather, médecin et ministre puritain de Boston, écrivait que les guérisseurs amérindiens concevaient «des remèdes vraiment extraordinaires». Lorsque John Wesley, fondateur du méthodisme, visita l'Amérique dans les années 1730, il écrivit que les Indiens avaient «extrêmement peu» de maladies et que leurs remèdes étaient «efficaces et généralement infaillibles». Plus tard, même les soldats de l'armée américaine qui détestaient farouchement les Indiens s'émerveillaient de l'efficacité avec laquelle ces derniers soignaient les blessures. Pluisieurs médecins américains des débuts de la colonie s'enquérirent des secrets des plantes auprès des herboristes amérindiens.

Évidemment, les guérisseurs amérindiens étaient vivement critiqués par les médecins formés à l'université. L'un d'eux, Benjamin Rush, médecin à Philadelphie et l'un des signataires de la Déclaration d'indépendance affirma: «Les Indiens ne nous ont rien appris en ce qui concerne le *De materia medica*. Ce serait faire un terrible reproche à nos écoles de physique que de prétendre que les médecins modernes sont moins efficaces que les Indiens.»

Rush faisait erreur. Les Indiens d'Amérique initièrent les colons blancs aux vertus médicinales de plusieurs plantes: cimifuga, caulophylle faux-pigamon, viorne, eupatoire, cascara sagrada, échinacéa, chaparral, hydrastis, lobélie, raisin d'Orégon, salsepareille, orme rouge, merise et hamamélis.

Évidemment, les premiers colons américains cultivèrent des plantes médicinales et culinaires dans leurs potagers domestiques. Thomas Jefferson était l'un d'eux. Son potager d'une énorme superficie, situé à Monticello, contenait 26 herbes.

La médecine botanique de Thomson

La figure dominante en herboristerie américaine est Samuel Thomson (1760-1843). Né à Alstead, dans l'État du New Hampshire, il étudia les plantes médicinales auprès d'une sage-femme et de guérisseurs indiens. Vers 1800, sa fille tomba gravement malade. Doutant de ses pouvoirs de guérison, il fit venir un médecin qui déclara son état incurable.

Il prit le parti de la soigner au moyen de plantes et de bains chauds comme il l'avait vu faire dans les villages indiens. Quelque temps plus tard, il se déclara «médecin».

Thomson détestait les médecins traitants de son époque qui préconisaient la saignée, les puissants laxatifs et le mercure dans bon nombre de cas. On appelait ces traitements «médecine héroïque». Cependant, les seuls héros étaient les patients. Prenez par exemple le cas de George Washington. En 1799, celui qui fut le premier président des États-Unis souffrit d'un mal de gorge accompagné de fièvre et de frissons. Il avait probablement contracté une maladie virale (streptoccoques) ou souffrait d'une infection bénigne, qu'il aurait été facile de guérir en prescrivant du repos, des liquides chauds et des antibiotiques naturels, tels que l'ail et l'oignon. Mais les médecins dits «héroïques» préférèrent lui retirer deux litres de sang, ce qui eut pour effet de l'affaiblir davantage. Ils lui prescrivirent des laxatifs et du mercure. Vingt-quatre heures plus tard, il était décédé.

Samuel Thomson mit sur pied un système médical qui reposait sur les plantes médicinales et les bains chauds, méthodes calquées sur l'herboristerie européenne et les bains minéraux, de même que sur l'herboristerie indienne. Sa plante préférée était la lobélie, ou tabac indien, qui, à fortes doses, provoque des vomissements.

En 1809, Samuel Thomson fut arrêté pour meurtre après avoir, paraît-il, administré une dose mortelle de lobélie. Il fut acquitté, car personne ne put prouver que la lobélie était une plante vénéneuse. Mais, même après son acquittement, les médecins conventionnels du New Hampshire se sentaient encore menacés. Ils persuadèrent l'administration de l'État de défendre à Samuel Thomson d'y pratiquer la médecine. Il n'en fallut pas plus à Thomson pour lui assurer une renommée nationale.

En 1839, au faîte de sa popularité, Thomson se targuait d'avoir trois millions d'adeptes. Il exagérait sûrement, mais il n'empêche que son herboristerie était extrêmement populaire. Thomson s'enorgueillissait de savoir que la moitié des habitants de l'Ohio pratiquaient son mode de guérison par les plantes. D'après ses détracteurs, seulement un tiers d'entre eux lui étaient acquis.

Le système médical que Thomson avait mis sur pied s'éteignit à sa mort en 1843. Certains praticiens dont les naturopathes, perpétuèrent la tradition thomsonienne et continuèrent de préconiser des traitements associant les plantes et le bain. L'un d'eux est le Dr John Kellogg de Battle Creek, au Michigan, inventeur des premiers aliments diététiques, les flocons d'avoine, et fondateur de la compagnie de céréales Kellogg. Cependant, la médecine de Thomson fut supplantée par l'homéopathie et l'herboristerie éclectique.

Les éclectiques ou herboristes scientifiques de l'Amérique

Même si les médecins traditionnels recouraient systématiquement à la saignée, aux puissants laxatifs et au mercure, la plupart des remèdes du XIXe siècle étaient à base de plantes. En 1820, les deux tiers des traitements inscrits dans la *U.S. Pharmacopœia* étaient d'origine végétale. En 1880, on parlait des trois quarts.

Autour des années 1820, un groupe de médecins anti-héroïques composé d'adeptes de Thomson, d'herboristes formés par les Indiens d'Amérique et de médecins déçus des méthodes traditionnelles fondèrent la Reformed Medical Society (Société médicale réformée) afin de promouvoir la médecine par les plantes. En 1830, ses membres se rencontrèrent à New York dans le but de fonder une telle école de médecine.

Les Réformateurs venaient surtout de l'est du pays alors que leurs villes natales étaient les bastions de la médecine traditionnelle. Par conséquent, les Réformateurs décidèrent de fonder leur école à la frontière ouest du pays reconnue pour sa liberté de pensée. Ils lui préférèrent la région du fleuve Mississipi. Comme la médecine thomsonienne était populaire en Ohio, ils fondèrent leur école près de Colombus. Ils adoptèrent le terme *éclectique* pour décrire leur conception de médecine par les plantes qui s'inspirait des principaux courants en herboristerie issus d'Europe, d'Asie, d'Inde, ainsi que des modes de guérison par les plantes propres aux esclaves.

En 1845, ces médecins éclectiques déménagèrent l'Institut médical éclectique à Cincinnati. Leur école fut la première à admettre des femmes, dont beaucoup étaient des adeptes de Thomson, qui cherchaient à approfondir leurs connaissances. Mais en 1877, ils «cédèrent aux préjugés qui frappaient la profession», rapporte l'historien éclectique Henry Felter. L'école ferma ses portes aux femmes.

Les médecins éclectiques étaient des herboristes scientifiques. Ils expérimentaient les plantes, analysaient leurs actions chimiques, extrayaient leurs constituants actifs, publiaient leurs découvertes dans des journaux scientifiques et jouaient un rôle important dans l'industrie pharmaceutique naissante.

Les années 1880 à 1900 constituèrent l'âge d'or de la médecine éclectique qui comptait pas moins de 8 000 praticiens. Cependant, sa popularité déclina au XXe siècle et l'Institut remit ses derniers diplômes en 1939.

L'héritage des mouvement éclectiques n'est pas demeuré vain. Il est présent dans les programmes de phytothérapie des deux écoles de naturopathie des États-Unis, le Collège national de la médecine naturopathique de Portland, en Oregon, et le Collège John Bastyr de Seattle, dans l'État de Washington.

Le traitement du cancer à l'aide de l'herbier de Hoxsey

La période des années vingt aux années soixante correspond aux décennies perdues de la médecine par les plantes aux États-Unis. Les écoles de médecine occultèrent l'étude des plantes dans leurs programmes. Les médicaments remplacèrent les teintures à base de plantes dans les armoires à pharmacie du pays. Même les herbes appréciées pour leur assaisonnement perdirent la faveur des cuisiniers. La médecine par les plantes ne mourut pas pour autant. Elle retrouva sa forme originelle et redevint une médecine populaire que se réapproprièrent les femmes et quelques hommes qui cultivaient et cueillaient leurs propres herbes et les prescrivaient à la façon des herbiers traditionnels.

Une poignée d'irréductibles continua de promouvoir la médecine par les plantes. Le Dr Benedict Lust, père de la naturopathie moderne, quitta l'Allemagne pour les États-Unis en 1895. Il ouvrit le premier magasin d'aliments naturels du pays et fonda des sanatoriums au New Jersey et en Floride qui préconisaient les bains thérapeutiques et les remèdes à base de plantes. Son neveu, John Lust, écrivit *The Herb Book*.

Jethro Kloss, directeur de sanatorium et père de l'alimentation diététique publia *Back to Eden* en 1939. Sous-titré *A Story of the Health and Restoration to be Found in Herb, Root, and Bark*, l'ouvrage fait l'objet de nombreuses rééditions depuis cette date.

L'herboriste le plus extravagant et le plus controversé du milieu du XXe siècle demeure Harry Hoxsey. Ce dernier proclamait que sa potion à base de plantes médicinales guérissait le cancer. Ancien mineur de charbon dans les Appalaches, Hoxsey obtint son diplôme d'études secondaires par correspondance et ne reçut aucune formation médicale. Il attribuait sa découverte à son arrière grand-père qui avait vu un cheval se remettre d'un cancer après qu'il eut ingéré différentes plantes. Hoxsey commença à prescrire la formule à usage domestique dans les années trente et vers les années cinquante, sa clinique à Dallas était le plus grand centre du cancer privé du monde. Très vite, Hoxsey ouvrit des cliniques dans 17 États américains.

Les affirmations de Hoxsey choquaient les autorités médicales du Texas et un procureur de Dallas l'arrêta pour fraude plus de cent fois dans les années trente. Le traitement de Hoxsey ne fut pas efficace dans tous les cas, mais le procureur ne put obtenir aucun aveu d'escroquerie, et Hoxsey fit témoigner des centaines de personnes qui jurèrent que son traitement avait guéri leur cancer.

Finalement, la Food and Drug Administration (FDA) fit fermer les cliniques de Hoxsey, sous prétexte qu'elles violaient le règlement fédéral sur l'étiquetage des conditionnements des médicaments. La FDA ne reconnaissait pas l'efficacité des plantes de Hoxsey dans le traitement du cancer.

Ironiquement, Hoxsey mourut du cancer de la prostate. Le traitement qu'il avait conçu ne fut d'aucun effet dans son cas.

Le traitement de Hoxsey est conservé au Centre bio-médical de Tijuana, au Mexique. Des études récentes démontrent que neuf des plantes du célèbre botaniste ont une action anticancéreuse: l'épine vinette, le nerprun, la bardane, la cascara sagrada, le clou rouge, la réglisse et bien d'autres herbes moins connues.

La FDA contre les plantes médicinales

Les spécialités pharmaceutiques auxquelles on ajoutait de l'alcool, de la cocaïne et même de l'héroïne soulevèrent un tollé en faveur d'une législation nationale sur les médicaments. La publication de *The Jungle*, exposé sur la conservation de la viande rédigé par Upton Sinclair, acheva de convaincre le Congrés d'interdire la falsification ou le mauvais étiquetage des aliments et des médicaments.

Le Congrès instaura la FDA en 1928, mais cet organisme avait peu de pouvoirs. Puis en 1937, un nouvel antibiotique, l'élixir de sulfanilamide, entraîna la mort de 107 personnes. Sa base liquide s'était révélée toxique. L'année suivante, le Congrès promulgua la loi sur les aliments, les médicaments et les cosmétiques qui conduisit aux premières réglementations américaines sur les médicaments. Soulignons ici que les médicaments homéopathiques restèrent en dehors de ces règlements, en raison du soutien qu'accordait un membre du Congrès, également homéopathe, à cette médecine.

À la fin des années cinquante, la thalidomide, somnifère conçu en Europe et réputé inoffensif, causa de graves malformations congénitales chez 8 000 enfants. Les mères avaient en effet consommé ce médicament lorsqu'elles étaient enceintes. Ce scandale amena la FDA à réglementer plus sévèrement l'usage des médicaments afin qu'aucun doute ne subsiste quant à leur sécurité et leur efficacité avant leur diffusion. Malheureusement, la FDA ignora la grande majorité des plantes médicinales. Elle préféra les laisser dans un vide juridique et leur refusa une quelconque reconnaissance tant qu'elle ne les avait pas homologuées.

Pour qu'un nouveau médicament soit homologué, les fabricants de nouveaux médicaments ou les compagnies chargées du conditionnement des plantes millénaires doivent se conformer aux Règlements sur les nouveaux médicaments et procéder à des études approfondies qui démontrent hors de tout doute la sécurité et l'efficacité du médicament au moyen de tests de laboratoire et d'essais cliniques. Ces essais sont extrêmement coûteux, soit 50 à 100 millions de dollars par médicament.

Seules les grandes compagnies pharmaceutiques ont suffisamment de ressources financières pour procéder à ces essais. À vrai dire, peu d'entre elles sont disposées à dépenser des millions de dollars dans le seul but de prouver la sécurité et l'efficacité d'un médicament que le quidam peut faire pousser dans son jardin. Ce sont les droits exclusifs sur les médicaments qui les intéressent; en d'autres termes, elles cherchent à investir dans des médicaments originaux qu'elles feront breveter.

Les plantes médicinales ne peuvent être brevetées. Par conséquent, les chercheurs des compagnies pharmaceutiques isolent les constituants actifs des plantes médicinales, les modifient légèrement afin d'en faire des substances originales. C'est ainsi que des brevets ont été décernés à des médicaments conçus à partir de ces substances chimiques dites nouvelles. Il en résulte qu'aujourd'hui très peu de médecins et de consommateurs savent que les composants chimiques des comprimés et autres médicaments courants sont en fait d'origine végétale.

La FDA a pour règle d'interdire tous les produits à base de plantes dont elle n'approuve pas les effets. Cette interdiction s'accompagne de la mention «peut provoquer des effets indésirables». En d'autres termes, les compagnies chargées du conditionnement des plantes médicinales n'ont pas le droit de mentionner leurs effets indésirables, même si cette mise en garde est dans l'intérêt du public. Par conséquent, la plupart des plantes médicinales ne sont pas vendues comme médicaments, mais comme suppléments alimentaires pour lesquelles l'approbation de la FDA n'est pas requise, car elles ne revendiquent aucun usage thérapeutique et ne présentent aucun risque potentiel. Ironiquement, en interdisant ces mises en garde, la FDA ne respecte pas sa mission première qui est de protéger la santé des consommateurs.

Le traitement est différent dans d'autres pays. En Allemagne, par exemple, il suffit de démontrer que les plantes médicinales sont sûres. Par conséquent, les essais approfondis et coûteux ne sont pas justifiés comme pour les nouveaux produits pharmaceutiques. Le gouvernement allemand n'autorise la commercialisation des plantes médicinales que s'il en reconnaît les usages traditionnels. De plus, les étiquettes doivent porter une mention de mise en garde. C'est ainsi qu'aujourd'hui beaucoup d'Allemands se soignent avec des remèdes à base de plantes et que des médecins traditionnels prescrivent autant de produits à base de valériane que des somnifères pour favoriser le sommeil.

Il est fort possible que le Canada prenne des mesures similaires. Le Comité consultatif des spécialistes des plantes et des préparations botaniques du gouvernement canadien a créé une catégorie de médicaments dits remèdes populaires, c'est-à-dire des médicaments qui n'exigent aucun test d'efficacité coûteux tant qu'ils se révèlent purs et sûrs, et qui informent les consommateurs des effets indésirables possibles.

Les herboristes américains, soutenus par l'American Botanical Council (ABC) dont le siège social est à Austin, au Texas, espèrent pouvoir persuader la FDA de créer une classification similaire aux États-Unis. Mais, à l'heure actuelle, le directeur général n'a pas laissé entendre que la FDA serait prête à considérer les plantes médicinales millénaires comme une catégorie à part entière.

Le renouveau des plantes médicinales

À la fin des années soixante, bon nombre d'Américains commencèrent à changer d'attitude concernant leur santé et la façon de se soigner. Ils cherchèrent davantage à prévenir les maladies plutôt qu'à essayer de les guérir. Pour commencer, ils délaissèrent le sel de table dont ils se servaient abondamment. La recherche médicale venait en effet de confirmer que le sel provoquait de l'hypertension artérielle, des maladies cardiaques et des accidents vasculaires cérébraux. Beaucoup d'Américains retirèrent la salière de la table et redécouvrirent les vertus culinaires des plantes et des épices.

Un avenir prometteur

Le renouveau de la médecine par les plantes a profondément influencé les chercheurs américains spécialisés dans les produits pharmaceutiques et s'est traduit par une importante vague de recherches dans le domaine des plantes médicinales. Les découvertes les plus prometteuses portent sur le traitement du virus d'immuno-déficience humaine (VIH) responsable du SIDA. À l'automne 1986, le Dr Hin-wing Yeung, professeur de phytothérapie à l'université chinoise de Hong Kong, s'introduisit dans le département de la recherche sur le SIDA de l'hôpital général de San Francisco. Ce professeur avait lu que les chercheurs américains sont incapables de mettre au point des médicaments à la fois sûrs et efficaces pour le traitement du virus. Les médicaments sûrs ne font aucun effet et les médicaments efficaces sont beaucoup trop toxiques. Le professeur Yeung demanda au Dr Michael McGrath s'il avait déjà traité les cellules infectées par le virus du SIDA avec de la trichosantine, protéine présente dans la racine du concombre chinois. Le chercheur n'avait jamais entendu parler de cette plante.

Le professeur Yeung remit au chercheur une ampoule contenant un peu d'extrait de concombre. Lorsque ce dernier versa le contenu dans une éprouvette pleine de cellules infectées, il ne put en croire ses yeux. La trichosanthine ne semblait s'attaquer qu'aux cellules infectées. Les cellules saines étaient épargnées.

Depuis lors, la tricosantine (ou composé C) a été testée sur des personnes atteintes du SIDA. Ce n'est pas un médicament miracle, mais les recherches préliminaires laissent supposer que l'extrait de cette plante a des propriétés thérapeutiques non négligeables.

Le millepertuis, plante médicinale originaire d'Europe et utilisée depuis des siècles, semble très prometteuse dans le traitement du SIDA. En 1988, un rapport médical publié dans *Proceedings of the National Academy of Science* démontra que l'hypéricine, agent chimique présent dans le millepertuis, empêche un virus responsable d'un type de leucémie de se propager. Ce virus est un rétrovirus, tout comme le VIH.

Les médecins se mirent à prescrire le millepertuis à leurs patients atteints du SIDA. En novembre 1989, la revue *Aids Treatment News* publia les résultats de 112 traitements expérimentaux à l'hypéricine. Pas plus que la trichosanthine, l'hypéricine n'est un traitement radical, mais la plupart des patients interrogés notèrent un certain nombre de bienfaits: leur fonction immunitaire s'améliora, ils firent moins de fièvre, les ganglions lympathiques se mirent à désenfler et ils retrouvèrent leur appétit, leur énergie et leur bonne humeur.

Depuis lors, les chercheurs spécialisés dans le SIDA se sont lancés dans des essais cliniques portant sur la trichosanthine et l'hypéricine. Ces substances permettront peut-être un jour de guérir cette maladie qui nous préoccupe tant en cette fin de siècle. Même si elles n'y parviennent pas, il est indéniable que les plus vieux remèdes du monde, ces plantes que l'humanité utilise depuis plus de 5 000 ans, continueront de jouer un rôle capital pour la santé et la guérison de millions de gens à l'aube du XXIe siècle.

CHAPITRE 2

UNE TEMPÊTE DANS UN VERRE D'EAU: LES PLANTES MÉDICINALES SONT-ELLES INOFFENSIVES?

Aborder le sujet des plantes médicinales, c'est confronter des opinions irréconciliables. D'un côté, leurs adeptes maintiennent qu'«elles sont parfaitement inoffensives», de l'autre, leurs détracteurs affirment qu'elles peuvent être «toxiques».

«Les plantes médicinales sont-elles inoffensives?» demande le professeur Donald Law, dans *The Concise Herbal Encyclopedia*. «La réponse est oui. Aucun médecin à l'heure actuelle, qui est un adepte de botanique, ne recommandera une plante susceptible de provoquer des effets indésirables. Nous sommes les dépositaires du savoir des herboristes depuis des millénaires. Nous connaissons parfaitement les effets des remèdes que nous consommons ... Ne vous laissez pas inutilement inquiéter par des ouvrages médicaux compliqués.»

De son côté, le professeur Varro Tyler écrit: «Les adeptes du renouveau des herbes sont plus mystiques que critiques ... Pratiquement tous les herbiers recommandent un grand nombre de plantes ... dont l'efficacité repose sur la réputation, le folklore et la tradition. En fait, le seul critère qui soit négligé est la preuve scientifique. Certains adeptes des plantes médicinales manquent tellement de discernement qu'ils recommandent de tout pour n'importe quoi. Ils entretiennent le mythe selon lequel les herbes sont magiques et par conséquent inoffensives. Cet argument est complètement faux! Même ceux qui ignorent que Socrate a été empoisonné à la ciguë il y a plus de 2 000 ans ne sont sûrement pas enclins à cueillir et à manger le premier champignon sauvage qu'ils trouvent sur leur chemin.»

La plupart des articles sur les plantes médicinales publiés dans les revues médicales insistent sur leur toxicité. Ainsi, le tussilage et la consoude sont censés causer le cancer et des problèmes de foie. La camomille provoquerait des réactions allergiques pouvant être mortelles et la réglisse, de graves troubles hormonaux. Quant au gingseng, les journalistes spécialisés en médecine lui imputent des cas d'«empoisonnements corticoïdes». Les adeptes des plantes médicinales réfutent ces accusations. Les plus excessifs d'entre eux sont persuadés que les revues médicales, financées par la publicité des produits pharmaceutiques, se liguent contre les plantes.

Les plantes médicinales ne sont ni «complètement inoffensives» ni «totalement vénéneuses». Elles se comparent à bien d'autres remèdes. À trop faibles doses, elles ne font aucun effet. Par contre, lorsqu'elles sont choisies judicieusement et que le dosage est respecté, elles ne procurent que des bienfaits. Évidemment, si vous prenez des doses excessives pendant trop longtemps, vous risquez d'avoir des ennuis.

La Noomba est-elle dangereuse?

Il n'y a pas si longtemps, des anthropologues ont découvert les Sipsep, une tribu de la Nouvelle-Guinée. Dès leur arrivée, les Sipsep les ont accueillis avec de la noomba, une boisson amère, mais savoureuse, que les dieux auraient offerte à leurs ancêtres afin de les maintenir vigoureux et en bonne santé. Les anthropologues goûtèrent cette boisson. Immédiatement, ils se sentirent plus éveillés, plus énergiques et plus productifs. Ils pouvaient courir plus vite et faire de plus longues randonnées sans être fatigués. Une anthropologue qui souffrait d'asthme déclara mieux respirer après avoir bu cette préparation à base d'herbe. La noomba n'eut que deux effets indésirables: l'insomnie pour ceux qui en avaient consommé avant d'aller au lit et les maux de tête pendant une journée entière après que les anthropologues, partis faire un voyage sur la côte, eurent cessé d'en boire.

Malgré ces deux malaises, les anthropologues finirent par raffoler de la noomba et en rapportèrent une grande quantité chez eux. La boisson suscita l'enthousiasme de leurs collègues d'université. Lors d'une réunion mondaine, des chercheurs en médecine demandèrent à analyser l'herbe. Les anthropologues acceptèrent sur-le-champ.

Les chercheurs firent très vite de surprenantes découvertes:

- La noomba crée une dépendance. Avec le temps, ses consommateurs finissent par la tolérer au point d'augmenter les doses pour avoir l'esprit plus vif et être plus productifs. Les maux de tête que les anthropologues avaient signalés n'étaient en fait que des symptômes de sevrage comme la constipation, la somnolence et le besoin de stimulants supplémentaires.
- L'effet stimulant de la noomba non seulement provoque de l'insomnie, mais aussi de l'anxiété, de l'irritabilité, de l'anémie, de la diarrhée, des maux d'estomac, de la tension musculaire et, dans quelques cas, des crises de rage non contrôlées.
- Autre découverte troublante: l'ingestion de cinq tasses de noomba par jour (une moyenne chez les anthropologues séjournant en Nouvelle-Guinée) augmente le taux de cholestérol et la tension artérielle. Elle double également le risque de maladies cardiaques.
- Certaines études ont suggéré que la noomba rend les femmes stériles. Un certain nombre d'expériences réalisées sur des animaux femelles enceintes ont

démontré que la plante est responsable de malformations congénitales.

- Finalement, des études réalisées sur des animaux ont associé l'ingestion de noomba à différents types de cancer.

À votre avis, la noomba est-elle une boisson inoffensive? Seriez-vous prêt à en boire? Comment réagiriez-vous si vos enfants ne pouvaient plus s'en passer? Croyez-vous que ses bienfaits (vivacité d'esprit, endurance et productivité) compensent ses effets indésirables (dépendance, insomnie, maux d'estomac, diarrhée, infertilité, cancer, maladies cardiaques et malformations congénitales)?

La découverte de la noomba ne date pas d'hier. Originaire d'Arabie, cette plante a été introduite en Europe il y a environ 500 ans. La noomba n'est ni plus ni moins que du café et, par conséquent, tous les effets mentionnés plus haut s'appliquent également à cette boisson de prédilection.

Le café serait-il une boisson sans danger? Cela dépend. Bon nombre de personnes aiment en prendre une tasse ou deux tous les matins pour se mettre en forme. Mais la plupart des «drogués du café» savent que de fortes doses de caféine, puissant stimulant que l'on retrouve dans le thé, les colas, le chocolat et le maté (thé des Jésuites), peuvent être nocives.

Le café est probablement la plus toxique de toutes les plantes mentionnées dans le présent ouvrage. C'est d'ailleurs la seule qui puisse créer une accoutumance. Consommée à fortes doses, elle risque de causer plus de problèmes de santé que les autres végétaux. Pourtant, c'est l'une des plantes les plus populaires et la plupart des gens estiment qu'elle ne présente aucun danger quand on en boit modérément.

Un double statut

Un jour, un scientifique, à qui l'on demandait si les essais réalisés sur des animaux concernant la sécurité des médicaments et des produits chimiques pouvaient s'appliquer à l'homme, répliqua non sans humour: «S'ils confirment mon opinion, je dirais que oui. S'ils ne la confirment pas, je dirais que non.»

«Les plantes ont été victimes d'un double statut au point de vue scientifique», dit Mark Blumenthal, directeur général du American Botanical Council situé à Austin, au Texas, et personnalité médicale en faveur de la recherche sur les plantes médicinales. «Même si les études sur les animaux démontrent hors de tout doute les propriétés thérapeutiques de certaines plantes, beaucoup de scientifiques estiment que les résultats ne peuvent s'appliquer à l'homme. Mais il suffit qu'une seule plante médicinale rende une souris malade pour que ces mêmes scientifiques mettent en garde contre les dangers de consommer la plante en question.»

Les risques sont inhérents à la vie. Rien n'est totalement sûr. La «sécurité» est une notion relative qui tient compte des risques et des bienfaits. Peut-on dire par exemple que le poulet est un aliment complètement sûr? Chaque année, bon nombre de personnes s'étouffent avec des os de poulet. Selon des données récentes, plusieurs milliers de gens s'intoxiquent avec du poulet contaminé par la salmonelle. Pourtant, nous disons, sans hésiter, que le poulet est un aliment sûr. Les automobiles sont-elles sûres? Tant de gens meurent chaque année dans des accidents de voiture. Cela ne nous empêche pas de penser que les avantages de l'automobile compensent largement ses risques.

Les détracteurs des plantes médicinales emploient des termes chargés d'émotion, tels que «risquées» ou «vénéneuses» pour qualifier les plantes. Si toutes les plantes sont vraiment vénéneuses, il serait bon de consulter les Centres anti-poison. En 1985, l'American Association of Poison Control Centers (AAPCC) a rapporté 170 000 cas d'empoisonnements avec des plantes et des champignons aux États-Unis seulement. Six personnes sont décédées, quatre après avoir consommé des amanites phalloïdes, une espèce mortelle de champignons. Les deux autres avaient consommé de la ciguë. Aucun décès n'a été relié à la consommation de plantes médicinales. Environ 86 % des personnes ont été incommodées, parmi elles des enfants de moins de six ans qui avaient consommé des plantes d'appartement, entre autres des feuilles de *Dieffenbachia* qui causent des brûlures à la bouche et, conséquemment, peuvent nuire à la prononciation.

Toujours en 1985, l'AAPCC a rapporté 227 décès causés par des médicaments prescrits sur ordonnance et en vente libre: on a attribué 90 décès aux antidépresseurs, 87 aux antidouleurs, 62 aux sédatifs, 21 aux médicaments contre la tension artérielle, 11 aux médicaments contre l'asthme et 6 aux amphétamines.

Les chiffres portant sur les décès (227) dus aux médicaments et les décès dus aux plantes (0) ne sont pas vraiment comparables, car les personnes qui consomment des médicaments sont beaucoup plus nombreuses que celles qui consomment des plantes. Mais ils suggèrent tout de même que les plantes médicinales ne présentent aucun risque majeur.

Les produits pharmaceutiques semblent être plus pernicieux. Un rapport du Department of Health and Human Services mentionne en effet que 243 000 Américains âgés sont hospitalisés chaque année à cause des effets secondaires des médicaments, et que 163 000 autres souffrent de «troubles mentaux graves causés ou aggravés par les médicaments». L'étude définit les «fréquentes erreurs de médication» comme «le revers de la médaille des médicaments». Les chercheurs de cet organisme gouvernemental ont fait part de leurs récriminations aux fabricants de produits pharmaceutiques. Le fait qu'ils ne testent les nouveaux produits que sur les personnes jeunes ne permet pas de connaître leurs effets sur les aînés. Ils ont également reproché aux médecins de ne pas diminuer les doses réservées aux personnes âgées. On sait combien ces personnes réagissent aux médicaments. Finalement, ils ont reproché à ces dernières de s'échanger leurs médicaments sans réfléchir aux conséquences.

Ce rapport fit des remous lors de sa publication, puis il tomba dans l'oubli. Par contre, d'autres rapports mentionnant l'échec des plantes médicinales dans le traitement de telle ou telle maladie restent gravés dans les mémoires. Une étude publiée en 1979 dans le *Journal of the American Medical Association* qualifie le ginseng de «syndrome d'abus» et d'«empoisonnement corticoïde». L'étude s'est révélée très incomplète. Même les détracteurs des plantes médicinales l'ont rejetée. Cependant, 11 ans plus tard, le ginseng était encore décrit comme une plante à risque dans un article du *New York Times*.

Parce que les plantes médicinales ont fait l'objet de critiques injustifiées par rapport aux risques qu'elles comportent, certains de leurs adeptes rejettent systématiquement toutes les études qui mentionnent des cas-problèmes. Selon eux, ces études ne font que confirmer les préjugés du milieu médical à l'égard de ceux qui optent pour des modes de guérison naturels. Les défenseurs des plantes ignorent, semble-t-il, que toute substance active au point de vue pharmacologique est censée soulager si on en fait bon usage, mais peut se révéler nocive dans le cas contraire. C'est pourquoi chaque chapitre du présent ouvrage comprend une liste des risques potentiels de chaque plante. Même si les plantes ne présentent aucun danger quand les doses sont respectées, les herboristes ont besoin de connaître tous les effets produits par chacune d'elles afin de pouvoir en maximiser les bienfaits et minimiser les risques.

Le contrôle de la posologie? Une mesure contestable

Bon nombre de personnes sont convaincues que les plantes médicinales sont moins nocives que les médicaments parce qu'elles sont «naturelles». Les détracteurs répliquent que les médicaments sont moins dangereux parce qu'on connaît exactement la quantité qu'on consomme. Dans le cas des plantes, il est difficile, selon eux, d'en connaître avec précision la posologie.

Les détracteurs des plantes médicinales marquent ici un point. Le pouvoir de guérison d'une plante dépend de sa génétique, des conditions de croissance, de sa maturité au moment de la cueillette, du temps de conservation, de la possibilité de falsification et des méthodes de préparation. Ainsi, une tasse de café instantané contient environ 65 mg de caféine, alors qu'une tasse de cappuccino en contient plus de 300.

Par ailleurs, il suffit de lire les statistiques sur les suicides pour s'apercevoir que le contrôle de la posologie des médicaments ne garantit pas qu'ils sont inoffensifs. De plus, une même posologie peut provoquer des effets différents selon les personnes.

Comment réagissez-vous aux médicaments? Pour les maux de tête, la posologie pour un adulte est de deux comprimés toutes les quatre heures. Mais bien souvent, un seul comprimé suffit à soulager certaines personnes, alors que d'autres doivent en prendre trois.

En général, les plantes médicinales causent moins d'effets secondaires que les médicaments. Le plus souvent, les médicaments sont fortement concentrés, et les pilules et les capsules n'ont que peu ou pas de goût. Il est par conséquent plus facile de faire des excès. Quant aux constituants actifs des plantes, ils sont moins concentrés et la plupart ont un goût tellement amer qu'on ne peut les consommer de façon excessive. Cependant, quiconque utilise des plantes médicinales doit chercher à en connaître parfaitement la posologie.

C'est après avoir consulté des herbiers traditionnels et des ouvrages scientifiques que nous avons pu déterminer, dans le présent ouvrage, les dosages requis pour chaque plante. Dans les quelques cas où les sources se contredisaient, nous avons opté, par prudence, pour la plus petite quantité mentionnée.

Généralement, nous recommandons 1/2 à une c. à café d'herbe séchée par tasse d'eau. Commencez par la dose la plus faible si vous avez plus de 65 ans, souffrez de maladie chronique, prenez des médicaments ou réagissez à ceux-ci ou soignez vos enfants avec des plantes. Si vous êtes un adulte de moins de 65 ans en bonne santé et si vous ne réagissez pas aux médicaments de façon notable, vous pouvez commencer par des préparations plus concentrées. Notez les effets afin de savoir quelles quantités vous conviennent.

Les plantes provoqueraient-elles le cancer?

Il n'y a aucun doute: bon nombre de plantes médicinales contiennent des agents chimiques qui causent le cancer chez les animaux de laboratoire. Mais cela ne signifie pas pour autant qu'elles sont dangereuses. Depuis le milieu des années quatre-vingt, les scientifiques comprennent mieux le processus de formation du cancer (carcinogenèse). Leurs découvertes sont d'un intérêt capital pour les consommateurs de plantes médicinales.

Pendant longtemps, les agents chimiques qui peuvent causer le cancer (carcinogènes) sont passés pour des bombes à retardement. Il suffisait d'ingérer une minuscule quantité de carcinogènes, disait-on, pour courir le risque de souffrir du cancer. Le résultat fut que tout le monde partit en guerre contre les carcinogènes.

Bruce Ames, président du Département de biochimie de l'université de Californie, à Berkeley, est l'un des premiers scienfiques américains à avoir essayé d'identifier les carcinogènes. Ce médecin sait depuis longtemps que la grande majorité des carcinogènes sont également responsables des mutations génétiques de la bactérie. En 1975, il mit au point un test suffisamment fiable pour étudier le carcinogène rapidement et à peu de frais.

Le Dr Ames a été le premier à se méfier des produits chimiques dont beaucoup se révélèrent carcinogétiques. La plupart avaient été lancés au milieu des années cinquante. Les carcinogènes causent le cancer après une vingtaine d'années. Aussi les scientifiques s'attendaient à un taux record de cancers, notamment aux États-Unis, vers la fin des années soixante-dix, particulièrement chez les personnes nées après 1950 qui avaient été exposées depuis leur naissance à tous les carcinogènes fabriqués par l'homme.

Rien de tout cela ne se produisit. Bien sûr, on vit une recrudescence de certains cancers: cancer du poumon (cancer du fumeur), mélanome (suite à une exposition prolongée au soleil) et du cancer du sein dont les causes restent obscures. On nota également une augmentation du taux de cancer chez les ouvriers de certains secteurs industriels (chimique, acier, amiante, agriculture et nucléaire) qui étaient exposés à d'énormes quantités de carcinogènes chimiques. Les enfants élevés près des sites d'enfouissement de déchets toxiques et, par conséquent, fortement exposés aux carcinogènes furent aussi fortement atteints. Mais on ne vit pas déferler sur le pays cette vague de cancers annoncée avec tant de fracas. Pour la plupart des gens, le cancer reste ce qu'il a toujours été, c'est-à-dire une maladie dégénérative qui affecte surtout les personnes âgées. Évidemment, il faut éviter certains carcinogènes connus: la fumée de cigarette, l'amiante, les pesticides, l'excès de soleil, mais la théorie de la «bombe à retardement» s'est révélée inexacte.

Le Dr Ames expérimenta aussi certaines plantes alimentaires. Au début des années 80, ce médecin déclara, à la stupéfaction du monde entier, que les carcinogènes naturels représentent de 5 % à 10 % du poids sec de presque toutes les plantes alimentaires. D'après sa théorie, ces plantes produiraient des agents chimiques toxiques afin de se protéger contre les insectes et les microorganismes responsables des maladies. Dans un rapport remarquable publié en 1987 dans le magazine *Science*, le Dr Ames écrivait que le blé, le maïs et le beurre d'arachide contiennent de l'aflatoxine, dangereux carcinogène. Il déclarait également que le cèleri est extrêmement riche en psoralènes carcinogéniques et que les champignons contiennent des hydrazines carcinogéniques. De plus, tout ce qui est grillé, c'est-à-dire cuit sur le gril, contient des sousproduits carcinogéniques de la cuisson. Le Dr Ames estimait qu'une personne consomme en moyenne 10 000 fois plus de carcinogènes naturels (en poids) que des produits chimiques carcinogéniques fabriqués par l'homme.

Comment se fait-il qu'il n'y ait pas plus de cas de cancers? Parce que, selon les chercheurs, la plupart des plantes alimentaires contiennent aussi des agents chimiques qui préviendraient le cancer.

Ces découvertes ont modifié notre façon de concevoir le cancer. Il y a des carcinogènes dans tout ce que nous mangeons; il est donc impossible de les éviter. Heureusement, les effets nuisibles de ces substances responsables du cancer sont contrebalancés par des substances naturelles qui ont un effet protecteur, telles que la vitamine C, la vitamine E et le bêta-carotène, une sorte de vitamine A.

Selon cette nouvelle compréhension de la carcinogenèse, le taux de cancer devrait être plus élevé chez les personnes dont l'alimentation est riche en carcinogènes que chez les consommateurs d'aliments riches en substances anticancéreuses. Des études de populations le confirment. Les graisses favoriseraient le cancer, alors que les fibres protégeraient contre ses effets. Les viandes rouges, les repas servis en *fast-food* et les snacks sont riches en fibres, mais faibles en gras. Les consommateurs d'aliments riches en gras et faibles en fibres souffrent plus de cancers que les personnes qui mangent surtout des grains entiers, des fruits frais et des légumes. La découverte est si incontestable que l'American Cancer Society recommande un régime faible en gras et riche en fibres, afin de prévenir plusieurs types de cancers.

Comme toutes les plantes alimentaires, les plantes médicinales contiennent des substances qui, à la fois, favorisent et protègent contre le cancer. Certains de leurs détracteurs, obsédés par les carcinogènes des végétaux, affirment que plusieurs plantes médicinales «causent le cancer». Des animaux de laboratoire auxquels on a administré des agents chimiques carcinogènes isolés de leurs sources végétales ont effectivement contracté le cancer. Mais l'action carcinogénique des plantes est normalement contrecarrée par leurs substances anticancéreuses, particulièrement chez les personnes qui consomment peu de graisses et beaucoup de fibres.

Afin de faciliter la compréhension, le présent ouvrage mentionne les constituants des plantes qui se sont révélés carcinogéniques ou toxiques. Mais il indique aussi les plantes qui possèdent des substances anticancéreuses. Les personnes qui ont des antécédents de cancer personnels ou familiaux, veilleront, en accord avec leur médecin, à éviter certaines plantes en raison de leur forte concentration de carcinogènes. Toutefois, en l'absence de mise en garde spécifique, les adultes en bonne santé n'ont absolument pas à craindre les effets cancérigènes des plantes tant qu'ils respectent les doses prescrites et la durée du traitement.

Mesures de sécurité

Chacune des plantes étudiées dans le présent ouvrage porte un certain nombre de mises en garde contre ses effets nocifs. Les mesures de sécurité qui suivent sont d'ordre général mais tout aussi importantes:

Méfiez-vous des falsifications. La plupart des plantes sont bien identifiées, mais les falsifications restent possibles, surtout pour les herbes les plus coûteuses comme le safran, le ginseng, l'hydrastis et l'échinacéa. Avant de les utiliser, informez-vous de leur arôme et de leur goût. Si vous avez le moindre doute, ne les consommez pas.

Ne dépassez pas les doses prescrites ni la durée du traitement. Chaque fois que des herbes se sont révélées nocives, c'est parce qu'elles avaient été utilisées de façon excessive et à long terme.

Si vous avez plus de 65 ans et réagissez aux médicaments, commencez par des préparations faiblement concentrées. On a remarqué que plus les personnes sont âgées, plus elles réagissent aux médicaments.

Redoublez de prudence si vous souffrez de maladies chroniques. Les plantes médicinales peuvent interagir avec des médicaments. Consultez votre médecin ou votre pharmacien pour connaître les contre-indications possibles.

Notez tous les signes de toxicité. Si vous souffrez de maux d'estomac, de nausées, de diarrhées ou de maux de tête une ou deux heures après avoir consommé une plante médicinale, cessez d'en prendre immédiatement et attendez de voir si vos symptômes diminuent. Si vous avez le moindre doute, appelez le centre anti-poison le plus proche, votre médecin ou votre pharmacien. Si vous faites une réaction grave, appelez votre médecin immédiatement.

Soyez extrêmement prudent avec les huiles des plantes. Les huiles dites «essentielles» ou «volatiles» extraites des plantes aromatiques sont très concentrées et des quantités aussi minimes soient-elles peuvent nuire gravement à la santé. Par exemple, une simple cuillerée à café d'huile de pouliot peut entraîner la mort. Beaucoup d'huiles à base de plantes sont très répandues sur le marché. Si vous en achetez, ne prenez qu'une à deux gouttes à la fois.

Sauf dans de rares cas, les femmes enceintes et celles qui allaitent ne devraient pas utiliser les plantes médicinales à des fins thérapeutiques. Les plantes qui sont très inoffensives pour les mères peuvent compromettre la santé du fœtus et celles des nourrissons. Les femmes enceintes ne devraient utiliser des plantes à des fins thérapeutiques qu'avec l'accord et le suivi médical de leur obstétricien.

Sauf dans de rares cas, il faut éviter de soigner les enfants de moins de deux ans avec des plantes médicinales. Si vous donnez des remèdes à base de plantes à des enfants de cet âge, assurez-vous d'utiliser des préparations très diluées, de préférence avec l'accord de

CHAPITRE 3

ENTREPOSAGE ET PRÉPARATION DES PLANTES MÉDICINALES

Si vous avez l'habitude d'ouvrir d'un coup sec une bouteille de plastique et de faire sauter dans votre bouche l'une de ces capsules si pratiques, la façon de vous y prendre avec des plantes séchées pourra vous sembler quelque peu rébarbative.

Ne cédez pas au découragement. Si vous utilisez des produits de commerce préempaquetés, la préparation et l'utilisation de plantes médicinales ne demanderont pas plus d'exigences que la préparation d'une tasse de thé. Il vous suffira de suivre les directives figurant sur l'étiquette du paquet.

Vous pourrez d'autre part éprouver un certain plaisir en cultivant ou en préparant vos propres herbes. Voici ce que vous devez connaître sur les plantes médicinales, si vous avez l'intention d'en faire pousser ou d'en ramasser vous-même.

Comment sécher les herbes

Les formules d'herbes médicinales commencent presque toujours avec des plantes séchées. Il est donc important de faire sécher des herbes fraîches — sauvages ou cultivées dans un jardin — avant de les entreposer ou de les utiliser.

Traditionnellement, la plupart des herbes sont tout simplement assemblées en touffes et suspendues dans un endroit chaud, sec et ombragé jusqu'à ce qu'elles se détachent et s'effritent facilement. Il faut laver les racines, les casser et les étendre en un seule couche sur une surface propre. Les méthodes de séchage traditionnelles sont encore utilisées aujourd'hui. En fait, quelques herboristeries vendent des herbes sous forme de bouquets séchés.

Mais la méthode de séchage traditionnelle présente deux inconvénients. Elle exige souvent davantage d'espace qu'un jardin et beaucoup de temps, de quelques jours à quelques semaines pour beaucoup d'herbes, de tiges et de fleurs, et quelquefois beaucoup de mois pour les écorces ou les racines. Pour conserver les huiles aromatiques volatiles de nombreuses plantes, le temps de séchage doit être le plus court possible. C'est pour cette raison que la plupart des producteurs d'herbes ont recours à un équipement spécial pour sécher ces dernières. On peut obtenir le même résultat chez soi en plaçant les herbes sur une plaque à gateaux ou une partie de store de fenêtre bien propre dans un four à 35 °C. La méthode de séchage dans le four est pratique et peu coûteuse, mais elle comporte deux inconvénients. Tout d'abord, parce que dans les régions où beaucoup d'herbes sont moissonnées en plein été, les personnes ne veulent surtout pas ouvrir leur four à cause de la chaleur qu'il dégage. Et ensuite parce que beaucoup de fours ne chauffent pas de façon uniforme, ainsi certaines plantes peuvent carboniser et d'autres rester trop humides.

Une autre façon de procéder consiste à acheter une petite sécheuse, un appareil se présentant comme un dessus de table avec des plateaux amovibles encastrés, lequel utilise un ventilateur à air chaud pour sécher non seulement les herbes, mais tout autre produit maraîcher. Je vous recommande le déshydrateur à courant régulier, qui coûte environ 230 $US.

Comment réduire les herbes en poudre

Une fois séchées, les herbes sont réduites en poudre, opération qui permet de les utiliser plus facilement par la suite. Les herboristes traditionnels utilisent à cet effet un mortier et un pilon. Cette méthode donne de bons résultats quand le volume d'herbes à réduire en poudre est restreint.

On peut y parvenir de façon plus moderne en utilisant un petit moulin à café (nettoyé avec soin pour enlever toute trace de café). Les jardiniers qui cultivent des herbes en grandes quantités trouveront sur le marché de plus gros broyeurs.

Comment s'organiser pour l'entreposage des plantes

Cette opération peut provoquer un choc aux personnes qui mettent leurs épices culinaires dans des bocaux de verre transparent. Il faut savoir en effet que la lumière — et l'oxygène — sont les deux facteurs les plus importants qui interviennent dans la disparition du parfum des herbes et de leur pouvoir de guérir.

Pour que les herbes médicinales conservent le plus possible leurs qualités, placez-les dans des contenants de verre opaque ou de céramique. Remplissez ces contenants à la limite de la quantité d'oxygène qu'ils peuvent contenir. À mesure que vous utiliserez vos herbes, ajoutez dans le récipient des tampons d'ouate pour maintenir la quantité requise d'oxygène.

Si elles sont conservées de façon adéquate, les herbes aromatiques, notamment le sauge, le romarin et le thym, peuvent conserver leur arôme pendant plus d'un an, et les herbes non aromatiques, comme la luzerne et le chaparral, bien plus longtemps encore.

L'humidité tue également les herbes. Si vous voyez que vos herbes deviennent humides, séchez-les de nouveau rapidement pour éviter que la moisissure s'étende davantage.

Les insectes jouent également un rôle dans la conservation des plantes. L'opération de séchage tue beaucoup d'insectes, mais surveillez quand même les signes d'infestation. Quand vous ne vous servez pas de vos herbes, gardez les contenants fermés hermétiquement.

Procédures pour la préparation des herbes

Les herbes médicinales sont utilisées de façon générale comme infusions, décoctions, cataplasmes, teintures et médicaments. On peut également les ajouter à l'eau du bain.

Comment faire une infusion

Les infusions sont composées d'extraits de plantes ayant des composants médicinaux dans leurs fleurs et leurs tiges. Les infusions n'entrent pas dans la catégorie des thés. Quelques herboristes utilisent ces deux termes de façon interchangeable, mais ils ont chacun un sens bien différent. C'est vrai que l'on prépare une infusion de la même façon que l'on prépare du thé, mais son action varie de façon considérable suivant la durée de sa macération.

La recette de l'infusion la plus courante consiste en 15 à 30 grammes d'herbe séchée qu'on laisse infuser dans un demi-litre d'eau bouillie pendant 10 à 20 minutes. Les infusions doivent être consommées rapidement. On doit les faire à mesure qu'on les consomme. Pour cette raison, beaucoup d'herboristes recommandent d'en mettre 1/2 à 1 c. à café par tasse d'eau bouillante et de faire infuser l'herbe la même quantité de temps. Il est évident qu'au bout de 20 minutes, les infusions ne sont plus chaudes. On doit les boire à la température de la pièce ou bien les réchauffer. Une façon pratique de le faire consiste à utiliser un four à micro-ondes muni un régulateur de température.

Pour faire une infusion, vous pouvez utiliser des herbes fraîches à la place d'herbes séchées. Doublez tout simplement la quantité d'herbes.

Tout comme boire des infusions, le simple fait de les préparer peut avoir une action thérapeutique. Pendant que votre infusion macère, inhalez-en les vapeurs chaudes. Elles peuvent agir comme un décongestionnant nasal et soulager le malaise que procurent les rhumes, la grippe, la toux, la bronchite et les allergies. Quand vous aspirez les vapeurs, fermez les yeux et imaginez que votre système immunitaire s'empare de votre maladie et vous donne une sensation de bien-être. Des études prouvent que le fait de visualiser des scénarios agréables incite le système immunitaire à lutter contre de nombreuses maladies de façon plus efficace.

Le principal problème des infusions à base d'herbes concerne leur goût. En effet, la plupart des herbes médicinales sont très amères. C'est une façon naturelle d'en décourager une utilisation excessive, mais si vous ne pouvez les avaler, elles ne vous apporteront aucun soulagement. Pour rendre les infusions plus agréables, ajoutez du sucre, du miel ou du citron, ou mélangez-les à d'autres préparations à base d'herbes. Si votre estomac ne supporte toujours pas une infusion, essayez de prendre une préparation différente.

Comment préparer une décoction

Tout comme les infusions, les décoctions sont faites à partir de substances qui proviennent des racines et des écorces d'arbres. Quand on les compare aux fleurs, aux feuilles et aux tiges, les substances chimiques actives des racines et des écorces sont plus difficiles à extraire. Pour cette raison, au lieu de laisser infuser les herbes séchées, vous devez tout simplement les laisser bouillir pendant 10 à 20 minutes.

Comment faire une teinture

Les teintures sont des extraits fabriqués en utilisant de l'alcool plutôt que de l'eau. Elles ont un taux de concentration très fort, ce qui leur permet d'avoir une durée de vie plus longue que les infusions et les décoctions, ou même les herbes elles-mêmes. Elles demeurent puissantes plus longtemps.

Pour fabriquer leurs teintures, les marchands d'herbes vendues dans le commerce utilisent généralement de l'alcool pur, à 99 %. Mais les personnes qui font leurs teintures chez elles se servent de vodka ou de brandy à 50 %. La vodka est moins coûteuse. La recette de teinture standard est la suivante: 30 g d'herbe séchée broyée qu'on laisse infuser dans 150 g d'alcools distillés, pendant six semaines. Voici quelques conseils pour fabriquer de la teinture:

- Fermez hermétiquement les contenants à teinture.
- Même bien fermés, certains contenants peuvent suinter. Ne rangez pas dans des meubles de valeur les teintures que vous êtes en train de fabriquer.
- Mettez une étiquette sur les teintures en écrivant dessus l'herbe utilisée et la date à laquelle vous l'avez mise dans le contenant. Vous saurez ainsi la date d'expiration du délai de six semaines.
- Secouez le mélange souvent pour aider l'alcool à imprégner toutes les substances médicinales.
- Mettez les teintures à l'abri d'un éclairage direct.
- La plupart des herboristes recommandent d'utiliser des contenants de verre foncé pour réduire les dommages que provoque la lumière.
- Certaines teintures changent de couleur pendant qu'on les prépare. Ne soyez donc pas surpris.
- Pendant que les teintures se fabriquent, le niveau de liquide peut baisser légèrement. Remontez-le avec des alcools distillés.
- Au bout de six semaines, de nombreux herboristes recommandent de filtrer le liquide des plantes. Cette opération n'est pas indispensable.
- Placez les teintures dans un endroit frais.
- Mettez les teintures hors d'atteinte des enfants. Elles sont en effet très fortes, et une toute petite dose pourrait entraîner une réaction très nocive.

Les personnes qui ne consomment pas d'alcool peuvent fabriquer des teintures en utilisant du vinaigre chaud mais pas brûlant. Les herboristes recommandent le vin ou le vinaigre de cidre, mais pas le vinaigre blanc. Les façons de procéder sont les mêmes.

Comment utiliser les capsules

Les herbes en poudre entrent également dans la composition des capsules de gélatine courantes. Les capsules sont une façon pratique d'emporter avec vous des herbes médicinales lorsque vous voyagez, ou de consommer des herbes dont le goût vous déplairait.

Si vous fabriquez vos propres capsules, mesurez combien de poudre d'herbe dans chaque capsule est nécessaire afin de ne pas dépasser le dosage recommandé dans ce livre. Les capsules peuvent être également ouvertes et leur contenu utilisé pour faire des infusions, des décoctions ou des comprimés.

Conservez les capsules loin de toute source lumineuse et hors de la portée des enfants.

Préparations externes

Vous pouvez fabriquer votre propre pommade herbale en ajoutant à une lotion pour la peau vendue dans le commerce de une demie à une cuillerée à thé teinture pour chaque 30 grammes.

Pour une application externe, en particulier dans le cas de coupures ou d'autres affections de la peau, faites tremper un linge propre dans une infusion tiède ou une décoction et appliquez-le sur la partie affectée de la peau pendant 20 minutes. Renouvelez l'opération en cas de besoin.

Pour rendre votre bain plus relaxant, remplissez un sac en tissu de quelques poignées d'herbes aromatiques et faites couler dessus l'eau du bain. Pour parfumer davantage, laissez le sac d'herbes dans l'eau pendant que vous prenez votre bain.

CHAPITRE 4

COMMENT OBTENIR LES PLANTES MÉDICINALES

Il existe trois moyens de se procurer des plantes médicinales: les ramasser, les cultiver ou les acheter.

La cueillette

Si vous aimez faire de longues promenades dans les prés et les forêts, ramasser des herbes vous enchantera. Les plantes médicinales ne poussent bien sûr pas toutes en Europe. Pour être un bon herboriste, il vous faut un bon guide sur les herbes des champs. Consultez votre libraire pour plus de renseignements.

Plusieurs herbes, comme le pissenlit, sont faciles à reconnaître et se cueillent sans danger. En outre, vos voisins vous remercieront de les débarrasser des pissenlits en les enlevant de leurs pelouses!

Mais d'autres plantes, en particulier le ginseng, sont plus difficiles à trouver.

Certaines plantes médicinales comme la mûre, la framboise, l'ortie et la rose possèdent des épines. Pour les ramasser, portez donc des gants, des pantalons et des manches longues.

D'autres plantes comme la racine d'angélique et l'écorce de la cascara sagrada peuvent être ingérées sans aucun danger seulement quand elles sont séchées.

Quelques plantes à vertus curatives comportent certaines parties dangereuses, d'autres pas. Par exemple, la racine médicinale du caulophylle faux-pigamon peut être ingérée sans danger, mais ses baies contiennent du poison. La racine médicinale de la rhubarbe ne présente pas de danger, mais ses limbes sont vénéneuses.

On peut conclure en disant qu'un petit nombre seulement de plantes médicinales sont vénéneuses. Trois espèces vénéneuses de ciguë ressemblent à du persil, et plusieurs personnes ramassant des herbes en sont mortes. Elles avaient oublié que le ciguë, également appelé le persil des sots, contenait du poison.

Si vous voulez vous transformer en guérisseur sauvage, habillez-vous adéquatement, lisez le chapitre 5 sur les plantes pour savoir reconnaître celles qui sont sans danger ou celles qui posent quelques problèmes et ayez recours à un bon guide sur les herbes des champs. Sachez surtout que vous ne devez ingérer aucune plante que vous n'avez pas su identifier.

Le jardinage

Dans le chapitre 5, vous trouverez des directives pour cultiver certaines plantes médicinales. Avant d'en commencer la lecture, rassemblez des graines et des boutures.

Vous pouvez éprouver certaines difficultés à obtenir des boutures. Peut-être connaissez-vous un jardinier qui cultive les herbes. Sinon, vous pourrez vous passer de boutures.

La plupart des pépinières possèdent un bon nombre de graines et de plants d'herbes culinaires. Les catalogues courants de plantes recensent des douzaines d'herbes aussi. Si vous ne trouvez pas les herbes que vous cherchez dans votre catalogue, demandez à votre pépiniériste de vous les obtenir.

Si vous êtes un jardinier d'herbes convaincu, vous devez choisir parmi les catalogues publiés par de nombreux cultivateurs d'herbes nationaux.

L'achat

Vous pouvez acheter de nos jours dans les supermarchés des thés parfumés aux herbes, certains d'entre eux peuvent être mélangés à des infusions médicinales (voir chapitre 3). Les magasins d'aliments naturels en offrent une gamme plus étendue. La plupart vendent des douzaines d'herbes en gros, des mélanges de plantes médicinales, des teintures, des huiles et des comprimés. De nombreuses pharmacies vendent également des plantes médicinales.

Les herboristes traditionnels, qui se font toutefois de plus en plus rares, proposent sans doute le choix le plus vaste.

Publications sur les plantes à noter

Une autre façon de trouver des herbes, et d'en apprendre davantage, consiste à lire les journaux spécialisés. Les publications recommandées sont les suivantes:

- *HerbalGram.* Le magazine trimestriel American Botanical Council and the Herb Research Foundation. Ce magazine contient d'excellents articles sur les dernières recherches dans le domaine des herbes, en particulier les plantes médicinales. American Botanical Council, P.O. Box 201660, Austin TX 78720.
- *Medical Herbalism.* Bulletin bimensuel s'adressant aux praticiens de la médecine des herbes. Toute personne manifestant de l'intérêt aux plantes médicinales y trouvera une foule d'informations. P.O. Box 33080, Portland, OR 97233.

DEUXIÈME PARTIE

C'est toi qui fais pousser l'herbe pour le bétail, et les plantes que les hommes cultivent. Ainsi la terre leur fournit de quoi vivre…

Psaume 104: 14

CHAPITRE 5

CENT PLANTES MÉDICINALES

Le présent chapitre décrit cent plantes médicinales parmi les cinq mille les plus utilisées dans le monde. Pourquoi seulement cent? Les raisons sont simples:

On les trouve facilement. Connues depuis longtemps en Égypte, en Europe et chez les Amérindiens, toutes les herbes sélectionnées existent en Occident. Nous avons inclus certaines herbes originaires d'Asie qui sont populaires en Occident, par exemple la cannelle, le gingembre, le ginseng, la rhubarbe, le thé. C'est intentionnellement que nous avons omis les plantes propres à la Chine. Bien qu'elles soient très efficaces, elles sont introuvables en Occident.

Elles sont efficaces. Ces herbes ont des actions bénéfiques en matière de santé. Elles sont relativement sûres. Comme n'importe quel médicament, bon nombre de ces herbes présentent des risques si elles sont mal utilisées. C'est pourquoi nous insistons sur les précautions d'emploi, la posologie et les risques. Cependant, elles ne présentent que peu ou pas de dangers si les règles d'emploi sont respectées.

Elles sont familières. Toutes les herbes et épices dont nous nous servons comme assaisonnement étaient à l'origine appréciées pour la conservation de la nourriture et pour leurs propriétés thérapeutiques. Cependant, peu de gens connaissent vraiment les vertus des herbes qu'ils ont dans leur cuisine.

Elles sont fascinantes. Saviez-vous que le charmeur de rats était un musicien doublé d'un excellent herboriste (voir *Valériane*) et que M. Bayer avait d'abord douté des vertus de l'aspirine (voir *Reine-des-prés*). Au XIXe siècle, les querelles entourant l'avortement ont permis de populariser un médicament visant à soulager les douleurs menstruelles que l'on utilise encore aujourd'hui (voir *Viorne*).

ACHILLÉE

Un pansement naturel

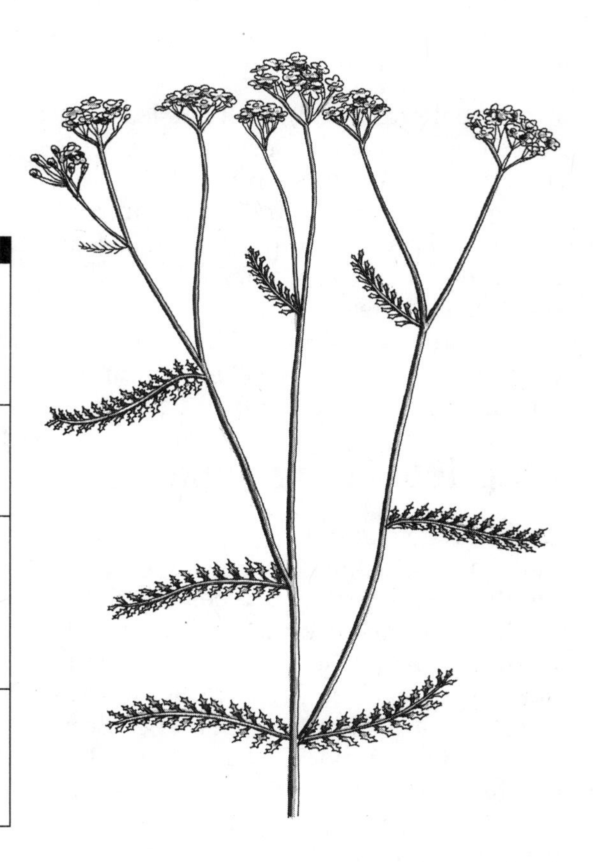

Famille: *Compositæ*. Également la marguerite, le pissenlit et le souci officinal

Genre et espèce: *Achillea millefolium*

Autres noms: Herbe à dinde, herbe militaire, plante du soldat, jouet du mauvais homme, millefeuille, herbe du charpentier et saigne-nez

Parties utilisées: Les feuilles, les tiges et la partie supérieure des fleurs fraîches

La légende veut que, pendant la guerre de Troie, Achille appliqua des feuilles d'achillée sur les blessures de ses soldats afin qu'elles arrêtent de saigner. Selon les scientifiques, ce héros de la mythologie grecque n'avait pas tort. L'achillée, semblable à la fougère, contient des substances coagulantes dont les propriétés anti-inflammatoires et calmantes sont particulièrement utiles dans la guérison des plaies.

Outre ses propriétés sédatives, l'achillée est aussi un bon stimulant digestif et permet de soulager les douleurs menstruelles.

La plante du soldat

Sans le savoir, Achille venait de découvrir l'usage thérapeutique de l'achillée pour plus de 2 500 ans. Dioscoride, médecin des légions romaines, conseillait d'écraser les feuilles d'achillée et de l'appliquer sur les blessures. Les nombreux noms communs de la plante, notamment herbe militaire ou plante du soldat, confirment son efficacité comme coagulant pendant tout le Moyen Âge. Il est aussi possible que le terme achillée, en raison de son assocation avec le terme querelleur, fut confondu avec le mot voyou et se vit qualifier de «jouet du mauvais homme».

À l'époque d'Achille, les médecins chinois utilisaient eux aussi l'achillée pour traiter les inflammations, les saignements, le flux menstruel important, ainsi que les morsures de chiens et de serpents. Les Chinois y avaient recours pour le rite du *I Ching*, oracle consulté pour prédire l'avenir. Avec le temps, les pièces de monnaie ont remplacé les tiges d'achillée séchées.

Quant aux médecins ayurvédiques de l'Inde, ils se servaient de l'achillée pour faire tomber la fièvre.

Propriétés coagulantes

L'herboriste John Gerard recommandait l'achillée dans les cas de «gonflements ... des parties privées». Au XVIIe siècle John Parkinson déclarait: «Il suffit de mettre un peu d'achillée dans le nez pour arrêter les saignements.» Pour sa part, Nicholas Culpeper écrivait: «Une pommade à base de feuilles d'achillée cicatrice les plaies ... réduit les saignements importants ... traite les inflammations et les ulcères ... et soigne à merveille les hémorroïdes.»

Ce sont les premiers colons qui introduisirent l'achillée en Amérique du Nord. Les Indiens d'Amérique l'adoptèrent comme traitement externe dans le cas de blessures et de brûlures, et comme traitement interne dans les cas de rhumes, de maux de gorge, d'arthrite, de maux de dents, d'insomnie et d'indigestions.

Au XIXe siècle, les médecins éclectiques considéraient l'achillée comme «un tonique pour le système veineux», mais réfutaient ses propriétés coagulantes et cicatrisantes. Dans leur traité de médecine, le *King's American Dispensatory*, ils la recommandaient s'il se présentait du sang dans les urines (hématurie) ou pour l'incontinence, les hémorroïdes, les douleurs menstruelles, la diarrhée, la dysenterie et «les petites hémorragies».

L'herboriste contemporain, Steven Foster, présente l'achillée comme un «pansement naturel». Ses confrères la recommandent dans les cas de fièvres, d'infections urinaires et de problèmes digestifs.

PROPRIÉTÉS thérapeutiques

Si Achille avait eu de l'achillée sous la main quand il reçut sa mortelle blessure au talon, il aurait pu vivre longtemps après la guerre de Troie.

TRAITEMENT DES BLESSURES. L'achillée contient bon nombre de composants chimiques qui confirment l'usage que l'on en faisait dans le traitement des blessures. Deux de ces agents, l'achilletin et l'achilléine, favorisent la coagulation du sang. D'autres agents comme l'azulène, le camphre, la chamazulène, l'eugénol, le menthol, le quercetin, la rutine et l'acide salicylique ont une action apaisante et anti-inflammatoire. Certains comme les tannins, le terpéniol et le cinéol ont des propriétés antiseptiques.

STIMULANT DIGESTIF. L'achillée contient un composant chimique présent dans la camomille et le chamazulène, qui permet de détendre le tissu musculaire lisse du tube digestif à la façon d'un antispasmodique. Cependant, selon les scientifiques, l'action de l'achillée sur la digestion n'est pas aussi puissante que celle de la camomille.

SANTÉ DE LA FEMME. Les antispasmodiques détendent non seulement le tube digestif, mais les autres muscles lisses comme l'utérus, ce qui confirmerait l'efficacité de l'achillée dans le soulagement des douleurs menstruelles.

TRANQUILLISANTS ET SÉDATIFS. L'achillée contient également, en petites quantités, un composant chimique hypnotique, le thujone, dont les effets sont comparables à ceux de la marijuana. Le thujone peut expliquer son usage traditionnel comme sédatif. En grandes quantités, le thujone est nocif, mais si l'on respecte les doses prescrites, cet agent ne présente aucun danger.

AUTRES PROPRIÉTÉS. Deux études réalisées sur des animaux révèlent que l'achillée protège le foie contre les produits chimiques toxiques. De plus, une expérience scientifique réalisée en Inde a démontré que l'achillée aide à soigner l'hépatite. Si vous avez une maladie du foie, demandez à votre médecin de vous prescrire de l'achillée en plus du traitement usuel.

Préparation et posologie

En cas de blessure, appliquez des feuilles fraîches ainsi que la partie supérieure de la fleur sur les coupures et les éraflures avant de nettoyer la plaie et de faire un bandage.

Si vous souffrez de douleurs menstruelles, afin de vous aider à digérer ou vous soulager, faites une infusion. Prenez 1 à 2 c. à café d'herbe séchée par tasse d'eau bouillante. Laissez infuser de 10 à 15 minutes. Ne dépassez pas trois tasses par jour. L'achillée a un goût à la fois piquant et amer. La boisson est légèrement astringente. Pour l'adoucir, ajoutez du miel, du sucre ou du citron, ou mélangez-la à une autre préparation à base de plantes.

Pour accélérer la guérison, appliquez la plante sur les blessures et les inflammations.

Pour une teinture, prenez 1/2 à 1 c. à café jusqu'à trois fois par jour.

Les préparations d'achillée sont déconseillées aux enfants de moins de deux ans. Les enfants plus âgés et les personnes de plus de 65 ans devraient commencer par des préparations faiblement concentrées et augmenter la dose au besoin.

Mise en garde

De fortes quantités d'achillée risquent de rendre l'urine brun foncé. Ne vous inquiétez pas si cela se produit.

Selon les livres médicaux, l'achillée ne présente aucun danger. Cependant, les personnes allergiques à l'ambroisie risquent de souffrir de démangeaisons.

La Food and Drug Administration autorise la préparation de tisanes à partir d'extraits d'achillée qui ne contiennent pas de thujone. Les femmes en bonne santé qui ne sont pas enceintes et qui n'allaitent pas peuvent consommer de l'achillée sans crainte si elles respectent les doses prescrites.

L'achillée ne devrait être consommée à des fins thérapeutiques qu'après accord avec son médecin. Si elle provoque de légers troubles, tels que des irritations cutanées ou de la diarrhée, prenez-en moins ou cessez d'en prendre. Consultez votre médecin en cas de réaction désagréable ou si les symptômes persistent deux semaines après le début du traitement.

Une plante échevelée facile à cultiver

L'achillée est une jolie plante vivace de 1 m de haut couverte de légers poils. Ses feuilles duveteuses se divisent en milliers de minuscules folioles, d'où ses différents noms, dont millefeuille. L'été, ses nombreuses et minuscules feuilles blanches forment des grappes denses au-dessus de tiges-parapluies au sommet aplati.

On cultive l'achillée à partir de graines ou de racines plantées au printemps ou à l'automne. Semez les graines à quelques millimètres dans le sol et maintenez la terre bien humide jusqu'à ce qu'elles germent dans les deux semaines qui suivent. Espacez les plants de 30 cm environ. Bien que l'achillée s'adapte à différents sols, elle nécessite un bon drainage et donne un excellent rendement lorsqu'elle est exposée en plein soleil dans un sol moyennement riche. Divisez les plants une année sur deux afin de leur donner plus de vigueur.

Cueillez l'achillée quand elle est en fleur. Suspendez vos bouquets pour les faire sécher.

AGRIPAUME

Tranquillisant et stimulant

Famille: *Labiatæ*. Également les menthes
Genre et espèce: *Leonurus cardiaca*
Autres noms: Queue de lion, plante du cœur
Parties utilisées: Les feuilles, les fleurs et les tiges

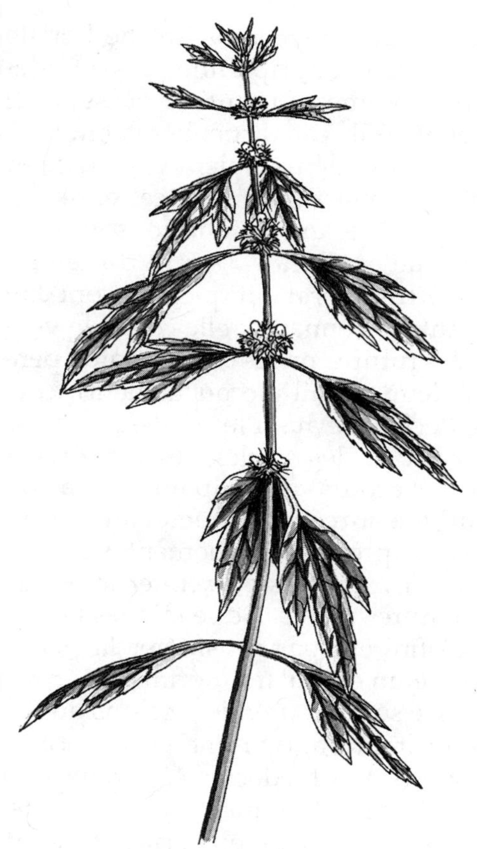

Malgré son appellation commune, queue de lion, l'agripaume n'est pas une plante menaçante. On prétend même qu'à l'instar de la musique, elle adoucit les mœurs et apaise les cœurs chagrinés. Et en ce qui concerne la maternité, l'agripaume, qui porte en anglais le nom de *motherwort* (herbe de la mère), aurait plutôt selon certains des vertus anticonceptionnelles.

Bonne chère et longue vie

Autrefois, les Grecs et les Romains utilisaient l'agripaume pour traiter les troubles du cœur, tant physiques que sentimentaux. Ainsi, s'en servaient-ils chaque fois qu'ils avaient des palpitations ou souffraient de dépression.

Dans la Chine ancienne, l'agripaume était un gage de longévité. On raconte qu'un jour, un jeune homme, chassé de son village pour un délit mineur, fut contraint d'aller vivre dans une contrée lointaine près d'une source entourée de plants d'agripaume. Cet homme aurait vécu jusqu'à l'âge de 300 ans.

En Europe, l'agripaume a d'abord été utilisée pour soigner les animaux. Au XVIe siècle, l'herboriste John Gerard la définissait comme «un remède contre certaines maladies du bétail … très apprécié par les hommes». L'herboriste la recommandait également pour les «infirmités du cœur».

Au XVIIe siècle, l'herboriste anglais Nicholas Culpeper écrivait: «Il n'y a pas de meilleure plante pour chasser les vapeurs mélancoliques … et rendre l'âme joyeuse.» Cet herboriste considérait l'agripaume essentiellement comme un antidépresseur. Il ajoutait: «Elle est particulièrement utile dans les cas de tremblements du cœur (palpitations), de défaillances et de pâmoisons, ce qui explique son nom d'origine cardiaca … Au fil du temps, ses vertus thérapeutiques se sont fait davantage connaître: elle calme le ventre des futures mères … et les aide pendant leur travail (accouchement) … et elle déclenche aussi les règles.»

Au fil des siècles, les herboristes eurent recours à l'agripaume à la fois pour détendre l'utérus pendant la grossesse et après l'accouchement. Pour déclencher les règles et faciliter le travail des futures mères. De ce fait, les herboristes finirent par considérer la plante comme un stimulant utérin.

Ce sont les premiers colons qui introduisirent l'agripaume en Amérique du Nord. Les médecins éclectiques du XIXe siècle la recommandèrent pour déclencher les règles et permettre d'expulser le placenta. Ils la prescrivirent aussi comme tranquillisant dans les cas «d'excitations nerveuses morbides ou d'autres maladies caractérisées par de l'agitation et un sommeil perturbé». Ces médecins ne considéraient pas du tout l'agripaume comme un remède pour le cœur.

De nos jours, les herboristes prescrivent l'agripaume comme tranquillisant et comme remède pour les palpitations et le déclenchement des règles.

PROPRIÉTÉS thérapeutiques

Jusqu'à récemment, les scientifiques ont fait peu de cas de l'agripaume. Cependant, des études révèlent que les Sages qui nommaient cette plante *cardiaca* connaissaient déjà ses bienfaits.

MALADIES DU CŒUR. Des expériences, menées en laboratoire en Chine, démontrent que l'agripaume détend les cellules du cœur, ce qui confirmerait jusqu'à un certain point l'usage que l'on en faisait pour calmer les palpitations. D'autres études réalisées dans ce même pays révèlent que l'agripaume aide à prévenir les caillots sanguins internes qui pourraient provoquer une crise cardiaque. Des chercheurs russes croient que la plante contient des agents chimiques qui permettent de réduire la tension artérielle. Ces découvertes sont préliminaires, mais elles confirment le point de vue traditionnel selon lequel l'agripaume est un tonique pour le cœur.

Des palpitations occasionnelles ne devraient pas inquiéter les adultes en bonne santé. Cependant, elles peuvent être un symptôme d'irrégularités du rythme cardiaque (arythmie), une affection grave qui exige une attention médicale immédiate. Si vous ressentez souvent des palpitations, consultez votre médecin.

Les victimes d'hypertension artérielle ou de maladies du cœur qui envisagent d'utiliser l'agripaume conjointement avec leur traitement habituel devraient d'abord consulter leur médecin.

TRANQUILLISANT. Des études allemandes révèlent que l'agripaume a une action sédative douce comparable à celle de la valériane, ce qui la rendrait efficace dans les cas d'anxiété et d'insomnie.

SANTÉ DE LA FEMME. Les tranquillisants ne sont pas tous à la fois des stimulants utérins. Cependant, l'agripaume contient un composant chimique, la léonurine, qui provoque les contractions utérines, ce qui confirme sa réputation de plante qui facilite les accouchements et déclenche les règles.

L'agripaume est déconseillée aux femmes enceintes. Toutefois, celles qui sont arrivées à terme peuvent en consommer en raison de son action utérine, uniquement sous la surveillance d'un médecin. Les femmes qui ne sont pas enceintes peuvent prendre de l'agripaume afin de déclencher leurs règles.

Préparation et posologie

Pour une infusion qui détend, stimule l'utérus et fait baisser la tension artérielle, prenez 1 à 2 c. à café d'herbe séchée par tasse d'eau bouillante. Laissez infuser pendant 10 minutes. Ne dépassez pas deux tasses par jour, à raison d'une cuillère à soupe à chaque prise. L'agripaume a un goût très amer. Améliorez-le avec du sucre, du miel et du citron, ou mélangez la plante à une tisane.

Pour une teinture, prenez 1/2 ou 1 c. à café complète jusqu'à deux fois par jour.

L'agripaume est déconseillée aux enfants de moins de deux ans. Les enfants plus âgés et les personnes de plus de 65 ans devraient commencer par des préparations faiblement concentrées et augmenter la dose au besoin.

Mise en garde

Compte tenu de la possible action anticoagulante de l'agripaume, les personnes qui souffrent de problèmes de coagulation ne devraient pas en consommer.

Il suffit à certaines personnes de toucher cette plante pour souffrir de démangeaisons.

La Food and Drug Administration mentionne l'agripaume comme une herbe dont la fiabilité reste à prouver. Les femmes en bonne santé qui n'ont pas de problèmes de coagulation, qui ne prennent ni sédatifs ni médicaments pour le cœur ou la tension artérielle, de même que les femmes qui ne sont pas enceintes ou qui n'allaitent pas peuvent consommer de l'agripaume sans crainte en respectant les doses prescrites.

Cette plante ne devrait être consommée à des fins thérapeutiques qu'après accord avec votre médecin. Si elle provoque de légers troubles, tels que des maux d'estomac ou de la diarrhée, prenez-en moins ou cessez d'en prendre. Consultez votre médecin en cas d'effets indésirables ou si les symptômes persistent deux semaines après le début du traitement.

Cueillez vos propres fleurs

La racine vivace de l'agripaume donne naissance à des tiges robustes et carrées, teintées de rouge ou de violet, qui peuvent atteindre 1,20 m. Ses feuilles inférieures sont découpées en pointe comme celles de l'érable. Ses feuilles supérieures sont étroites et dentées. L'agripaume produit des petites fleurs blanches, roses ou rouges entortillées qui éclosent en été.

L'agripaume est si prolifique qu'elle en est encombrante. Semez les graines au printemps et espacez les plants d'environ 30 cm. L'agripaume préfère les sols riches humides et bien drainés ainsi que les endroits bien ensoleillés. Même si les conditions ne sont pas idéales, vous obtiendrez quand même un bon rendement. Retirez la plante de terre après la floraison.

AIL

Le médicament miracle

Famille: *Amaryllidacæ.* Également l'oignon, la ciboulette et l'échalote
Genre et espèce: *Allium sativum*
Autres noms: Rose puante, mélasse rustique ou mélasse du pauvre
Partie utilisée: Le bulbe

Si le terme de remède magique pouvait s'appliquer à une plante en particulier, c'est à l'ail que reviendrait cette distinction suprême. L'ail est la plus vieille plante qui guérit, après l'éphédra, et l'une des plus efficaces.

Parmi toutes les plantes de la famille des *Allium*, l'ail est celle qui est dotée du plus puissant pouvoir de guérison et qui fait l'objet d'un maximum de recherche. Autrefois, les herboristes vantaient les mérites de ses plus proches parents, l'oignon, le poireau, la ciboulette et l'échalote, tout en les considérant moins efficaces. De nos jours, les chercheurs sont parvenus aux mêmes conclusions. L'oignon a presque autant de vertus médicinales que l'ail. Par contre, le poireau, l'échalote et la ciboulette en ont moins.

Grottes et écriture cunéiforme

On a retrouvé des morceaux d'ail dans des grottes habitées il y a 10 000 ans. La première ordonnance d'ail, gravée en caractères cunéiformes sur une tablette d'argile par les Sumériens, date de 3 000 ans avant notre ère. Dans les temps anciens, tous les peuples de la terre, qu'ils fussent Espagnols ou Chinois, adoraient l'ail, mais ce sont les Égyptiens qui l'appréciaient le plus. Ironiquement, ils l'affublaient du nom de «plante puante», car elle leur donnait mauvaise haleine. Alors que nous jurons sur la Bible, les Égyptiens faisaient leurs serments solennels en jurant sur l'ail. On retrouva la plante dans la tombe du roi Tut. Avec 7 kg d'ail, on pouvait acheter un esclave mâle en parfaite santé.

L'ail a joué un rôle de tout premier plan dans la vie des esclaves qui ont construit les pyramides d'Égypte. Les

Égyptiens croyaient que la plante protégeait contre la maladie, en plus d'augmenter la force et l'endurance. Aussi, ils donnaient à leurs esclaves une ration d'ail quotidienne. Ces derniers finirent par révérer la plante tout comme leurs maîtres. On raconte que durant la construction d'une pyramide, une pénurie d'ail contraignit les Égyptiens à diminuer la ration des esclaves. Cette mesure amena ces derniers à faire la grève. Il s'agit de la première grève de toute l'humanité.

L'ail est largement mentionné dans *Ebers Papyrus*, le plus ancien traité médical dont nous disposions de nos jours. Il entre dans la composition des 22 remèdes conçus pour les maux de tête, les morsures de scorpions et d'insectes, les troubles menstruels, les vers intestinaux, les tumeurs et les problèmes cardiaques.

Peu de temps après que Moïse eut aidé les esclaves hébreux à fuir l'Égypte vers 1200 avant notre ère, ces derniers se plaignirent de manquer de ce qu'ils avaient de meilleur pendant leur esclavage, à savoir «le poisson, les concombres, les melons, les poireaux, les oignons et l'ail».

La plante des batailles et de la compétition

Les athlètes grecs mangeaient de l'ail avant les compétitions et les soldats grecs en croquaient avant les combats.

Dans l'Odyssée, Homère raconte qu'Ulysse mangea de l'ail pour trouver le courage et la force de se battre contre Circé la sorcière.

Les sages-femmes grecques suspendaient des gousses d'ail autour des chambres de naissance afin de protéger les nouveau-nés contre la maladie et les mauvais sorts des sorcières. Au fil des siècles, les Européens suspendirent des tresses d'ail aux portes d'entrée de leur maison afin d'éloigner les mauvais esprits, une coutume transmise au cours des siècles. Aujourd'hui, on suspend des tresses d'ail dans nos cuisines.

La «rose puante»

Les médecins grecs et romains adoraient l'ail. Hippocrate le recommandait pour soigner les infections, les blessures, le cancer, la lèpre et les problèmes de digestion. Dioscoride le prescrivait dans les cas de troubles cardiaques. Quant à Pline l'Ancien, il l'inscrivait dans chacun des 61 remèdes destinés à soigner diverses maladies, du plus petit rhume à l'épilepsie, en passant par la lèpre et le ténia. La science moderne reconnaît bon nombre de ces usages.

Les Grecs et les Romains aisés finirent par détester ce qu'ils appelaient la «rose puante». Ils considéraient la mauvaise haleine attribuée à l'ail comme une marque de petite naissance, croyance qui s'est répandue jusqu'au XXe siècle.

Comme les Grecs, les guérisseurs ayurvédiques de l'Inde ancienne prescrivaient l'ail pour traiter la lèpre. Cette pratique s'est poursuivie pendant des milliers d'années. Quand l'Inde devint une colonie britannique et fit de l'anglais une des langues officielles, la lèpre fut désignée comme «ail à pelure» parce que les lépreux passaient beaucoup de temps à éplucher les gousses et à les manger. Les Indiens utilisaient aussi l'ail pour traiter le cancer. La recherche moderne confirme l'efficacité de l'ail dans le traitement de la lèpre et la prévention de certains types de cancers.

Au Moyen Âge, l'ail ne faisait pas l'unanimité. Les nantis évitaient d'en manger, mais les paysans en consommaient de grandes quantités et le considéraient comme un remède préventif tout usage et comme une panacée. À l'époque élizabéthaine, le terme *theriaca*, qui signifie antidote en latin, devint en anglais *treacle*, c'est-à-dire panacée, et l'ail fut communément appelé «la panacée du rustre ou du pauvre».

Au fil des siècles, la classe aisée se mit à l'utiliser de nouveau, mais uniquement dans le traitement des maladies et avec modération. Au XVIIe siècle, l'herboriste anglais Nicholas Culpeper le qualifiait lui aussi de «panacée du pauvre ..., remède de toutes les maladies et blessures».

Au XIXe siècle, les médecins éclectiques américains partagèrent les préjugés les plus répandus contre l'ail. Ils lui reprochaient son «odeur forte et agressive ... et son goût âcre, presque corrosif». Cependant, ils lui reconnaissaient son efficacité dans le traitement des rhumes, de la toux, de la coqueluche et d'autres maladies respiratoires. Ces médecins éclectiques croyaient aussi que du jus d'ail frais appliqué sur l'oreille pouvait guérir la surdité, une méthode confirmée dans certains ouvrages modernes sur les plantes.

Pénicilline russe

Au cours de la Première Guerre mondiale, les médecins des armées britannique, française et russe soignaient les blessures infectées des soldats avec du jus d'ail. Ils prescrivaient également l'ail pour prévenir et traiter la dysenterie amibienne.

La découverte de la pénicilline par Alexandre Fleming en 1928 instaura l'ère de l'antibiotique et, vers la Seconde Guerre mondiale, la pénicilline et les sulfamides avaient déjà remplacé l'ail dans le traitement des plaies infectées. Cependant, plus de 20 millions de Russes, blessés pendant cette guerre, furent soignés avec cet antibiotique naturel. Les médecins de l'Armée rouge prisaient les vertus de l'ail que l'on finit par appeler pénicilline russe.

Les herboristes modernes recommandent l'ail ainsi que les autres «alliums» dans les cas de malaises comme le rhume, la toux, la grippe, la fièvre, la bronchite, les vers solitaire et vers intestinaux, un haut taux de cholestérol et les problèmes de foie et de vésicule biliaire et les problèmes digestifs.

PROPRIÉTÉS thérapeutiques

L'ail ne guérit pas l'épilepsie ou la surdité, mais la recherche scientifique a prouvé que ses vertus dépassent largement sa réputation de «panacée du pauvre».

UN PUISSANT ANTIBIOTIQUE. Au cours de la Première Guerre mondiale, les succès de l'ail dans le traitement des plaies infectées et de la dysenterie amibienne, causée par l'*Endameoba histolytica* protozoaire, a clairement démontré que cette plante possède d'importantes propriétés antibactériennes et antiprotozoaires, confirmant ainsi des milliers d'années de tradition herboriste.

Le composant antibiotique de l'ail est resté un mystère jusqu'aux années vingt, époque à laquelle les chercheurs au service de la compagnie de produits pharmaceutiques suisse Sandoz isolèrent l'alliine, de la plante. L'alliine n'a pas en soi de valeur médicale, mais lorsqu'on mâche, tranche ou pile de l'ail, l'alliine entre en contact avec une enzyme, l'allinase, laquelle transforme l'alliine en un autre constituant chimique, l'allicine, puissant antibiotique.

Depuis les années vingt, les très nombreuses propriétés antibiotiques de l'ail ont été confirmées par plusieurs études menées chez les humains et les animaux. L'ail tue les bactéries responsables de la tuberculose, de l'empoisonnement alimentaire et des infections de la vessie chez la femme. L'ail peut aussi prévenir l'infection du virus de la grippe.

Les chercheurs chinois rapportent d'importants succès de l'ail dans le traitement de 21 cas de méningite à *cryptococcus*, infection fongique souvent mortelle. En outre, plusieurs études démontrent son efficacité dans le traitement des champignons responsables du pied d'athlète (*Trichophyton mentagrophytes*) et des infections vaginales (*Candida albicans*).

MALADIES CARDIAQUES ET ACCIDENTS VASCULAIRES CÉRÉBRAUX. Aucun médicament ne peut concurrencer l'ail dans la lutte contre les facteurs d'accidents vasculaires cérébraux. Certains médicaments réduisent la tension artérielle, d'autres le cholestérol. Il y en a qui réduisent les risques de caillots sanguins internes responsables des crises cardiaques et de certains accidents vasculaires cérébraux. L'ail agit dans tous ces cas, grâce à l'allicine et à un autre constituant chimique, l'ajoène.

Plusieurs études qui remontent aux expériences de la firme Sandoz confirment la capacité de l'ail à réduire la tension artérielle chez les animaux et les humains.

De plus, de nombreux articles publiés dans des journaux scientifiques rapportent l'efficacité de l'ail dans la diminution du cholestérol. Au cours d'une expérience publiée dans la revue médicale britannique *Lancet*, des chercheurs ont demandé à des bénévoles de manger un plat contenant 110 g de beurre, quantité suffisante pour augmenter le taux de cholestérol dans le sang. La moitié d'entre eux ont également consommé environ neuf gousses d'ail. Après 3 heures, le taux moyen de cholestérol dans le groupe qui n'avait pas consommé d'ail a augmenté de 7 %, alors que le cholestérol du groupe qui avait consommé de l'ail a diminué de 7 %. La conclusion des chercheurs est la suivante: «L'ail a une action protectrice très importante dans le cas d'un taux de cholestérol élevé.»

Enfin, l'ail aide à prévenir la formation des caillots sanguins responsables des crises cardiaques. Un chercheur a dit de l'ail qu'il était «au moins aussi efficace que l'aspirine» dont, tout récemment, on a reconnu l'action anticoagulante et le pouvoir de prévention dans les cas de crises cardiaques.

DIABÈTE. Des études en laboratoire ont prouvé que l'ail réduit le taux de glucose chez les animaux et les humains. Le diabète est une affection grave qui requiert des soins médicaux appropriés. Toutefois, si vous en souffrez, vous pouvez sans crainte augmenter votre consommation d'ail, en plus de suivre le traitement prescrit par votre médecin.

CANCER. Il est prouvé que l'ail joue un rôle important dans la prévention et le traitement du cancer. Dans une étude rapportée dans la revue médicale *Science*, des chercheurs ont séparé les cellules tumorales de souris en deux groupes. Le premier n'a subi aucun traitement, le deuxième a été traité à l'allicine. Puis, les deux groupes de cellules tumorales ont été injectées aux souris. Les souris qui ont reçu les cellules non traitées sont mortes très vite. En revanche, celles qui ont reçu les cellules tumorales traitées avec de l'ail sont restées vivantes. Depuis cette expérience, d'autres études réalisées sur les animaux sont venues confirmer les résultats.

Bien sûr, les résultats concernant les animaux ne s'appliquent pas nécessairement à l'homme, mais une étude rapportée dans le *Journal of the National Cancer Institute* suggère que l'ail pourrait aider à prévenir le cancer de l'estomac. Des chercheurs ont analysé le régime alimentaire de 1 800 Chinois, dont 685 d'entre eux étaient atteints de cancer de l'estomac. Ces derniers consommaient beaucoup moins d'ail que les personnes saines. Les chercheurs ont conclu qu'un régime riche en ail «peut considérablement réduire le risque de cancer de l'estomac».

INTOXICATION AU PLOMB. Des études réalisées en Europe révèlent que l'ail aide à éliminer le plomb et d'autres métaux lourds toxiques. Le plomb agit sur le cerveau et cause d'autres problèmes physiologiques graves. À force d'inhaler des vapeurs d'essence avec plomb, les Nord Américains ont fini par absorber ce métal dans leur organisme. Les enfants sont particulièrement vulnérables à l'action du plomb. Ajoutez toujours un peu d'ail aux sauces à spaghetti et à tous les plats dont les enfants raffolent.

LÈPRE. Les anciens guérisseurs ayurvédiques de l'Inde avaient entrevu en leur temps le pouvoir curatif de l'ail dans les cas de lèpre (aujourd'hui connue sous le nom de maladie de Hansen). Au cours d'une expérience réalisée en Inde, les chercheurs ont séparé deux groupes de personnes atteintes de la maladie. Au premier groupe, elle a donné une pommade à base d'ail ainsi que des aliments fortement aillés. Le deuxième n'a reçu aucun traitement. Résultat: le premier groupe de patients a vu son état de santé s'améliorer considérablement.

SIDA. Certaines études réalisées sur le potentiel curatif de l'ail dans le SIDA sont préliminaires, mais elles laissent entrevoir une lueur d'espoir. Dans l'une d'elles, on a noté une nette amélioration des fonctions immunitaires chez sept patients qui avaient consommé une gousse d'ail par jour pendant trois mois. On a également remarqué une disparition des boutons d'herpès chronique chez deux d'entre eux et une amélioration de la diarrhée chronique, symptôme courant de la maladie, chez deux autres patients.

Préparation et posologie

Vous êtes sûrement impatient de vérifier les vertus thérapeutiques de l'ail, et surtout son pouvoir anti-infectieux.

Mais sous quelle forme et dans quelles quantités pouvez-vous le consommer? Du jus d'ail suffit à guérir les infections de la peau bénignes, mais, à moins que vous ne soyez un herboriste expérimenté, ne vous contentez pas de traiter vos maladies infectieuses avec de l'ail seulement. Aucun antibiotique, l'ail compris, ne peut tuer tous les microorganismes responsables des maladies. En médecine, la méthode la plus courante consiste à procéder à une épreuve de sensibilité qui permet de définir l'action de plusieurs antibiotiques contre les microbes. Puis, le médecin prescrit l'antibiotique qu'il juge le plus efficace. Demandez à ce dernier d'inclure l'ail dans l'épreuve de sensibilité, ou simplement consommez de l'ail en plus de prendre vos médicaments.

Des chercheurs ont découvert qu'une gousse d'ail de grosseur moyenne renferme un taux de 100 000 unités de pénicilline. Selon le type d'infection, les quantités de pénicilline administrées par voie orale varient de 600 000 UI à 1,2 million d'UI. On estime que six à douze gousses d'ail contiennent des quantités équivalentes. Par conséquent, mâchez trois gousses d'ail à la fois, deux à quatre fois par jour.

Afin de réduire la tension artérielle, le taux de cholestérol et le risque de caillots sanguins internes, on conseille de consommer de trois à dix gousses d'ail frais par jour.

Il faut mâcher, hacher ou écraser l'ail afin de transformer l'alliine, son composant inerte, en allicine antibiotique.

Utilisation culinaire

L'ail pur dégage une odeur forte et âcre; certaines personnes ont la sensation de se brûler la langue quand elles en mangent. Il suffit de le faire cuire pour adoucir le goût.

L'ail bonifie le goût de nombreux mets. (Ôtez les différentes pelures en les écrasant avec le plat d'un hachoir).

Pour une infusion, hachez six gousses d'ail et ajoutez une tasse d'eau froide. Laissez infuser pendant 6 heures.

Pour une teinture, laissez tremper 225 ml de gousses écrasées dans 1 l de cognac, agitez quotidiennement la préparation pendant deux semaines, puis buvez jusqu'à trois cuillères à soupe par jour.

L'ail peut être administré avec certaines précautions aux enfants de moins de deux ans.

Que faire pour éliminer l'odeur?

Depuis 3 000 ans avant notre ère, l'ail rebute à cause de son odeur. La «rose puante» continue d'incommoder certaines personnes, mais depuis quelques années, les gastronomies italienne et indienne, réputées pour leurs mets fortement aillés, connaissent un regain de popularité. Certains de leurs meilleurs restaurants s'enorgueillissent même d'offrir à leur clientèle choisie des plats bien relevés d'ail. Cependant, même si l'ail n'est plus le condiment du pauvre, une haleine aillée rebute encore la plupart d'entre nous.

Comment se débarrasser de sa mauvaise haleine après avoir mangé de l'ail? Tout simplement en mâchant des herbes rafraîchissantes comme le persil, le fenouil ou le fenugrec.

Mise en garde

L'action anticoagulante de l'ail peut aider à prévenir les crises cardiaques ainsi que certains types d'accidents vasculaires cérébraux. Cependant, de fortes doses risquent d'aggraver les symptômes des personnes qui ont des problèmes de coagulation. Si c'est votre cas, consultez votre médecin avant de commencer un traitement à l'ail.

Il suffit à certaines personnes, allergiques à l'ail, de toucher ou de manger un peu d'ail pour souffrir d'irritations de la peau. Si c'est votre cas, abstenez-vous d'en consommer. Il n'est pas non plus rare que l'ail provoque des maux d'estomac.

L'ail pénètre dans le lait des mères qui allaitent et risque de provoquer des coliques chez le nourrisson.

L'ail n'est pas responsable des fausses couches ou des défauts de naissance.

Autres précautions

Les femmes en bonne santé qui ne sont pas enceintes, qui n'allaitent pas et qui ne présentent pas de problèmes de coagulation peuvent consommer de l'ail autant qu'elles le désirent.

L'ail ne devrait être consommé à des fins thérapeutiques qu'après accord avec son médecin. S'il provoque de légers troubles, tels que des maux d'estomac, prenez-en moins ou cessez d'en prendre. Consultez votre médecin en cas d'effets indésirables ou si les symptômes persistent deux semaines après le début du traitement.

Un type de bulbe différent

L'ail est cultivé à partir de graines ou de gousses. Il est plus facile de commencer par des gousses. Plantez-les à 5 cm de profondeur en les espaçant de 15 cm. Plantez ou semez au début du printemps pour faire une récolte à l'automne.

L'ail tolère le froid et peut être planté six semaines avant les dernières gelées. Il aime particulièrement les sols riches, bien travaillés et bien drainés. Il ne faut pas l'arroser excessivement. Pour obtenir de gros bulbes, exposez les plants en plein soleil. L'ail pousse bien aussi à l'ombre. Pendant l'été, coupez les tiges à fleurs afin d'obtenir de gros bulbes aromatiques.

Récoltez les bulbes à la fin de l'été. Abritez-les dans un endroit frais et sombre.

Prenez soin de ne pas abîmer les bulbes afin d'éloigner la moisissure et les insectes. Avec les feuilles séchées, faites une couronne ou une tresse que vous suspendrez dans la cuisine, à l'endroit qui vous sied le mieux, pour pouvoir en détacher facilement les gousses.

ALOÈS

Un baume pour les plaies

Famille: *Liliaceæ*. Également le lis, la tulipe et l'ail

Genres et espèces: *Alœ Vera*, de même que 500 autres espèces d'aloès

Autres noms: Cap, Barbade, Curaiao, Socotrine ou aloès de Zanzibar

Parties utilisées: Le gel des feuilles et le liquide amer et jaune (suc) extrait de certaines cellules à l'intérieur des feuilles

On devrait tous garder chez soi un aloès pour soigner une blessure légère, une brûlure ou une coupure. Le gel que contiennent ses feuilles épaisses et charnues constituent en effet un excellent pansement. De plus, il accélère la guérison et protège contre l'infection.

Une autre partie de l'aloès, le suc, extrait de certaines cellules à l'intérieur de la feuille, est un laxatif extrêmement puissant. À ce sujet, les experts préconisent la prudence.

Une cause de guerre

L'aloès est un mode de guérison millénaire. Les traités médicaux égyptiens de 1500 avant notre ère le mentionnent pour ses propriétés curatives en cas d'infection et de problèmes de peau, également comme laxatif. Ces usages sont confirmés par la science moderne.

L'aloès est l'une des rares plantes (non narcotiques) qui ait provoqué une guerre. Alors qu'il était sur le point de conquérir l'Égypte en l'an 332 avant Jésus Christ, Alexandre le Grand eut ouï-dire qu'une île au large de la Somalie possédait une plante extraordinaire qui guérissait les blessures instantanément. Pour s'approprier la plante miraculeuse et pour soigner ses soldats, l'empereur y envoya son armée sur le champ.

Le médecin grec Dioscoride recommandait l'aloès dans les cas de blessures, d'hémorroïdes, d'ulcères et de calvitie. Le naturaliste romain Pline l'Ancien vantait ses propriétés laxatives.

Les marchands arabes transportèrent l'aloès de l'Espagne à l'Asie vers le VIe siècle de notre ère. C'est ainsi qu'ils le firent connaître aux médecins ayurvédiques de l'Inde. Ces derniers découvrirent ses bienfaits pour les problèmes de peau, les vers intestinaux et les douleurs menstruelles. Les guérisseurs chinois en firent le même usage. Quant aux pionniers américains, ils utilisaient le gel d'aloès pour guérir les blessures, les brûlures et les hémorroïdes. Ces usages ont toujours cours.

PROPRIÉTÉS thérapeutiques

Aujourd'hui, les herboristes font le même usage externe de l'aloès que Dioscoride il y a 2 000 ans. Comme lui, ils l'appliquent sur les brûlures et les blessures.

BLESSURES, BRÛLURES, ÉGRATIGNURES, COUPS DE SOLEIL. La preuve scientifique du pouvoir de guérison de l'aloès en cas de blessures apparaît en 1935 dans une revue médicale américaine. Cette revue rapportait le cas d'une femme dont les brûlures, causées par les rayons X, avaient été traitées avec succès à l'aide du gel d'aloès extrait directement des feuilles. Depuis lors, plusieurs études ont confirmé l'efficacité de l'aloès à soigner rapidement les blessures et les brûlures du premier et du second degré. Une autre étude confirme que l'aloès calme les démangeaisons.

ANTI-INFECTIEUX. Non seulement le gel d'aloès guérit rapidement les blessures, mais il évite l'infection. Plusieurs études démontrent que l'aloès combat efficacement les bactéries qui risquent d'infecter la plaie.

SOINS DE LA PEAU. Cléopâtre s'enduisait le corps de gel d'aloès pour le faire briller. L'aloès est encore largement utilisé pour les soins de la peau. Si vous tenez à retrouver votre teint, faites comme la divine impératrice: utilisez le gel frais et non le gel «stabilisé» que l'on trouve dans les shampoings et les produits de beauté commerciaux. L'aloès stabilisé est loin d'avoir les mêmes vertus que l'aloès frais. Bien sûr, les shampoings et les lotions pour la peau à l'aloès sont appréciables, mais ils ne vous donneront jamais le teint de Cléopâtre!

AUTRES PROPRIÉTÉS. Selon certaines études scientifiques, l'aloès éliminerait les champignons (*Candida albicans*) responsables des infections de la flore vaginale. Cette découverte a amené des herboristes à recommander la plante dans le cas d'infections de ce genre. Cependant, son rendement en laboratoire ne signifie pas qu'elle puisse combattre l'infection. Aucune étude scientifique ne l'atteste. Par ailleurs, un comité de la Food and Drug Administration n'a pu prouver que l'aloès agissait favorablement dans le cas d'infection de la flore vaginale.

Au cours des tests de laboratoire, un agent chimique de l'aloès, l'aloès-modine s'est révélée prometteuse dans le traitement de la leucémie. Toutefois, les chercheurs de l'Institut national du Cancer aux États-Unis affirment que les préparations expérimentales sont encore trop nocives pour les personnes atteintes de leucémie. Bien que l'aloès soit strictement réservé à un usage externe en médecine populaire pour le traitement du cancer de la peau, son efficacité n'a jamais fait l'objet d'une véritable étude scientifique.

Une étude européenne réalisée sur des animaux et des humains atteints de diabète révèle que le gel d'aloès réduit le taux de glocose sanguin. Le gel n'est utilisé qu'en applications externes. Si d'autres études venaient toutefois confirmer l'efficacité de l'aloès à diminuer le taux de glucose sanguin, il pourrait être un jour utilisé pour traiter le diabète.

Préparation et posologie

Pour soulager les plaies, les brûlures et les coups de soleil, et pour prévenir l'infection, prenez une des feuilles les plus vieilles de votre plante, coupez-en une partie sur la longueur, appliquez le gel sur la région affectée et attendez qu'il sèche. Tout d'abord, prenez soin de bien nettoyer la plaie avec de l'eau et du savon. Quant à la feuille, elle se cicatrise très vite. Gardez donc les quelques morceaux de feuilles qui restent. Elles pourraient être encore utiles.

Dans le cas des soins de la peau et afin d'apprécier les bienfaits de l'aloès, appliquez le gel extrait de la feuille sur la peau fraîchement lavée. Cessez si votre peau semble s'irriter.

Mise en garde

Le gel d'aloès ne présente aucun danger en application externe aux personnes qui n'ont pas d'allergies. Consultez votre médecin si vous avez des doutes ou si, après deux semaines, les plaies ne sont pas guéries ou si elles sont infectées.

L'aloès n'est pas un laxatif

Le suc d'aloès contient des produits chimiques, des anthraquinones, dont les propriétés sont tellement laxatives qu'on les appelle des purgatifs. D'autres plantes laxatives, notamment le séné, la rhubarbe, la bardane et le cascara sagrada, contiennent aussi des anthraquinones. Toutefois, l'effet de l'aloès est le plus notable, et par conséquent le moins recommandé, car il occasionne souvent des douleurs intestinales et de la diarrhée. Bon nombre d'herboristes refusent de le prescrire. Certaines compagnies spécialisées dans les suppléments alimentaires vendent des comprimés laxatifs à base d'aloès. Ne dépassez jamais la dose prescrite si vous les prenez. Diminuez la dose ou cessez d'en prendre si vous ressentez des douleurs intestinales.

Si vous recherchez un laxatif naturel, choisissez des plantes dont les effets sont connus et plus doux comme le plantain (voir page 353) et la cascara sagrada (voir page 125).

Les femmes enceintes ne devraient pas prendre du suc d'aloès. Sa nature purgative risque de provoquer des contractions utérines et de déclencher une fausse couche. Les mères qui allaitent devraient également éviter d'en prendre. Le suc s'infiltre dans le lait et peut provoquer des maux d'estomac et une forte diarrhée chez le nourrisson.

L'action purgative de l'aloès peut aussi aggraver l'état de certaines affections comme les ulcères, les hémorroïdes, la diverticulose, le diverticulite, la colite ou le syndrome du côlon irritable. Les personnes atteintes de maladies gastro-intestinales devraient s'abstenir de prendre du suc d'aloès comme laxatif.

En général, le suc d'aloès n'est pas recommandé pour un usage interne.

Effets indésirables

Bien que le gel d'aloès s'avère efficace pour les plaies, une étude a révélé qu'il avait laissé des marques semblables à celles de l'eczéma chez un homme qui l'utilisait depuis plusieurs années. Il semblerait donc qu'il ne faille pas en abuser.

Une plante facile à cultiver à l'intérieur

L'aloès est la plante d'intérieur idéale pour les personnes qui n'ont pas la main verte. Il aime le soleil, tolère l'ombre et ne nécessite que peu d'arrosage. Il se contente d'un sol pauvre. Par contre, cette plante grasse résistante ne supporte pas un mauvais drainage et des températures inférieures à 5 degrés. Si votre plante est à l'extérieur de la maison, rentrez-la avant qu'il ne fasse trop froid.

L'aloès produit périodiquement de nouvelles racines qui peuvent être repiquées quand elles ont atteint quelques centimètres. Simplement déracinez la plante ou retirez-la de son pot, remuez la terre doucement pour sépa-

ANETH

Les graines qui apaisent l'estomac

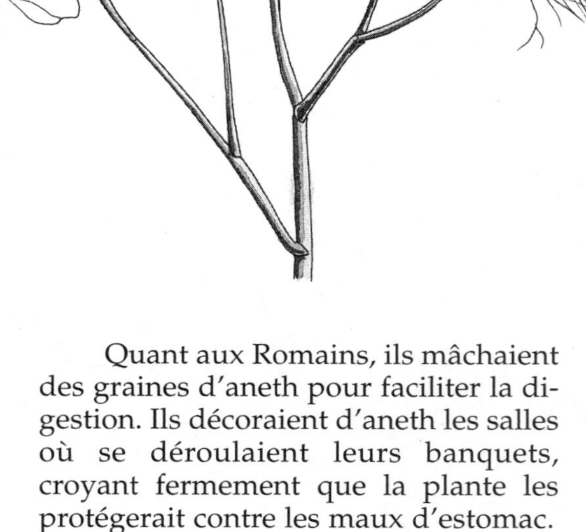

Famille: *Umbeliferæ*. Également la carotte et le persil

Genre et espèce: *Anethum graveolens*

Autres noms: Fenouil bâtard, fenouil puant

Parties utilisées: Le fruit (les graines), les feuilles pour la cuisson

L'aneth est bien plus qu'un simple assaisonnement d'aliments. D'ailleurs on s'en sert depuis toujours comme préservatif naturel, nécessaire à la conservation des aliments.

En effet, on utilise l'aneth depuis l'aube de la civilisation égyptienne, et ce, pour une bonne raison. En plus de ses vertus de préservation, il combat les infections et soulage les maux d'estomac.

De retour au Nil

Des documents retrouvés dans des tombes égyptiennes de plus de 3 000 ans montrent que les médecins de l'époque utilisaient déjà la plante comme remède gastrique et intestinal.

Le médecin grec, Discoride, prescrivait la plante si souvent qu'on la surnommait la «plante de Discoride».

Quant aux Romains, ils mâchaient des graines d'aneth pour faciliter la digestion. Ils décoraient d'aneth les salles où se déroulaient leurs banquets, croyant fermement que la plante les protégerait contre les maux d'estomac.

Les médecins chinois utilisent la plante contre les maux d'estomac depuis plus de 1 000 ans. Ils la conseillent surtout aux enfants, car ses effets sont plus doux que d'autres herbes à vertu curative comme le carvi, l'anis et le fenouil.

Les Vikings, eux aussi, connaissaient bien les propriétés thérapeutiques de l'aneth. En fait, le mot aneth vient du norvégien d'autrefois, *dilla*, qui veut dire soulager.

Au XVIIe siècle, l'herboriste britannique Culpeper prétendait que l'aneth se logeait dans le ventre et faisait gentiment expulser de l'air. Il recommandait également la plante contre le hoquet, l'enflure, et pour renforcer le cerveau.

La route des Amériques

Ce sont les premiers colons qui ont transplanté l'aneth en Amérique. Son infusion de graine, connue sous le nom d'eau d'aneth, acquit une grande popularité auprès des premiers guérisseurs américains, dans les cas de coliques, toux, indigestions, flatulences, maux d'estomac et insomnie. Chez les adultes, on employait l'aneth pour les hémorroïdes, l'ictère, le scorbut et l'insuffisance cardiaque congestive.

Les herboristes contemporains parlent de l'aneth comme la plante de «prédilection» pour les coliques infantiles. Ils recommandent d'en mâcher les graines contre la mauvaise haleine, et conseillent d'en boire des infusions afin de stimuler la digestion et la production de lait maternel.

PROPRIÉTÉS thérapeutiques

Si vous n'utilisez l'aneth que pour rehausser la saveur des aliments, vous passez à côté de ses vertus thérapeutiques. L'aneth ne guérira jamais les hémorroïdes ni n'augmentera la quantité de lait maternel; mais la science lui reconnaît plusieurs autres vertus auxquelles on fait appel depuis des siècles.

SOULAGEMENT DIGESTIF ET REMÈDE CONTRE LES FLATULENCES. La recherche souscrit aux vertus de l'aneth comme soulagement digestif, vertus auxquelles on fait appel depuis 3 000 ans. La plante favorise la relaxation du muscle lisse du tube digestif. Une étude montre que l'aneth est un agent antimoussant, c'est-à-dire qu'il prévient la formation de bulles de gaz intestinaux.

L'huile de graines d'aneth inhibe la croissance de bactéries qui s'attaquent aux tractus intestinal, ce qui veut dire qu'il pourrait prévenir les diarrhée infectieuses causées par ces microorganismes.

SANTÉ DES FEMMES. Les infections des voies urinaires sont habituellement provoquées par l'une des bactéries (*E. coli*) qu'inhibe l'aneth. Si ces infections récidivent, essayez d'ajouter un chiffon rempli d'aneth ou de l'huile de graines d'aneth à votre bain. Cela pourrait aider.

AUTRES PROPRIÉTÉS. Quand on en donne à des animaux de laboratoire, on remarque que l'aneth stimule leur respiration, ralentit leur rythme cardiaque et dilate les vaisseaux sanguins, ce qui réduit leur tension artérielle. Bien sûr, les gens ne s'injectent pas de l'aneth. Cependant, les effets mentionnés précédemment laissent croire que nous en avons encore à apprendre sur les vertus curatives de la plante.

Préparation et posologie

Pour rafraîchir votre haleine, mâchez 1/2 à 1 c. à café de graines d'aneth. Comme soulagement digestif, buvez une infusion ou une teinture. Afin que l'infusion ait bon goût, utilisez 2 c. à café de graines broyées par tasse d'eau bouillante. Laissez infuser 10 minutes. Ne dépassez pas trois tasses par jour.

Pour la teinture, prenez 1/2 à 1 c. à café jusqu'à trois fois par jour.

Dans le cas de coliques ou de gaz chez un enfant de moins de deux ans, donnez-lui de petites quantités, légèrement infusées. Les enfants de plus de deux ans et les personnes de plus de 65 ans devraient commencer avec des préparations faiblement concentrées et augmenter la dose au besoin.

Afin d'éviter les infections urinaires, mettez des graines d'aneth dans un chiffon et placez-le dans votre bain. Ou versez carrément 1 c. à café d'huile de graines d'aneth dans le bain.

Mise en garde

L'aneth peut causer une irritation dans le cas de peau sensible, bien que les feuilles, les graines et l'huile soient considérées comme non toxiques.

La Food and Drug Administration inclut l'aneth parmi les plantes dont la fiabilité reste à prouver. Les adultes en bonne santé, les femmes qui ne sont pas enceintes et les mères qui n'allaitent pas peuvent l'utiliser sans crainte, dans la mesure où l'on respecte les doses prescrites.

L'aneth ne devrait être consommé à des fins thérapeutiques qu'après accord avec son médecin. S'il provoque de légers troubles, tels que des maux d'estomac ou de la diarrhée, prenez-en moins ou cessez d'en prendre. Consultez votre médecin en cas d'effets indésirables ou si les symptômes persistent deux semaines après le début du traitement.

Dans le jardin

Tout comme sa cousine la carotte, l'aneth est une plante annuelle à racines pivotantes, à longue tige étiolée et délicate, qui pousse rapidement, et à feuilles dentelées. Durant l'été, poussent des fleurs jaunes qui produisent une quantité importante de petits fruits à crête, les graines.

On n'aura aucun problème à faire pousser de l'aneth si l'on plante les graines à 6 mm dans le sol au printemps. La germination prend environ deux semaines. Espacez les jeunes plants de 30 cm.

En plein soleil, dans un sol légèrement acide, riche et humide, ou partiellement à l'ombre en climat tropical, un plant d'aneth atteindra un mètre de haut. Abritez les plants contre le vent.

On peut cueillir les feuilles d'aneth dès que les plants sont arrivés à maturité. Les feuilles fraîches sont plus aromatiques que les feuilles séchées. Afin d'emmagasiner des feuilles fraîches depuis le printemps jusqu'à la fin de l'automne, plantez des graines régulièrement.

Elles prennent environ deux mois à arriver à maturité. Cueillez-les lorsqu'elles deviennent brunes.

L'aneth se reproduit naturellement. Laissez quelques plants au moment de la récolte et vous bénéficierez d'aneth frais l'année suivante.

ANGÉLIQUE

Une plante merveilleuse

Famille: *Umbelliferæ*. Également la carotte et le persil
Genres et espèces: Angélique, archangélique (Europe); *A. atropurpurea* (Amérique); *A. sinensi* (Chine); autres espèces
Autres noms: Angélique vraie, herbes aux anges, herbe du Saint-Esprit; en Chine, *dang-gui, dang-qui*
Parties utilisées: Les racines, les feuilles et les graines

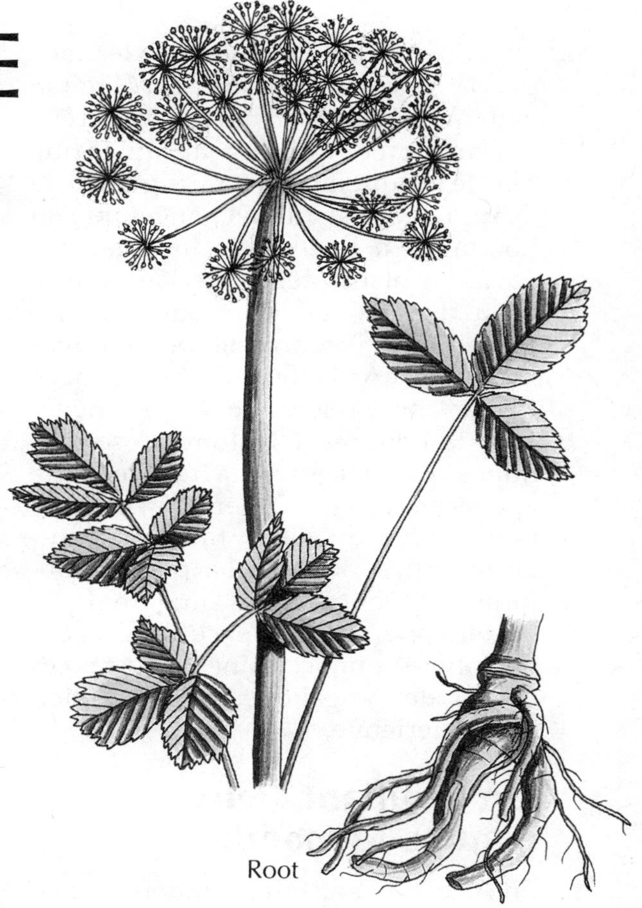

Bien que la réputation de l'angélique comme plante médicinale ne soit plus à faire, certains scientifiques lui refusent une quelconque valeur au plan médical. Cependant, ces conclusions sont des plus hâtives. Des recherches récentes révèlent en effet que la plante a des qualités surprenantes et confirment quelques-uns de ses usages ancestraux.

Un passé mystique

Pendant plus de 1 000 ans, l'angélique a joui du statut d'herbe magique en Europe. Les paysans utilisaient ses feuilles pour fabriquer des colliers afin de protéger leurs enfants de la maladie et des mauvais sorts. De toutes les plantes à vertus curatives, l'angélique était la seule que les sorcières n'osaient pas toucher. Il suffisait d'en avoir un peu dans son jardin ou dans le placard de la cuisine pour ne pas être accusé de sorcellerie.

Au cours des XVIe et XVIIe siècles, le jus de racines broyées était mélangé à d'autres herbes. On obtenait ainsi «l'eau de carmélite», une boisson médiévale gage de longévité, censée soulager les migraines, favoriser la détente, neutraliser les poisons et protéger toute personne contre les sorcières et leurs maléfices.

En 1665, l'Europe fut décimée par la peste bubonique. La légende veut qu'une nuit, un moine vit en rêve un archange qui lui désigna une plante, laquelle pourrait guérir le fléau. Le moine l'appela angélique en hommage à l'ange qui lui était apparu. La plante conserva son nom et l'eau d'angélique fut ajoutée au remède officiel contre la peste bubonique en Angleterre, «la panacée royale» du Collège Royal des médecins de Londres. L'histoire ne se prononce pas sur l'efficacité de cette «panacée royale». Cependant, on croit que le rêve du vieux moine a peut-être été prophétique. La peste bubonique est notamment une maladie bactérienne, et la science moderne a découvert que certaines substances isolées de l'angélique ont une action antibactérienne.

Un fortifiant vieux comme le monde

En Asie, où l'angélique chinoise (*dang-qui*) existe depuis l'aube des temps, la plante fut considérée à un moment donné comme le tonique de tous les problèmes gynécologiques. Les médecins chinois respectueux des traditions, de même que les médecins ayurvédiques de l'Inde, la prescrivent encore dans le cas de troubles menstruels, d'arthrite, de douleurs abdominales, de rhumes et de grippes.

Au cours du XVIIe siècle, l'angélique est devenue un traitement courant et efficace pour les rhumes et d'autres affections respiratoires. Les tiges de la plante sont creuses et permettent à l'air de circuler. Sous la Doctrine des signatures, la croyance médiévale selon laquelle l'apparence d'une plante révèle son pouvoir de guérison, les plantes à tiges creuses étaient réputées bénéfiques dans le cas de problèmes respiratoires.

Lorsque les premiers colons européens arrivèrent en Amérique du Nord, ils constatèrent que, à l'instar de leurs propres guérisseurs, bon nombre de tribus indiennes soignaient les affections respiratoires, surtout la tuberculose, avec de l'angélique.

Très vite, les premiers colons s'en servirent pour provoquer les avortements.

Au XIXe siècle, les médecins américains éclectiques recommandèrent l'angélique dans le cas de brûlures d'estomac, d'indigestion, de bronchite, de malaria et de typhoïde.

PROPRIÉTÉS thérapeutiques

Contrairement à la légende, l'angélique ne guérit pas toutes les épidémies du monde. À vrai dire, la plupart des applications médicinales traditionnelles de cette plante n'ont pas été confirmées par les études scientifiques.

Les herboristes contemporains recommandent l'angélique essentiellement pour les problèmes digestifs et le dégagement des mucosités nasales, utilisations auxquelles on accorde quelques crédits.

MALADIES RESPIRATOIRES. Des chercheurs allemands ont découvert que l'angélique détendait non seulement la trachée artère, mais qu'elle se révélait très utile en cas de rhume, de grippe, de bronchite et d'asthme. Les pères de la Doctrine des signatures avaient ainsi raison.

DIGESTION. Les mêmes chercheurs ont également découvert que l'angélique détend les intestins, pratique qui confirme ses bienfaits traditionnels dans le cas de problèmes digestifs.

ARTHRITE. Des chercheurs japonais ont conclu que l'angélique a des propriétés anti-inflammatoires, ce qui veut dire que l'efficacité de la plante dans le traitement de l'arthrite n'est pas à écarter.

AUTRES PROPRIÉTÉS. Des rapports de recherche préliminaires en Chine laissent entendre que l'angélique augmente les globules rouges. La plante pourrait donc se révéler utile dans le traitement de l'anémie. Des chercheurs chinois avancent également que l'angélique favorise la coagulation du sang. S'ils disent vrai, c'est une excellente nouvelle pour les personnes atteintes de troubles de ce genre.

En revanche, les gens qui ont une faiblesse cardiaque devraient éviter l'angélique. Une forte coagulation sanguine risque en effet de freiner la circulation et, par conséquent, de provoquer une crise cardiaque.

Les Chinois ont également découvert que l'angélique améliore la fonction hépatique chez les personnes qui souffrent de cirrhose ou d'hépatite chronique.

Cependant, cette découverte n'a pas encore été confirmée. Aucune recommandation spécifique ne peut être faite à l'heure actuelle sur l'utilisation de l'angélique dans le cas de maladies du foie.

Préparation et posologie

L'angélique est réservée au traitement du rhume, de la grippe et de la bronchite. Mais elle favorise également la digestion et soulage les douleurs arthritiques. On peut la préparer de différentes façons.

Pour une infusion, versez 1 c. à café de graines ou de feuilles en poudre par tasse d'eau bouillante. Laissez infuser de 10 à 20 minutes.

Pour une décoction, prenez 1 c. à café de racines réduites en poudre par tasse d'eau. Portez à ébullition et ramenez à feu doux pendant 2 minutes. Retirez du feu et laissez reposer 15 minutes. Ne dépassez pas deux tasses par jour. Les décoctions d'angélique ont un goût amer.

Pour une préparation moins concentrée, prenez 1/2 ou 1 c. à café deux fois par jour.

Si vous utilisez des extraits de plante commerciaux, suivez attentivement le mode d'emploi.

L'angélique est déconseillée aux enfants de moins de deux ans. Les enfants plus âgés et les personnes de plus de 65 ans devraient commencer par des préparations faiblement concentrées et augmentez la dose au besoin.

Mise en garde

Il n'est pas prouvé que l'angélique provoque des contractions utérines, mais compte tenu de son utilisation traditionnelle pour déclencher les règles et l'avortement, les femmes enceintes devraient s'abstenir d'en prendre.

L'angélique contient des agents chimiques, les psoralens. Aussi, les personnes qui se soignent avec de l'angélique pourraient développer des irritations cutanées (photosensibilité) si elles s'exposent au soleil.

De plus, les psoralènes peuvent provoquer l'apparition de tumeurs. Par conséquent, les auteurs d'un rapport paru dans le magazine *Science* déconseillent fortement de prendre de l'angélique. Par ailleurs, une récente étude réalisée sur des animaux révèle qu'un autre composant de l'angélique, le lactone alpha-angelica, joue un important rôle anticancérigène. Le rôle de l'angélique dans le cancer n'est pas clair. Les personnes qui ont déjà eu un cancer devraient donc s'abstenir d'en prendre tant que le doute subsiste.

Du poison à l'état pur

Les racines de l'angélique sont toxiques quand elles sont fraîches. Le séchage élimine les risques. Les jardiniers devraient s'assurer de bien sécher les racines d'angélique avant de les utiliser.

En définitive, à moins d'être un botaniste averti, ne ramassez pas l'angélique à l'état sauvage. Elle peut facilement être prise pour la ciguë (*Ccuta maculata*), une plante mortelle.

Autres précautions

La Food and Drug Administration américaine inclut l'angélique parmi les plantes qui ne présentent aucun danger. Les femmes en bonne santé qui ne sont pas enceintes et qui n'allaitent pas, de même que les personnes qui n'ont jamais souffert de cancer, de crises cardiaques ou de photosensibilité, peuvent utiliser l'angélique sans crainte si elles respectent les doses prescrites. Pour un usage thérapeutique, il vaut mieux d'abord consulter son médecin. Si l'angélique provoque de légers troubles, tels que des maux d'estomac ou de la diarrhée, diminuez la dose ou cessez d'en prendre. Consultez votre médecin en cas d'effets indésirables ou si les symtômes persistent deux semaines après le début du traitement.

Célébrons la fête des moissons

L'angélique fleurit souvent aux environs du 8 mai, le jour de la fête de saint Michel l'Archange qui lui a donné son nom latin *archangelica*.

L'angélique peut atteindre plus de deux mètres et ressemble au céleri, d'où son nom commun, céleri sauvage. C'est une bisannuelle qui meurt après avoir fait ses graines. Elle pousse à partir de graines ou de racines. La durée de vie d'une graine est relativement courte, seulement six mois, mais si on la met au réfrigérateur, elle peut se conserver pendant une année. La germination peut prendre un mois. Semez l'angélique à l'automne ou au printemps à 1 cm de profondeur dans une terre bien préparée. Faites des rangées de 60 cm de long.

L'angélique pousse bien dans des sols riches, humides, bien drainés et légèrement acides. Elle préfère être un peu à l'ombre. Les feuilles peuvent être ramassées à l'automne de la première année, les racines au printemps ou à l'automne de la deuxième année.

L'angélique n'est pas considérée comme une herbe culinaire, mais les herbes fraîches donnent un petit goût citronné aux soupes et aux salades. Elle est parfumée et rappelle le genévrier par son goût légèrement sucré et chaud. Elle laisse un arrière-goût amer dans la bouche.

Les tiges cuites à la vapeur peuvent être mangées avec du beurre et les tiges hachées donnent du goût au rôti de porc.

ANIS

Le remède contre la toux à saveur de réglisse

Familles: *Umbelliferæ*. Également la carotte, le persil. *Magnoliaceæ*: anis étoilé. Également le magnolia
Genres et espèces: *Pimpinella anisum*. Anis étoilé: *Illicium verum*
Autres noms: Petit anis, anis d'Europe. Anis étoilé; anis chinois, anis de Sibérie, badanier
Partie utilisée: Les fruits (graines)

L'anis est aussi profondément enraciné dans la terre que dans l'histoire des plantes médicinales. Depuis l'époque des pharaons, les graines aromatiques, qui sont en fait des fruits de cette petite plante, ont différents usages. Son odeur attrayante en a fait l'un des premiers parfums et sels aromatiques de l'humanité. Les Grecs l'appréciaient pour son pouvoir préventif contre les crises nerveuses.

Aujourd'hui, la plante est bien connue comme épice. Son goût prononcé de réglisse se retrouve dans les bonbons. En fait, la plupart des bonbons à la «réglisse» ne contiennent pas de réglisse. Ils sont parfumés à l'anis. L'anis est également un composant de plusieurs pastilles et sirops contre la toux vendus dans le commerce. On dit de son parfum qu'il est enivrant. D'ailleurs, certaines boissons nationales comme l'ouzo grec et le pastis français sont à base d'anis. Cependant, les plus grandes vertus de l'anis ne se retrouvent ni dans les bonbons ni dans les boissons, mais dans l'armoire à pharmacie.

Doux rêves et autres délices

Hippocrate, le père de la médecine douce, recommandait la plante afin de débarrasser le système respiratoire de ses mucosités. Son contemporain, Théophraste, était plus romantique. «Si on garde l'anis près de son lit la nuit, disait-il, on fait de doux rêves grâce à son parfum suave.» Pline l'Ancien, le naturaliste romain, recommandait de mâcher des graines d'anis frais pour rafraîchir l'haleine et aider la digestion après les gros repas.

Les anciens médecins chinois utilisaient eux aussi l'anis étoilé, dans les cas de digestion lente, de flatulences et pour rafraîchir l'haleine.

Les Romains cultivaient abondamment cette plante pour son parfum et ses propriétés médicinales. L'anis était l'une des nombreuses épices utilisées dans la confection d'un gâteau, appelé *mustaceum*. Ce dessert favorisait la digestion des copieux repas des fêtes romaines. D'après certains historiens, le *mustaceum* serait l'ancêtre du gâteau de noces.

John Gerard, herboriste britannique de la première heure, conseillait l'anis afin de supprimer le hoquet. La plante a également été prescrite pour favoriser la lactation chez les mères qui allaitent et comme traitement dans les cas de rétention d'eau, de maux de tête, d'asthme, de bronchite, d'insomnie et de nausées. Elle figure parmi les plantes qui tuent les poux, soulagent les coliques du nourrisson, guérissent le choléra et même le cancer.

Aux États-Unis, les médecins éclectiques du XIXe siècle recommandaient l'anis pour calmer les maux d'estomac, les nausées, les gaz intestinaux et les coliques du nourrisson.

En Amérique centrale, les femmes qui allaitent prennent toujours de l'anis étoilé pour favoriser la lactation.

L'anis était une denrée commerciale si importante dans tout le pourtour méditerranéen ancien qu'il servait de monnaie d'échange pour le règlement des impôts. Dans la Bible, Matthieu déclare: «Vous payez la dîme avec de la menthe, de l'anis et du cumin.» L'anis était si populaire comme épice, remède et parfum dans l'Angleterre médiévale, qu'en 1305, le roi Edouard I le frappa d'un impôt afin de faire réparer le pont de Londres.

PROPRIÉTÉS thérapeutiques

Comme leurs confrères d'il y a plus de 2 000 ans, les herboristes recommandent l'anis pour ses bienfaits dans les cas de toux, de bronchites, de maux d'estomac et de flatulences. Certains la conseillent aux femmes enceintes afin de soulager les nausées du matin. Cependant, un certain herbier populaire précise: «Aucune des prétendues propriétés médicinales de l'anis n'a fait l'objet d'une étude scientifique.» Il est clair que l'auteur de la citation n'avait pas lu les journaux scientifiques.

REMÈDE CONTRE LA TOUX. La science confirme l'utilisation traditionnelle de l'anis dans le traitement de la toux, de la bronchite et de l'asthme. Selon plusieurs études, l'herbe contient des agents chimiques, le créosol et l'alpha-pinène, qui nettoient les sécrétions dans les bronches et agissent comme un expectorant.

DIGESTION. L'anis contient un autre agent chimique, l'anéthole, qui favorise la digestion. D'ailleurs, l'anis a de tout temps été utilisé après les repas.

SANTÉ DE LA FEMME. L'anis contient aussi des agents chimiques comme le dianéthole et le photoanéthole. Ces agents sont identiques aux œstrogènes. Les chercheurs supposent que la présence de ces agents semblables aux hormones féminines activent la lactation chez les femmes qui allaitent.

Bien que son activité hormonale soit faible, l'anis permet de soulager les troubles de la ménopause.

SANTÉ DE L'HOMME. Des hormones féminines semblables aux œstrogènes sont utilisées afin de traiter le cancer de la prostate. Bien sûr, l'anis à lui seul ne peut guérir la maladie, mais les hommes qui suivent une thérapie aux hormones devraient discuter de l'action œstrogénique faible des hormones féminines avec leur médecin. Loin de nuire, l'anis combiné à un médicament sur ordonnance peut se révéler bénéfique.

AUTRES PROPRIÉTÉS. Un rapport médical affirme que l'anis regénère les cellules du foie des rats de laboratoire et pourrait donc être favorable en cas d'hépatite et de cirrhose. Bien qu'il n'existe pas d'étude attestant de l'efficacité de l'anis dans le cas de maladies du foie, les propriétés curatives de cette plante sont prometteuses.

Préparation et posologie

Pour l'infusion, écrasez 1 c. à café de graines d'anis par tasse d'eau bouillante. Laissez infuser de 10 à 20 minutes, puis filtrez. Ne dépassez pas trois tasses par jour.

Pour une infusion moins concentrée, prenez la moitié d'une cuillerée à café jusqu'à trois fois par jour.

On peut faire boire un peu de ce liquide aux nourrissons qui souffrent de coliques en toutes petites quantités seulement. Les enfants plus âgés et les personnes de plus de 65 ans devraient commencer par des préparations faiblement concentrées et augmenter la dose au besoin.

Mise en garde

Bon nombre d'herboristes recommandent de prendre de l'anis durant la grossesse afin de calmer les nausées du matin. La plante ne semble jamais avoir été tenue responsable de fausses couches ou d'anomalies congénitales. Cependant, les médecins conviennent que les femmes enceintes devraient s'abstenir de prendre tous médicaments à des fins thérapeutiques.

Les œstrogènes et même les herbes qui, comme l'anis, ont une activité hormonale très faible ne sont pas sans danger. Les œstrogènes sont un constituant des pilules contraceptives. Par conséquent, les femmes à qui la pilule est contre-indiquée devraient consulter leur médecin au sujet de l'activité hormonale de l'anis avant d'y recourir. Les œstrogènes peuvent provoquer des migraines, favoriser la formation de caillots sanguins et l'apparition de tumeurs aux seins.

Autres précautions

La Food and Drug Administration inclut l'anis parmi les plantes qui ne présentent aucun danger. Utilisée à des fins thérapeutiques, l'anis ne présente aucune contre-indication pour les femmes en bonne santé qui ne sont pas enceintes et qui n'allaitent pas. Des doses importantes d'huile d'anis peuvent causer de la diarrhée et des vomissements. Consultez votre médecin si vous désirez prendre de l'anis pour vous soigner. Si l'anis provoque de légers troubles, tels que des maux d'estomac ou de la diarrhée, réduisez la dose ou cessez d'en prendre. Consultez votre médecin en cas d'effets indésirables ou si les symptômes persistent deux semaines après le début du traitement.

Un jardin au parfum de réglisse

L'anis est une plante annuelle très droite qui atteint 60 cm de haut. Sa tige lisse soutient des feuilles duveteuses divisées en plusieurs folioles et des bouquets en forme d'ombrelles de petites fleurs blanches et jaunes qui fleurissent au milieu de l'été et produisent de petits fruits duveteux et nervurés à la fin de l'été.

Les graines d'anis sont semées à moins d'un demi-centimètre quand les risques de gel sont écartés. La plante aime le soleil et les sols riches et bien drainés. Cependant, elle tolère les sols plus pauvres. La température idéale est de 20°C. La graine germe une ou deux semaines après avoir été semée.

À cause de sa longue racine pivotante, il n'est pas facile de réussir une transplantation une fois que les semis sont en terre. Séparez les plants d'environ 45 cm. La plante est facile à cultiver, mais elle peut s'étioler ou souffrir si elle est exposée en plein vent.

Cueillez les graines quand elles passent du vert au brun gris. Pour cela, coupez la tête de la fleur au complet avant que les grappes n'éclatent. Mettre les fleurs dans un sac à papier pour éviter que les graines ne se dispersent. Faites sécher les graines sur du papier ou sur un linge en plein soleil. Gardez-les dans des contenants opaques bien fermés afin de conserver l'huile.

Il ne faut pas confondre l'anis et l'anis étoilé avec l'anis japonais (*Illicium landeolatum*) qui est toxique.

ARBOUSIER

Un antiseptique urinaire

Famille: *Ericaceæ*. Également le bruyère, l'azalée et le rhododendron.

Genre et espèce: *Arctostaphylos uva-ursi*

Autres noms: Arbre à fraises, frôle, olonier et darbousier

Partie utilisée: Les feuilles

L'arbousier est un diurétique et un antiseptique urinaire utilisé depuis plus de 1 000 ans aussi bien par les Chinois que les Indiens d'Amérique. De nos jours, on le retrouve dans la plupart des diurétiques à base de plantes, dans les remèdes contre les infections urinaires et dans plusieurs régimes amaigrissants. Même Varro Tyler, herboriste reconnu pour son conservatisme, veut bien lui laisser jouer le rôle d'«honnête diurétique et antiseptique urinaire».

Cependant, l'arbousier peut perdre de son efficacité s'il est consommé avec certains aliments; malheureusement, on trouve rarement ce genre d'information dans les herbiers.

L'héritage de Marco Polo

Le médecin grec Galien se servait des feuilles de l'arbousier pour leur effet astringent contre les blessures et les saignements. Les herboristes occidentaux ignorèrent la plante jusqu'au XIIIe siècle alors que Marco Polo rapporta dans ses récits de voyage que les Chinois utilisaient l'arbousier comme diurétique afin de traiter les troubles de rein et les problèmes urinaires. Ces mêmes récits remirent en vogue les propriétés thérapeutiques de la plante en Europe.

L'association de l'arbousier aux problèmes rénaux a été renforcée par la Doctrine des signatures du Moyen Âge, croyance selon laquelle l'apparence d'une plante révèle son pouvoir de guérison. L'arbousier croît dans un sol rocailleux et, à l'époque, on voyait les calculs rénaux comme de petits cailloux.

Kinnikinnik

Les premiers colons nord-américains découvrirent que les Indiens utilisaient eux aussi l'arbousier comme remède contre les problèmes urinaires. Ces derniers mélangeaient aussi les feuilles tannées de la plante à du tabac; ils en tiraient une substance que l'on pouvait fumer, le *kinnikinnik*.

L'arbousier fut inscrit dans le *U.S. Pharmacopœia* en 1820 comme produit antiseptique urinaire et s'y trouva jusqu'en 1936. Les chimistes réussirent à isoler le constituant actif de la plante, l'arbutine, en 1852.

Au XIXe siècle, les médecins éclectiques recommandaient cette plante pour la diarrhée, la dysenterie, la gonorrhée, l'incontinence nocturne et «les infections chroniques du rein et des voies urinaires».

Aujourd'hui, les homéopathes conseillent l'arbousier, en faible dose, dans les cas d'incontinence, de sang dans l'urine et des infections des voies rénales et urinaires.

Les herboristes contemporains continuent de recommander la plante pour les problèmes de rein et de miction.

PROPRIÉTÉ thérapeutique

Selon bon nombre d'études concluantes, l'arbutine de l'arbousier subit une altération chimique dans les voies urinaires et se transforme en un antiseptique, l'hydroquinone. En outre, la plante contient des agents chimiques diurétiques, notamment l'acide ursolique un astringent puissant (tannin) et un constituant chimique qui favorise la croissance de nouvelles cellules, l'allantoine.

TROUBLES URINAIRES. L'action des constituants chimiques actifs de l'arbousier continue de perpétrer la popularité de ses propriétés thérapeutiques dans les cas d'infection des voies urinaires et d'autres maladies semblables.

Certains herboristes rapportent que l'arbousier a guéri certaines infections des voies urinaires qu'on n'arrivait pas à traiter avec des antibiotiques pharmaceutiques. Cela dit, de source scientifique, on persiste à dire que les antibiotiques pharmaceutiques sont généralement plus efficaces. Utilisez de préférence l'arbousier comme traitement contre les maux urinaires bénins. Dans les cas nécessitant des soins professionnels, utilisez la plante en plus du traitement conventionnel.

Il existe cependant une mise en garde quant à l'utilisation de l'arbousier. Afin de favoriser les effets antiseptiques de la plante, l'urine doit être alcaline, ce qui veut dire que vous devez éviter toute nourriture acide et certains aliments comme la choucroute, les agrumes ainsi que leur jus et la vitamine C.

SANTÉ DE LA FEMME. Les diurétiques peuvent apporter un certain soulagement aux ballonnements prémenstruels qui affectent plusieurs femmes. Celles qui sont enceintes et celles qui allaitent ne devraient cependant pas utiliser de diurétiques. Des études auprès des animaux ont démontré que l'arbousier stimule également les contractions utérines, ce qui en confirme l'interdiction chez les femmes enceintes.

HYPERTENSION ARTÉRIELLE. Les médecins prescrivent souvent des diurétiques afin de traiter l'hypertension artérielle. Il s'agit toutefois d'une affection sérieuse qui exige des soins professionnels. Consultez d'abord votre médecin, si vous êtes atteint d'hypertension artérielle et que vous aimeriez inclure l'arbousier dans votre traitement.

Les diurétiques épuisent le potassium de l'organisme, un nutriment pourtant essentiel. Si vous comptez en faire un usage prolongé, augmentez votre consommation d'aliments riches en potassium, tels que les bananes et les légumes frais.

INSUFFISANCE CARDIAQUE CONGESTIVE. Les médecins prescrivent souvent les diurétiques dans le traitement de cette maladie, laquelle se traduit par un état de fatigue cardiaque importante. Or, l'insuffisance cardiaque congestive exige des soins professionnels. Consultez d'abord votre médecin si vous êtes atteint d'une telle maladie et désirez inclure l'arbousier dans votre traitement.

GUÉRISON DE BLESSURES. L'allantoine contenue dans l'arbousier peut favoriser la guérison des blessures. Cette substance est l'ingrédient actif qu'on trouve dans diverses crèmes pour la peau en vente libre, pour le soulagement de l'herpès ou encore pour les irritations causées par les infections vaginales.

DIARRHÉE. Le tannin astringent contenu dans l'arbousier permet d'arrêter et de soulager la diarrhée.

Préparation et posologie

Pour soigner une blessure, appliquez des feuilles fraîches écrasées sur les plaies mineures préalablement lavées à l'eau et au savon. Ou encore, vous pouvez plonger un chiffon dans une décoction et en appliquer des compresses sur la blessure.

Afin d'alléger le goût désagréable de cette plante forte en tannin, faites tremper les feuilles dans de l'eau froide toute la nuit. Puis faites-en mijoter une c. à café dans de l'eau bouillante, pendant 10 minutes, pour obtenir une décoction qui pourrait traiter l'infection urinaire ou la diarrhée. N'en boire que trois tasses par jour.

Pour une teinture, n'utilisez qu'un quart à une c. à café de la plante jusqu'à trois fois par jour.

L'arbousier est déconseillé aux enfants de moins de deux ans. Les enfants plus âgés et les personnes de plus de 65 ans devraient commencer par des préparations faiblement concentrées et augmenter la dose au besoin.

Mise en garde

La consommation d'arbousier peut modifier la couleur de l'urine jusqu'à un vert foncé. N'en tenez pas compte.

Les régimes amaigrissants à base de plantes contiennent, entre autres, des diurétiques. L'arbousier est le diurétique le plus souvent utilisé. Puisqu'ils augmentent la sécrétion urinaire, les diurétiques éliminent temporairement une grande quantité d'eau, ce qui représente une perte de poids. Malheureusement, une telle perte de poids est passagère. Les spécialistes en régimes amaigrissants ne recommandent pas les diurétiques et préconisent plutôt un régime alimentaire faible en gras, élevé en fibres et un programme d'exercices aérobiques réguliers.

Les spécialistes plus conventionnels proscrivent l'usage de l'arbousier, car il peut provoquer des vomissements, des bourdonnements d'oreilles et des convulsions. Une étude publiée en 1940 à cet effet indique que l'arbousier n'était pas le constituant principal et qu'on avait utilisé surtout de grandes quantités d'hydroquinone, antiseptique chimique que l'on isole de la plante. Le dosage recommandé est habituellement sécuritaire, mais cessez-en la consommation si vous développez des nausées ou des bourdonnements d'oreilles.

Des quantités élevées de tannin

L'arbousier contient des quantités tellement élevées de tannin qu'il sert dans le tannage du cuir. Le tannin absorbé en grande quantité peut causer des maux d'estomac.

Le tannin a également une action favorisant le cancer et une autre le contrant. Certains spécialistes en proscrivent l'usage; de toutes façons, le rôle des tannins dans le cancer n'est pas clair. Les personnes qui ont déjà eu un cancer devraient donc en prendre avec du lait, ce qui neutralise les tannins, ou seulement de faibles quantités.

Autres précautions

La Food and Drug Administration inclut l'arbousier parmi les plantes dont la fiabilité reste à prouver. Les femmes en bonne santé qui ne sont pas enceintes et qui n'allaitent pas peuvent utiliser l'arbousier sans crainte si elles respectent les doses prescrites. L'arbousier ne devrait être consommé à des fins thérapeutiques qu'après accord avec son médecin. S'il provoque des malaises légers comme la nausée, prenez-en moins ou cessez d'en prendre. Consultez votre médecin en cas d'effet indésirable ou si les symptômes persistent deux semaines après le début du traitement.

Le fruit des ours

Les ours de la Méditerranée ancienne devaient raffoler des baies rouge clair, farineuses, de la taille d'une groseille, de cette plante vivace délicate. Son nom, en grec *arctotaphylos*, ou ses racines latines *uva ursi*, veulent dire «fruit des ours». Les feuilles, et non les fruits, sont cependant utilisées pour leurs vertus médicinales.

L'arbousier croît en climat tempéré. Il possède des racines longues et fibreuses, des tiges tourmentées et des rameaux, des feuilles vertes dentées et coriaces, longues de 2 ou 3 cm, et de petites fleurs blanches teintées de rouge. La plante mesure de 3 à 6 m. Elle préfère un habitat sec, rocailleux et sablonneux.

L'arbousier croît à partir de pousses. Toutefois, soyez patient. Cette plante prend plus de temps que d'autres à faire des racines. Il est souvent plus pratique d'acheter de petites plantes chez un spécialiste ou dans une pépinière.

L'arbousier se développe mal dans les sols riches. Il recherche les sols pauvres, acides et rocailleux, en plein soleil ou partiellement à l'ombre. Enlevez toutes les mauvaises herbes jusqu'à ce que les plants soient bien pris. L'arbousier se transplante mal.

Toutefois, une fois bien enraciné, l'arbousier grandit en une plante attrayante et qui peut survivre à des températures extrêmement froides.

Récoltez les feuilles à l'automne avant la première gelée. À cause de leur texture coriace, elles sèchent mal à l'air libre. Étalez-les sur une tôle à biscuits et faites-les sécher dans votre four.

AUBÉPINE

Un remède contre les maladies cardiaques

Famille: *Rosaceæ*. Également les roses, les pêches, les amandes, les pommes et les fraises
Genre et espèce: *Cratægus oxyacatha*
Autres noms: Épine blanche, épine de mai
Parties utilisées: Les fleurs, les feuilles et les fruits

L'aubépine est utilisée depuis des siècles comme tonique pour le cœur. De nos jours, elle sert de traitement pour les maladies cardiaques dans toute l'Europe.

Les maladies cardiaques sont la principale cause de décès. Cependant, les vertus thérapeutiques de l'aubépine ont été virtuellement ignorées en Amérique du Nord. Même Varro Tyler, herboriste reconnu pour son conservatisme, parle de l'aubépine comme d'«une plante d'une certaine valeur ... un tonique pour le cœur, sans effet indésirable, ... avec d'assez bons résultats».

Une couronne d'épines

Dans l'Antiquité, on ne connaissait pas à l'aubépine de propriétés thérapeutiques. Les Grecs et les Romains lui attribuaient des pouvoirs en regard de l'espoir, du mariage et de la fertilité. Les demoiselles d'honneur grecques portaient des bouquets parfumés d'aubépine et les futures mariées en transportaient des branches. Les Romains plaçaient des feuilles d'aubépine dans les berceaux des nourrissons afin d'éloigner les mauvais esprits.

Le christianisme a fait subir un indiscutable changement à l'image que projetait l'aubépine. La couronne d'épines que portait Jésus-Christ était supposément confectionnée d'aubépine, ce qui fit de la plante un symbole de malheur et de mort.

Cette fâcheuse association fut davantage aggravée par l'arôme désagréable de quelques espèces de fleurs européennes; leurs arbres étant pollinisés par des insectes charognards; pour les attirer, les fleurs répandent une odeur de viande avariée. De plus, une odeur du même ordre rappelait la peste bubonique. Étant donné l'ampleur des ravages de l'épidémie, les cadavres restaient sur place pendant un certain temps avant d'être enterrés. Dès lors, on associa l'aubépine à la peste.

Un tonique pour le cœur

Cependant, au cours des siècles, l'aubépine perdit sa mauvaise réputation et on la reconnut pour ses propriétés médicinales. Au XVIIe siècle, l'herboriste britannique Nicholas Culpeper la vantait comme «le remède de prédilection pour les pierres (calculs rénaux), et tout aussi efficace pour le cœur (insuffisance cardiaque congestive)».

Les pionniers américains utilisaient aussi la plante pour les problèmes cardiaques. Les médecins éclectiques du XIXe siècle la prescrivaient dans le cas de douleurs de poitrine graves, connue sous le nom d'angine, de même que pour l'insuffisance cardiaque congestive, une condition cardiaque sérieuse accompagnée d'accumulations de fluides et d'essoufflements par suite d'une activité physique légère.

Les vertus thérapeutiques de l'aubépine sont confirmées par bon nombre d'herbiers modernes. La plupart des herboristes seraient de l'avis de David Hoffmann qui écrit dans son traité *Holistic Herbal*: «L'aubépine est l'un des meilleurs toniques pour le cœur … On peut l'utiliser en toute sécurité et longuement dans le traitement de faiblesses ou d'insuffisances du cœur … de palpitations … d'angine … et d'hypertension artérielle.»

Les herboristes recommandent également l'aubépine comme remède pour les calculs rénaux et comme sédatif pour l'insomnie chronique.

PROPRIÉTÉ thérapeutique

La science semble accepter ce que les herboristes préconisent depuis longtemps. L'aubépine est un stimulant cardiaque.

MALADIE DU CŒUR. L'aubépine peut soulager les maladies du cœur de nombreuses façons: il peut notamment dilater les artères coronaires et favoriser l'apport sanguin au cœur. L'aubépine peut aussi augmenter la force de contraction du cœur. Elle peut éliminer certains types d'irrégularités du rythme cardiaque (arythmie). Les effets thérapeutiques de la plante, semble-t-il, peuvent limiter les quantités de cholestérol qui se déposent sur les parois artérielles.

Au cours d'une étude, 120 personnes atteintes d'insuffisance cardiaque congestive ont dû prendre une teinture d'aubépine ou un placebo. Le groupe à qui l'on avait donné de l'aubépine enregistra une nette amélioration de leur fonction cardiaque et les sujets semblaient beaucoup moins essoufflés.

En Allemagne, où les plantes médicinales sont beaucoup plus populaires qu'aux États-unis, il existe trois douzaines de médicaments pour le cœur à base d'aubépine. Selon le Dr Rudolph Fritz Weiss, herboriste médical allemand, la plante «est devenue l'un de nos remèdes pour le cœur les plus populaires». Les médecins allemands prescrivent ce médicament afin de stabiliser le rythme cardiaque, de réduire la probabilité et la sévérité des attaques d'angine et de prévenir les complications cardiaques chez les patients plus âgés atteints d'influenza ou de pneumonie. Le Dr Weiss soutient toutefois que les effets thérapeutiques de l'aubépine ne sont pas instantanés. «Personne ne peut s'attendre à une amélioration immédiate de la fonction cardiaque. Les effets de l'aubépine ne se font sentir qu'à long terme... On ne peut pas éviter les crises d'angine avec de l'aubépine; la nitroglycérine continue d'être le médicament de prédilection ... On peut toutefois en prendre pendant de longues périodes. À dose normale, la plante ne produit aucun effet toxique.» Bien que l'on considère l'aubépine comme sûre et efficace dans le traitement de l'angine, de l'insuffisance cardiaque congestive, des arythmies cardiaques, il s'agit tout de même de maladies graves, qui peuvent menacer la vie, et requièrent des soins médicaux professionnels. Consultez votre médecin si vous voulez prendre de l'aubépine de pair avec votre traitement actuel.

Préparation et posologie

Les médecins allemands suggèrent de consommer une teinture qui contient une c. à café d'aubépine avant d'aller marcher ou d'aller au lit, pendant quelques semaines. Pour adoucir son goût amer, ajoutez du miel, du sucre ou du citron, ou mélangez-la à une autre préparation à base de plantes.

Pour une infusion, les herboristes recommandent d'utiliser 2. c. à café de feuilles broyées ou de fruits par tasse d'eau bouillante. Laissez infuser durant 20 minutes. Ne dépassez pas deux tasses par jour.

Mise en garde

L'aubépine consommée en grandes quantités peut causer de la somnolence et faire s'abaisser sensiblement la tension artérielle, ce qui pourrait causer des étourdissements.

La Food and Drug Administration inclut l'aubépine parmi les plantes à sûreté indéterminée. À cause de ses propriétés de stimulant cardiaque, seules les personnes qui ont déjà souffert d'angine, d'arythmie cardiaque ou d'insuffisance cardiaque congestive devraient prendre de l'aubépine et ce, avec l'autorisation de leur médecin. Les enfants et les femmes qui sont enceintes et celles qui allaitent devraient éviter de prendre de l'aubépine.

Les fleurs de mai

L'aubépine est un arbrisseau à feuilles caduques, qui possède un bois très dur, des épines pointues, des bouquets de fleurs blanches aromatiques et des fruits rouge vif qui ressemblent à de petites pommes. La plante fleurit depuis avril jusqu'en juin, selon le degré de latitude. En Angleterre, les fleurs apparaissent en mai, d'où son nom, épine de mai. L'aubépine compte environ 900 espèces nord-américaines. Elle s'adapte donc à différents milieux, depuis les jardins de ville jusqu'aux flancs des collines battues par le vent.

Bien que l'arbrisseau s'adapte à toutes sortes de sols, il pousse toutefois mieux dans les terreaux humides, riches et alcalins. Certaines espèces croissent mieux en plein soleil; d'autres, lorsqu'elles sont partiellement à l'ombre. De préférence, consultez une pépinière de votre région pour savoir quelle espèce acheter pour votre jardin.

AUNÉE

Adieu aux parasites intestinaux

Famille: *Compositæ.* Également la marguerite, le pissenlit et le souci
Genre et espèce: *Inula helenium*
Autres noms: Énule-campane, œil de cheval, aromate germanique, panacée de chiron, lionne
Partie utilisée: Les racines

La légende veut qu'Hélène de Troie ait eu en sa possession une pincée d'aunée le jour où Pâris, le prince troyen, kidnappa cette dernière à Sparte, ce qui déclencha la guerre de Troie. Peut-être la femme à la beauté légendaire, qui fit mettre à la mer plus de 1 000 navires, souffrait-elle de la dysenterie d'amœba, d'oxyure vermiculaire, d'ankylostome, ou de *Giardia intestinalis*. Nous ne le saurons jamais. En revanche, nous savons que cette plante, dont le nom latin rappelle la célèbre beauté grecque, peut favoriser l'élimination de parasites de l'intestin.

Potion de tous les jours

Hippocrate disait de l'aunée qu'elle stimulait le cerveau, les reins, l'estomac et l'utérus. Les Romains de l'Antiquité l'utilisaient afin de traiter l'indigestion. Et le naturaliste romain Pline l'Ancien écrivait: «On ne doit pas passer une journée sans manger des racines d'aunée afin de favoriser la digestion, d'éliminer la mélancolie et de déclencher les rires.». En outre, le médecin grec Galien recommandait la plante comme un bon stimulant du nerf sciatique.

En médecine chinoise traditionnelle, de même que chez les Indiens ayuvédiques, on utilisait de l'aunée afin de traiter les troubles respiratoires, particulièrement la bronchite et l'asthme.

Un remède pour les animaux

Au cours du Moyen Âge, les herboristes européens prescrivaient l'aunée pour traiter les toux, les bronchites et l'asthme. Cependant, la plante était plus connue en médecine vétérinaire. Elle avait d'ailleurs la réputation de pouvoir guérir la gale chez le mouton. On la considérait aussi comme une panacée pour les chevaux, et c'est peut-être la raison pour laquelle nous la connaissons aussi sous le nom d'œil de cheval.

Au fil des siècles, l'aunée acquit ses lettres de noblesse, grâce à ses propriétés thérapeutiques sur le système digestif. C'était d'ailleurs le constituant principal d'un élixir médiéval qu'on appelait *potio Paulina*, en l'honneur de saint Paul.

Au XVIIe siècle, Nicholas Culpeper, herboriste britannique, vantait les vertus de l'aunée qui pouvaient «soulager la toux, les difficultés respiratoires et la respiration sifflante dans les poumons». Du même avis que Galien, il suggérait aussi qu'on se serve de cette plante pour guérir le sciatique, et prétendait qu'elle rétablissait la vision et qu'elle guérissait la goutte, les lésions et «les vers dans l'estomac».

On pouvait aussi caraméliser la racine d'aunée et la manger comme un bonbon. Enfin, on traitait les toux quinteuses (ou coqueluche) à l'aide de pastilles à base d'aunée et de miel.

Le Nouveau Monde

Les premiers colons américains acclimatèrent l'aunée et l'utilisèrent comme expectorant, comme stimulant digestif et menstruel, et comme diurétique pour le traitement de rétention d'eau que l'on associait à l'insuffisance cardiaque congestive. Des tribus indiennes du nord-est des États-Unis ont adopté la plante en raison de ses vertus thérapeutiques dans le cas de problèmes respiratoires.

Au XIXe siècle, en Amérique du Nord, les médecins éclectiques utilisaient aussi l'aunée comme diurétique et stimulant menstruel. Toutefois, ils prescrivaient la plante surtout pour l'asthme, les affections pulmonaires chroniques et des bronches; la faiblesse du système digestif, les démangeaisons, la dyspepsie (indigestion), les sueurs nocturnes et les rhumes graves.

De nos jours, les herboristes recommandent surtout l'aunée pour les problèmes respiratoires, notamment la toux, l'asthme, la bronchite et l'emphysème. D'autres la suggèrent comme stimulant digestif, ou comme traitement des problèmes menstruels et de la peau, ou encore pour enrayer les parasites intestinaux.

PROPRIÉTÉS thérapeutiques

Voici ce que dit la Food and Drug Administration au sujet de l'aunée: «Les anciens se servaient de cette plante pour traiter des maladies qui n'en bénéficiaient pas.» L'aunée a fait l'objet de peu de recherches. Cependant, les quelques recherches scientifiques disponibles suggèrent que Nicholas Culpeper avait peut-être raison.

PARASITES INTESTINAUX. Les scientifiques américains ont découvert que l'aunée contenait un constituant chimique, l'allantolactone, qui favorise réellement l'expulsion des parasites intestinaux, tout comme le confirmait Nicholas Culpeper. Cette plante permet aussi d'éliminer certaines bactéries et champignons, ce qui accroît son action thérapeutique dans l'intestin.

Les parasites intestinaux, surtout les oxyures vermiculaires et la giardiase, causée par le protozoaire *Giardia intestinalis*, s'avèrent un problème grandissant, notamment aux États-Unis. Les familles qui ont des enfants en crèche sont particulièrement vulnérables.

Les parasites intestinaux sont également très courants sous les Tropiques. Si vous voyagez et si vous allez à l'étranger, apportez un peu d'aunée, comme l'avait fait Hélène de Troie.

SANTÉ DE LA FEMME. Il n'existe aucune preuve que l'aunée stimule les contractions utérines, mais, comme on lui attribue des vertus de stimulant menstruel, certaines femmes pourraient vouloir l'essayer afin de faire déclencher leurs règles.

AUTRES PROPRIÉTÉS. En Europe, des tests menés chez des animaux ont prouvé que l'aunée provoque une hausse de la tension artérielle. Les personnes qui sont atteintes d'hypertension pourraient prendre de l'aunée qu'après accord avec leur médecin.

Les études ont aussi montré que l'aunée crée de la somnolence chez ces animaux. Les personnes qui souffrent d'insomnie pourraient l'essayer avant d'aller dormir.

Préparation et posologie

L'aunée est une plante qui aide à prévenir et à combattre les parasites intestinaux. Préparez-vous une décoction ou une teinture pour traiter ces parasites ou pour réduire votre tension artérielle (qu'après accord avec votre médecin). Pour une décoction, faites bouillir doucement 1 à 2 c. à café de racines séchées en poudre dans trois tasses d'eau pendant 30 minutes. Le goût de l'aunée est amer. Ne prenez qu'une ou 2 c. à soupe à la fois additionnée de miel, jusqu'à un maximum de deux tasses par jour.

Pour une teinture, utilisez 1/4 à 1/2 c. à café jusqu'à trois fois par jour.

L'aunée est déconseillée aux enfants de moins de deux ans. Les enfants plus âgés et les personnes de plus de 65 ans devraient commencer par des préparations faiblement concentrées et augmenter la dose au besoin.

Mise en garde

Bien que l'on n'ait jamais prouvé que l'aunée stimule l'utérus, cette dernière a été utilisée traditionnellement pour déclencher les règles. Son usage est donc à proscrire aux femmes enceintes. Des études menées chez des animaux montrent que de faibles doses d'aunée réduisent les taux de glucose sanguin, alors que des doses plus élevées l'augmentent. Ces études n'ont pas été répétées chez les humains, mais les personnes atteintes de diabète devraient éviter de prendre de l'aunée.

Les personnes plus sensibles peuvent développer une éruption cutanée si elles sont mises en contact avec l'aunée ou son huile. D'autres effets indésirables n'ont toutefois pas été signalés.

La Food and Drug Administration inclut l'aunée parmi les plantes qui ne présentent aucun danger. Les femmes en bonne santé qui ne sont pas enceintes et qui n'allaitent pas peuvent l'utiliser sans crainte si elles respectent les doses prescrites.

L'aunée ne devrait être consommée à des fins thérapeutiques qu'après accord avec son médecin. Si elle provoque de légers troubles, tels que des maux d'estomac ou de la diarrhée, prenez-en moins ou cessez d'en prendre. Consultez votre médecin en cas d'effet indésirable ou si les symptômes persistent deux semaines après le début du traitement.

Une si jolie plante

L'aunée est une plante vivace, remarquablement belle, qui atteint de 1 à 2 m. Elle produit de grandes feuilles jaunes. La plante entière est velue. Sa racine médicinale est épaisse et se ramifie en différentes souches.

L'aunée peut être cultivée à partir de graines que l'on plante à l'intérieur, et que l'on replante à l'extérieur. Une fois transplantée, la plante se propagera mieux à partir de bouts de racines de 4 à 5 cm que l'on coupera, à l'automne, à partir de l'œil des racines de deux ans. Couvrez les boutures d'un sol humide et sablonneux, et entreposez-les dans une pièce fraîche de la maison. Passé les risques de gel, plantez ces boutures à intervalle de 1 m. Dans les sols bien cultivés poussent les plus grosses racines.

L'aunée préfère les terreaux légèrement acides, bien drainés, humides et riches. Elle croît bien en plein soleil ou partiellement à l'ombre. Cultivez les racines à l'automne de la deuxième année de pousse. Les racines plus vieilles deviennent plus ligneuses. Coupez les racines en morceaux afin de faciliter le séchage.

BARDANE

Une plante à l'épreuve du temps

Famille: *Compositæ*. Également la marguerite, le pissenlit et le souci
Genre et espèce: *Arctium lappa L.*
Autres noms: Herbe aux teigneux, oreille de géants, bouillon-noir, gratteron
Parties utilisées: Les racines fraîches, de même que les feuilles et les graines

Depuis le début des temps, la bardane semble s'accrocher à tout ce qui se trouve sur son passage. On pourrait même croire que son rôle dans la guérison par les plantes est tout aussi tenace, mais de nombreux scientifiques rejettent toutes les propriétés thérapeutiques qu'on lui accorde. Cependant, elle semble destinée à survivre comme plante médicinale, surtout pour traiter le cancer.

La bardane a connu des hauts et des bas. Ou bien on la couvrait d'injures, ou bien on la recommandait pour soigner toutes sortes de maladies. L'abbesse allemande du Moyen Âge Hildegard de Bingen s'en servait même comme traitement contre les tumeurs cancéreuses.

Les médecins chinois respectueux des traditions, de même que les guérisseurs ayurvédiques, considéraient la bardane comme un bon remède contre les rhumes, la grippe, les infections de la gorge et la pneumonie.

Une plante tout usage

Au cours du XIVe siècle, en Europe, on macérait les feuilles de la bardane afin d'obtenir un vin qui servait à traiter la lèpre.

Au XVIIe siècle, l'herboriste britannique farfelu Nicholas Culpeper conseillait d'utiliser la bardane dans le cas d'un prolapsus utérin, c'est-à-dire l'affaissement des ligaments qui soutiennent l'utérus, ce qui fait descendre celui-ci dans le vagin. Le remède bizarre de Culpeper: une couronne de bardane sur la tête afin de faire remonter l'utérus.

Plus tard, les herboristes ont commencé à prescrire les racines de bardane contre la fièvre, le cancer, l'eczéma, le psoriasis, l'acné, les pellicules, la goutte, les dermatophytoses, les infections cutanées, la syphilis, la gonorrhée et les problèmes liés à l'accouchement.

En Amérique du Nord, les médecins éclectiques reconnaissaient ses propriétés diurétiques et la prescrivaient pour guérir les infections des voies urinaires, les problèmes du rein, la miction douloureuse, de même que les infections cutanées et l'arthrite.

Controverse sur le cancer

Il y a plusieurs siècles, Hildergard de Bingen préconisait l'utilisation de la bardane comme traitement contre le cancer. Les bienfaits thérapeutiques de la plante se firent connaître depuis lors en Russie, en Chine, aux Indes et en Amérique.

Au cours des années trente et cinquante, la bardane était l'un des constituants principaux du remède contre le cancer que l'ex-mineur Harry Hoxsey avait mis sur le marché.

Pour leur part, les herboristes contemporains ont cessé peut-être prématurément le traitement du cancer à la bardane, mais ils la prescrivent toujours dans les cas de problèmes de la peau, de traitement de blessures, d'infections des voies urinaires, d'arthrite, de sciatique, d'ulcères et d'anorexie nerveuse.

PROPRIÉTÉS thérapeutiques

Bon nombre d'herboristes contemporains réfutent l'action thérapeutique bénéfique de la bardane. Dans l'herbier *Natural Product Medecine,* Ada der Marderosian et Lawrence Libertii consentent qu'«il n'existe pas de preuves tangibles à l'effet que la bardane possède des vertus thérapeutiques dans le traitement de quelque maladie que ce soit». En outre, Varro Tyler écrit dans son herbier *The New Honest Herbal*: «L'action thérapeutique de la plante reste à prouver, même si la plante a été utilisée à des fins médicinales depuis des siècles.»

La science n'a pu prouver les bienfaits thérapeutiques que l'on attribue à la bardane. Elle ne peut vraiment traiter ni la lèpre ni l'arthrite, le prolapsus utérin ou l'insuffisance cardiaque congestive. De nombreuses études suggèrent toutefois qu'on pourrait éventuellement lui attribuer certaines propriétés thérapeutiques.

INFECTIONS. Des chercheurs allemands ont découvert que la bardane fraîche contient des agents chimiques (polyacétylène) qui peuvent éliminer les bactéries responsables de la maladie et les champignons. La bardane séchée contient une quantité moins importante de polyacétylène, ce qui pourrait peut-être en expliquer les bienfaits thérapeutiques lorsqu'on l'utilise contre les dermatophytoses, les infections fongiques et certaines infections bactériennes, notamment la gonorrhée, les infections cutanées et les infections des voies urinaires.

On ne doit cependant pas substituer la bardane aux traitements de la médecine conventionnelle, surtout dans le cas d'infections fongiques et bactériennes.

AUTRES PROPRIÉTÉS. La bardane figure au premier rang dans le traitement du cancer à l'échelle mondiale. En outre, de nombreuses études montrent que les substances qui s'y trouvent agissent sur les tumeurs. Un article publié dans la revue *Chemotherapy* précise que l'agent chimique, l'arctigénine, qui s'y trouve est «un inhibiteur de la croissance tumorale expérimentale». De plus, un étude publiée dans *Mutation Research* montre que la plante réduit la mutation de cellules, lorsque celle-ci est provoquée par des agents chimiques. (La plupart des substances qui provoquent une mutation génétique peuvent également causer le cancer.)

Bien sûr, le cancer exige des soins médicaux professionnels. Consultez d'abord votre médecin si vous désirez prendre de la bardane de pair avec vos traitements.

Enfin, la bardane possède un effet antidote que l'on ne peut expliquer. Des études menées sur des animaux de laboratoire, auxquels on avait fait consommer de la bardane, ont démontré qu'ils avaient développé une certaine tolérance contre des produits chimiques dits toxiques.

À la lueur de ces découvertes, espérons que les scientifiques poursuivront leurs recherches de manière aussi intensive et tenace que la bardane elle-même.

Prescription et posologie

Après accord de votre médecin, vous pouvez utiliser la bardane de pair avec les autres traitements anticancéreux. La plante peut aussi servir dans les cas d'infections des voies urinaires, de même que pour la gonorrhée. Consommez la plante sous forme de décoction ou de teinture.

Pour une décoction, faites bouillir une c. à café de racines de bardane dans trois tasses d'eau pendant 30 minutes. Laissez refroidir avant de boire et ne dépassez pas trois tasses par jour. Le goût légèrement sucré ressemble à celui de la racine du céleri.

Pour une teinture, prenez 1/2 ou 1 c. à café jusqu'à trois fois par jour.

La bardane est déconseillée aux enfants de moins de deux ans. Les enfants plus âgés et les personnes de plus de 65 ans devraient commencer par des préparations faiblement concentrées et augmenter la dose au besoin.

Mise en garde

La sûreté de la plante n'avait jamais été remise en question jusqu'à ce qu'un article du *Journal of the America Medical Association* relie la plante à un cas d'intoxication qui aurait pu s'avérer fatal.

Une femme qui avait consommé une décoction trop puissante fut atteinte de troubles de la vision, d'assèchement de la salive et d'hallucinations, symptômes typiques d'intoxication à l'atropine. La bardane ne contient pas d'atropine, mais c'est l'un des constituants d'une plante qui lui ressemble, la belladone. Il semblerait que la bardane avait été remplacée par de la belladone.

Une fois n'est sûrement pas coutume, mais assurez-vous d'acheter votre bardane chez un marchand fiable. Si vous ressentez certains symptômes d'intoxication à l'atrophine comme ceux mentionnés précédemment, présentez-vous immédiatement aux urgences afin de recevoir des soins médicaux.

Le livre *The Toxicology of Botanical Medicines* qualifie la bardane de stimulant utérin. Les femmes enceintes ne devraient pas en prendre.

La Food and Drug Association inclut la bardane parmi les plantes à sûreté indéterminée. Avant ce cas d'intoxication à l'atrophine, la bardane n'avait jamais causé de problèmes. Les femmes en bonne santé qui ne sont pas enceintes et qui n'allaitent pas peuvent l'utiliser sans crainte si elles respectent les doses prescrites.

La bardane ne devrait être consommée à des fins thérapeutiques qu'après accord avec son médecin. Si elle provoque de légers troubles, tels que des maux d'estomac ou de la diarrhée, prenez-en moins ou cessez d'en prendre. Consultez votre médecin en cas d'effets indésirables ou si les symptômes persistent deux semaines après le début du traitement.

Les vertus curatives des racines

Recouvertes d'une écorce brune et blanche, les racines de la bardane sont spongieuses et fibreuses. Elles durcissent quand on les fait sécher. La bardane est dotée de tiges à branches multiples et de feuilles allongées en forme de cœur. Une fleur duveteuse, ou plutôt une grappe de fleurs mauvâtres, au faîte de la branche, produit l'infâme bardane piquante.

La plante pousse bien à partir de graines que l'on sème au printemps. Espacez les semis de 12 cm. La bardane préfère le plein soleil, de même que les sols riches, humides et bien cultivés, bien qu'elle tolère des sols moins riches. De nombreux herboristes mêlent des copeaux de bois et de la sciure aux carrés de bardane afin de dégager le sol, de sorte que les racines se cueilleront plus facilement. La bardane s'enracine profondément. On déconseille donc de transplanter des plants adultes. Cueillez les racines au premier automne ou au printemps suivant.

BASILIC

Le pesto contre les parasites

Famille: *Labiatæ.* Également la menthe
Genres et espèces: *Ocimum basilicum, Ocimum sanctum*
Autre nom: Basilic doux
Parties utilisées: Les feuilles et la partie supérieure de la fleur

Le basilic est l'un des principaux ingrédients du pesto, une savoureuse préparation à l'ail et à l'huile d'olive qui agrémente les pâtes. Le basilic n'est pas un inconnu. Depuis des milliers d'années, il tient une place de choix dans la cuisine et dans l'armoire à pharmacie. Ses bienfaits thérapeutiques sont indéniables. Il est très efficace contre les parasites intestinaux, les infections de la peau, particulièrement l'acné. Il peut aussi renforcer le système immunitaire.

Une plante à la fois contestée et révérée

Le basilic n'a pas toujours joui de la meilleure réputation qui soit. Pour les Grecs et les Romains, il symbolisait l'hostilité et la folie. Ces deux peuples croyaient que pour faire pousser du basilic extrêmement odorant, il fallait se mettre en colère et jurer les grands dieux tout en semant les graines. Même aujourd'hui, l'expression française «semer le basilic» signifie fulminer.

D'autres traditions populaires associent l'herbe à l'amour. Au cours des siècles derniers, quand une Italienne déposait un pot de basilic sur son balcon, c'est qu'elle s'apprêtait à recevoir son amoureux. En outre, dans le Nord de l'Europe, les amoureux s'échangeaient des brins de basilic comme marque de fidélité.

En Inde, le basilic est depuis longtemps révéré comme une plante sacrée. L'espèce indigène s'appelle *Ocimum sanctum,* c'est-à-dire basilic saint. Le basilic est sacré pour les dieux Vishnu et Krishna. De plus, il est censé protéger la vie et la mort. Les Haïtiens croient aussi en son pouvoir protecteur: les commerçants arrosent le pourtour de leur maison d'eau de basilic afin de conjurer le mauvais sort et vivre dans la prospérité.

Une plante bienfaisante?

Les pouvoirs de guérison du basilic ne font pas l'unanimité. Les médecins grecs Dioscoride et Galien déconseillaient les préparations à base de basilic. Ils disaient qu'elles rendaient fou et favorisaient l'apparition de vers dans le corps humain.

Cependant, 1 000 ans plus tard, le naturaliste romain Pline l'Ancien et les médecins arabes vantèrent son immense pouvoir de guérison, tout comme les Chinois qui l'utilisaient déjà depuis longtemps dans les cas de maladies de l'estomac, des reins et du sang.

Au cours du XIe siècle, l'abbesse allemande Hildegard de Bingen le mélangeait à de la «poudre de bec de vautour» pour traiter les tumeurs cancéreuses.

Au XVIIe siècle, le basilic était reconnu en Europe pour traiter efficacement les rhumes, les verrues et les vers dans les intestins. Puis le botaniste français Tournefort raconta une étrange histoire qui vint ternir la réputation de l'herbe pendant des années:

> «Un gentilhomme de Sienne, séduit par l'extraordinaire parfum du basilic, en vint à extraire la poudre de l'herbe séchée, et à la respirer avidement. Hélas, en très peu de temps, il devint fou et il mourut. Quand les médecins ouvrirent son crâne, ils trouvèrent … des scorpions dans son cerveau.»

Une plante aux multiples usages

Au fil des siècles, on oublia cette terrifiante histoire. Presque partout dans le monde, elle est utilisée pour ses vertus médicinales et culinaires. Dans ses relevés sur les plantes médicinales, le Département américain de l'Agriculture confirme que le basilic a été recommandé dans presque toutes les maladies: alcoolisme, choléra, rhumes, constipation, convulsions, toux, douleurs mentruelles, croup, surdité, délire, dépression, diarrhée, hydropisie (insuffisance cardiaque) et dysenterie. Il fut un temps où on le conseillait aux personnes qui mouraient d'ennui et aux femmes qui venaient d'accoucher.

Aujourd'hui, aux Phillipines, on se sert de cataplasmes de basilic pour les dermatophytoses, et les femmes enceintes boivent du thé de basilic afin de provoquer les contractions. Au Salvador, on met un peu de basilic dans les oreilles des personnes sourdes. En Malaisie, le basilic aide à expulser les vers des intestins et à déclencher les règles.

Aux États-Unis, les herboristes sont plus discrets sur les bienfaits de la plante. Ils la préconisent tout de même pour faciliter la digestion, ouvrir l'appétit et favoriser la lactation.

PROPRIÉTÉS thérapeutiques

Un guide sur les plantes médicinales très en vogue affirme: «Aucune étude médicale moderne n'a pu confirmer les prétendues propriétés du basilic». Le commentaire est faux. Certes, on a exagéré les vertus du basilic. (On ne guérira pas la surdité en en mettant quelques feuilles dans les oreilles). Cependant, l'herbe a démontré son efficacité dans bien des cas.

PARASITES INTESTINAUX L'huile de basilic est très efficace pour éliminer les parasites dans l'intestin. Rappelons que la plante est utilisée à cette fin en Malaisie depuis longtemps et qu'elle a toujours eu la réputation de soulager les maux d'estomac et de traiter un grand nombre de maladies intestinales.

ACNÉ Des scientifiques indiens rapportent que l'huile de basilic détruit les bactéries quand on l'applique sur la peau. L'huile de basilic s'est d'ailleurs révélée très efficace dans le traitement de l'acné.

SYSTÈME IMMUNITAIRE Une expérience réalisée sur les animaux démontre que le basilic renforce le système immunitaire en augmentant la production des anticorps de 20 %, d'où son efficacité légendaire contre les bactéries et son usage traditionnel dans le cas de maladies infectieuses.

Préparation et posologie

L'huile de basilic préparée scientifiquement est plus concentrée que les infusions ou les tisanes maison. Si vous déplorez l'inefficacité des médicaments contre l'acné, essayez une bonne infusion ou une tisane de basilic. Appliquez un peu d'ouate imbibée de ce liquide sur la peau bien nettoyée.

Pour une infusion, prenez 2 ou 3 c. à café de feuilles séchées par tasse d'eau bouillante. Laissez infuser de 10 à 20 minutes. Ne dépassez pas trois tasses par jour. Vous aimerez son arôme riche et chaud ainsi que son goût de menthe, légèrement poivré.

Pour une tisane, prenez 1/2 c. à café jusqu'à trois fois par jour.

La tisane et l'infusion permettent de tirer profit des propriétés anti-infectieuses du basilic.

Il est déconseillé de soigner les enfants de moins de deux ans avec du basilic. Pour les enfants plus âgés et les personnes de plus de 65 ans, commencez par des préparations légères et augmentez la dose au besoin.

Mise en garde

Le basilic est une plante médicinale qui contient des substances à la fois cancérigènes et anticancérigènes. En ce qui concerne ces dernières, il contient de la vitamine A et C, deux antioxydants qui empêchent la dégénérescence des cellules. Le basilic contient aussi de l'estragole. Cet agent chimique a causé des tumeurs du foie chez les souris selon un rapport publié dans le *Journal of the National Cancer Institute.*

Le rôle du basilic dans le cancer n'est pas clair. D'ailleurs, les critiques les plus conventionnels en matière de plantes médicinales conseillent la prudence avec le basilic.

Aucun stimulant utérin n'a encore été découvert dans le basilic, mais comme il est reconnu pour sa rapidité à déclencher les règles et les contractions, il est préférable que les femmes enceintes réservent le basilic à un usage culinaire.

Bien qu'il contienne de l'estragole, le basilic figure sur la liste des plantes que la Food and Drug Administration américaine considère comme sûres. Les femmes en bonne santé, qui ne sont pas enceintes, qui n'allaitent pas et ne souffrent pas de maladies du foie, peuvent l'utiliser sans crainte si elles respectent les doses prescrites.

Le basilic ne devrait être consommé à des fins thérapeutiques qu'après accord avec son médecin. Si le basilic provoque de légers troubles, tels que des maux d'estomac ou de la diarrhée, prenez-en moins ou cessez d'en prendre. Consultez votre médecin en cas d'effets indésirables ou si les symptômes persistent deux semaines après le début du traitement.

Presto, pesto!

Le basilic est une plante annuelle aromatique qui peut atteindre 60 cm de haut. Comme la menthe, qui est de la même famille, sa tige est carrée. Elle a cependant plus de branches que la plupart des menthes et ses feuilles sont ovales, dentées et pointues. Ses fleurs blanches et pourpres en forme d'aiguilles fleurissent en été.

Le basilic est facile à cultiver. Il suffit de semer des graines une fois le risque de gel écarté, quand la chaleur de la terre a atteint 10 °C. Semez les graines à environ 3 cm de profondeur. (Espacez vos semis de 30 cm). Les graines mettent une semaine à germer. Le basilic a besoin de beaucoup de soleil, d'un sol bien drainé, enrichi de compost ou d'engrais.

Une fois les plants en terre, recouvrez-les de paille afin de maintenir l'humidité et de décourager les mauvaises herbes. Pincez la plante pour lui donner plus de volume. Après six semaines, coupez la tige principale au-dessus d'un nœud pour produire des tiges jumelles. Élaguez les branches à quelques semaines d'intervalle. Utilisez des feuilles fraîches ou bien séchez-les, et conservez-les dans des contenants opaques et hermétiques.

BUCHU

Un diurétique du sud de l'Afrique

Famille: *Rutaceæ.* Également l'orange, le citron et la rue
Genres et espèces: *Barosma betulina, B. crenulata, B. serratifolia*
Autres noms: Bookoo, buku, bucku, bucco
Partie utilisée: Les feuilles

Le buchu est la contribution de l'Afrique du Sud à la guérison par les plantes.

Les feuilles de cet arbrisseau qui atteint environ 1,60 m contiennent une huile qui favorise la production d'urine. Les peuples indigènes de ce que l'on appelle maintenant la Namibie et l'Afrique du Sud utilisaient le buchu pour contrer les problèmes urinaires bien avant qu'ils n'aient été mis en contact avec les Européens. Au XVIIe siècle, quand les colons hollandais (les Afrikaners) se sont établis dans la région, ils ont eux aussi adopté le buchu pour traiter les infections des voies urinaires, les calculs rénaux, l'arthrite, le choléra et les douleurs musculaires.

Les colons anglais qui s'y sont établis plus tard ont également adopté le buchu et ont eu si souvent recours à la plante pour traiter tellement de maladies que les botanistes médicinaux prétendent que le buchu est utilisé pour traiter presque toutes les maladies qui affligent l'humanité.

Le roi buchu

En 1847, Henry T. Helmbold, un fabricant de produits pharmaceutiques de New York, introduisit le Composé d'extraits de buchu de Helmbold pour traiter les problèmes urinaires, les calculs rénaux et les maladies vénériennes. Le public nord-américain fut tout aussi enthousiaste que les premiers colons africains à ce sujet. Henry Helmbold devint très riche et se désigna lui-même le roi du buchu.

PROPRIÉTÉS thérapeutiques

On a depuis longtemps oublié le roi buchu, mais les herboristes continuent de croire aux propriétés antiseptiques urinaires de la plante.

SYNDROME PRÉMENSTRUEL. Bon nombre de femmes se plaignent d'une sensation de ballonnement due à une rétention d'eau avant leurs règles. Le buchu est un ingrédient que l'on retrouve dans certains diurétiques en vente libre dans les pharmacies. Ces produits peuvent soulager les ballonnements du syndrome prémenstruel.

HYPERTENSION ARTÉRIELLE ET INSUFFISANCE CARDIAQUE CONGESTIVE. Les médecins prescrivent souvent des diurétiques dans le traitement de l'hypertension artérielle et de l'insuffisance cardiaque congestive. Ces maladies sont graves et exigent des soins professionnels. Consultez d'abord votre médecin avant de prendre du buchu de pair avec votre traitement.

INFECTION DES VOIES URINAIRES. La plupart des herboristes modernes continuent de préconiser le buchu contre les infections des voies urinaires. Une étude de ses effets sur la bactérie responsable n'était pas concluante. Toutefois, les herboristes continuent de croire au buchu et à ses propriétés thérapeutiques contre l'infection.

Préparation et posologie

Afin de soulager les ballonnements causés par le syndrome prémenstruel, consommez une infusion ou une teinture. Ces préparations peuvent aussi soulager les infections chroniques des voies urinaires.

Pour une infusion, utilisez 1 à 2 c. à café de feuilles broyées et séchées par tasse d'eau bouillante. Laissez infuser de 10 à 20 minutes. Ne dépassez pas trois tasses par jour. Le buchu possède un arôme et un goût de menthe qui plaît.

Pour une teinture, prenez 1/2 à 1 c. à café jusqu'à trois fois par jour.

Le buchu est déconseillé aux enfants de moins de deux ans. Les enfants plus âgés et les personnes de plus de 65 ans devraient commencer par des préparations faiblement concentrées et augmenter la dose au besoin.

Mise en garde

Les diurétiques épuisent les réserves de potassium, un important nutriment corporel. Les personnes qui consomment le buchu devraient augmenter leur consommation d'aliments élevés en potassium, tels que les bananes et les légumes frais.

Les femmes enceintes ne devraient consommer du buchu qu'après avoir consulté leur médecin.

La Food and Drug Administration inclut le buchu parmi les plantes sûres. Aucun effet indésirable n'a été rapporté. Les femmes en bonne santé qui ne sont pas enceintes ou qui n'allaitent pas peuvent l'utiliser sans crainte si elles respectent les doses prescrites.

Le buchu ne devrait être consommé à des fins thérapeutiques qu'après accord avec son médecin. Si elle provoque de légers troubles, tels que des maux d'estomac ou de la diarrhée, prenez-en moins ou cessez d'en prendre. Consultez votre médecin en cas d'effets indésirables ou si les symptômes persistent deux semaines après le début du traitement.

D'origine africaine

Cet arbrisseau d'environ 1,60 m, doté de feuilles dentées opposées ou qui alternent, ne pousse qu'en Afrique.

CACAO (CHOCOLAT)

Une bonne nouvelle

Famille: *Sterculiaceæ.* Également le cola
Genre et espèce: *Theobroma cacao*
Autres noms: Chocolat, cocoa
Partie utilisée: Les graines

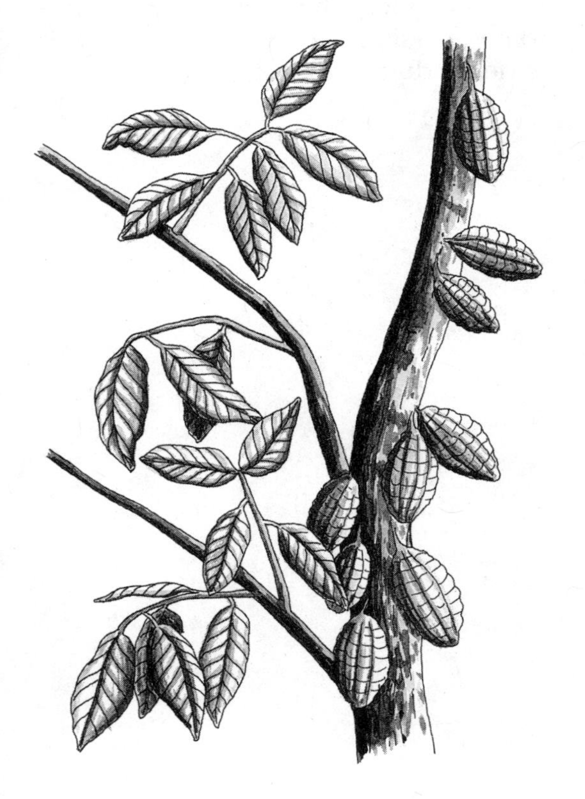

Il y a quelques années, un rapport fit grand bruit, car il suggérait que la consommation de chocolat libérait dans le cerveau un produit chimique qui déclenchait les sentiments amoureux. Les chercheurs ont rationalisé le tout en expliquant que les cœurs brisés ne se consolent qu'avec une boîte de chocolats.

Cette théorie n'a pas été prouvée. Toutefois, il y a de quoi réjouir le cœur des fervents du chocolat. En fait, le chocolat pourrait s'avérer le meilleur médicament qui soit. Le cacao et son dérivé, le chocolat, pourrait faciliter la digestion, augmenter le débit sanguin cardiaque et aider toute personne qui souffre de congestion de la poitrine à mieux respirer. Alors, prenez un chocolat et lisez ce qui suit.

Un cadeau aztèque

Imaginez-vous un monde sans chocolat... Quelle tristesse! C'était pourtant le cas jusqu'en l'an 1519, lorsque le conquistador Fernand Cortez vit le monarque mexicain aztèque, Moctezuma, siroter une boisson qu'il appelait *chocolatel* dans un gobelet en or. Cortez s'intéressait davantage au gobelet qu'à la boisson jusqu'à ce que les Aztèques lui mentionnent que le breuvage était préparé à partir de fèves ou de graines si précieuses qu'une centaine leur permettait d'acheter un esclave en bonne santé.

Cortez introduisit cette boisson aztèque à la cour espagnole, ce qui fit sensation instantanément. Les Espagnols essayèrent de garder le chocolat secret et ils y parvinrent pendant plus de 100 ans. Cependant, vers l'an 1660, le chocolat s'était répandu partout en Europe. Il devint surtout populaire en Angleterre et en Hollande, où l'on ajoutait du lait et du sucre à la boisson un peu âcre.

Chose étrange, jusqu'au XIXe siècle, le chocolat n'était servi que sous forme de breuvage, parfois âcre, parfois sucré. Ce n'est que depuis environ 150 ans que l'on confectionne le chocolat en tablettes et en bonbons.

Remède de prédilection

Les peuplades de l'Amérique centrale utilisaient le cacao depuis des siècles afin de traiter la fièvre, la toux et les douleurs reliées à la grossesse et à l'accouchement. Ils enduisaient également les brûlures, les lèvres gercées et les régions chauves de la tête, de même que les mamelons endoloris des mères qui allaitaient, de beurre de cacao.

Au XIXe siècle, les médecins éclectiques américains recommandaient d'appliquer du beurre de cacao comme baume ou pansement de blessure. En revanche, ils faisaient consommer du cacao chaud, comme substitut du café, pour traiter l'asthme. Ils croyaient également que le cacao chaud était un nutriment des plus utiles pour les convalescents qui se remettaient d'une maladie grave.

De nos jours, peu d'herboristes recommandent le cacao ou le chocolat comme plante médicinale. Quel dommage!

La «tentation du diable»

N'associe-t-on pas le gâteau au chocolat à la «tentation du diable»? La raison en est simple. Ce gâteau, confectionné à partir de la graine de cacao, a toujours joué le rôle du vilain responsable d'obésité, d'acné, de maladies du cœur, de calculs rénaux, de caries dentaires, de maux de tête, de brûlures d'estomac et de coliques infantiles. Cependant, c'est à tort qu'on lui a fait une mauvaise réputation.

Le contenu en gras du chocolat peut sûrement contribuer à l'obésité et aux maladies cardiaques, cependant ce n'est pas le chocolat utilisé dans la confection des gâteaux qui est le problème, mais le beurre et la crème qui s'y trouvent, leur teneur en gras et en cholestérol étant très élevée. Le cacao et le chocolat ne contiennent eux-mêmes aucun cholestérol, sauf le chocolat au lait. Cependant, leur taux de gras saturé est élevé, c'est-à-dire le type de gras responsable des hausses des taux de cholestérol et qui peuvent provoquer des maladies cardiaques. Toutefois, une grande partie des gras saturés du cacao se présentent sous forme d'acide stéarique qui n'augmente pas le taux de cholestérol.

Une mauvaise réputation

On a vraiment exagéré le rôle du chocolat face à la carie dentaire. Certaines recherches prétendent même que le cacao contient des substances qui inhibent la croissance de bactéries responsables de la carie dentaire. Encore une fois, le problème que l'on associe aux bonbons au chocolat n'est pas leur contenu en cacao, mais les autres ingrédients qui s'y trouvent, notamment le sucre.

Il n'y a pas de preuve à l'effet que le chocolat cause l'acné, les calculs rénaux ou les coliques infantiles. Toutefois, le chocolat contient des agents chimiques (tyramines) qui provoquent des céphalées chez certaines personnes, particulièrement celles qui sont sujettes aux migraines.

PROPRIÉTÉS thérapeutiques

Le cacao contient deux agents chimiques qui en justifient l'usage dans la guérison par les plantes: la caféine et la théobromine.

STIMULANT. Le cacao ne contient que de 10 à 20 % de la caféine du café, soit environ 13 ml par tasse, comparativement au café instantané qui en contient 65, et au café moulu qui en contient de 100 à 150.

Par conséquent, le cacao et le chocolat peuvent contrer la somnolence et stimuler légèrement une personne sans causer pour autant chez elle de l'énervement, de l'insomnie ou de l'irritabilité comme le fait le café. Consommez un peu de chocolat lorsque vous vous sentez léthargique, mais à des fins thérapeutiques, bien sûr.

STIMULANT DIGESTIF. La théobromine du cacao détend le muscle lisse du tube digestif. C'est peut-être la raison pour laquelle tant de gens peuvent consommer du chocolat même après avoir mangé un gros repas. Prenez donc un peu de chocolat si vous désirez soulager votre estomac après les repas.

ASTHME. La théobromine et la caféine sont des agents chimiques dont les rôles sont étroitement liés dans le traitement régulier de l'asthme (théophylline), c'est-à-dire qu'ils dilatent les voix respiratoires des poumons. Ces deux agents ont des effets similaires.

Même si vous n'êtes pas une victime d'asthme, essayez le cacao ou le chocolat dans les cas de congestion respiratoire causée par la grippe ou le rhume.

Préparation et posologie

Ne vous sentez plus coupable. Il existe maintenant d'excellentes raisons de se préparer une bonne tasse de cacao. Le breuvage est un excellent stimulant énergique ou digestif. Toute personne atteinte d'asthme devrait être suivie par son médecin, mais la consommation d'une tasse de cacao afin de se soulager après une crise ne comporte aucun danger.

Pour une tasse de cacao, prenez 1 à 2 c. à café bombée par tasse d'eau chaude ou de lait écrémé.

Certains enfants et adultes sont plus sensibles aux stimulants que contiennent le cacao et le chocolat. Diminuez la consommation si vous souffrez d'insomnie, d'irritabilité ou d'hyperactivité.

Mise en garde

Méfiez-vous de la caféine que contient le cacao. En fait, la caféine est un stimulant puissant qui peut créer une accoutumance. On l'associe souvent à de l'insomnie, de l'irritabilité, des crises d'anxiété, de l'hypertension artérielle, un taux de cholestérol élevé, de même que des hauts taux de glucose sanguin. On prétend également qu'elle augmente les risques de malformation congénitale. Voir *Café*, à la page 101, pour plus de renseignement au sujet des effets de la caféine.

Le cacao et le chocolat ne contiennent que de 10 à 20 % de la caféine du café, mais, en grande quantité, ils auront les mêmes effets. Toute personne atteinte d'insomnie, de problèmes d'anxiété, de taux élevé de cholestérol, d'hypertension artérielle, de diabète ou de maladie cardiaque devrait restreindre sa consommation de caféine.

Attention aux brûlures

Bon nombre de personnes croient qu'un chocolat chaud aide à faciliter la digestion après un repas. Il y a toutefois un problème: le cacao et le chocolat peuvent causer des brûlures d'estomac. Il est vrai que la plante détend les valvules entre l'estomac et l'œsophage, c'est-à-dire le tube qui transporte la nourriture. Lorsque cette valvule, appelée sphincter œsophagien inférieur, ne se referme pas entièrement, les acides gastriques remontent dans l'œsophage et causent des brûlures d'estomac. Si le cacao ou le chocolat vous donnent de tels symptômes, consommez-en moins ou cessez d'en prendre.

La Food and Drug Administration inclut le cacao et le chocolat parmi les plantes qui ne présentent aucun danger. Les femmes en bonne santé qui ne sont pas enceintes, ou qui n'allaitent pas et celles qui ne présente aucun antécédent d'insomnie, d'anxiété, de taux de cholestérol élevé, d'hypertension artérielle ou de maladie cardiaque peuvent utiliser le cacao et le chocolat sans crainte si elles respectent les doses prescrites.

Le cacao ne devrait être consommé à des fins thérapeutiques qu'après accord avec son médecin. S'il provoque de légers troubles, tels que des brûlures d'estomac, des maux de tête ou des effets indésirables de la caféine, prenez-en moins ou cessez d'en prendre. Consultez votre médecin en cas d'effet indésirable ou si les symptômes persistent deux semaines après le début du traitement.

Les origines du cacao

Le cacao (ou cocoa) est différent de la noix de coco ou du coca, source de cocaïne. Les cacaoyers poussent sous les Tropiques et non aux États-Unis.

Une fois cueillies, les graines de cacao sont soumises au procédé de torréfaction. Elles sont ensuite moulues et traitées jusqu'à ce que l'on obtienne un liquide connu sous liqueur de cacao. Cette liqueur est à nouveau soumise à un autre procédé, méthode hollandaise, qui consiste à ajouter une très petite quantité de soude de potasse afin d'en rehausser la saveur. (La quantité est tellement faible qu'elle ne présente aucun danger.) Le procédé se poursuit afin d'en retirer les gras, comme beurre de cacao. Le produit final, le chocolat, combine une poudre de cacao dégraissée et du beurre de cacao.

La poudre appelée cacao est simplement de la liqueur de cacao séchée, additionnée d'un peu de sucre. Le chocolat régulier est en fait de la liqueur de cacao traitée, non additionnée de sucre, alors que le chocolat amer en contient. Le chocolat mi-sucré contient plus de sucre, et le chocolat au lait combine sucre et lait pour le rendre plus crémeux.

CAFÉ

Plus qu'un stimulant

Famille: *Rubiaceæ.* Également le gardénia et l'ipéca
Genres et espèces: *Coffea arabica, C. liberica, C. robusta*
Autres noms: Arabica, moka, java, expresso, capuccino, café au lait
Partie utilisée: Les graines rôties ou moulées

La prochaine fois qu'un ami vous taquine au sujet de vos préférences pour les plantes médicinales, demandez-lui: «Bois-tu du café?» Le café est une infusion à base de plante des plus populaires en Europe. Une personne boit environ 106 litres de café par année. Le café joue un rôle plus important qu'on ne le pense. Il peut prévenir les crises d'asthme, augmenter la résistance et l'endurance physique, et il peut même aider certaines personnes à perdre du poids ou à contrer les effets du décalage horaire.

En revanche, le café peut créer de sérieux problèmes de santé. Malheureusement, peu de personnes connaissent vraiment les propriétés du café. On devrait prendre les mêmes précautions avec le café qu'avec toute autre plante médicinale. La caféine, constituant actif du café, peut créer de l'accoutumance.

Le tonique des tribus belliqueuses

Le mot café vient de *caffa*, la région de l'Éthiopie où les graines magiques ont d'abord été découvertes. Des trouvailles archéologiques qui remontent à la préhistoire rapportent que les peuples de l'Afrique orientale appréciaient les propriétés très stimulantes du café. Ils mangeaient les graines rouges non grillées (cerises) avant de partir en guerre contre d'autres tribus, de partir à la chasse qui pouvait durer quelques jours ou avant de s'adonner à toute activité qui demandait vivacité, force et endurance.

Le breuvage que nous connaissons aujourd'hui fit son apparition vers l'an 1000, lorsque les Arabes commencèrent à griller et à broyer les graines, puis à boire le breuvage chaud, tradition transmise à travers les siècles.

Étant donné son énorme popularité actuelle, il est difficile de comprendre la lenteur à laquelle les gens s'y sont accoutumés. Pour plus de 500 ans, le café fut confiné au Moyen-Orient. Vers l'an 1500, les marchands d'épices l'introduisirent en Italie. La popularité du café s'étendit alors dans toute l'Europe en 150 ans.

Jusqu'au XVIIe siècle, l'Arabie était le principal fournisseur de café, au monde, qu'elle livrait depuis son port de Moka, nom qui fut ensuite donné au café. Les Hollandais cultivèrent ensuite la plante à Java, et l'île fut rapidement associée à la croissance du café.

Un stimulant agréable

Le café a toujours été plus populaire comme breuvage que comme plante médicinale. Cependant, les herboristes européens prescrivaient ce stimulant afin de contrer les effets calmants de l'opium et de l'alcool.

Au XIXe siècle, les médecins éclectiques américains prescrivaient le café comme «un stimulant agréable ... qui aidait à surmonter les effets soporifiques (sédatif) de l'opium, de la morphine, de l'alcool». Ils recommandaient également le café pour traiter l'asthme, la constipation, les douleurs menstruelles et l'hydropisie (insuffisance cardiaque congestive).

Ces mêmes médecins éclectiques reconnaissaient aussi les inconvénients du café. «Si consommé en trop grande quantité, disaient-ils, le café peut provoquer de l'irritabilité, des frémissements, de la confusion, des bourdonnements d'oreilles et des irrégularités de l'intestin. D'autre part, le café peut créer une accoutumance. À des quantités modérées, il en résulterait des maux de tête pour qui est en état de manque.»

Pour leur part, les guérisseurs populaires ont utilisé le café depuis des siècles pour soigner l'asthme, la fièvre, les maux de tête, les rhumes et la grippe. Cependant, peu d'herboristes modernes l'incluent parmi les plantes médicinales qu'ils utilisent. Chose bizarre puisque le café est la plante la plus populaire en Amérique du Nord.

PROPRIÉTÉS thérapeutiques

La caféine, stimulant qui se trouve dans le café, de même que dans le cacao, le thé, le maté (thé des Jésuites) et les boissons à base de cola, est un ingrédient que l'on trouve dans plusieurs remèdes préventifs contre le rhume, la grippe, l'insomnie et les douleurs menstruelles; vertus thérapeutiques qui ne lui sont peut-être plus attribuées.

Le contenu de la caféine dépend de sa préparation. Par exemple, une tasse de café instantané en contient environ 65 mg, le café filtre ou moulu contient entre 100 et 150 mg et une tasse d'expresso, environ 350 mg.

La caféine s'est tellement intégrée dans notre vie de tous les jours que nous nous rendons rarement compte de l'accoutumance qu'elle crée. En fait, la caféine est une drogue. Ceux qui en boivent tous les jours développent une tolérance à la caféine et doivent augmenter la quantité consommée afin d'obtenir l'effet désiré. Sans la caféine, ces personnes se retrouvent régulièrement en état de manque, ce qui provoque des maux de tête.

Les médias font souvent état des problèmes de santé que l'on associe au café, mais ils ne discutent jamais de ses bienfaits thérapeutiques.

UN VRAI STIMULANT. Il n'y a aucun doute, le café est un stimulant puissant du système nerveux central. Il permet aux personnes qui doivent couvrir de longues distances en voiture de rester éveillés. Le café combat également les effets sédatifs des antihistaminiques, et c'est la raison pour laquelle on le trouve dans plusieurs remèdes contre le rhume. Contrairement à ce que l'on croit, la consommation de café n'a jamais fait passer quiconque de l'état d'ébriété à celui de sobriété.

AUGMENTATION DE L'ENDURANCE. Avertissement aux athlètes: selon un rapport publié dans l'ouvrage *The Physician and Sportsmedicine*, le café pourrait favoriser l'augmentation de l'endurance physique aux compétiteurs. Toutefois, le Comité olympique international interdit de consommer plus de sept tasses de café, trois heures avant l'épreuve.

ASTHME. Certaines études montrent que le café peut aider à prévenir les crises d'asthme. La caféine dilate les voies respiratoires des poumons, d'ailleurs l'un des usages thérapeutiques traditionnels de la plante.

PERTE DE POIDS. Le café peut aider certaines personnes à perdre du poids. Il peut augmenter le nombre de calories brûlées à l'heure, la vitesse du métabolisme, d'environ 4 %. Selon une étude, cela se traduit par un grand nombre de calories brûlées après un repas, chez les personnes qui présentent un problème de poids.

DÉCALAGE HORAIRE. Le décalage horaire est caractérisé par une désorientation, de l'insomnie et de la fatigue qui se développent après que nous avons traversé plusieurs fuseaux horaires. Le café permet de rétablir le rythme circadien, c'est-à-dire l'horloge biologique de l'organisme. Des spécialistes sur le décalage horaire recommandent de boire du café le matin lorsque vous allez vers l'ouest et en fin d'après-midi lorsque vous vous déplacez vers l'est.

Préparation et posologie

Le café possède un goût amer qui plaît. Les buveurs de café ont plus que prouvé que le goût suffit. Certaines personnes apprécient les effets du café comme stimulant, d'autres parce qu'il augmente leur endurance. Le café peut aussi prévenir les crises d'asthme, contrer le décalage horaire ou encore servir à la perte de poids lorsqu'on le consomme pendant les repas.

Pour une infusion (qu'on appellerait une tasse de Java), prenez 1 c. à soupe bombée de graines broyées par tasse d'eau. Préparez-le selon votre méthode préférée, ou achetez du café instantané et suivez le mode d'emploi sur l'étiquette. Ne dépassez pas trois tasses par jour.

Les aliments à saveur de café, notamment le yaourt et la glace, contiennent également de la caféine. Si vous consommez ces produits, ajustez votre consommation de café en conséquence.

Le café est déconseillé aux enfants de moins de deux ans. Les enfants plus âgés et les personnes de plus de 65 ans devraient commencer par des préparations faiblement concentrées et augmenter la dose au besoin.

Mise en garde

Le café peut causer de l'anxiété, de même qu'une hausse de la tension artérielle, du cholestérol et des taux cardiaque et respiratoire. Il peut aussi augmenter les sécrétions acides de l'estomac. Le café peut provoquer de l'insomnie, de l'irritabilité et de la nervosité. On associe également la caféine à des maladies comme le cancer, les troubles cardiaques, les névroses et certaines malformations congénitales. Une étude récente rapporte: «Si la caféine était un médicament nouvellement synthétisé, le fabricant aurait sûrement de grandes difficultés à le faire approuver selon les normes de la Food and Drug Administration. Et si cette dernière l'approuvait, on ne pourrait sûrement l'obtenir que sur ordonnance.»

Plus que de la nervosité

Que se passe-t-il lorsque vous buvez plus de café qu'à l'ordinaire? Tout buveur de café sait que le café peut rendre nerveux, impatient et causer de l'insomnie. Les réactions de chaque personne face à la caféine diffèrent, et l'usage prolongé en grande quantité peut provoquer un état de «caféinisme», condition caractérisée par les mêmes symptômes que la névrose d'angoisse. Parmi ces symptômes figurent la nervosité et l'irritabilité, la tension chronique des muscles, l'insomnie, les palpitations, la diarrhée, les maux d'estomac et les brûlures d'estomac. En fait, selon une étude publiée dans l'*American Journal of Psychiatry*, on commet souvent l'erreur de diagnostiquer, pour bon nombre de personnes, de l'anxiété nerveuse, alors que le problème est habituellement le café.

Les symptômes d'un état de manque n'affectent pas de la même façon les personnes qui diminuent leur consommation de café ou qui cessent d'en prendre. Ces symptômes se manifestent sous forme de céphalées chroniques qui se manifestent entre 18 et 24 heures et qui peuvent durer quelques jours. La constipation est un autre symptôme qui peut durer une journée ou deux.

Autres précautions

- Le café augmente la sécrétion d'acide gastrique. Les personnes qui souffrent d'ulcères, ou d'autres troubles digestifs chroniques, devraient restreindre la quantité consommée ou s'en abstenir.
- Trois tasses de café moulu peuvent augmenter la tension artérielle de 15 %. Si vous présentez des risques élevés de maladie cardiaque ou d'accident vasculaire cérébral, consultez votre médecin à ce sujet.
- Une accoutumance modérée, c'est-à dire la consommation d'une ou deux tasses de café chaque matin, pourrait augmenter votre taux de cholestérol sanguin d'environ 5 %, et de 5 à 10 tasses, de 10 %.

Cependant, des chercheurs ont découvert récemment que seul le café porté à ébullition semble augmenter les taux de cholestérol. Les cafés moulu et instantané ne semblent pas entraîner de hausse pour des raisons toujours inconnues.

Consultez un médecin à ce sujet si votre taux de cholestérol augmente à un point où il vous met à risque de développer une maladie cardiaque. Si toutefois vous continuez de consommer du café, ne le prenez que moulu ou instantané.

- Non seulement le café agit-il sur le taux de cholestérol et la tension artérielle, il augmente également les risques de crise cardiaque. Cinq tasses de café par jour pourraient presque doubler les risques de crise, et dix tasses par jour pourraient en tripler l'effet, selon une étude publiée dans l'*American Journal of Epidemiology*.

Si vous êtes atteint de maladie cardiaque, ou avez des antécédents d'accident vasculaire cérébral, consultez un médecin au sujet de la consommation de café recommandée.

- Plusieurs études sur des animaux conviennent que la caféine augmente le risque de malformations congénitales. Cependant, les doses administrées aux animaux de laboratoire étaient beaucoup plus élevées que ce que prennent les grands buveurs de café. Par prudence, on conseille aux femmes enceintes d'en limiter leur consommation.
- On associe le café au cancer du sein, de la vessie, des ovaires, du pancréas et de la prostate, bien que tous les rapports à ce sujet aient été contestés par la suite. Certains ont même été tout à fait rejetés. Le rôle que joue le café sur le cancer humain, s'il est réel, reste ténébreux. Cependant, la torréfaction du café semble faire apparaître des agents chimiques cancérigènes dans les graines. Les personnes qui ont des antécédents de cancer devraient peut-être restreindre leur consommation de café.
- Certaines études associent la caféine à certaines grosseurs malignes sur le sein (kyste), affection normale mais ennuyeuse. Les femmes atteintes de cette affection devraient éliminer toute caféine de leur régime alimentaire, notamment celle que l'on trouve dans le café, le thé, le cacao, le chocolat, les boissons légères et tout médicament en vente libre, jusqu'à ce que leur état de santé s'améliore.
- Une étude a montré qu'une femme qui buvait de deux à quatre tasses de café moulu par jour augmentait de cinq fois son taux de ballonnement et d'autres symptômes prémenstruels.
- Le café nuit à l'absorption de fer par l'organisme, problème qui pourrait s'avérer sérieux pour les gens qui souffrent d'anémie ferréprive ou pour les femmes qui ont un écoulement menstruel abondant.

Le café et la fécondité

Les femmes qui boivent une tasse de café moulu par jour réduisent de 50 % leur chance de grossesse, comparativement à celles qui ne boivent pas de café, selon une étude menée par le National Institute of Environmental Health. Les femmes qui veulent devenir enceintes, particulièrement celles qui ont des antécédents d'infertilité, devraient restreindre leur consommation de breuvages ou de médicaments à base de caféine.

D'autre part, les chercheurs conviennent que la caféine ne devrait pas être utilisée comme méthode contraceptive, parce qu'on ne sait pas à quoi s'en tenir quant à ses effets sur la fertilité. Bien sûr, il n'est pas question de l'utiliser comme contraceptif.

Le café est-il sûr?

Jusqu'à récemment, la Food and Drug Administration incluait le café parmi les plantes qui ne présentent aucun danger. Cependant, la publicité sur la caféine et ses effets secondaires ont obligé la Food and Drug Administration à réévaluer son statu quo. À ce jour, l'étude n'est pas concluante.

Les femmes en bonne santé qui ne sont pas enceintes ou qui n'allaitent pas, qui ne présentent aucun antécédent d'ulcère, d'hypertension artérielle, de diabète, de taux élevé de cholestérol, d'anxiété, de problèmes de fertilité ou de maladie cardiaque et qui ne prennent aucun médicament à base de caféine, peuvent prendre du café sans crainte si elles en restreignent leur consommation à trois tasses au percolateur par jour.

Le café ne devrait être consommé à des fins thérapeutiques qu'après accord avec son médecin. S'il provoque de légers troubles, tels que de l'insomnie, des maux d'estomac, de l'anxiété ou tout autre problème mentionné ci-dessus, prenez-en moins ou cessez d'en prendre. Consultez votre médecin en cas d'effets indésirables ou si les symptômes persistent deux semaines après le début du traitement.

Une jolie plante de maison

Le café pousse dans les régions tropicales partout dans le monde. On le taille en buisson ou en arbuste, et les fleurs blanches naissent en groupe sur les rameaux. Les fruits sont des drupes d'un rouge clair. Les graines, vertes au début, sont cueillies et torréfiées afin de produire les graines de café telles qu'on les connaît dans le monde. La plupart des réserves de café sont de la variété arabe, *arabica*. Cependant, certaines variétés proviennent de l'Asie ou de l'Afrique.

Vous pourriez faire pousser une plante à café si vous viviez dans une région humide et ensoleillée où la température ne descend pas sous 15 °C. La plante préfère le plein soleil, de l'air et sol humides, un bon drainage et des engrais prodigués régulièrement. Les plants de café sont aussi disponibles comme plante de maison. Ces dernières exigent également le plein soleil et un haut taux d'humidité. Ils poussent d'ailleurs très bien dans des serres, mais non dans les résidences surchauffées, dont l'air est très sec. Consultez le pépiniériste de votre région afin d'en savoir davantage.

CAMOMILLE

Jolies fleurs, médecine puissante

Famille: *Compositæ.* Également la marguerite, le pissenlit et le souci

Genres et espèces: *Matricaria chamomilla* (allemande ou hongroise); *Anthemis nobilis* (romaine ou anglaise)

Autres noms: Matricaire commune, camomèle, anthémis odorant, camomille noble

Partie utilisée: Les fleurs

Dans la fable de Pierre Lapin, ce dernier avait mangé tout ce qu'il pouvait dans le jardin de monsieur McGregor. Ce dernier, très fâché, avait chassé l'intrus d'un bon coup de pied. De retour à la maison, Pierre Lapin dégusta une douce tisane à la camomille que sa mère lui avait préparée.

La mère de Pierre Lapin était une herboriste expérimentée. La camomille est en fait l'une des meilleures plantes pour contrer les effets de l'indigestion. Elle permet aussi de soulager l'irritation nerveuse. Peut-être la mère de Pierre Lapin pensait-elle que son fils allait avoir un ulcère après tous ces abus. La camomille peut aussi aider à prévenir et à guérir les ulcères. Ou encore, la chaussure de monsieur McGregor avait-elle éraflé la tendre peau de Pierre Lapin? Eh Bien! une compresse à la camomille favorise la guérison de bon nombre de blessures.

Malheureusement, peu de personnes qui sirotent les infusions de camomille connaissent vraiment les vertus thérapeutiques de la plante.

La plante du soleil

En fait, il s'agit de deux plantes distinctes et non d'une seule. Il y a la camomille allemande ou hongroise, de même que la camomille romaine ou anglaise. Ces deux plantes, qui appartiennent à des familles différentes,

produisent cependant la même huile bleu pâle que l'on utilise depuis l'Antiquité dans la guérison par les plantes.

Les fleurs de la camomille, qui ressemblent à des marguerites, rappelaient le soleil aux Égyptiens. Ces derniers l'utilisaient pour traiter la fièvre, surtout les cas de fièvre récurrente de la malaria.

Le médecin grec Dioscoride et le naturaliste romain Pline l'Ancien recommandaient la camomille pour soigner les céphalées ainsi que les troubles de reins, de foie et de la vessie. Dans l'Inde ancienne, les médecins ayurvédiques en faisaient le même usage.

Les Allemands utilisent la camomille depuis l'aube des temps pour contrer les problèmes digestifs et pour favoriser le déclenchement des règles. La plante sert aussi à traiter les douleurs menstruelles.

Au XVIIe siècle, l'herboriste britannique Nicholas Culpeper recommandait l'utilisation de la camomille pour les fièvres, les problèmes digestifs, les douleurs, la jaunisse, les calculs rénaux, l'hydropisie (insuffisance cardiaque congestive) et le déclenchement des règles.

Les immigrants britanniques et allemands introduisirent les deux types de camomille en Amérique du Nord, bien que de nos jours on cultive surtout la variété allemande.

Au XIXe siècle, les médecins éclectiques américains prescrivaient des cataplasmes de camomille qui favorisait la guérison de blessures et prévenait la gangrène. Ils recommandaient également des infusions dans les cas de problèmes digestifs, de malaria, de typhoïde, de douleurs menstruelles, de déclenchement des règles ou de toute complication reliée à l'accouchement. Par exemple, on considérait que la camomille permettait d'atténuer les coups de pied du fœtus, d'interrompre un accouchement prématuré, de soulager les seins et mamelons endoloris, d'arrêter l'écoulement de lait maternel et de soulager les coliques infantiles.

En vedette

Aujourd'hui, la camomille est l'une des plantes les plus vendues au monde. Elle est délicieuse en infusion, mais elle se mêle bien à d'autres préparations. On retrouve son arôme de pomme dans bon nombre de produits de la peau à base de plantes. On l'inclut également dans des shampoings depuis le temps des Vikings, car elle éclaircit les cheveux blonds.

Les herboristes contemporains recommandent des applications externes de camomille afin de stimuler la guérison des blessures et de traiter l'inflammation. Lorsqu'absorbée, elle sert à soulager les fièvres, les problèmes digestifs, l'anxiété et l'insomnie.

PROPRIÉTÉ thérapeutique

En Allemagne, où la guérison par les plantes est des plus populaires, une compagnie de produits pharmaceutiques fabrique une marque de camomille fort appréciée, appelée Kamillosan®. Les Allemands l'emploient en usage externe pour traiter les blessures et les inflammations, et la consomment dans les cas d'indigestion et d'ulcères. (Ce produit n'est pas disponible dans tous les pays.) La camomille est tellement populaire en Allemagne que plusieurs y font allusion comme la plante *alles zutraut*, c'est-à-dire «capable de tout».

On exagère à peine en disant que les propriétés thérapeutiques de la camomille sont multiples.

STIMULANT DIGESTIF. Des douzaines d'études reconnaissent l'usage traditionnel de la camomille comme stimulant digestif. Divers agents chimiques, principalement le bisabolol, dans l'huile de la camomille semblent avoir une action relaxante sur les parois du muscle lisse du tube digestif, faisant de la camomille un antispasmodique. En fait, une étude démontre que la camomille détend le tube digestif aussi bien que la papavérine, un vasodilatateur à base d'opium.

ULCÈRES. La camomille peut aussi prévenir les ulcères d'estomac et favoriser leur guérison. Durant une expérience scientifique, on a fait consommer à deux groupes d'animaux des produits chimiques qui provoquent des ulcères. Le groupe auquel on avait donné de la camomille semblait moins sujet aux ulcères. Le groupe restant a ensuite été divisé en deux sous-groupes. On a noté un taux de guérison plus rapide chez ceux à qui on avait fait prendre de la camomille.

SANTÉ DE LA FEMME. Les antispasmodiques soulagent non seulement le tube digestif, mais d'autres muscles lisses comme celui de l'utérus. En agissant comme antispasmodique, la camomille calmerait théoriquement les douleurs menstruelles et permettrait d'éviter l'accouchement prématuré.

On prétend aussi que la camomille peut stimuler les règles. Comment peut-on expliquer cette grande controverse? Il semble que les chercheurs européens ont isolé une substance dans la camomille qui pourrait stimuler les contractions utérines.

Les femmes peuvent consommer de la camomille pour soulager leurs douleurs menstruelles ou pour déclencher leurs règles. Cependant, les femmes enceintes devraient s'abstenir d'en prendre.

TRANQUILLISANT. La réputation de longue date de la camomille comme tranquillisant a été prouvée scientifiquement. Selon des chercheurs, il semble que la plante déprime le système nerveux central. Prenez une infusion lorsque vous vous sentez anxieux ou ajoutez une pincée de fleurs de camomille à un bain chaud.

ARTHRITE. Dans des études menées chez des animaux, on a prouvé que la plante réussit à soulager l'inflammation arthritique des articulations. Toutefois, ces découvertes ne s'appliquent pas à l'humain, bien qu'on ait toujours utilisé de la camomille pour traiter l'arthrite. Faites-en l'essai.

PRÉVENTION DE L'INFECTION. Les médecins éclectiques américains avaient raison d'utiliser les cataplasmes de camomille afin de prévenir les infections causées par des blessures. Les études montrent que l'huile de camomille sur la peau réduit le temps de guérison des brûlures. D'autres études démontrent que la plante tue les infections mycosiques (*Candida albicans*) responsable des infections vaginales, de même que certaines bactéries

(*Staphylococus*). La camomille diminue également la reproduction du virus de la polio. Dans le cas de coupures, d'égratignures ou de brûlures, faites une infusion concentrée de camomille, refroidissez-la et appliquez-la sous la forme de cataplasme.

STIMULANT DU SYSTÈME IMMUNITAIRE. On ignorait pourquoi la camomille prévenait les infections jusqu'à ce que des chercheurs britanniques découvrent que la plante stimulait le système immunitaire contre les macrophages et les B-lymphocytes, c'est-à-dire les globules blancs qui combattent l'infection. Buvez de la camomille lorsque vous souffrez d'un rhume ou d'une grippe. Elle ne crée pas d'effets indésirables et peut même s'avérer favorable.

Préparation et posologie

Prenez une infusion ou une teinture afin d'apprécier les nombreux bienfaits thérapeutiques de la camomille. Pour une infusion à la fois rafraîchissante et plaisante, prenez 2 à 3 c. à café de fleurs de camomille par tasse d'eau bouillante. Laissez infuser de 10 à 20 minutes. Ne dépassez pas trois tasses par jour.

Pour une teinture, utilisez 1/2 à 1 c. à café jusqu'à trois fois par jour.

Si vous utilisez un produit commercial, suivez le mode d'emploi qui se trouve sur la boîte.

De faibles infusions de camomille peuvent être données avec prudence aux enfants de moins de deux ans. Les enfants plus âgés et les personnes de plus de 65 devraient commencer par des préparations faiblement concentrées et augmenter la dose au besoin.

Pour se détendre dans un bain à la camomille, placez une pincée de fleurs de camomille dans un chiffon sur lequel vous ferez couler de l'eau.

Pour les coupures, les égratignures ou les brûlures, faites une infusion très forte. Trempez un chiffon propre dans le liquide et appliquez sous la forme de cataplasme.

Mise en garde

Une controverse a fait les manchettes lorsqu'un article dans le *Journal of Allergy and Clinical Immunology* a rapporté que l'infusion de camomille pouvait causer des réactions allergiques possiblement fatales (choc anaphylactique) chez les personnes allergiques à l'herbe à poux. Certains herboristes puristes déconseillèrent sur-le-champ vivement la consommation de camomille à ces personnes, alors que les défenseurs indignés s'écrièrent que la camomille était injustement calomniée.

La solution au problème: des chercheurs ont compilé, à partir d'ouvrages médicaux publiés à l'échelle internationale pendant 95 années (de 1887 à 1982), tous les cas documentés. Les résultats: aucun décès et seulement 50 réactions allergiques, dont 45 causées par la camomille romaine et seulement cinq du type allemand. Les personnes qui ont déjà souffert de choc anaphylactique en réaction à une allergie à l'herbe à poux doivent faire preuve de prudence avant de consommer de la camomille ou son proche parent, l'achillée.

Cela n'élimine pas la possibilité de crises allergiques. La camomille concentrée, consommée en grande quantité, peut provoquer de la nausée et des vomissements.

La Food and Drug Administration inclut la camomille parmi les plantes qui ne présentent aucun danger. Les femmes en bonne santé qui ne sont pas enceintes ou qui n'allaitent pas peuvent l'utiliser sans crainte si elles respectent les doses prescrites. La camomille devrait être consommée à des fins thérapeutiques qu'après accord avec son médecin. Si elle provoque de légers troubles, tels que des maux d'estomac ou de la diarrhée, prenez-en moins ou cessez d'en prendre. Consultez votre médecin en cas d'effets indésirables ou si les symptômes persistent deux semaines après le début du traitement.

Parfumez votre jardin

La camomille allemande est une plante annuelle qui atteint environ 1 m. La plante romaine est une vivace en touffe qui excède rarement 20 cm. Les deux possèdent des tiges velues, des feuilles duveteuses et des fleurs semblables à la marguerite, soit un centre jaune entouré de légules blanches.

La plupart des graines de camomille disponibles aux États-Unis sont des graines de camomille allemande. Ce type pousse facilement lorsqu'il est semé au printemps après les dangers de gel. Étalez les petites graines sur des lits de terre bien préparée, puis enfoncez légèrement. Les jeunes plants d'environ 4 cm se transplantent mieux que les plants plus gros.

La camomille allemande préfère des sols sablonneux bien drainés. Elle pousse mieux dans les jardins partiellement ombragés, car elle flétrit au soleil. La plante fleurit environ six semaines après les semailles et produit des fleurs luxuriantes même durant les étés écourtés des climats nordiques. Les fleurs durent plusieurs semaines, et si elles ne sont pas cueillies, la plante se régénérera d'elle-même. N'en laissez toutefois pas trop, car cette plante peut envahir votre jardin.

La camomille romaine est une vivace à fleur simple ou à fleur double. Les herboristes préfèrent la variété à fleur double, car elle s'adapte à presque tous les sols, bien qu'elle préfère les terreaux humides pleins d'engrais. On peut semer les petites graines, mais la plupart des jardiniers préfèrent planter la camomille à partir de petites ramifications. Espacez les pousses d'environ 30 cm lorsque vous les plantez au printemps.

La camomille romaine est assez robuste; entourez vos plants de paillis.

Chose étrange, la camomille romaine pousse très bien lorsqu'on lui marche dessus. En Angleterre, par exemple, la plante couvre souvent les sentiers des jardins. En outre, il s'en dégage une fragrance plaisante à senteur de pomme.

Après la cueillette, séchez les fleurs et entreposez-les dans des contenants hermétiques afin de préserver leur huile volatile.

CANNEBERGE

Un remède contre les infections urinaires

Famille: *Ericaceæ*. Également l'azalée, le rhododendron et le bleuet

Genres et espèces: *Vaccinium macrocarpon* ou *Oxycoccus quadripetalus*

Autre nom: Aucun

Partie utilisée: Le jus des fruits

Beaucoup de femmes boivent du jus de canneberge pour prévenir une infection urinaire. Les herboristes ainsi que certains médecins encouragent cette pratique; d'autres médecins par contre ne croient pas aux effets thérapeutiques de la canneberge. Les études scientifiques sont partagées à ce sujet, mais les recherches les plus récentes croient aux bienfaits possibles de cette plante.

Remercions les Pèlerins

Bien avant de l'utiliser comme plante médicinale, on mangeait les baies de la canneberge pour leur saveur à la fois piquante et rafraîchissante. On raconte qu'en 1621, les Pèlerins auraient célébré leur première Action de grâce en préparant de nombreux plats avec de la canneberge. Toutefois, aux États-Unis, la sauce aux canneberges n'est devenue une tradition nationale qu'à la fin de la guerre de Sécession. Le général Ulysses S. Grant considéra que la sauce aux canneberges devait absolument faire partie du repas de l'Action de grâce et ordonna d'en servir aux troupes de l'Union durant l'état de siège de Petersburg en 1864. Les soldats, qui ne connaissaient pas ce fruit acide, apprécièrent beaucoup son goût dans les desserts et cette tradition demeura à tout jamais dans ce pays.

Les pionniers ignoraient que la canneberge contenait un taux élevé de vitamine C. La baie de canneberge devint pourtant l'un des fruits préférés des marins de la Nouvelle-Angleterre: ceux qui en mangeaient n'attrapaient pas le scorbut.

Au XIXe siècle, les médecins éclectiques américains ne crurent pas aux bienfaits thérapeutiques de la canneberge. Cependant, ils avaient écrit sur elle une prescription étrange dans le *King's American Dispensatory*: «Une canneberge fendue, fixée au moyen de gaze ou de pâte à base de féculent, soulagera immédiatement la douleur et l'inflammation de boutons sur le bout du nez.»

PROPRIÉTÉS thérapeutiques

La canneberge est la seule plante médicinale à prévenir les maladies urinaires. Cette réputation n'est pas liée à sa tradition, mais plutôt à la reconnaissance de ses bienfaits thérapeutiques par des chimistes allemands du XIXe siècle.

INFECTION DES VOIES URINAIRES. Au cours des années 1840, des chercheurs allemands ont découvert que les personnes qui mangeaient de la canneberge éliminaient dans leur urine des constituants chimiques combattant une bactérie connue sous le nom d'acide hippurique. Soixante ans plus tard, des chercheurs américains ont observé que de l'urine, acidifiée par une consommation régulière de canneberges, pouvait prévenir chez les femmes l'infection urinaire, infection récurrente et souvent chronique.

Les femmes ont adopté le jus de canneberge avec grand enthousiasme. En outre, certaines études ont même confirmé les bienfaits thérapeutiques de la plante. Cependant, à la fin des années 1960, des détracteurs ont prétendu le contraire en affirmant que la canneberge ne réduisait pas les acides dans les urines en quantité suffisante pour pouvoir prévenir les infections urinaires.

Mais les dernières recherches semblent toutefois favoriser de nouveau la consommation de la canneberge. En effet, une étude publiée dans le *Journal of the American Medical Association*, signale que 73 % des personnes atteintes d'une infection urinaire récurrente constatent une amélioration significative de leur état après avoir bu un litre par jour de jus de canneberge pendant trois semaines. Les chercheurs conviennent toutefois que le taux d'acidité dans l'urine ne se mesure pas à l'efficacité de la plante. En fait, ces mêmes chercheurs prétendent que le jus empêche les germes des infections urinaires d'adhérer aux parois des voies urinaires et réduisent ainsi les possibilités d'infection.

INCONTINENCE. Le jus de canneberge permet aussi de déodoriser l'urine. Un article publié dans le *Journal of Psychiatric Nursing* estime que si l'on ajoute du jus de canneberge au régime alimentaire de toute personne atteinte d'incontinence urinaire, on pourra réduire les odeurs de l'urine.

Préparation et posologie

On peut acheter du jus de canneberge dans des magasins d'alimentation naturelle. Il ne peut pas être consommé pur, car son jus est très acide et son goût trop âcre. C'est pour cette raison qu'on y ajoute pour le boire de l'eau et du sucre. Si vous avez souvent des infections urinaires, essayez de boire quelques verres de jus de canneberge chaque jour pour voir si cela les prévient.

Mise en garde

Les femmes en bonne santé qui ne sont pas enceintes, qui n'allaitent pas et qui ne prennent aucun médicament pour le rein ou les voies urinaires peuvent consommer du jus de canneberge sans crainte si elles respectent les doses prescrites. On a, à ce jour, rapporté aucun problème lié à la consommation du jus de canneberge. Cependant, il pourrait causer des réactions allergiques chez certaines personnes sensibles.

La canneberge ne devrait être consommée à des fins thérapeutiques qu'après accord avec son médecin. Consultez également votre médecin si des symptômes d'infection urinaire se manifestent. Les antibiotiques s'avéreront peut-être alors nécessaires.

Originaire des marais

La canneberge est un petit arbrisseau vert qui pousse dans les forêts des montagnes et dans les marécages humides, en Alaska comme dans le sud des États-Unis. Ses fleurs roses et pourpres qui éclosent de la fin du printemps à la fin de l'été produisent à l'automne de petits fruits rouge vif.

Peu de jardiniers connaissent les conditions propices à la culture de cette plante. En effet, le sol doit être humide, marécageux et acide, couvert de tourbe ou de feuilles. Demandez à votre pépiniériste si vous pouvez cultiver cette plante dans votre région.

CANNELIER

Une épice à la fois piquante et douce

Famille: *Lauraceæ*. Également le laurier, l'avocat, la muscade et le sassafras
Genres et espèces: *Cinnamonum zeylacenum, C. cassis, C. saigonicum*
Autres noms: Cannelier de Ceylan, cannelier-casse
Partie utilisée: Tuyaux d'écorce interne

La cannelle, nous pouvons la saupoudrer sur du pain grillé ou l'ajouter à une boisson de cidre chaud. Elle parfume également certaines pâtes dentifrices et certains bonbons. Mais la cannelle est bien plus qu'une friandise, elle est l'une des plus anciennes plantes médicinales existant dans le monde. La science moderne confirme ses propriétés thérapeutiques dans la prévention d'infections et de troubles digestifs.

Aromate asiatique des plus précieux

La cannelle est originaire du sud de l'Asie. On la trouve même recensée dans les herbiers de la Chine ancienne en l'an 2700 avant notre ère, où elle est utilisée pour enrayer la fièvre, la diarrhée et les douleurs menstruelles. Les guérisseurs ayurvédiques de l'Inde ancienne y avaient également recours dans les mêmes cas.

Les explorateurs de l'époque firent connaître la cannelle aux Égyptiens qui l'ajoutèrent avec enthousiasme à leurs produits d'embaumement. L'engouement des Égyptiens pour la cannelle et pour toutes les épices d'Orient occupe une place très importante dans le commerce des gens de cette époque.

Chez les Hébreux de l'ère biblique, de même que chez les Grecs et chez les Romains, la cannelle fut utilisée en tant qu'épice, parfum et traitement contre l'indigestion.

Après la chute de l'Empire romain, le commerce avec l'Asie fut pratiquement interrompu. Cependant, la cannelle se rendit jusqu'en Europe. Au XIIe siècle, l'abbesse et herboriste allemande Hildegard de Bingen adopta la cannelle et en fit «l'épice de prédilection pour les problèmes de sinus ainsi que pour soigner les rhumes, les grippes, le cancer et la dégénération de l'organisme et la viscosité».

De retour à la cuisine

Au XVIIe siècle, les Européens utilisaient surtout la cannelle pour épicer leurs plats. Quant à ses vertus curatives, elles ne servaient qu'à masquer les odeurs nauséabondes que dégageaient d'autres plantes médicinales.

Plus les années passaient, plus la cannelle reprenait petit à petit son rôle de guérisseuse. Au XIXe siècle, certains médecins éclectique américains la prescrivaient aux patients soufrant de douleurs à l'estomac, de flatulences, de nausées, de vomissements, de diarrhées, de coliques infantiles et, surtout, de problèmes utérins. «L'effet thérapeutique de la cannelle agit surtout sur les fibres musculaires de l'utérus, en provoquant des contractions et en faisant disparaître les saignements utérins. La cannelle s'avère un remède efficace et rapide contre le post-partum et d'autres hémorragies de l'utérus».

Les herboristes modernes recommandent la cannelle pour soulager la nausée, les vomissements, la diarrhée et l'indigestion ; également pour parfumer d'autres préparations à base de plantes au goût amer. Ils ne croient pas tous en son action sur l'utérus. En effet, certains herboristes estiment que la cannelle peut stimuler les contractions utérines, d'autres pensent qu'elle peut simplement les calmer.

PROPRIÉTÉS thérapeutiques

Nous savons tous que la cannelle a un goût très agréable. Ce n'est pas tout. Elle peut en effet jouer un rôle très important pour garder l'organisme en bonne santé.

PRÉVENTION D'INFECTIONS. Si l'on parfume à la cannelle les dentifrices et les rince-bouche, c'est bien seulement pour une raison scientifique. En effet, tout comme bien d'autres épices à usage culinaire, la cannelle est un antiseptique puissant. Elle vient à bout de nombreuses caries, ainsi que des bactéries qui causent l'infection, les champignons et les virus. Essayez donc en saupoudrant un peu de cannelle sur de petites coupures ou égratignures après les avoir bien nettoyées.

Peut-être serait-ce une bonne idée d'imprégner le papier hygiénique de cannelle. Une étude allemande démontre que la cannelle «supprime entièrement les causes de presque toutes les infections urinaires (la bactérie *Escherichia coli*) et les champignons (*Candida albicans*) qui sont responsables des infections mycosiques.

SOULAGEMENT DE LA DOULEUR. La cannelle possède une huile anesthésiante qui peut soulager la douleur : l'eugénol. C'est pour cette raison qu'on saupoudre de cannelle certaines blessures mineures que l'on peut se faire à la maison.

SANTÉ DE LA FEMME. Certains herboristes modernes pensent que la cannelle calme les douleurs utérines chez les femmes, d'autres au contraire ont constaté que dans de nombreux cas elle les aggravait. Les femmes enceintes ne devraient utiliser la cannelle que dans leur alimentation. D'autres femmes pourraient en consommer afin de déclencher leurs règles ou après l'accouchement.

AUTRES PROPRIÉTÉS. Des chercheurs japonais ont constaté que la cannelle réduisait la tension artérielle. Elle pourra donc être consommée en grande quantité par les personnes qui souffrent d'hypertension.

Préparation et posologie

Pour une infusion chaude à la fois douce et épicée, mettez pour une tasse d'eau bouillante 1/2 à 3/4 c. à café de poudre de cannelle. Ne dépassez pas trois tasses par jour.

Les infusions de cannelle sont déconseillées aux enfants de moins de deux ans. Les enfants plus âgés et les personnes de plus de 65 ans devraient commencer par des préparations faiblement concentrées et augmenter la dose au besoin.

Dans le cas de coupures et d'égratignures légères, lavez bien la région affectée, puis saupoudrez-la d'un peu de cannelle.

Mise en garde

Les quantités culinaires habituelles de cannelle en poudre sont non toxiques. Cependant une réaction allergique peut survenir.

D'autre part, l'huile de cannelle agit d'une façon différente. Elle peut en effet causer sur votre peau des rougeurs, voire même des brûlures. Si vous l'avalez, vous pouvez être victime de nausées et de vomissements; elle peut également endommager vos reins. Il ne faut donc pas en consommer.

La cannelle figure sur la liste des plantes ne présentant aucun danger de la Food and Drug Administration. Les femmes en bonne santé qui ne sont pas enceintes et qui n'allaitent pas peuvent l'utiliser sans crainte si elles respectent les doses prescrites.

La cannelle ne devrait être consommée à des fins thérapeutiques qu'après accord avec son médecin. Si elle provoque de légers troubles, tels que des maux d'estomac ou de la diarrhée, prenez-en moins ou cessez d'en prendre. Consultez votre médecin en cas d'effets indésirables ou si les symptômes persistent deux semaines après le début du traitement.

Un arbre exotique

Le cannelier est originaire d'Asie et des Antilles. Cet arbre peut atteindre 8 m. On enlève habituellement l'écorce aromatique des branches des arbres qui n'ont pas plus de trois ans d'âge.

CAPSELLE

Plus qu'une simple plante

Famille: *Cruciferæ*. Également le chou, le brocoli et le chou-fleur

Genre et espèce: *Capsella bursapastoris*

Autres noms: Bourse-à-pasteur, bourse-à-berger, bourse de capucin, bourse de Judas, boursette, mollette-à-berger, mallette, moutarde de Mithridate

Parties utilisées: Les feuilles et la partie supérieure des fleurs

On n'a jamais très bien considéré le métier de berger. Dans l'Antiquité, c'était un métier de pauvre. Dans le Far West, on donnait le nom de berger de bétail à un propriétaire de ranch. Il n'est donc pas si surprenant que la capselle, aussi nommée bourse-à-berger, ait hérité du même destin.

Un triste rejet

Il y a plus de 300 ans, Nicholas Culpeper écrivait: «Peu de plantes possèdent autant de vertus que celle-ci, toutefois elle est méprisée de tous.» En 1988, le guide scientifique britannique sur les herbes, *Potter's New Cyclopædia of Botanical Drugs and Preparations*, déplorait qu'on ait réalisé aussi peu de recherches sur les effets thérapeutiques de la capselle. En fait, certaines autorités médicales estiment que si personne ne porte d'intérêt à cette plante, c'est parce qu'elle n'a aucune valeur médicale. Cependant, les quelques études scientifiques disponibles aujourd'hui ont révélé que la capselle possédait certaines propriétés fascinantes qui peuvent faciliter le traitement des hémorragies ou provoquer un accouchement. Les médecins grecs et romains de l'Antiquité recommandaient les graines de capselle comme laxatif. Cependant, c'est seulement au XVIe siècle que l'on a vraiment utilisé la capselle comme laxatif, alors qu'un médecin italien en vanta les mérites pour arrêter les hémorragies, et surtout pour éliminer le sang dans les urines. Quelques médecins seulement ont adopté la capselle, la plupart d'entre eux ont en effet estimé que cette plante n'avait aucune valeur thérapeutique.

Les Pèlerins introduisirent la capselle en Amérique du Nord où elle devint rapidement une herbe folle. Les herboristes populaires l'utilisaient pour arrêter les hémorragies, les médecins pour leur part la considéraient tout à fait inutile.

Feuilles fraîches ou séchées?

Le *King's American Dispensatory*, texte des médecins éclectiques, essayait d'expliquer la controverse qui existait au sujet de la capselle de la façon suivante: «La plante fraîche a une action beaucoup plus thérapeutique que la plante séchée.» Dans ce texte, on estimait que la capselle était une plante très efficace pour traiter le sang dans les urines, et on la recommandait pour interrompre les écoulements sanguins menstruels abondants et pour traiter la diarrhée, la dysenterie et les hémorroïdes sanguinolents.

Lors de la Première Guerre mondiale, on faisait boire aux soldats blessés des infusions de capselle lorsqu'on manquait d'autres produits hémostatiques.

Les herboristes contemporains recommandent de consommer une infusion de capselle séchée, plutôt que de capselle fraîche, pour traiter le sang dans les urines, les saignements de nez, les hémorragies après l'accouchement et la diarrhée. En application externe, on le suggère comme astringent pour traiter les blessures et les hémorroïdes.

PROPRIÉTÉS thérapeutiques

La capselle n'est pas la plante de prédilection de la guérison par les plantes. Elle peut toutefois soulager les personnes atteintes de troubles gastro-intestinaux, les femmes aux règles abondantes ou les femmes enceintes pendant leur travail à l'accouchement. Toutes ces personnes devront toutefois supporter son goût désagréable.

HÉMORRAGIE. Selon un article publié dans le journal britannique *Nature*, la capselle contient des substances qui favorisent la coagulation sanguine. L'herboriste médical allemand Rudolph Fritz Weiss, également médecin, écrit que «l'on peut affirmer que la capselle contient des propriétés hémostatiques ... même si elles sont très faibles». Les experts en premiers soins recommandent de traiter les hémorragies en exerçant une pression soutenue sur la blessure. Le sang contenu dans les flegmes, l'urine ou les selles exige des soins médicaux immédiats. On ne peut pas substituer la capselle à des traitements réguliers. Cependant, les personnes qui souffrent d'ulcères, de colites, de maladie de Crohn et de problèmes hémorragiques, de même que les femmes aux règles abondantes, pourraient demander à leur médecin si elles peuvent consommer de la capselle à des fins thérapeutiques. Peut-être cette plante leur apportera-t-elle quelque soulagement.

DÉCLENCHEMENT DES DOULEURS D'ACCOUCHEMENT. La

capselle contient également certaines substances qui peuvent stimuler les contractions utérines aussi efficacement que l'ocytocine. On administre souvent de l'ocytocine pour déclencher les douleurs de l'accouchement. Les femmes enceintes ne devraient pas consommer de capselle, sauf si elles sont arrivées à terme et ont eu l'accord de leur médecin.

ASTRINGENT. La capselle a également une action astringente anti-inflammatoire faible. C'est pour cette raison qu'on l'utilisait traditionnellement pour traiter les blessures et les hémorroïdes.

Préparation et posologie

Afin d'éventuellement arrêter les hémorragies ou provoquer les douleurs d'accouchement, prenez 1 c. à café de capselle séchée par tasse d'eau bouillante. Laissez infuser 10 minutes. Ne dépassez pas deux tasses par jour. Le goût de la capselle est piquant et désagréable. Ajoutez du sucre, du miel et du citron, ou mélangez-le à une préparation à base de plantes afin d'en améliorer la saveur.

Pour une teinture, prenez 1/4 à 1/2 c. à café jusqu'à deux fois par jour.

La capselle est à déconseiller aux enfants de moins de deux ans. Les enfants plus âgés et les personnes de plus de 65 ans devraient commencer par des préparations faiblement concentrées et augmenter la dose au besoin.

Mise en garde

Il est vrai que cette plante arrête les hémorragies, mais personne ne sait de quelle façon. Peut-être renforce-t-elle les parois des vaisseaux sanguins, ou stimule-t-elle la coagulation. Cependant, la coagulation sanguine interne peut provoquer une maladie cardiaque, un accident vasculaire cérébral ou une trombo-embolie. C'est pourquoi les personnes qui présentent de tels antécédents médicaux devraient s'abstenir de prendre de la capselle.

En application externe, pour traiter les blessures ou les hémorroïdes, trempez un linge propre dans une infusion ou une teinture de capselle. Les ouvrages médicaux sur cette plante n'en rapportent aucun effet nocif.

Autres précautions

Les femmes en bonne santé qui ne sont pas enceintes, qui n'allaitent pas ou qui ne présentent aucun antécédent de maladie cardiaque, d'accident vasculaire cérébral ou de trombo-embolie, peuvent consommer de la capselle sans crainte si elles respectent les doses prescrites. La capselle ne devrait être consommée à des fins thérapeutiques qu'après accord avec son médecin. Si elle provoque de légers troubles, tels que des maux d'estomac ou de la diarrhée, prenez-en moins ou cessez d'en prendre. Consultez votre médecin en cas d'effets indésirables ou si les symptômes persistent deux semaines après le début du traitement.

Ne laissez pas s'échapper les odeurs

La capselle est une plante annuelle à l'odeur fort désagréable. Elle atteint environ 40 cm. Sa tige mince se dresse d'une rosette de feuilles de base très dentées, tout comme celles du pissenlit. La tige possède quelques petites feuilles et elle est couronnée d'un bouquet de petites fleurs blanches. Ses fruits se trouvent dans des cosses de forme triangulaire contenant des milliers de graines jaunes d'où ce surnom de bourse.

La capselle se cultive facilement à partir de graines que l'on plante au printemps en plein soleil. Elle préfère un terreau sablonneux bien drainé, mais tolère également la plupart des sols nord-américains. Si elle n'est pas contrôlée, elle peut envahir le jardin. Pour éviter que cela se produise, détachez les cosses avant qu'elles ne s'ouvrent. Les jeunes feuilles ont un goût poivré et peuvent être ajoutées à des soupes ou à des ragoûts, ou même être mangées comme des épinards.

Récoltez les feuilles et la partie supérieure des fleurs avant que les fleurs ne s'épanouissent.

CARVI

Stimulant digestif depuis l'Égypte ancienne

Famille: *Umbelliferæ*. Également la carotte et le persil
Genre et espèce: *Carum carvi*
Autres noms: Anis des Vosges, cumin des prés, cumin des montagnes
Partie utilisée: Les fruits (les graines)

Le carvi parfume beaucoup d'aliments, en particulier le pain de seigle. En effet, depuis l'Antiquité, cette plante est utilisée pour ses vertus thérapeutiques: elle calmerait les troubles du tube digestif et les flatulences.

On a trouvé des graines de carvi dans des aliments préhistoriques qui datent de l'an 3500 avant notre ère. En outre, les Égyptiens de l'Antiquité étaient très friands de ces graines aromatiques. Dans le traité *Ebers Papyrus*, l'un des documents médicaux les plus vieux au monde rédigé environ en l'an 1500 avant notre ère, on recommandait les graines de carvi pour traiter les maux d'estomac.

Depuis des siècles

Le carvi fait partie des rares plantes dont les vertus thérapeutiques n'ont pas été contestées tout le long des siècles. Dioscoride, médecin de la Grèce antique, soulignait que les graines stimulaient la digestion. Tous les herbiers par la suite ont également recommandé cette plante pour traiter l'indigestion, les flatulences et les coliques infantiles.

Au siècle de Shakespeare, on faisait cuire les pommes avec des graines de carvi et l'on mangeait ce dessert pour soulager l'estomac. Dans la pièce de Shakespeare, *Henry IV*, on peut lire qu'un bon repas se termine avec «un plat de pommettes additionnées de graines de carvi».

Au XVIIe siècle, l'herboriste britannique Nicholas Culpeper déclarait que le carvi «aidait la digestion … et soulageait les douleurs causées par les coliques».

Les médecins éclectiques américains du XIXe siècle croyaient que les graines «avaient une action thérapeutique sur la digestion … et qu'elles soulageaient les coliques, surtout chez les enfants».

À travers l'histoire, en Europe, au Moyen-Orient et bientôt en Amérique, on donna le carvi en plus des autres plantes à propriétés laxatives, car elle en atténuait souvent leurs effets violents.

On utilisa le carvi dans un seul autre domaine de la santé: celui des femmes. En effet, on s'en servit pour soulager les douleurs menstruelles, déclencher les règles et favoriser l'allaitement.

PROPRIÉTÉS thérapeutiques

Les Égyptiens avaient raison. Il est étonnant qu'un traitement utilisé il y a 3 500 ans soit tout aussi efficace aujourd'hui.

STIMULANT DIGESTIF. De nos jours, les chercheurs ont découvert que deux agents chimiques, le carvol et le carvène, contenus dans le carvi soulagent le muscle lisse du tube digestif et favorise les flatulences.

SANTÉ DE LA FEMME. Les propriétés antispasmodiques que semble posséder le carvi soulagent non seulement le tube digestif, mais aussi d'autres muscles lisses, tels que l'utérus. Ainsi, le carvi peut détendre l'utérus, sans toutefois le stimuler. Les femmes peuvent l'utiliser pour soulager leurs douleurs menstruelles.

Préparation et posologie

Vous pouvez mâcher les graines fraîches ou les mélanger à tout aliment 1 c. à café à la fois.

Vous pouvez ajouter des graines de carvi dans tous les plats afin d'en rehausser leur saveur. On utilise souvent les graines de carvi dans les pains, les soupes, les salades, les ragoûts, les fromages, la choucroute et les plats de viande.

L'huile de carvi est également utilisée pour parfumer deux liqueurs qui stimulent la digestion: l'aquavit de la Scandinavie et le kummel de l'Allemagne.

Pour une infusion au goût agréable qui peut aider la digestion, soulager les flatulences ou apaiser les douleurs menstruelles, mettez 2 à 3 c. à café de graines broyées par tasse d'eau bouillante. Laissez infuser de 10 à 20 minutes. Ne dépassez pas trois tasses par jour.

Pour une teinture, prenez 1/2 à 1 c. à café jusqu'à trois fois par jour.

Les infusions de graines de carvi plus faibles peuvent être données aux enfants afin d'alléger les coliques et les flatulences.

Mise en garde

Aucun effet nocif n'a été rapporté sur le carvi.

Bien que le carvi semble présenter des propriétés antispasmodiques, ce qui veut dire qu'il peut détendre le muscle utérin, la plante a été utilisée à travers les siècles dans le but de déclencher les règles. Les femmes enceintes devraient être prudentes et ne pas utiliser la plante à des fins thérapeutiques.

La Food and Drug Administration inclut le carvi parmi les plantes qui ne présentent aucun danger. Les femmes en bonne santé qui ne sont pas enceintes ou qui n'allaitent pas peuvent l'utiliser sans crainte si elles respectent les doses prescrites.

Le carvi ne devrait être consommé à des fins thérapeutiques qu'après accord avec son médecin. Consultez votre médecin en cas d'effets indésirables ou si les symptômes persistent deux semaines après le début du traitement.

Un doux parfum dans le jardin

Le carvi est une plante bi-annuelle attrayante qui atteint environ 1 m. Elle est dotée de feuilles duveteuses et de petites fleurs blanches groupées en forme d'ombrelle qui fleurissent au début de l'été.

Le carvi pousse facilement à partir de graines que l'on sème au printemps et que l'on plante à 1 cm de la surface et que l'on espace de 15 cm. Le carvi préfère les sols riches et bien drainés, et le plein soleil. Gardez les plantes humides, mais non mouillées.

La première année, le carvi produit une petite rosette de feuilles ainsi que des racines pivotantes. Ne transplantez pas la plante lorsqu'elle atteint sa maturité. La deuxième année, le carvi dégage sa tige et ses feuilles duveteuses, et produit enfin ses graines.

Les graines apparaissent au milieu de l'été. Cueillez-les dès qu'elles sont mûres. Laissez quelques graines car la plante peut se reproduire.

CASCARA SAGRADA

Le laxatif le plus populaire au monde

Famille: *Rhamnaceæ*. Également le nerprun
Genre et espèce: *Rhamnus purshiana*
Autres noms: Cascara, écorce sacrée
Partie utilisée: L'écorce vieillie séchée

Les conquistadors du XVIe siècle qui découvrirent le nord de la Californie souffraient de constipation. Les Indiens qui vivaient sur ces terres disposaient, dans ces cas-là, d'un excellent remède. Ils faisaient infuser une plante médicinale qu'ils tenaient pour sacrée. Cette plante se révéla tellement efficace que les Espagnols lui donnèrent le nom de *cascara sagrada* ou écorce sacrée.

Les merveilles du Nouveau Monde

Les Espagnols considéraient le cascara sagrada comme un proche parent du nerprun, plante reconnue en Europe pour ses importantes propriétés laxatives depuis l'Antiquité. Toutefois, le cascara sagrada était beaucoup plus doux. Les explorateurs en expédièrent une cargaison en Espagne où son action toute en douceur fut accueillie comme l'une des merveilles du Nouveau Monde.

Les explorateurs espagnols étaient malgré tout plus soucieux de trouver de l'or que de faire connaître les plantes laxatives propres au continent qu'ils venaient de découvrir.

En 1877, un médecin éclectique de Detroit vanta la douceur du cascara sagrada dans un guide médical familial et incita la compagnie pharmaceutique Parke, Davis & Co. à lancer sur le marché une préparation commerciale. Depuis lors, cette plante est sans conteste l'une des plantes médicinales les plus populaires du monde.

Le cascara sagrada fut inscrit dans le *U.S. Pharmacopœa* en 1890 et il s'y trouve toujours.

La médecine populaire appalachienne utilisait le cascara sagrada dans les cas de cancers. La plante contenait en effet l'un des ingrédients majeurs de la célèbre formule anticancéreuse de Harry Hoxsey, traitement populaire, mais fortement contesté. Cet ancien mineur de charbon en fit la mise en marché des années trente aux années cinquante (voir page 18).

PROPRIÉTÉS thérapeutiques

De nos jours, les herboristes recommandent le cascara sagrada pour traiter la constipation. Ils adhèrent ainsi aux principes des médecins éclectiques américains qui prétendaient que la plante restaurait le tonus intestinal.

CONSTIPATION. Le cascara sagrada est un ingrédient présent dans bon nombre de laxatifs vendus dans le commerce. En outre, les médecins prescrivent chaque année plus de 2,5 millions d'ordonnances de médicaments à base de cascara sagrada.

Le cascara sagrada contient certains agents chimiques, notamment les anthraquinones, qui stimulent les contractions intestinales. Les Espagnols avaient raison de dire que la plante était un laxatif plus doux que les autres laxatifs à base d'anthraquinones, dont l'aloès, le nerprun, la rhubarbe et le séné. Ainsi, le cascara sagrada cause moins de nausées, de vomissements et de douleurs intestinales. Des réactions à la plante restent toutefois possibles. Prenez-en moins ou cessez d'en prendre si elles se manifestent.

La recherche confirme également l'observation des médecins éclectiques américains selon laquelle le cascara sagrada restaure le tonus intestinal. Selon le *Pharmacognosy*, document sur les produits naturels, le cascara sagrada ... «n'agit pas seulement comme laxatif, mais comme stabilisateur de l'activité du côlon».

AUTRES PROPRIÉTÉS. Harry Hoxsey était peut-être sur la bonne voie. La plante contient de l'aloé-émodine, un agent chimique dont l'action antileucémique chez les animaux de laboratoire s'est révélée favorable. La plante pourrait, par conséquent, s'avérer efficace comme traitement contre le cancer. Malheureusement, l'aloé-émodine est toxique, et les scientifiques croient que la plante devra faire l'objet de recherches supplémentaires avant qu'on ne puisse l'utiliser pour traiter la leucémie.

Préparation et posologie

Afin de bénéficier de l'action laxative de la plante, consommez-la sous forme de décoction ou de teinture.

Pour une décoction, amenez à ébullition 1 c. à café d'écorce bien séchée dans trois tasses d'eau pendant 30 minutes. Buvez à la température de la pièce. Ne dépassez pas une à deux tasses par jour.

Son goût est très amer. Une teinture est plus agréable. Pour une teinture, prenez 1/2 c. à café avant de vous coucher.

Suivez le mode d'emploi pour les préparations commerciales.

Le cascara sagrada est déconseillé

aux enfants de moins de deux ans. Les enfants plus âgés et les personnes de plus de 65 ans devraient commencer par des préparations faiblement concentrées et augmenter la dose au besoin.

Mise en garde

Les laxatifs à base d'anthraquinones ne devraient être utilisés qu'en dernier ressort contre la constipation. Adoptez d'abord un régime alimentaire riche en fibres. Buvez plus de liquides et faites plus d'exercices physiques. Si aucun effet ne se fait sentir, essayez une autre forme de laxatif qui augmente le volume du bol fécal comme le plantain (voir p. 353). Si rien ne fonctionne, prenez du cascara sagrada.

On ne doit pas utiliser le cascara sagrada pendant plus de deux semaines. Un usage prolongé pourrait causer le syndrome du côlon paresseux, affection qui nécessite le recours à des médicaments pour stimuler les intestins. Consultez un médecin si la constipation persiste.

On doit conserver l'écorce de cascara sagrada au moins une année avant de l'utiliser. La plante fraîche contient des agents chimiques qui peuvent provoquer de violentes catharsis et de graves douleurs intestinales. En modifiant ses agents chimiques, le séchage favorise une action plus modérée. On peut faire sécher l'écorce artificiellement en la mettant au four à 120 °C pendant plusieurs heures.

Les personnes souffrant d'ulcères, de rectocolite hémorragique, du syndrome du côlon irritable, d'hémorroïdes ou d'autres affections gastro-intestinales devraient s'abstenir d'en prendre.

Également, les femmes enceintes devraient éviter de prendre du cascara sagrada.

Les femmes en bonne santé qui ne sont pas enceintes, qui n'allaitent pas, qui ne souffrent pas de troubles digestifs et qui ne prennent pas d'autres types de laxatifs peuvent l'utiliser sans crainte si elles respectent les doses prescrites.

Le cascara sagrada ne devrait être consommé à des fins thérapeutiques qu'après accord avec son médecin. Si la plante provoque de légers troubles, tels que des nausées, des vomissements, de la diarrhée ou des douleurs intestinales, prenez-en moins ou cessez d'en prendre. Consultez votre médecin en cas d'effets indésirables ou si les symptômes persistent deux semaines après le début du traitement.

Le cascara sagrada n'est pas une plante de jardin

Le cascara sagrada est un arbre d'environ 65 m de haut dont l'écorce est d'un brun roux. Il possède de minces feuilles dentées. Il pousse bien dans le nord-ouest des États-Unis et n'est pas une plante de jardin.

CAULOPHYLLE FAUX-PIGAMON

Un stimulant naturel

Famille: *Berberidaceæ.* Également la pomme de mai, le mandragore et l'épine vinette

Genre et espèce: *Caulophyllum thalictroides*

Autres noms: Racine d'enfant de peau rouge, baie bleue

Partie utilisée: La racine

Les Indiens d'Amérique appelaient le caulophylle faux-pigamon la racine d'enfant de peau rouge, fermement convaincus qu'elle provoquait les douleurs de l'accouchement et facilitait la naissance. La recherche scientifique leur donne raison. Des chercheurs ont en effet découvert une substance active tellement puissante que la plante ne devrait être utilisée que sous surveillance médicale.

Le caulophylle faux-pigamon n'est pas un parent du cimifuga. En fait, les deux plantes appartiennent à des familles botaniques très distinctes. Cependant, les Indiens d'Amérique utilisaient les deux plantes en gynécologie et les appelaient *cohosh*, terme algonquin qui signifie «à l'état brut» en raison de leurs racines noueuses.

Une plante à multiples usages

En plus d'utiliser la plante pour provoquer l'avortement, et déclencher les douleurs de l'accouchement et les règles, les Indiens d'Amérique s'en servaient dans les cas de maux de gorge, de hoquet, de coliques infantiles, d'épilepsie et d'arthrite. Certaines femmes indiennes buvaient même une décoction de caulophylle faux-pigamon comme contraceptif.

Au XIXe siècle, le médecin éclectique américain John King vanta les mérites du caulophylle faux-pigamon pour provoquer le travail de l'accouchement et déclencher les règles dans sa première édition du *King's American Dispensatory*. D'autres médecins éclectiques la prescrivaient aussi pour les douleurs menstruelles, les douleurs aux seins, les infections de la vessie et des reins, l'insomnie, la bronchite et les nausées.

Cependant, les médecins traditionnels ne reconnaissaient pas les bienfaits de cette plante. Toutefois, ils l'inscrivirent dans le *U.S. Pharmacopœia* comme déclencheur des douleurs d'accouchement de 1882 à 1905.

De nos jours, la plupart des herboristes recommandent le caulophylle faux-pigamon pour déclencher les règles et provoquer les contractions de l'accouchement. Certains la recommandent aussi pour traiter l'asthme, l'anxiété, la toux, l'arthrite et l'hypertension artérielle.

PROPRIÉTÉS thérapeutiques

L'usage traditionnel du caulophylle faux-pigamon semble confirmer les études scientifiques en gynécologie à ce sujet.

PROMOTEUR DES CONTRACTIONS DE L'ACCOUCHEMENT. Les chercheurs ont découvert que la caulosaponine, agent chimique présent dans la plante, provoque de fortes contractions utérines, appuyant ainsi l'usage principal qu'en faisaient les Indiens d'Amérique.

La caulosaponine semble cependant resserrer les artères qui transportent le sang vers le cœur. Le caulophylle faux-pigamon a provoqué des problèmes cardiaques chez des animaux de laboratoire et l'on pense que des doses excessives pourraient aussi endommager l'appareil cardiaque humain.

Par contre, le caulophylle faux-pigamon ne semble pas être plus dangereux que le Pitocin®, médicament standard qui sert à provoquer les contractions de l'accouchement et pourrait causer des problèmes cardiaques ou d'autres effets secondaires graves, notamment le décès de la mère ou du fœtus.

Le Pitocin® ne doit être administré que sous surveillance médicale, de même que le caulophylle faux-pigamon. Consultez votre médecin si vous êtes arrivée à terme de votre grossesse. Obtenez au préalable l'accord de votre obstétricien ou de votre sage-femme et faites vous suivre régulièrement.

DÉCLENCHEUR DES RÈGLES. En tant que stimulant utérin puissant, le caulophylle faux-pigamon peut effectivement déclencher les règles. Toutefois, les femmes ne devraient pas l'utiliser à cette fin. La plante a une action beaucoup trop puissante, et elle peut provoquer des effets indésirables graves.

AUTRES PROPRIÉTÉS. Des chercheurs en Inde sont venus confirmer les propriétés contraceptives du caulophylle faux-pigamon que connaissaient déjà les Indiens d'Amérique. Selon un rapport publié dans le *Journal of Reproduction and Fertility*, la plante empêche les animaux d'ovuler.

Par ailleurs, des chercheurs européens ont découvert des propriétés antibiotiques et stimulantes du système immunitaire, ce qui expliquerait que les médecins éclectiques américains les utilisaient dans les cas d'infections de la vessie et des reins.

Enfin, le caulophylle faux-pigamon a une action anti-inflammatoire, ce qui tendrait à confirmer ses usages anciens dans les cas d'arthrite.

EMPLOIS CONTESTÉS. Malgré sa réputation d'efficacité dans les cas d'hypertension artérielle, des études démontrent que le caulophylle faux-pigamon pourrait provoquer cette maladie grave au lieu de la traiter.

Préparation et posologie

Le caulophylle faux-pigamon est une plante aux effets puissants que seul un médecin doit prescrire. La décoction est douce à la première gorgée, puis son goût devient amer et désagréable.

Mise en garde

Le caulophylle faux-pigamon est déconseillé aux personnes qui souffrent d'hypertension artérielle, de diabète, de glaucomes ou qui ont des antécédents d'accidents vasculaires cérébraux.

La racine de caulophylle faux-pigamon réduite en poudre irrite les muqueuses. Utilisez-la avec précaution. Prenez soin de ne pas l'inhaler ou de vous en mettre dans les yeux.

Le caulophylle faux-pigamon ne devrait être pris que pour déclencher les contractions de l'accouchement si vous êtes arrivée au terme de votre grossesse et ce, que sous surveillance médicale.

Une plante très accessible

Le caulophylle faux-pigamon n'est pas une plante de jardin. Elle est facile à reconnaître dans les forêts américaines, des Appalaches au Mississipi, au début du printemps. Avant que les autres plantes, aient montré des signes de renouveau, la tige couleur bleu outremer et les grandes feuilles simples ont grandi de 60 cm à 90 cm. Au moment où l'été arrive, le caulophylle produit trois branches avec chacune trois feuilles composées.

L'été, la plante produit de petites fleurs jaunâtres et des baies bleu foncé qui sont toxiques et peuvent causer la mort des enfants. Assurez-vous que les enfants ne mangent pas de baies.

CÉLERI

Un diurétique naturel

Famille: *Umbelliferæ.* Également la carotte et le persil
Genre et espèce: *Apium graveolens*
Autres noms: Hache des marais, céleri sauvage, hache puante
Partie utilisée: Le fruit (les graines)

On croit peut-être que le céleri n'a d'autre fonction que d'agrémenter nos salades. Toutefois, les scientifiques ont découvert un nombre incroyable de bienfaits thérapeutiques dans les graines de céleri. Ces dernières aident à soulager l'insomnie et l'hypertension artérielle, et elles peuvent même aider les gens à maîtriser leur diabète et l'insuffisance cardiaque congestive.

L'élixir des athlètes grecs

Les Grecs de l'Antiquité servaient un vin de céleri à leurs champions. En outre, on fait appel depuis l'aube des temps aux élixirs de céleri dans la guérison par les plantes.

Les médecins ayurvédiques de l'Inde ancienne prescrivaient les graines de céleri comme diurétique pour éliminer la rétention d'eau et comme traitement pour soigner les rhumes, la grippe, l'indigestion, l'arthrite ainsi que les maladies du foie et de la rate.

Au Moyen Âge, l'abbesse et herboriste allemande Hildegard de Bingen écrivait: «Quiconque est affligé de la goutte ... devrait appliquer de la poudre de graines de céleri ... car c'est le meilleur des remèdes».

John Gerard, herboriste britannique, prétendait que le céleri encourageait les mictions et favorisait ainsi la perte de poids. Il disait également que la plante permettait d'expulser le flegme de la tête.

Au XVIIe siècle, l'herboriste britannique Nicholas Culpeper recommandait également les graines de céleri comme diurétique contre l'hydropisie (insuffisance cardiaque congestive).

Plus tard, les herboristes la prescrivaient dans les cas d'insomnie, d'obésité, de nervosité et de certains cancers. Ils la recommandaient aussi pour déclencher les règles ou provoquer l'avortement, et parfois comme un aphrodisiaque.

Chose curieuse, au XIXe siècle, les médecins éclectiques américains et botanistes n'étaient pas impressionnés. Ils classaient le céleri en post-scriptum sous son cousin, le persil. Lorsqu'on ne pouvait pas trouver de persil, ces médecins prescrivaient à contre-cœur le céleri comme tonique pour les nerfs, de même que pour l'arthrite et la congestion de la poitrine.

Les herboristes contemporains pour leur part suggèrent d'utiliser le céleri comme diurétique, tranquillisant, sédatif, promoteur de déclenchement des règles, de même que comme traitement contre la goutte, l'arthrite, l'obésité, l'anxiété et le manque d'appétit (alimentaire, non sexuel).

PROPRIÉTÉS thérapeutiques

Les scientifiques pourraient aujourd'hui étudier les vertus thérapeutiques des graines de céleri dans la guérison à partir des usages traditionnels du passé.

PERTE DE POIDS. Les graines de céleri contiennent une substance diurétique. Cette découverte permet de reconnaître ses propriétés thérapeutiques dans le traitement de l'obésité, parce que le céleri semble pouvoir éliminer l'eau. Sachez toutefois que toute perte d'eau occasionnée par les diurétiques est temporaire. Il faut adopter un régime alimentaire faible en gras et élevé en hydrates de carbone complexes et un programme d'exercices aérobiques réguliers si l'on veut perdre du poids de façon permanente.

HYPERTENSION ARTÉRIELLE. Les médecins prescrivent des diurétiques pour traiter l'hypertension artérielle. Une étude a montré que des injections d'huile de céleri ont nettement réduit la tension artérielle chez les lapins et les chiens. Bien sûr, les gens ne s'injectent pas d'huile de céleri. Par conséquent, des chercheurs chinois ont donné la plante à 16 personnes atteintes d'hypertension artérielle, 14 d'entre elles ont démontré une baisse de tension artérielle sensible.

Si vous désirez consommer des graines de céleri de pair avec votre traitement, consultez d'abord votre médecin.

INSUFFISANCE CARDIAQUE CONGESTIVE. Le fait que l'on reconnaisse que la graine de céleri contient un diurétique permet d'en prescrire l'usage dans le traitement de l'insuffisance cardiaque congestive, dont l'une des caractéristiques est la rétention de fluides. Les personnes qui désirent prendre des graines de céleri de pair avec leur traitement devraient d'abord consulter leur médecin.

ANXIÉTÉ ET INSOMNIE. L'huile de graines de céleri contient des agents chimiques (phthalides) qui ont une action sédative chez les animaux. Cette découverte n'a pas été prouvée chez l'homme. Cependant, si vous êtes anxieux, nerveux ou insomniaque, essayez de consommer la plante sous une forme quelconque.

DIABÈTE. De nombreuses études indiquent que les graines de céleri réduisent les taux de glucose sanguin, une mesure importante dans la lutte contre le diabète. Les patients atteints de cette maladie requièrent des soins professionnels. Si vous désirez utiliser les graines de céleri de pair avec votre traitement, consultez d'abord votre médecin.

SANTÉ DE LA FEMME. Les graines de céleri stimulent les contractions utérines chez l'animal, confirmant ainsi l'usage que l'on en faisait pour déclencher des règles ou l'avortement. Ces résultats n'on pas été nécessairement prouvés chez l'homme, mais les femmes enceintes devraient être prudentes et s'abstenir d'en prendre. Les branches de céleri, toutefois, ne causent pas de problème. Certaines femmes peuvent l'essayer dans l'espoir de déclencher leurs règles, mais l'usage de graines de céleri pour provoquer l'avortement est à proscrire.

Les diurétiques permettent de soulager l'effet de ballonnement causé par la rétention d'eau prémenstruelle. Les femmes souffrant du syndrome prémenstruel pourraient peut-être essayer des graines de céleri quelques jours avant leurs règles.

AUTRES PROPRIÉTÉS. Le céleri contient des agents chimiques, les psoralènes, qui ont permis de traiter le psoriasis et, plus récemment, le cancer des lymphocytes cutanés. D'autres recherches devront être effectuées avant que l'on ne puisse confirmer les bienfaits thérapeutiques de la plante dans le traitement de ces maladies.

Préparation et posologie

Les graines de céleri ne devraient être consommées que sous la surveillance d'un médecin et dans le cadre d'un programme de traitement contre l'hypertension artérielle, l'insuffisance cardiaque congestive ou le diabète.

Consommez une infusion au goût agréable et relaxant, ou pour faire déclencher vos règles. Prenez 1 à 2 c. à café de graines fraîchement broyées par tasse d'eau bouillante. Laissez infuser de 10 à 20 minutes. Ne dépassez pas trois tasses par jour.

Pour une teinture, prenez 1/2 à 1 c. à café jusqu'à trois fois par jour.

Les préparations de graines de céleri sont déconseillées aux enfants de moins de deux ans. Les enfants plus âgés et les personnes de plus 65 ans devraient commencer par des préparations faiblement concentrées et augmenter la dose au besoin.

Mise en garde

Les diurétiques ne devraient être consommés à des fins thérapeutiques qu'après accord avec son médecin car ils risquent d'épuiser les réserves corporelles en potassium, un nutriment essentiel. Les personnes qui prennent des diurétiques devraient consommer des aliments riches en potassium, tels que les bananes et les légumes frais, afin de remplacer les électrolytes perdus.

La tension artérielle, l'insuffisance cardiaque congestive et le diabète sont des maladies graves. Les graines de céleri peuvent contribuer à les stabiliser, mais elles ne devraient être consommées de pair avec un traitement qu'après accord avec son médecin.

Les femmes enceintes devraient éviter les diurétiques sans l'accord de leur médecin.

Les graines et l'huile de céleri ne sont pas toxiques. La Food and Drug Administration les incluent parmi les plantes qui ne présentent aucun danger. Les femmes en bonne santé qui ne sont pas enceintes ou qui n'allaitent pas peuvent l'utiliser sans crainte si elles respectent les doses prescrites.

Le céleri ne devrait être consommé à des fins thérapeutiques qu'après accord avec son médecin. Si elle provoque de légers troubles, tels que des maux d'estomac ou de la diarrhée, prenez-en moins ou cessez d'en prendre. Consultez votre médecin en cas d'effets indésirables ou si les symptômes persistent deux semaines après le début du traitement.

À la recherche de sol riche

Le céleri pousse bien dans des sols organiques très riches et bien irrigués. Des conditions moins favorables donneront des branches amères, plus fibreuses et plus dures.

Le céleri pousse presque à l'année dans les régions plus chaudes. Ailleurs, commencez les semis à l'intérieur en janvier et plantez les pousses à l'extérieurs au début du printemps après les dangers de gel. Faites tremper les graines avant de les planter. La germination prend environ 10 jours. Transplantez les germes quand les pousses mesurent environ 6 cm après trois mois. Espacez les plants d'environ 15 cm.

Arrosez abondamment. La quantité d'eau que reçoivent les plantes détermine combien juteuses en seront les branches.

Cueillez les graines dès qu'elles arrivent à maturité.

Certains agents chimiques du céleri, les psoralènes, peuvent causer de l'irritation cutanée chez les cultivateurs. Mise en garde aux jardiniers: enduisez-vous d'écrans solaires afin de prévenir les réactions.

CHAPARRAL

Un rince-bouche contre la carie dentaire

Famille: *Zygophyllaceæ*. Également le chardon étoilé et la fève de câpres
Genres et espèces: *Larrea divaricata, L. tridentata*
Autre nom: Herbe puante
Parties utilisées: Les brindilles et les petites feuilles

Le chaparral dégage une odeur nauséabonde. Et son goût est plutôt désagréable. Aussi, le fait qu'il soit particulièrement apprécié comme rince-bouche a de quoi surpendre.

Ce rince-bouche ne se distingue pas par son goût de menthe rafraîchissant, mais ce n'est pas une raison pour ne pas l'apprécier à sa juste valeur. Le chaparral, arbuste originaire du sud-est de l'Amérique, contient un agent chimique capable de tuer les germes responsables des caries. Cet agent chimique appelé NDGA (acide nordihydroguaiarétique) tue les bactéries et d'autres micro-organismes qui rendent les graisses et les huiles rances.

L'herbe puante

S'il est vrai que les remèdes les plus efficaces dégagent une odeur nauséabonde et ont mauvais goût, le chaparral devrait avoir d'extraordinaires bienfaits. De ses feuilles exsude une résine cireuse dont l'odeur de créosote lui a valu son nom populaire d'herbe puante. Les Indiens du sud-est de l'Amérique frottaient de la résine de chaparral sur les brûlures. Ils utilisaient le thé de chaparral pour soigner les rhumes, la bronchite, la varicelle, les morsures de serpents et l'arthrite. Et ils appliquaient sur les dents qui les faisaient souffrir des petites brindilles dont ils avaient fait chauffer la résine au préalable.

Les pionniers blancs adoptèrent la plante et l'utilisèrent en usage externe pour les ecchymoses, l'urticaire, les pellicules et les blessures. La plante était administrée par voie orale pour soigner la diarrhée, les maux d'estomac, les troubles menstruels, les maladies vénériennes, le cancer du foie, des reins et de l'estomac.

Le chaparral apparut dans le *U.S. Pharmacopœia* de 1842 à 1942 comme un expectorant qui permettait de dégager le mucus des voies respiratoires et comme antiseptiquel bronchique. De nos jours, peu d'herboristes y ont recours. Ceux qui en préconisent l'emploi en application externe le recommandent pour les infections des blessures, et par voie orale pour les parasites intestinaux et les maladies bactériennes et virales.

PROPRIÉTÉS thérapeutiques

Le chaparral est une plante surprenante et controversée. L'acide nordihydroguaiarétique qu'il contient est approuvée par le U.S. Department of Agriculture comme agent de conservation dans le saindoux et les graisses animales.

CARIE DENTAIRE, MALADIE DES GENCIVES. L'action antiseptique de l'acide nordihydroguaiarétique, combinée aux bienfaits thérapeutiques obtenus dans les cas de maux de dents, ont poussé les scientifiques à étudier le comportement de l'acide en présence de la bactérie responsable de la carie dentaire. Une étude publiée dans le *Journal of Dental Research* montre que le chaparral réduit la carie dentaire de 75 %. Les micro-organismes de la bouche peuvent provoquer la maladie des gencives, cause principale de la perte des dents chez les adultes. Bien sûr, le rince-bouche au chaparral ne remplace pas un bon nettoyage, mais il constitue une protection supplémentaire. Quant à son odeur, elle se dissipe graduellement.

CANCER. L'acide nordihydroguaiarétique est un antioxydant puissant qui peut aider à prévenir les lésions cellulaires qui, selon les scientifiques, pourraient être responsables du cancer.

Pendant plus de 100 ans, le chaparral a été l'un des traitements du cancer les plus répandus. Le National Cancer Institute a reçu de nombreux témoignages de personnes qui prétendaient avoir été guéries grâce au chaparral. Certaines études de laboratoire ont confirmé les propriétés antitumorales de la plante.

On trouve également dans les ouvrages médicaux des études de cas de régression tumorale chez les personnes qui auraient consommé du chaparral. L'une de ces études publiée dans le *Cancer Chemotherapy Reports,* rapporte le cas d'un homme chez qui l'université de l'Utah avait diagnostiqué un mélanome malin, forme de cancer de la peau la plus grave. Les médecins lui conseillaient l'intervention chirurgicale, mais l'homme refusa, préférant se soigner au moyen d'infusions de chaparral, ce qui consternait les médecins. Huit mois plus tard, l'homme retourna en consultation et l'on remarqua chez lui une régression importante du mélanome.

Le mélanome est une maladie mortelle qui exige des soins médicaux. Mais le chaparral ne peut la guérir à lui seul. Les personnes atteintes de ce cancer pourraient utiliser la plante de pair avec leur traitement régulier après avoir obtenu l'accord de leur médecin.

ARTHRITE. Des études sur des animaux révèlent que le chaparral a une action anti-inflammatoire. Cette découverte confirme son usage traditionnel dans les cas d'arthrite. Faites-en l'essai afin de savoir si vous souffrez encore de raideurs.

ESPÉRANCE DE VIE. Certains experts prétendent que l'acide nordihydroguaiarétique ralentit le processus de vieillissement et peut même allonger la vie. Une étude montre que cet acide améliore l'espérance de vie des animaux de laboratoire. D'autres scientifiques croient même que cet acide double la durée de vie moyenne des insectes de laboratoire. Les scientifiques n'ont pas réussi cet exploit chez les humains. Cependant, les résultats obtenus restent troublants.

Préparation et posologie

Pour un rince-bouche ou une infusion, prenez 1 c. à café de feuilles séchées et de tiges par litre d'eau. Laissez infuser pendant une heure. Gargarisez-vous ou buvez jusqu'à trois tasses par jour. À cause de sa saveur désagréable, ajoutez du miel ou du citron à l'infusion, ou mélangez-la à une autre préparation à base de plantes.

Le chaparral est déconseillé aux enfants de moins de deux ans. Les enfants plus âgés et les personnes de plus de 65 ans devraient commencer par des préparations faiblement concentrées et augmenter la dose au besoin.

Mise en garde

Bien que le U.S. Department of Agriculture approuve le chaparral pour la conservation de la nourriture, la Food and Drug Administration l'exclut de son répertoire de plantes qui ne présentent aucun danger. En 1968, des expériences menées sur des animaux de laboratoire ont prouvé que le chaparral consommé en grandes quantités et à long terme avait causé des problèmes de rein et du système lymphatique. Aucun cas semblable n'a été diagnostiqué chez les consommateurs de chaparral, mais, par prudence, les personnes atteintes de maladies du rein ou du système lymphatique devraient s'abstenir d'en prendre.

Les femmes en bonne santé qui ne sont pas enceintes, qui n'allaitent pas ou qui ne présentent pas d'antécédents de maladies du rein ou du système lymphatique peuvent utiliser le chaparral sans crainte si elles respectent les doses prescrites.

Le chaparral ne devrait être consommé à des fins thérapeutiques qu'avec l'accord de son médecin. S'il provoque de légers troubles, tels que des maux d'estomac ou de la diarrhée, prenez-en moins ou cessez d'en prendre. Consultez votre médecin en cas d'effets indésirables ou si les symptômes persistent deux semaines après le début du traitement.

En pleine croissance dans le sud-ouest

Le chaparral n'est pas une plante de jardin. C'est un arbrisseau boisé de couleur vert olive ou jaune très répandu dans les climats arides du sud-ouest. Le chaparral peut atteindre environ 3,5 m de haut et ressemble à un chêne nain.

CIMIFUGA

Les Indiens d'Amérique disaient vrai

Famille: *Ranunculaceæ*. Également le bouton d'or, le pied d'alouette, la pivoine
Genres et espèces: *Cimicifuga racemosa* ou *Macrotys actæoides*
Autres noms: Racine de squaw, racine de serpent
Parties utilisées: Les rhizomes et les racines

Au XIXe siècle, l'un des remèdes reconnus les plus populaires était «le composé de légumes» de Lydia E. Pinkham. Ce remède avait été commercialisé en 1876 pour traiter «les états de faiblesse typiquement féminins», c'est-à-dire les douleurs menstruelles. Le composé de Pinkham contenait plusieurs plantes, dont principalement le cimifuga que les Algonquins utilisaient depuis toujours pour traiter les problèmes gynécologiques.

Ce remède contenait aussi un pourcentage d'alcool élevé. Au XIXe siècle, il était de mauvais goût que les dames respectables boivent de l'alcool. Par conséquent, pour ne pas être montrées du doigt, elles buvaient le Composé de Lydia E. Pinkham. On trouve encore aujourd'hui ce remède dont la formule a été modifiée: le taux d'alcool a été réduit au maximum et, ironiquement, on n'y trouve aucune trace de cimifuga, composant qui avait une action plus puissante sur le plan gynécologique.

Le remède des femmes indiennes

En anglais, la plante s'appelle *Black Cohosh*, *Black* à cause des ses racines très foncées, et *Cohosh*, nom algonquin pour «rugueux», une autre référence à ses racines.

Les Indiens d'Amérique faisaient bouillir les racines noueuses de la plante dans de l'eau et buvaient la décoction pour soigner la fatigue, le mal de gorge, l'arthrite et les morsures de serpents à sonnettes, d'où son autre nom populaire racine de serpent. Toutefois, les femmes indiennes utilisaient la plante essentiellement pour les problèmes gynécologiques et pour les accouchements.

Le cimifuga sauvage était particulièrement prolifique dans la vallée de l'Ohio. L'endroit était d'autant plus approprié que la plante avait une excellente réputation parmi les médecins éclectiques du XIXe siècle dont l'école était établie à Cincinnati sur les berges de l'Ohio.

Ceux qu'on appelait les médecins éclectiques recommandaient le cimifuga pour la fièvre, les irritations cutanées, l'insomnie, la malaria, la fièvre jaune et toutes les maladies dites «hystériques», c'est-à-dire gynécologiques. Leur texte médical, le *King's American Dispensatory*, mentionnait ceci: «Pour la dysménorrhée, les douleurs menstruelles, le cimifuga est de la plus grande utilité et n'est concurrencé par aucun autre remède.»

Les médecins qui n'appartenaient pas au mouvement, soit les médecins dits réguliers, n'en furent pas très impressionnés. Quant à Lydia Pinkham, elle se rangea du côté des médecins éclectiques et inclut le cimifuga dans son composé.

Plusieurs usages modernes

Le cimifuga ne pousse pas en Chine, mais les médecins chinois ont recours à plusieurs plantes similaires pour soulager les maux de tête, la rougeole, la diarrhée, le saignement des gencives et certains problèmes gynécologiques.

Les homéopathes prescrivent des microdoses de cimifuga dans le cas de problèmes menstruels et afin de faciliter les accouchements.

Quant aux herboristes, ils prescrivent le cimifuga pour soulager les spasmes. Ils le conseillent non seulement comme diurétique dans le cas de rétention d'eau, mais aussi comme expectorant pour libérer l'appareil respiratoire de ses mucosités, et comme astringent, sédatif et stimulant pour déclencher les règles. D'ailleurs, plusieurs herboristes considèrent le cimifuga comme «l'une des plantes les plus efficaces pour régulariser le cycle menstruel».

PROPRIÉTÉS thérapeutiques

Employé à bon escient, le cimifuga a un bon potentiel de guérison. Cependant, à cause de ses effets indésirables possibles, il nécessite l'accord et la supervision du médecin. Plusieurs études donnent raison à ses partisans de la première heure qui le recommandaient dans le cas de problèmes gynécologiques.

TROUBLES MENSTRUELS. Le cimifuga a une action œstrogénique, c'est-à-dire qu'il se comporte comme l'hormone féminine, l'œstrogène. L'action œstrogénique de la plante pourrait d'ailleurs confirmer son usage traditionnel dans le cas de douleurs menstruelles.

Il convient cependant d'être prudent en présence de plantes à action œstrogéniques, car l'œstrogène est le principal constituant des pilules contraceptives. Les femmes à qui l'on proscrit l'usage de la pilule devraient éviter de prendre du cimifuga ou consulter leur médecin pour en connaître l'activité hormonale.

TROUBLES DE LA MÉNOPAUSE. Les œstrogènes sont également prescrits pour traiter les symptômes de la ménopause. Aussi, il est normal que les plantes reconnues pour leur action œstrogénique agissent de la même façon.

En Allemagne, le cimifuga est le constituant essentiel de trois médicaments prescrits pour les troubles de la ménopause. L'herbier allemand sur les plantes médicinales dit de ces médicaments «qu'ils semblent très efficaces ... Dans bien des cas, nous pouvons nous passer d'hormones, mais ... les améliorations ne sont pas immédiates. Le médicament doit être donné pendant quelque temps ...»

Aux États-Unis, on peut facilement trouver du cimifuga. Par contre, les médicaments sont introuvables.

Le traitement aux œstrogènes est certes efficace pour atténuer les troubles de la ménopause. Il peut également provoquer l'apparition du cancer utérin. La progestérone, une autre hormone féminine, minimise ce risque. Les femmes ménopausées devraient consulter leur médecin afin de connaître les effets du cimifuga pris individuellement ou de pair avec la progestérone.

CANCER DE LA PROSTATE. Les hormones féminines ralentissent la propagation des tumeurs de la prostate. Souvent, les médecins prescrivent aux hommes atteints de cancer de la prostate des hormones similaires aux œstrogènes. L'activité œstrogénique du cimifuga peut être d'un certain recours. Les hommes atteints de la maladie devraient cependant consulter leur médecin avant d'utiliser cette plante.

HYPERTENSION ARTÉRIELLE. Une étude publiée dans la revue *Nature* révèle que le cimifuga diminue la pression sanguine en dilatant les vaisseaux sanguins dans les membres (vasodilatation périphérique). Elle peut donc être d'une certaine utilité dans le cas d'hypertension artérielle, mais il vaut mieux consulter son médecin avant de l'utiliser.

AUTRES PROPRIÉTÉS. Le cimifuga aurait des propriétés anti-inflammatoires, ce qui expliquerait l'usage qu'en font les Indiens d'Amérique dans les cas d'arthrite. Cette plante s'est également révélée très utile pour diminuer le taux de glucose sanguin chez les animaux. Son efficacité à contrôler le diabète n'est donc pas exclue. Des études plus poussées confirmeront ces usages.

D'autres expériences réalisées sur des animaux laissent entrevoir des propriétés antibiotiques et sédatives, de même qu'une action calmante sur l'estomac.

Préparation et posologie

Pour une décoction, prenez 1/2 c. à café de racines en poudre par tasse d'eau. Faites bouillir pendant 30 minutes. Laissez refroidir. L'arôme est désagréable et le goût très amer. Pour en adoucir le goût, ajoutez du citron et du miel, ou mélangez à une infusion de thé. Prenez 2 c. à café à plusieurs heures d'intervalle. Ne dépassez pas une tasse par jour.

Pour une tisane, limitez-vous à 1 c. à café par jour.

Les enfants de moins de deux ans et les personnes de plus de 65 ans devraient commencer par des préparations légères et augmenter la dose au besoin.

Mise en garde

Il y a un siècle, les médecins contestaient l'usage thérapeutique du cimifuga. La plante ne fait toujours pas l'unanimité. En 1986, un rapport de la Food and Drug Administration refusait en outre au cimifuga «quelque valeur thérapeutique que ce soit» et mettait en garde contre des effets indésirables possibles. Certains chercheurs affirment que la plante a un grand potentiel de guérison, mais qu'elle est toxique en soi.

Pour leur part, les Allemands l'incluent dans plusieurs de leurs médicaments afin de restreindre les troubles de la ménopause.

Une dose trop forte de cimifuga risque de causer des vertiges, des nausées, des douleurs abdominales, des vomissements, des troubles de la vue, des maux de tête, des tremblements, des douleurs articulaires et un ralentissement du rythme cardiaque. Même de faibles doses peuvent provoquer ces symptômes chez certaines personnes.

Par ailleurs, la présence d'un constituant de la famille des œstrogènes risque de provoquer des maladies du foie et des problèmes de coagulation sanguine.

Il n'est pas exclu non plus que cet agent soit responsable de certains types de tumeurs du sein. Par conséquent, les femmes enceintes devraient éviter les plantes de ce type.

Le rôle du cimifuga dans les maladies cardiaques est encore plus inquiétant. Les personnes qui souffrent de problèmes cardiaques, et en particulier d'insuffisance cardiaque congestive, devraient s'abstenir d'en prendre.

Efficacité probable

Le cimifuga est une plante qui peut s'avérer dangereuse. Les femmes en bonne santé qui ne sont pas enceintes et qui n'allaitent pas, les personnes qui ne souffrent pas de maladies cardiaques ni de cancers consécutifs à un traitement aux œstrogènes, qui ne prennent pas de sédatifs ni de médicaments pour la tension artérielle, ni pilules contraceptives et d'œstrogènes en cas de troubles post-ménopausiques peuvent prendre du cimifuga pendant de courtes périodes. Elles doivent toutefois obtenir l'accord de leur médecin et respecter rigoureusement les doses prescrites.

Si vous souffrez des symptômes mentionnés ci-haut, prenez-en moins ou cessez d'en prendre. Consultez votre médecin en cas d'effets indésirables ou si les symptômes persistent deux semaines après le début du traitement.

Descendez jusqu'aux racines

Le cimifuga est une plante vivace feuillue qui peut atteindre 2,75 m de haut.

Ses racines sont noires et noueuses, et ses tiges douces portent de grandes feuilles dentées et une multitude de petites fleurs blanches qui fleurissent en plein été aux extrémités, qu'on appelle racèmes.

On peut obtenir du cimifuga en semant des graines au printemps ou à partir de racines coupées au printemps ou à l'automne.

Enlevez les racines de terre à l'automne une fois les fruits mûrs. Coupez-les sur la longueur et faites-les sécher.

CLOU DE GIROFLE

Le remède préféré des dentistes

Famille: *Myrtaceæ.* Également la myrte et l'eucalyptus
Genres et espèces: *Eugenia caryophyllata* ou *Syzygium aromaticum*
Autre nom: Aucun
Partie utilisée: Les bourgeons des fleurs séchés et réduits en poudre

Il suffit d'entrer dans une herboristerie pour être submergé par un parfum enivrant, celui du clou de girofle, l'une des plantes médicinales les plus aromatiques qui soient.

Cependant, si vous vous ouvrez le cabinet de rangement d'un dentiste, vous serez assailli par une odeur tout aussi incontournable, mais beaucoup moins agréable, celle d'un anesthésique dentaire, l'huile de clou de girofle.

Un produit destiné à rafraîchir l'haleine depuis l'Antiquité

Le clou de girofle est le bourgeon d'un arbre tropical à feuilles persistantes fortement aromatique. À l'époque de la dynastie Han (de 207 avant notre ère à l'an 220 de notre ère), on demandait aux notables qui s'adressaient à l'empereur chinois de garder des clous de girofle dans leur bouche pour masquer leur mauvaise haleine. Les médecins chinois respectueux des traditions utilisent le clou de girofle depuis toujours pour traiter l'indigestion, la diarrhée, les hernies et les dermatophytoses, de même que le pied d'athlète et d'autres infections fongiques.

En Inde, les guérisseurs ayurvédiques utilisent le clou de girofle depuis l'aube des temps, dans les cas de maladies respiratoires et de troubles de la digestion.

Le clou de girofle fit son apparition en Europe vers l'an 400 de notre ère comme une épice de luxe hautement convoitée. Au Moyen Âge, l'abbesse et herboriste allemande Hildegard de Bingen utilisait cette plante rare dans son remède contre la goutte.

Le voyage de Magellan

La demande en clou de girofle, et d'autres plantes asiatiques, fut à l'origine de la grande vague d'explorations qui marqua l'Europe du XVIe siècle. La flotille de Magellan en rapporta en Espagne en 1512, date à laquelle les explorateurs terminèrent leur premier voyage autour du monde.

Dès que le clou de girofle se répandit en Europe, il fut hautement apprécié comme traitement de l'indigestion, des flatulences, de la nausée, des vomissements et de la diarrhée. On reconnut aussi son efficacité contre la toux, l'infertilité, les verrues, les vers, les blessures et les maux de dents.

Au XIXe siècle, les médecins éclectiques américains utilisaient la plante pour traiter les troubles de la digestion et l'ajoutaient à des préparations à base de plante au goût moins agréable afin d'en rehausser la saveur. Ces médecins furent également les premiers à extraire son huile des bourgeons de la plante et à l'appliquer sur les gencives afin d'apaiser les maux de dents.

De nos jours, les herboristes recommandent le clou de girofle pour soulager les maux d'estomac, et son huile, pour les maux de dents.

PROPRIÉTÉS thérapeutiques

Tout comme le poivre de la Jamaïque (voir p. 40), le clou de girofle contient entre 60 % à 90 % d'eugénol, constituant auquel il doit ses propriétés anesthésiques et antiseptiques.

MAUX DE DENTS ET HYGIÈNE BUCCALE. Les dentistes se servent du clou de girofle comme anesthésique local et pour désinfecter les canaux radiculaires.

L'huile de clou de girofle est un composant des rince-bouche et de certains analgésiques contre la douleur vendus dans le commerce.

Les maux de dents exigent des soins médicaux professionnels. Bien que le clou de girofle puisse soulager temporairement, prenez rendez-vous chez votre dentiste.

STIMULANT DIGESTIF. Comme bon nombre d'épices culinaires, le clou de girofle peut soulager les parois du muscle lisse du tube digestif. Cet usage confirme sa réputation de stimulant digestif.

ANTI-INFECTIEUX. Le clou de girofle tue les parasites intestinaux et comporte de nombreuses propriétés anti-microbiennes contre les champignons et les bactéries, selon l'une des nombreuses études qui corroborent son usage traditionnel dans le traitement de la diarrhée, des vers intestinaux et d'autres affections digestives.

Préparation et posologie

Pour vous soulager temporairement d'un mal de dents avant de consulter votre dentiste, trempez une tige de coton dans de l'huile de clou de girofle que vous appliquerez sur la dent et la région endolorie.

Pour une infusion chaude au goût agréable, prenez 1 c. à café de clou de girofle en poudre par tasse d'eau bouillante. Laissez infuser de 10 à 20 minutes. Ne dépassez pas trois tasses par jour.

Le clou de girofle utilisé à des fins thérapeutiques est déconseillé aux enfants de moins de deux ans. Les enfants plus âgés et les personnes de plus de 65 ans devraient commencer par des préparations faiblement concentrées et augmenter la dose au besoin.

Mise en garde

Des chercheurs japonais ont découvert que le clou de girofle est un antioxydant, tout comme beaucoup d'autres épices. Les antioxydants peuvent aider à prévenir les lésions cellulaires qui, selon les scientifiques, pourraient être la cause du cancer.

D'autre part, l'eugénol chimique testé en laboratoire semble inhiber la croissance tumorale, faisant du clou de girofle une plante qui, à la fois, favorise et protège contre le cancer. Toutefois, les scientifiques ne peuvent pas se prononcer sur l'action réelle de la plante. Tant que la recherche n'aura pas fourni des données concluantes, les personnes qui ont des antécédents de cancer devront s'abstenir de prendre du clou de girofle à des fins thérapeutiques.

Le clou de girofle n'est pas toxique et les femmes en bonne santé qui ne sont pas enceintes ou qui n'allaitent pas peuvent l'utiliser sans crainte. Cependant, l'ingestion d'huile de clou de girofle en grande quantité peut causer des maux d'estomac. En application externe, l'huile risque de provoquer de l'irritation cutanée.

Le clou de girofle ou son huile ne devraient être consommés à des fins thérapeutiques qu'après accord avec son médecin. S'ils provoquent de légers troubles, tels que des maux d'estomac ou de la diarrhée, prenez-en moins ou cessez d'en prendre. Consultez votre médecin en cas d'effets indésirables ou si les symptômes persistent deux semaines après le début du traitement.

Certains fumeurs optent pour les cigarettes au clou de girofle, car, disent-ils, «elles sont moins nocives que le tabac». C'est faux. Les cigarettes de clou de girofle contiennent entre 50 % et 60 % de tabac. En outre, le clou dégage des substances cancérigènes lorsqu'il se consume. De nombreux cas d'intoxication ont été rapportés dans le *Journal of American Medical Association*.

Où pousse le giroflier?

Le giroflier, très aromatisé, atteint presque 8 m. La Tanzanie fournit environ 80 % de la production mondiale. Le clou de girofle pousse aussi en Indonésie, au Sri Lanka, au Brésil et dans les Antilles.

CLOU ROUGE

Un anticancérigène possible

Famille: *Leguminosæ*. Également les fèves et les pois
Genre et espèce: *Trifolium pratense*
Autres noms: Trifolium, trèfle pourpre, trèfle doux
Partie utilisée: La partie supérieure des fleurs

Le clou rouge est l'un des plus anciens produits agricoles du monde. Cette plante fourragère était cultivée depuis les temps préhistoriques. On se servait des fleurs en forme de ballon de cette plante aux feuilles composées de trois folioles depuis presque aussi longtemps que les herbes médicinales. Depuis les cent dernières années, on a vanté les vertus thérapeutiques du clou rouge comme traitement contre le cancer. Par contre, de nombreux médecins contemporains déclarent que le clou rouge n'apporte aucune amélioration à une personne atteinte du cancer. Quelques études révèlent cependant que le clou rouge pourrait avoir une certaine action anti-tumorale.

Trèfle atout

Comme il joua un rôle dans l'agriculture il y a très longtemps, le clou rouge possède une longue histoire en tant que symbole religieux. Les Grecs et les Romains de l'Antiquité, de même que les Celtes de l'Irlande préchrétienne l'ont tous révéré. Les premiers chrétiens apparentaient la plante à la Trinité, certains allant jusqu'à dire que le clou rouge était le modèle du symbole de l'Irlande, le trèfle. Il servit aussi de modèle dans les jeux de cartes.

Au Moyen Âge, on se servait du clou rouge pour lutter contre la sorcellerie. En Extrême-Orient, les herboristes en faisaient une utilisation plus terre-à-terre.

Les médecins chinois respectueux des traditions ont pendant longtemps utilisé le clou rouge comme expectorant. Les guérisseurs russes populaires le recommandaient pour soigner l'asthme. Dans d'autres civilisations, on s'en servait en application externe dans des baumes pour les affections de la peau et les maladies des yeux. Par voie orale, on le recommandait comme diurétique pour traiter la rétention d'eau, en plus de le prescrire comme sédatif, anti-inflammatoire, médicament pour la toux et traitement contre le cancer.

Réputation d'anticancéreux

Au XIXe siècle, les médecins éclectiques américains encouragèrent beaucoup l'emploi du clou rouge. Leurs textes, *King's American Dispensatory*, parlaient de cette plante comme étant «l'un des rares remèdes qui exerce une influence favorable dans le traitement de la coqueluche ... et qui possède une propriété particulièrement apaisante». Les médecins éclectiques recommandèrent le clou rouge pour la toux, la bronchite et la tuberculose. Ils furent surtout ravis d'utiliser le clou rouge pour soigner le cancer: «Elle retarde de façon incontestable la croissance du carcinome.»

De la fin du XIXe au début du XXe siècle, le clou rouge constituait l'ingrédient principal de beaucoup de spécialités pharmaceutiques connues sous le nom de composés du trifolium. La plus populaire, fabriquée par la compagnie William S. Merrell Chemical de Cincinnati, était un mélange de clou rouge et de plusieurs autres plantes. Les fabricants prétendaient que les composés du trifolium étaient des toniques et traitaient les maladies de la peau, la syphilis, et le scrofule (tuberculose des glandes lymphatiques). En 1912, l'American Medical Association's Council on Pharmacy and Chemistry critiqua les composés du trifolium en ces termes: «Nous ne possédons aucune information pour affirmer que ces composés sont dotés de propriétés thérapeutiques.» Néanmoins, le clou rouge demeura sur la liste des maladies de la peau dans le *National Formulary* jusqu'en 1946. Le clou rouge faisait aussi partie des herbes que contenait le remède contre le cancer mis au point par l'ex-mineur Harry Hoxsley.

Les herboristes contemporains recommandèrent l'usage externe du clou rouge dans le traitement de l'eczéma et du psoriasis. Par voie orale, il le préférait comme stimulant digestif et expectorant pour la toux, la bronchite et la scarlatine. Certains recommandent toujours cette herbe dans le traitement du cancer.

PROPRIÉTÉS thérapeutiques

Nombreux sont les spécialistes en herboristerie qui n'ont aucun respect pour le clou rouge. La Food and Drug Administration (FDA) rapporte: «Il n'y a aucune raison de croire en ses vertus médicinales.» Et dans *The New Honest Herbal*, Varro Tyler, un herboriste reconnu, réfute toute revendication affirmant que le clou rouge contribue à traiter le cancer, car ce n'est pas prouvé.

CANCER. D'autre part, des chercheurs du National Cancer Institute ont découvert dans le clou rouge des propriétés anti-tumorales. Ces chercheurs ont décidé de mieux étudier les propriétés thérapeutiques de la plante après que l'un de leurs collègues, Jonathan Hartwell, a publié dans *The Journal of Natural Products* une monographie sur la plante dans laquelle il confirmait que 33 masses culturelles distinctes dans le monde utilisaient le clou rouge comme traitement contre le cancer. Ce nombre de personnes qui conviennent tous de l'action anticancérigène d'une même plante est fort impressionnant.

Les chercheurs du National Cancer Institute ont alors mené des études en laboratoire, lesquelles ont permis de conclure que le clou rouge contient quatre composés anti-tumoraux, notamment la daidzéine et la génistéine.

La plante contient en outre une quantité importante de tocophérol, antioxydant biochimique et type de vitamine E dont on a prouvé l'efficacité dans la prévention de tumeurs mammaires chez les animaux, selon James Duke, spécialiste en médecine par les plantes pour le compte du U.S. Department of Agriculture.

Ces découvertes n'en sont qu'à l'étape préliminaire, et l'on ne devrait pas utiliser le clou rouge comme traitement contre le cancer. Toutefois, une lueur d'espoir existe pour les personnes atteintes de cancer hormonal-dépendant. Consultez votre médecin si vous désirez utiliser le clou rouge de pair avec votre traitement régulier.

SANTÉ DE LA FEMME. Certaines études montrent que le clou rouge en grande quantité a une action œstrogénique non négligeable, ce qui veut dire que le clou rouge pourrait soulager certains symptômes de la ménopause, bien que les femmes qui prennent des suppléments d'œstrogènes en post-ménaupose devraient d'abord consulter leur médecin.

AUTRES PROPRIÉTÉS. Une étude en laboratoire a démontré que le clou rouge combat efficacement bon nombre de bactéries, notamment celle qui est responsable de la tuberculose. Ce résultat favorable confirme l'usage qu'en faisaient les médecins éclectiques américains dans leur traitement contre la tuberculose.

Préparation et posologie

Pour une infusion douce et agréable, prenez 1 à 3 c. à café de fleurs séchées par tasse d'eau bouillante. Laissez infuser de 10 à 15 minutes. Ne dépassez pas trois tasses par jour.

Pour une teinture, prenez 1/2 à 1 1/2 c. à café jusqu'à trois fois par jour.

Le clou rouge est déconseillé aux enfants de moins de deux ans. Les enfants plus âgés et les personnes de plus de 65 ans devraient commencer par des préparations faiblement concentrées et augmenter la dose au besoin.

Mise en garde

Les femmes qui prennent la pilule devraient consulter leur médecin avant de consommer le clou rouge. Les œstrogènes sont utilisés dans le traitement de certains cancers de la prostate, mais ils peuvent aussi accélérer la croissance de tumeurs du sein ou des organes génitaux favorisées par l'œstrogène. L'œstrogène augmente aussi le risque de tromboembolie, coagulation sanguine interne, et de trombophlébite, inflammation des vaisseaux sanguins. Les personnes qui présentent des antécédents de tromboembolie, de trombophlébite, de maladie cardiaque ou d'accident vasculaire cérébral devraient être très prudents face au clou rouge, bien que les ouvrages médicaux sur le clou rouge ne mentionnent pas d'effets nocifs.

Autres précautions

La Food and Drug Administration inclut le clou rouge parmi les plantes qui ne présentent aucun danger. Les femmes en bonne santé qui ne sont pas enceintes, qui n'allaitent pas, qui ne sont pas atteintes d'un cancer hormonal-dépendant ou qui ne présentent aucun antécédent de maladie cardiaque, d'accident vasculaire cérébral, de tromboembolie ou de trombophlébite peuvent utiliser le clou rouge sans crainte si elles respectent les doses prescrites.

Le clou rouge ne devrait être consommé à des fins thérapeutiques qu'après accord avec son médecin. Si elle provoque de légers troubles, tels que des maux d'estomac ou de la diarrhée, prenez-en moins ou cessez d'en prendre. Consultez votre médecin en cas d'effets indésirables ou si les symptômes persistent deux semaines après le début du traitement.

Les fervents du clou rouge

Le clou rouge est une plante vivace qui atteint environ 1/2 m. Ses feuilles sont composées de trois folioles. Ses fleurs de couleur rouge ou pourpre en forme de ballon, à fragrance agréable et que l'on peut manger, comportent plusieurs petits fleurons.

Le clou rouge fait partie de la famille des légumineuses. Il dégage notamment de l'azote dans son sol et ses racines profondes empêchent la terre de s'entasser en bloc. La plante s'ensemence au printemps ou à l'automne. Elle préfère une variété de sols humides, bien drainés et en plein soleil, mais elle croît tout aussi bien dans des sols sablonneux ou rocailleux. Cueillez les fleurs lorsque la partie supérieure de celles-ci s'est épanouie.

COLA

Un remède contre l'asthme

Famille: *Sterculiaceæ.* Également le cacao.

Genres et espèces: *Cola nitida, C. vera, C. acuminata*

Autre nom: Kola

Partie utilisée: La graine (cotylédon), connue sous le nom de noix de cola

Les occidentaux consommeraient certainement davantage de boissons à base de cola s'ils savaient que la noix tropicale qui les parfume peut prévenir l'asthme.

Plus que des bienfaits thérapeutiques

Les peuples de l'Afrique occidentale utilisent le cola depuis l'aube des temps. En fait, ils mâchaient les graines pour ses effets stimulants et les utilisaient pour traiter la fièvre.

Les esclaves de l'Afrique occidentale introduisirent le kolatier au Brésil et aux Caraïbes. Le cola devint le diurétique préféré des habitants des Antilles servant à éliminer les rétentions d'eau et favorisant la digestion. On l'utilisait également comme remède contre la diarrhée, la fatigue et les problèmes cardiaques. Au fil des années, les propriétés de stimulation du cola poussèrent les gens à croire en ses vertus aphrodisiaques.

Le cola fit son apparition aux États-Unis à la fin de la guerre de Sécession. Les médecins éclectiques du XIXe siècle remarquèrent que les habitants des Antilles lui attribuaient des vertus aussi innombrables que fabuleuses. Ils assimilèrent alors les stimulants contenus dans le cola à ceux du cacao et prescrivirent le cola à leurs patients en cas de dépression mentale ou lorsqu'ils avaient à accomplir un exercice physique ou mental très important. Ils le recommandèrent également pour soigner la diarrhée, la pneumonie, la fièvre typhoïde, les maux de tête, le mal des transports, la nausée du matin durant la grossesse, ainsi que pour aider les fumeurs à arrêter de fumer.

Ce qu'il y a de mieux

En raison de son usage thérapeutique, les pharmaciens du XIXe siècle firent des réserves de cola. La légende veut que le 8 mai 1886 John Styth Pemberton, un pharmacien d'Atlanta, mélangea quelques extraits de cola et de coca (arbrisseau dont les feuilles contiennent de la cocaïne) dans un gros pot de cuivre qu'il déposa au fond de sa cour. Il ajouta de l'eau gazeuse dans son sirop sucré et créa ainsi une boisson rafraîchissante que son comptable surnomma Coca-Cola.

Deux années plus tard, Pemberton vendit tous les droits de sa boisson à un homme d'affaires d'Atlanta, Asa Candler, pour la modique somme d'environ 10 000 FF. Cander était un homme d'affaires doué d'une grande imagination. Vers 1895, la compagnie Coke devint la première boisson nationale non alcoolisée des États-Unis. Aujourd'hui, le Coca-Cola est le produit le plus connu dans le monde entier. On en demande 250 millions de fois par jour dans 80 langues et dans 135 pays. Depuis son existence, la formule du Coca-Cola est restée un secret bien gardé. Elle a évolué au cours des années. Quand les États-Unis proscrivirent la cocaïne, on l'enleva de la boisson. De nos jours, le Coca-Cola contient de l'extrait de feuille de coca dont on a retiré la cocaïne et une petite quantité de cola.

Maintenant, les herboristes recommandent le cola pour «son effet manifeste de stimulation sur la conscience humaine», explique David Hoffmann, rédacteur en chef de la revue *Holistic Herbal*. Ces mêmes herboristes le prescrivent dans les cas de diarrhée, de dépression, de troubles nerveux, de migraine et de perte d'appétit.

PROPRIÉTÉS thérapeutiques

Certains herbiers prétendent que le cola contient davantage de caféine que le café. Il ne faut pas exagérer. Une tasse de 45 g de café moulu contient environ 100 mg de caféine. Une tasse de café instantané contient 65 mg et une bouteille de 375 ml de coca-cola en contient environ 50.

Cependant, cette caféine ne provient pas la plupart du temps de la noix de cola, mais de caféine ajoutée.

ASTHME. La caféine et le cola dilatent tous les deux les voies respiratoires. Un article dans le *Journal of the American Medical Association* recommande les boissons à base de cola aux enfants en cas d'asthme. En effet, les enfants les préfèrent aux médicaments qu'on leur donne habituellement pour soigner cette maladie. (Pour en savoir davantage sur les bienfaits de la caféine, voir *Café* à la page 101).

Préparation et posologie

Consommer des boissons à base de cola est encore la meilleure façon de déguster cette plante au goût si agréable en petites quantités. Prenez-en si vous avez des crises d'asthme ou comme stimulant.

Pour une décoction, mettez dans un verre d'eau 1 à 2 c. à café de noix de cola en poudre. Portez à ébullition et laissez frémir 10 minutes. Ne dépassez pas trois tasses par jour.

Les enfants de moins de deux ans doivent consommer avec prudence du cola en faible quantité.

Mise en garde

Comme le cola contient de la caféine, il est déconseillé aux femmes enceintes ou aux personnes qui souffrent d'insomnie, de diabète, d'anxiété, de problèmes digestifs, d'hypertension artérielle chronique, d'un taux élevé de cholestérol, de maladies cardiaques ou d'antécédents d'accidents vasculaires cérébraux. (Voir *Café* à la page 101).

La Food and Drug Administration inclut le cola parmi les plantes qui ne présentent aucun danger pour la santé. Cependant, une récente table ronde de la FDA recommandait d'enlever la caféine de la liste des plantes médicinales. Si cette demande est acceptée, le cola pourrait aussi être retiré.

Les femmes en bonne santé qui ne sont pas enceintes, qui n'allaitent pas, qui ne présentent pas les problèmes de santé énumérés plus haut et qui ne prennent aucun médicament à base de caféine peuvent consommer sans crainte du cola si elles respectent les doses prescrites.

Le cola ne devrait être consommé à des fins thérapeutiques qu'après accord avec son médecin. S'il provoque de légers troubles, tels que de l'insomnie, de l'irritabilité ou des maux d'estomac, prenez-en moins ou cessez d'en prendre. Consultez votre médecin en cas d'effets indésirables ou si les symptômes persistent deux semaines après le début du traitement.

Un climat tropical

Le cola est un arbre de presque 5 m de haut. Il pousse dans l'ouest de l'Afrique, les Antilles, le Brésil, le Sri Lanka et l'Indonésie. Ses fleurs sont de couleur jaune avec des tâches violettes. Il produit des graines couleur chocolat au printemps et à l'automne. Pour la plupart des plantes, la noix s'applique à l'ensemble des graines, mais la noix de cola n'est qu'une partie de la graine, plus précisément les feuilles embryonnaires (les cotylédons) qui se trouvent à l'intérieur de l'enveloppe de la graine. Ces feuilles sont séchées et réduites en poudre.

CONSOUDE

Un traitement controversé

Famille: *Borgaginacaæ*. Également la bourrache et le myosotis

Genre et espèce: *Symphytum officinale*

Autres noms: Grande consoude, consoude officinale, langue-de-vache, oreille d'âne, herbe à la coupure, herbe aux charpentiers

Parties utilisées: Les feuilles et les racines

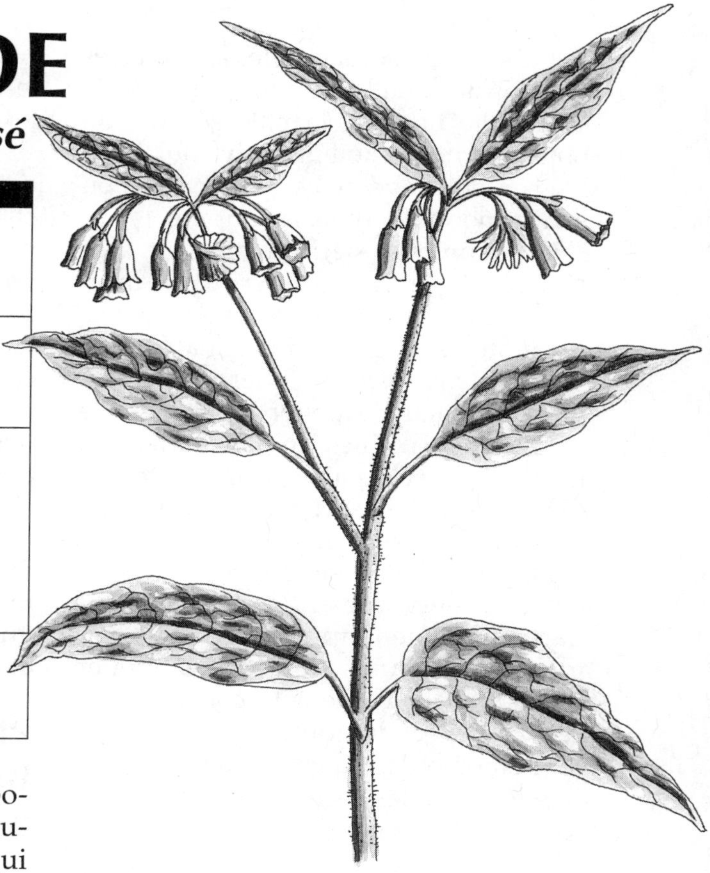

Pendant très longtemps, les herboristes considérèrent que la consoude était «la plante de prédilection qui facilitait la guérison de tous les organes et le soulagement de tous les maux ... la plante idéale des herboristes amateurs ... une plante parfaitement fiable et inoffensive». Cependant, des études ont prouvé que la plante contenait des agents chimiques qui attaquaient le foie et qui pouvaient causer le cancer. Pour ces raisons, les scientifiques l'ont violemment décriée et la classèrent parmi les plantes «très nocives pour la santé».

La consoude a-t-elle des vertus thérapeutiques ou est-elle dangereuse pour la santé? La vérité doit se trouver entre les deux.

Les plâtres des champs de bataille

Les Grecs de l'Antiquité utilisèrent d'abord les racines juteuses de la consoude en application externe pour traiter les blessures, étant convaincus qu'elle refermerait les plaies ouvertes. Le naturaliste romain Pline l'Ancien vérifia cette théorie et conclut que «la consoude bouillie produit une pâte gluante qui peut coller ensemble des morceaux de viande».

La pâte de consoude durcit comme du plâtre et l'on entourait souvent les membres de soldats blessés sur les champs de bataille d'un linge imbibé de consoude. Lorsque la pâte séchait, on obtenait une version primitive de plâtre, bien qu'elle s'avérait assez efficace, d'où son surnom d'herbe à la coupure.

Au premier siècle, le médecin grec Dioscoride se mit à prescrire des infusions de consoude contre les problèmes respiratoires et gastro-intestinaux.

Au XVIIe siècle, l'herboriste anglais Nicholas Culpeper encouragea le recours aux racines de consoude, «au jus visqueux et épais» pour «toutes les blessures internes ... et pour toutes les blessures externes et les plaies sur toutes les parties du corps recouvertes de chair ou nerveuses... Cette plante est particulièrement appropriée pour soigner les fractures des os.» Culpeper prescrivait également la consoude en cas de fièvre, de goutte, pour soigner les hémorroïdes, la gangrène de même que les troubles menstruels et respiratoires.

Calmant interne

Tandis que le plâtre remplaçait la pâte de consoude pour mouler les os, on n'appela plus cette plante «soudure pour les os». On commença à la prescrire en application interne pour soulager les membranes muqueuses enflammées. Les médecins éclectiques américains du XIXe siècle la recommandèrent pour soigner la diarrhée, la dysenterie, la toux, la bronchite et les règles douloureuses.

Les sages-femmes mexicaines suggèrent encore aux femmes d'appliquer cette plante en cas d'écoulements vaginaux. Aux Philippines, la consoude est utilisée pour traiter l'arthrite, le diabète, l'anémie, les affections des poumons et même la leucémie.

Lorsqu'on découvrit que la consoude possédait certains composés chimiques pouvant causer le cancer, peu d'herboristes modernes y portèrent attention. Par contre, quelques herboristes, comme Michael Weiner dans *Weiner's Herbal*, recommandèrent cette plante seulement en usage externe par crainte du cancer. Mais la plupart des herboristes modernes, niant le fait que cette herbe pouvait causer cette maladie, continuèrent à la prescrire à leurs patients avec enthousiasme, en cas d'ulcère, de colite ulcéreuse, d'hémorragie interne, de bronchite, de saignements de gencives, d'enrouement et de troubles digestifs.

PROPRIÉTÉS thérapeutiques

Les Grecs et les Romains de l'Antiquité avaient raison de penser que la consoude favorisait la guérison de blessures. Cependant, les propriétés gluantes de la plante n'ont rien à voir avec ses vertus curatives.

GUÉRISON DE BLESSURES. La consoude contient un agent chimique, l'allantoine, qui favorise la croissance de nouvelles cellules, appuyant ainsi son usage traditionnel depuis 2 500 ans, pour traiter des petites brûlures et coupures jusqu'aux grandes blessures des champs de bataille. Des études démontrent que la consoude soulage l'inflammation, un autre de ses bienfaits thérapeutiques.

L'allantoine est un ingrédient actif que l'on trouve dans bon nombre de crèmes pour la peau vendues dans le commerce. Certains produits pour la peau que l'on obtient sur ordonnance contiennent également de l'allantoine et servent à soulager l'herpès buccal ou encore les irritations causées par les infections vaginales.

La peau n'absorbe pas la consoude, et même les plus grands détracteurs de la plante n'ont jamais remis en question sa sécurité en application externe. Cependant, assurez-vous de bien nettoyer les plaies à l'aide d'eau et de savon avant d'y appliquer de la consoude.

Les racines de consoude ont une action plus puissante que les feuilles dans le traitement de blessures, car ses racines contiennent deux fois plus d'allantoine.

STIMULANT DIGESTIF. Des recherches sur des animaux suggèrent que la consoude détend le tube digestif, appuyant ainsi l'usage que l'on en faisait comme stimulant digestif.

EMPLOIS CONTESTÉS. Malgré les énoncés favorables que l'on trouve dans certains herbiers, dont l'un renvoie à la consoude comme «l'un des meilleurs guérisseurs du système respiratoire», la recherche n'est pas concluante à ce sujet.

Préparation et posologie

En application externe, saupoudrez des racines séchées sur les blessures bien nettoyées.

La consommation de la consoude par voie orale continue d'être très controversée aux États-Unis. Avant d'en vérifier les effets apaisants sur l'estomac, demandez à votre médecin si vous pouvez l'utiliser pendant une courte durée. Les herboristes traditionnels la suggéraient sous forme d'infusion ou de teinture. La consoude a un goût terreux et elle est légèrement sucrée.

Si vous désirez consommer une plante médicinale qui pourrait soulager vos maux d'estomac sur une base régulière, essayez la menthe poivrée, le gingembre ou toute autre plante répertoriée sous «Stimulant digestif» au chapitre 6. La consoude est déconseillée aux enfants de moins de deux ans.

Mise en garde

On a trouvé dans la consoude des agents chimiques, les pyrrolizidines, qui, lorsque consommés en grandes quantités, peuvent causer des dommages hépatiques sérieux, et le cancer chez les animaux en laboratoire. Par conséquent, le Canada a banni la consoude, de même que le tussilage, et les détracteurs convaincus essaient d'obtenir les mêmes résultats aux États-Unis.

Gare au foie

On a aussi rapporté que la consoude peut causer des dommages au foie chez les humains. La plante, consommée en grande quantité, peut provoquer une maladie qu'on appelle maladie veino-occlusive du foie, ou syndrome Budd-Chiari, infection où les vaisseaux sanguins du foie se resserrent, nuisant ainsi au bon fonctionnement hépatique.

Dans l'un des cas rapportés, une femme avait contracté la maladie veino-occlusive du foie seulement quatre mois après avoir consommé six capsules de consoude et de pepsine par jour comme stimulant digestif et avoir bu un litre de tisane de consoude par jour. Selon un rapport publié dans le *New England Journal of Medicine*, six capsules de consoude et de pepsine par jour peuvent causer la maladie veino-occlusive en quelques mois seulement.

Dans un autre cas, les parents d'un garçon atteint de la maladie de Crohn, infection chronique de l'intestin qui ressemble à la recto-colite hémorragique, ont cessé son traitement régulier et lui ont donné des tisanes de consoude. Deux ans plus tard, l'enfant avait développé la maladie veino-occlusive du foie.

Dans ces deux cas cependant, la consoude était consommée en très grande quantité pendant de longues périodes. La maladie veino-occlusive du foie n'a jamais été rapportée chez des personnes qui respectent les doses prescrites.

À propos du cancer

Des animaux de laboratoire à qui l'on avait donné de grandes quantités de consoude pendant presque deux ans ont développé un cancer du foie selon une étude publiée dans le *Journal of the National Cancer Institute*. Il semble que les racines aient provoqué plus de cas de cancer que les feuilles.

La consoude contient également des substances anti-tumorales, ce qui classe la plante parmi les herbes médicinales qui à la fois accroissent et rduisent les risques de cancer. La consoude contient également des quantités appréciables de nutriments antioxydants, notamment de la vitamine C et E, et de la bêta-carotène que l'organisme convertit en vitamine A. L'American Cancer Society recommande un régime alimentaire élevé en nutriments antioxydants afin de prévenir le cancer.

Enjeu de sécurité à résoudre

De nos jours, la consoude fait l'objet d'opinions controversées, en ce qui concerne sa consommation par voie orale. Ses détracteurs continuent de dénigrer la plante. Une étude publiée dans la revue *Lancet* estime qu'une simple tasse peut s'avérer nocive de manière significative pour la santé.

Cependant, le National Institute of Medical Herbalists en Angleterre dit: «Aucun cas, homme, femme ou enfant, sur les effets toxiques des feuilles ou des racines de consoude à des fins thérapeutiques, n'a été documenté.»

Dans une étude de premier plan, publiée dans *Science*, Bruce Ames, spécialiste du cancer et président du département de biochimie de l'université de Californie, à Berkeley, a essayé d'estimer les risques qu'une personne court en moyenne, durant sa vie, de développer un cancer à cause des centaines de cancérogènes naturels, ou fabriqués par l'homme, auxquels elle est exposée. Il a également estimé qu'une tasse de consoude causait autant de risques de cancer:

- qu'une tartine au beurre d'arachide, laquelle contient des traces du cancérogène naturel, l'aflatoxine;
- environ un tiers des risques d'un champignon frais, lequel contient des

traces du cancérogène naturel, l'hydrazine;

- environ la moitié des risques d'une boisson légère diète qui contient de la saccharine;
- et environ un centième du risque d'un verre de vin ou de bière moyen, lequel contient le cancérogène naturel, l'alcool éthylique.

Le Dr Ames a aussi estimé que les capsules de consoude et de pepsine contiennent deux cents fois plus de risques que les tisanes à base de consoude. C'est simple: «Évitez d'utiliser des capsules de consoude et de pepsine.» Plusieurs autres plantes peuvent stimuler la digestion sans pour autant causer des risques de maladie du foie.

Toute personne qui présente des antécédents de maladie hépatique, d'alcoolisme ou de cancer devrait s'abstenir de prendre de la consoude. Cependant, les travaux du Dr Ames soulignent que si l'on n'en prend qu'à l'occasion, il n'y a pas lieu de s'inquiéter.

La consoude n'a jamais été associée à aucun cas de cancer du foie chez l'homme, et les deux cas où la consoude avait provoqué la maladie veino-occlusive du foie ne constituent pas un danger pour le public.

Sur le bon chemin

La Food and Drug Administration inclut la consoude parmi les plantes à sûreté indéterminée. Les femmes en bonne santé qui ne sont pas enceintes, qui n'allaitent pas, qui ne prennent pas d'autres médicaments et qui n'ont pas d'antécédents de maladie hépatique, d'alcoolisme ou de cancer peuvent utiliser de la consoude sans crainte si elles respectent les doses prescrites.

La consoude ne devrait être consommée à des fins thérapeutiques qu'après accord avec son médecin. Si elle provoque de légers troubles, tels que des maux d'estomac ou de la diarrhée, prenez-en moins ou cessez d'en prendre. Consultez votre médecin en cas d'effets indésirables ou si les symptômes persistent deux semaines après le début du traitement.

Une plante facile à cultiver

La consoude est une plante vivace d'environ 1,5 m qui possède de grandes feuilles duveteuses et allongées. Elle est également dotée de racines épaisses rampantes, d'une tige creuse couverte de poils raides et de fleurs en forme de cloche de couleur blanche, bleue ou pourpre.

La plante peut pousser à partir de graines, mais il est préférable de partir de boutures de racines que l'on coupe au printemps ou à l'automne. Une bouture d'environ 2 cm enfouie à 3 cm dans le sol garantit presque une plante. Espacez les boutures d'un mètre. Cette plante pousse dans tous les sols bien drainés et tolère le plein soleil ou l'ombre partielle.

La consoude s'étend rapidement. Plantez-la dans un pot ou entourez ses racines d'une feuille de métal jusqu'à 24 cm de profondeur.

Les feuilles peuvent être récoltées lorsque les fleurs se mettent à bourgeonner. Ramassez les racines à l'automne, après le premier gel, ou au printemps avant que les premières feuilles n'apparaissent. Lavez bien les racines et taillez-les en tranches pour les sécher. Réduisez-les ensuite en poudre à l'aide d'un malaxeur ou d'un moulin à café. Entreposez dans un contenant hermétique.

Enfin, des scientifiques de l'université du Minnesota ont rapporté pouvoir faire pousser de la consoude sans qu'on puisse détecter de pyrrolizidine. Même les détracteurs les plus convaincus devront convenir de l'efficacité des nouvelles espèces.

CORIANDRE

Un remède céleste

Famille: *Umbelliferæ*. Également la carotte et le persil
Genre et espèce: *Coriandrum sativum*
Autres noms: Les graines sont appelées coriandre; les feuilles, persil chinois
Parties utilisées: Les graines et les feuilles

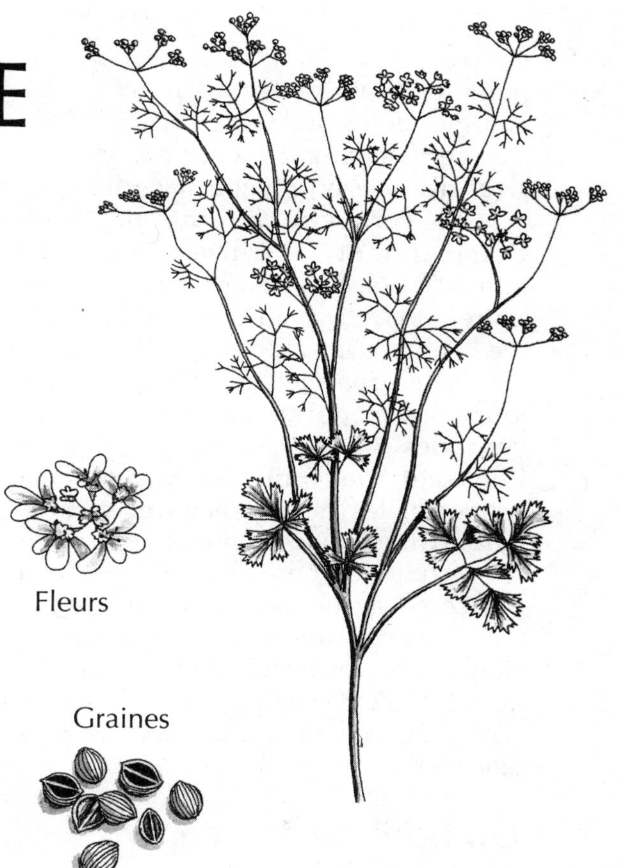

Contraints d'errer dans le désert de la péninsule de Sinaï après leur exode d'Égypte, les Hébreux affamés reçurent de Dieu une nourriture miraculeuse qui, rapporte la Bible, avait le goût de la coriandre. Cependant, on ne saura jamais si la manne de Dieu a eu les mêmes bienfaits thérapeutiques que la plante. Car cette plante au goût épicé, mélange aromatique de sauge et d'agrumes, a été utilisée pour faciliter la digestion pendant des milliers d'années. Cet usage est d'ailleurs reconnu par la science moderne.

La plante de prédilection des pharaons

Les Hébreux héritèrent la coriandre de leurs anciens maîtres, les Égyptiens. Ces derniers l'utilisaient comme épice, parfum et stimulant digestif. Cette plante était si essentielle aux pharaons qu'ils emportaient des graines dans leurs tombeaux afin de soulager d'éventuels problèmes d'indigestion dans l'au-delà.

Hippocrate, entre autres, mentionne dans ses écrits que les médecins grecs et romains prescrivaient la coriandre comme stimulant digestif et pour soulager les flatulences. Les Romains utilisaient également l'épice pour conserver la nourriture.

En Inde, la coriandre fit bientôt partie intégrante des plats au curry et sa réputation d'aphrodisiaque se répandit tout aussi vite. Les guérisseurs ayurvédiques de l'Inde l'utilisaient pour les troubles de la digestion, les allergies et les problèmes urinaires. Ils s'en servaient également pour les collyres destinés à prévenir la cécité.

La coriandre fut introduite en Chine durant la dynastie Han (de l'an 207 avant notre ère à l'an 220 de notre ère). À l'époque, elle était réputée favoriser les rapports amoureux et rendre les hommes immortels. De nos jours, les médecins chinois lui réservent des usages moins glorieux et l'utilisent pour traiter la dysenterie, la rougeole, les hémorroïdes et comme gargarismes pour les maux de dents.

Aux environs du VIIIe siècle, la princesse arabe Schéhérazade décrivait la coriandre comme un aphrodisiaque dans les histoires qu'elle narrait au roi de Perse chaque nuit et qui font partie du célèbre recueil des *Mille et Une Nuits*.

Un bonbon à sucer

La coriandre n'a jamais été une plante médicinale importante en Europe. Sa réputation a toujours été celle d'un stimulant digestif, non seulement dans la nourriture, mais dans les sucreries. Dans l'Angleterre du XVIe siècle, les graines de coriandre formaient le cœur des bonbons durs. La reine Elizabeth I raffolait de ces douceurs qui n'ont rien perdu de leur popularité.

Les premiers herboristes américains ajoutèrent de la coriandre aux plantes laxatives amères comme le nerprun, afin de leur donner meilleur goût et de modérer leurs effets.

De nos jours, les herboristes recommandent de consommer de la coriandre dans les cas d'indigestion, de flatulences et de diarrhée et d'appliquer de la pommade sur les muscles et les articulations endoloris.

PROPRIÉTÉS thérapeutiques

La coriandre n'est pas une merveille, mais qui pourrait contester la manne qui tomba du ciel!

STIMULANT DIGESTIF. Certaines études démontrent que la coriandre aide à soulager les maux d'estomac, mais ses propriétés thérapeutiques ne sont pas aussi importantes que celles de la menthe poivrée, de la camomille et du carvi, par exemple. Elle offre quand même certains bienfaits.

ANTI-INFECTIEUX. Les Romains de l'Antiquité utilisaient la coriandre pour conserver la viande, usage qui a été confirmé par certains chercheurs japonais et russes. Cette plante contient des substances qui tuent certaines bactéries, les champignons et les larves de certains insectes qui attaquent les viandes. Ces mêmes micro-organismes peuvent infecter les plaies chez les humains. Saupoudrez un peu de coriandre sur vos coupures et vos égratignures après les avoir bien nettoyées avec de l'eau et du savon.

AUTRES PROPRIÉTÉS. Une étude sur des animaux montre que la coriandre a une action anti-inflammatoire, lui permettant ainsi de soulager l'arthrite. Si vous êtes atteint d'arthrite, essayez-la afin d'en connaître les bienfaits.

Une autre étude révèle que la plante réduit les taux de glucose sanguin, lui conférant certaines propriétés favorables à la maîtrise du diabète. Cette maladie exige des soins professionnels, mais vous pouvez l'essayer si votre médecin vous y autorise.

Préparation et posologie

La coriandre n'est peut-être pas le stimulant digestif le plus puissant qui soit, mais sa saveur est si délicieuse qu'elle mérite qu'on y goûte. Vous serez charmé par sa saveur de sauge et d'agrumes. Pour une infusion, prenez 1 c. à café de graines broyées, ou 1/2 c. à café de poudre, par tasse d'eau bouillante. Laissez infuser cinq minutes. Prenez avant ou après les repas et ne dépassez pas trois tasses par jour.

Les infusions de coriandre faiblement concentrées devraient être données avec prudence aux enfants de moins de deux ans. Les enfants plus âgés et les personnes de plus de 65 ans devraient commencer par des préparations faiblement concentrées et augmenter la dose au besoin. En application externe, saupoudrez de la coriandre sur les coupures et les égratignures bien nettoyées.

Mise en garde

La Food and Drug Administration inclut la coriandre parmi les plantes qui ne présentent aucun danger. Les femmes en bonne santé qui ne sont pas enceintes et qui n'allaitent pas peuvent l'utiliser sans crainte si elles respectent les doses prescrites.

La coriandre ne devrait être consommée à des fins thérapeutiques qu'après accord avec son médecin. Si elle provoque de légers troubles, tels que des maux d'estomac ou de la diarrhée, prenez-en moins ou cessez d'en prendre. Consultez votre médecin en cas d'effets indésirables ou si les symptômes persistent deux semaines après le début du traitement.

Une bonne herbe de jardin

La coriandre est une plante annuelle d'un vert vif qui atteint environ 1 m de haut. Ses feuilles inférieures sont lobées et ses feuilles supérieures, dentées. Ses graines sont petites, sphériques, nervurées et brunâtres. Elles se développent en grappes et, lorsqu'elles sont fraîches, elles dégagent une odeur comparable à celle du caoutchouc brûlé. À mesure qu'elles mûrissent, elles dégagent la fragrance épicée que l'on connaît.

La coriandre pousse facilement à partir de graines que l'on plante à 1 cm dans le sol en avril ou en mai. Les graines mettent jusqu'à trois semaines à germer, et les plants produisent des graines au bout de trois mois.

La coriandre préfère les sols modérément riches, bien drainés et humides et une exposition en plein soleil. Toutefois, elle tolère un peu d'ombre. Espacez les plants d'environ 20 cm. Il ne faut pas trop fertiliser, car le surcroît d'azote enlève à la plante sa saveur et son arôme.

On cultive aussi la coriandre pour ses feuilles, connues sous le nom de cilantro, un aromate très relevé. Afin de récolter le cilantro, coupez les plus jeunes feuilles afin d'obtenir la meilleure saveur.

Attendez que la majorité des graines soient passées du vert au brunâtre avant de les récolter, c'est-à-dire au moment où leur arôme cesse d'être désagréable. Séchez et entreposez dans des contenants hermétiques. La saveur de la coriandre se bonifie avec le temps. Laissez quelques graines dans le sol, car la plante peut se reproduire.

CURCUMA

Guérison à l'aide du cari

Famille: *Zingiberaceæ*. Également le gingembre
Genre et espèce: *Curcuma longa*
Autre nom: Aucun
Partie utilisée: Les racines

Les Américains utilisent le curcuma pour parfumer leurs plats depuis très peu de temps. Les Indiens par contre ajoutent cette plante à leurs cures depuis des milliers d'années. Sa découverte est un objet de réjouissance pour notre palais.

Les bienfaits thérapeutiques du curcuma sont encore largement méconnus en Europe. On sait cependant que cette plante peut faciliter la digestion, protéger le foie et prévenir les maladies cardiaques. Peut-être jouera-t-elle un jour un rôle dans le traitement du cancer.

Purification du corps

Le curcuma occupe une place d'honneur dans la médecine traditionnelle ayurvédique de l'Inde. Symbole de prospérité, on estimait que c'était une plante qui nettoyait tout le corps. Sur le plan médical, on l'utilisait pour faciliter la digestion et pour traiter la fièvre, les infections, la dysenterie, l'arthrite, ainsi que la jaunisse et les autres troubles du foie.

Les médecins chinois respectueux des traditions utilisaient le curcuma pour traiter le foie et les troubles de la vésicule biliaire, pour arrêter les saignements et pour soigner la congestion pulmonaire et les troubles menstruels.

Les Grecs de l'Antiquité connaissaient l'existence de cette plante. Mais, à la différence d'une autre plante de la même famille, le gingembre, elle ne devint jamais populaire en Occident, que ce soit comme épice culinaire ou comme plante médicinale. On l'utilisait pour fabriquer des teintures jaune orangé.

Papier de curcuma

Dans les années 1870, les chimistes découvrirent que la poudre des racines jaune orangé du curcuma se transformait en une couleur brun rougeâtre quand on l'exposait à des produits chimiques alcalins.

Cette découverte mena au développement du «papier de curcuma», fines bandes de tissu broyées dans une décoction de curcuma, puis séchées. À la fin du XIXe siècle, on utilisa le papier de curcuma dans tous les laboratoires du monde pour tester l'alcalinité. On le remplaça finalement par le papier de tournesol, encore utilisé de nos jours.

Les chimistes américains utilisèrent le papier de curcuma. Cependant, les médecins éclectiques du XIXe siècle qui connaissaient bien la botanique ne se servirent pas beaucoup de cette plante, si ce n'est pour ajouter de la couleur dans les pommades médicinales.

L'herbier *Modern Herbal* de Maude Grieve qui jouissait d'une grande influence, publié en 1931, estimait que le curcuma était «autrefois un médicament pour soigner la jaunisse», puis, écarté par la suite, il fut «rarement utilisé en médecine sinon comme colorant».

Peu d'herboristes contemporains recommandent à leurs patients le curcuma, sinon pour traiter la fièvre, soulager les douleurs et la congestion pulmonaire, et rétablir le cycle menstruel.

PROPRIÉTÉS thérapeutiques

Les herboristes occidentaux devraient maintenant savoir que le curcuma est une plante thérapeutique. En Inde, le curcuma est vénéré depuis des milliers d'années. Il n'est donc pas surprenant que les Indiens effectuent des recherches sur l'un de ses agents thérapeutiques, le curcumin.

TRAITEMENT DES BLESSURES. Comme toute épice culinaire, le curcuma ralentit la dégradation des aliments grâce à son action antibactérienne. Afin de prévenir les infections bactériennes des blessures, saupoudrez un peu de curcuma sur vos coupures et égratignures après les avoir bien nettoyées.

STIMULANT DIGESTIF. Le curcuma stimule également la formation de bile qui digère les graisses, appuyant ainsi l'usage que l'on en faisait comme plante digestive.

PARASITES INTESTINAUX. Dans des tests de laboratoire, le curcuma combat les protozoaires, corroborant ainsi l'usage traditionnel que l'on en faisait dans le traitement de la dysenterie.

PROTECTION DU FOIE. Une étude sur des animaux montre que le curcuma a une action protectrice sur les tissus hépatiques lorsque ces derniers sont soumis à des médicaments dommageables pour le foie. Cette découverte confirme l'usage traditionnel de la coriandre dans les maladies du foie. Si vous buvez de l'alcool régulièrement, et prenez fréquemment de fortes doses de certains produits pharmaceutiques, notamment de l'acétaminophène, analgésique courant, vous courrez plus de risques de maladie du foie. Consultez votre médecin au sujet du curcuma afin de protéger votre foie.

ARTHRITE. Plusieurs études montrent que le curcuma a une action anti-inflammatoire, corroborant l'usage traditionnel que l'on en faisait dans le traitement de l'arthrite. Ses effets peuvent aussi soulager l'inflammation des blessures.

PROTECTION CARDIAQUE. Une étude sur des animaux montre que le curcuma, tout comme son proche parent le gingembre, peut aider à réduire les taux de cholestérol. Une autre étude révèle qu'il peut aider à prévenir la coagulation sanguine interne, souvent responsable des maladies cardiaques et d'accidents vasculaires cérébraux. Ces résultats ne s'appliquent pas nécessairement à l'homme, mais, selon la dose prescrite, le curcuma est une épice agréable au goût qui ne cause aucun danger. Les études suggèrent même que la consommation peut être bénéfique.

AUTRES PROPRIÉTÉS. Récemment, on a aussi montré que le curcuma a une action anticancérigène. Un rapport publié dans *Cancer Letters* affirme que la plante inhibe la croissance de lymphomes, tumeurs cancéreuses. En outre, des recherches à l'université Rutgers montrent que le curcuma aide à prévenir le développement de tumeurs chez les animaux.

EMPLOI CONTESTÉ. Les Chinois utilisaient le curcuma afin de stimuler les règles, mais la recherche n'a pu confirmer cet effet sur l'utérus.

Préparation et posologie

Pour traiter les blessures légères, nettoyez-les d'abord avec du savon et de l'eau, puis saupoudrez de la coriandre et enveloppez la blessure d'un bandage.

Pour une infusion qui stimulera la digestion et qui améliorera peut-être la fonction cardiaque, prenez 1 c. à café de curcuma en poudre par tasse de lait chaud. Ne dépassez pas trois tasses par jour. Les infusions servent aussi de mesure préventive contre les troubles du foie et aident à soulager l'inflammation causée par l'arthrite. Le curcuma a un goût agréable et aromatique, mais en grande quantité il peut devenir amer.

Les préparations de curcuma à des fins thérapeutiques sont déconseillées aux enfants de moins de deux ans. Les enfants plus âgés et les personnes de plus de 65 ans devraient commencer par des préparations faiblement concentrées et augmenter la dose au besoin.

Mise en garde

Une étude sur des animaux a montré que la plante inhibe la fertilité. Ces expériences n'ont pas été répétées, et sa portée sur la fertilité de l'homme demeure incertaine. Les personnes qui veulent avoir un enfant ou celles qui ont des problèmes de fertilité devraient s'abstenir de prendre du curcuma à des fins thérapeutiques.

Les propriétés anticoagulantes potentielles du curcuma peuvent causer des problèmes aux personnes atteintes de troubles de coagulation. Si vous souffrez d'une telle affection, discutez des effets anticoagulants de la plante avec votre médecin avant de l'utiliser à des fins thérapeutiques.

Le curcuma en très grande quantité peut causer des maux d'estomac.

Autres précautions

La Food and Drug Administration inclut le curcuma parmi les plantes qui ne présentent aucun danger. Les femmes en bonne santé qui ne sont pas enceintes ou qui n'allaitent pas ou qui ne prennent aucun anti-coagulant peuvent l'utiliser sans crainte si elles respectent les doses prescrites.

Le curcuma ne devrait être consommé à des fins thérapeutiques qu'après accord avec son médecin. S'il provoque de légers troubles, tels que des maux d'estomac ou de la diarrhée, prenez-en moins ou cessez d'en prendre. Consultez votre médecin en cas d'effets indésirables ou si les symptômes persistent deux semaines après le début du traitement.

En provenance de l'Inde

Le curcuma n'est pas une plante de nos jardins. On la récolte de l'Inde jusqu'en Indonésie. C'est une plante vivace dotée de racines tubéreuses pulpeuses et de couleur orange qui atteignent environ 28 cm de longueur. Les parties aériennes de la plante, qui atteignent près d'un mètre, présentent de grandes feuilles qui ressemblent aux lys, une tige épaisse et des fleurs jaunes en forme d'entonnoir.

ÉCHINACÉA

Antibiotique et stimulant du système immunitaire

Famille: *Compositæ*. Également la marguerite, le pissenlit et le souci
Genres et espèces: *Echinacea angustifolia, E. purpurea*
Autre nom: Aucun
Partie utilisée: Les racines

L'échinacéa est la plante médicinale originaire d'Amérique qui a le moins trahi ses secrets au fil des temps. Peu de plantes ont en effet autant de propriétés anti-infectieuses et stimulantes du système immunitaire. Cependant, comme nul n'est prophète dans son pays, cette plante médicinale a été totalement rejetée par les médecins américains orthodoxes des États-Unis. L'échinacéa fut autrefois très populaire en Amérique du Nord, mais depuis les années trente, ce sont les Européens qui ont profité le plus de ses nombreux bienfaits. Heureusement, la situation change. L'échinacéa retrouve peu à peu sa renommée pleinement justifiée en Amérique du Nord.

La première «huile de serpent»

L'échinacéa était le remède de prédilection des Indiens du Midwest. Ces derniers appliquaient des cataplasmes à base de racines d'échinacéa sur les blessures, les piqûres d'insectes et les morsures de serpents. Ils utilisaient des rince-bouche à base d'échinacéa contre les maux de dents et pour soulager les gencives douloureuses, et ils buvaient des infusions d'échinacéa pour traiter les rhumes, la petite vérole, la rougeole, les oreillons et l'arthrite.

Les habitants du Midwest adoptèrent la plante, mais elle ne devint un remède populaire qu'en 1870, date à laquelle le médecin et fournisseur de produits pharmaceutiques H.C.F. Meyer, de la ville de Pawnee, au Nebraska, commença à l'utiliser pour son remède qui purifiait le sang. Il déclarait à tout venant que c'était un «remède extraordinaire» dans les cas de morsures de serpents à sonnettes, d'empoisonnement du sang et de nombreuses autres maladies. Il vantait si fort ses produits pharmaceutiques qu'ils furent connus sous le nom d'«huile de serpent».

Mais le Dr Meyer était vraiment convaincu que l'échinacéa pouvait guérir les morsures de serpents à sonnettes et il se mit en devoir de le prouver. En 1885, il envoya un échantillon à John Uri Lloyd, professeur au Eclectic Medical Institute de Cincinnati, cofondateur avec ses frères de Lloyd Brothers Pharmacists, et plus tard, président de l'American Pharmaceutical Association. Lloyd identifia la plante comme de l'échinacéa. Mais une fois qu'il eut pris connaissance de la mention «remède extraordinaire» pour les morsures de serpents à sonnettes sur l'étiquette, Lloyd prit le Dr Meyer pour un cinglé et le renvoya.

Le Dr Meyer écrivit au professeur Lloyd pour le convaincre des bienfaits de l'échinacéa contre les morsures de serpents à sonnettes. Il était si confiant qu'il lui offrit d'apporter un serpent à sonnettes à Cincinnati et de le laisser le piquer en sa présence afin de démontrer l'efficacité de son remède. Le professeur déclina son offre.

Inébranlable, le Dr Meyer envoya quelques plants d'échinacéa à John King, un collègue du professeur Lloyd, qui avait mentionné les usages qu'en faisaient les Indiens d'Amérique dans la première édition de son traité de médecine éclectique *Kings's American Dispensatory*. John King fit des tests avec la plante et après avoir vérifié son efficacité comme traitement des piqûres d'abeilles, de la congestion nasale chronique, des lésions aux jambes et du choléra chez les enfants, il vanta ses nombreux mérites et l'inclut dans des éditions ultérieures de son traité.

Dans toutes les armoires à pharmacie

John Uri Lloyd finit par reconnaître l'utilité de la plante dans les cas de blessures, de morsures de serpents venimeux, d'empoisonnement du sang (septicémie), de diphtérie, de méningite, de rougeole, de petite vérole, de malaria, de scarlatine, de grippe, de syphilis et de gangrène.

L'enthousiasme du professeur Lloyd n'était pas uniquement celui d'un homme de science. De 1890 à 1920, son entreprise familiale mit au point plusieurs produits à base d'échinacéa particulièrement appréciés dans les cas d'infection. Au début du XXe siècle, on trouvait peu d'armoires à pharmacie qui ne contenaient pas une teinture d'échinacéa. (Les frères Lloyd fondèrent la Bibliothèque Lloyd à Cincinatti. Aujourd'hui, la bibliothèque abrite l'une des plus grandes collections d'ouvrages sur la botanique au monde.)

Les médecins éclectiques contre les médecins «réguliers»

Malheureusement, la renommée de l'échinacéa fut écorchée dans la bataille que se livrèrent les médecins orthodoxes (connus avant la Première Guerre mondiale sous le nom de médecins «réguliers») et les médecins éclectiques. Chaque parti rejetait systématiquement les remèdes que l'autre vantait. En 1909, on put lire ceci dans le *Journal of the American Medical Association*: «L'échinacéa ... n'a pas réussi à mériter la réputation que lui ont conférée ses partisans ... (qui) utilisent les toutes premières études pour doter leur remède de propriétés thérapeutiques exceptionnelles.»

Vers les années trente, la popularité de l'échinacéa déclina avec l'apparition des premiers antibiotiques. Cette plante figurait dans le *National Formulary*, le guide de référence des pharmaciens, de 1916 à 1950, mais à partir des années quarante, elle tomba dans l'oubli. Elle retrouva la faveur populaire avec le renouveau de l'herboristerie pendant les années soixante-dix.

De nos jours, les herboristes sont aussi enthousiasmés par les bienfaits de l'échinacéa que les médecins éclectiques américains à leur époque. Ces herboristes la présentent comme un antibiotique naturel et comme un stimulant du système immunitaire particulièrement efficace pour soigner les furoncles, les rhumes et la grippe, les infections de la vessie, l'angine et d'autres maladies infectieuses.

Bon nombre d'entre eux recommandent de prendre un peu d'échinacéa quotidiennement comme fortifiant, traitement anti-infectieux et stimulant du système immunitaire.

PROPRIÉTÉS thérapeutiques

Le vieux Dr Meyer sera fort heureux d'apprendre que sa plante préférée est actuellement très puissante. On a jamais prouvé que l'echinacéa pouvait guérir les morsures de serpent à sonnettes, mais beaucoup d'études européennes, particulièrement celles des Allemands entre 1950 et 1980, conviennent que la plante est dotée de remarquables propriétés de guérison.

ANTI-INFECTIEUX. L'échinacéa tue une vaste gamme de virus, de bactéries, de champignons et de protozoaires, appuyant ainsi les usages traditionnels que l'on en faisait pour guérir les blessures ou traiter de nombreuses maladies infectieuses. Les chercheurs Allemands prétendent avoir utilisé avec succès l'échinacéa pour soigner les rhumes, les grippes, les amygdalites, la bronchite, la tuberculose, la méningite, les blessures, les abcès, le psoriasis, la coqueluche et les infections d'oreilles.

La plante peut combattre l'infection de maintes façons. Elle contient un antibiotique naturel, l'échinacoside, constituant comparable à la pénicilline quant à l'étendue de son action thérapeutique.

L'échinacéa renforce les tissus contre les micro-organismes. Ces tissus contiennent un agent chimique, l'acide hyaluronique, qui agit en partie comme un bouclier contre l'invasion des microbes. Bon nombre de ces microbes produisent une enzyme, l'hyaluronidase, qui détruit l'effet de bouclier, permettant ainsi aux micro-organismes de s'infiltrer dans les tissus et de causer de l'infection. Cependant, l'échinacéa contient une autre substance, l'échinacéine, qui neutralise l'enzyme destructrice et protège contre les microbes.

SYSTÈME IMMUNITAIRE. La plante peut aussi prévenir l'infection en stimulant le système immunitaire. Lorsque les micro-organismes attaquent l'organisme, les cellules sécrètent des substances biochimiques qui aident les globules blancs à combattre l'infection (macrophages). Ces macrophages engouffrent et digèrent les envahisseurs. Une étude publiée dans *Infection and Immunology* révèle qu'un dérivé de l'échinacéa favorise l'action des macrophages contre les microbes.

Une autre étude à l'université de Munich montre que des extraits d'échinacéa favorisent la production des lymphocytes de type T, cellules qui combattent l'infection, jusqu'à 30 % de plus que tout autre stimulant du système immunitaire.

RHUME ET GRIPPE. En outre, l'échinacéa semble agir comme l'interféron, protéine qui inhibe la reproduction des virus. Avant qu'une cellule infectée ne meure, elle libère une quantité minime d'interféron, lequel favorise ensuite la capacité des cellules environnantes à résister à l'infection. L'échinacéa pourrait agir de façon semblable. En effet, des chercheurs ont mis des cellules dans de l'extrait d'échinacéa et les ont ensuite exposées à deux virus puissants, la grippe et l'herpès. Si on les compare aux cellules conditionnées, seule une petite proportion se sont infectées. Ces découvertes ont amené Varro Tyler, herboriste reconnu, à écrire que l'échinacéa «peut améliorer des infections aussi bénignes que le rhume». L'échinacéa peut aussi combattre d'autres maladies infectieuses comme la grippe, les infections urinaires et la bronchite.

INFECTIONS MYCOSIQUES. Des tests d'échinacéa réalisés sur des femmes ont donné des résultats très positifs. Dans une étude allemande récente, 203 femmes qui souffraient d'infections mycosiques récurrentes ont été traitées au moyen de crèmes antifongiques ou de crèmes accompagnées d'une préparation d'échinacéa prise oralement. Après six mois, 60 % des femmes traitées simplement à l'aide de la crème antifongique avaient eu de nouvelles infections, mais parmi celles traitées de pair avec l'échinacéa, le nombre a chuté à 16 %, une différence importante.

TRAITEMENT PAR RADIATION. On note souvent chez les patients atteints de cancer traités par radiation une diminution des globules blancs, ce qui augmente les risques d'infection. L'échinacéa peut préserver les globules blancs ou leucocytes, et par conséquent, protéger ces personnes contre l'infection.

Si vous suivez un traitement par radiation, consultez votre médecin avant de prendre de l'échinacéa.

GUÉRISON DES BLESSURES. La science a confirmé l'usage traditionnel que l'on faisait de l'échinacéa dans le traitement des blessures. Le même agent chimique, l'échinacéine, qui empêche les microbes de s'infiltrer dans les tissus, favorise la guérison des lésions de la peau en permettant aux cellules (fibroblastes) de reconstituer plus rapidement les tissus.

Les préparations à base d'échinacéa peuvent être appliquées sur les coupures, les brûlures, le psoriasis, l'eczéma, l'herpès génital et les aphtes buccaux.

ARTHRITE. Le même agent chimique, l'acide hyaluronique, qui protège les tissus contre les microbes, lubrifie également les articulations. L'inflammation des articulations (arthrite) dégrade l'acide, mais l'action protectrice de l'échinacéa contre la dégradation peut avoir un effet anti-inflammatoire, corroborant ainsi l'usage traditionnel de la plante dans le traitement de l'arthrite.

Les chercheurs allemands ont connu beaucoup de succès dans le traitement de la polyarthrite rhumatismale à l'aide de préparations d'échinacéa. Si vous souffrez d'arthrite ou d'une autre affection inflammatoire, n'utilisez l'échinacéa que si votre médecin vous y autorise.

AUTRES PROPRIÉTÉS. L'échinacéa révèle des propriétés anticancérigènes contre la leucémie et d'autres tumeurs animales. Il est trop tôt pour déclarer que la plante est efficace contre le cancer, mais on pourra peut-être le faire un jour.

Préparation et posologie

Consommez une teinture ou une décoction afin de profiter des bienfaits thérapeutiques possibles de l'échinacéa ou afin de l'utiliser comme traitement contre l'arthrite. Pour une décoction, prenez 2 c. à café de racines par tasse d'eau et amenez à ébullition, puis laissez infuser 15 minutes. Ne dépassez pas trois tasses par jour. Le goût de l'échinacéa est doux à la première gorgée, puis il devient amer.

Pour une teinture, prenez 1 c. à café jusqu'à trois fois par jour.

Si vous utilisez une préparation commerciale, suivez le mode d'emploi.

L'échinacéa est déconseillée aux enfants de moins de deux ans. Les enfants plus âgés et les personnes de plus de 65 ans devraient commencer par des préparations faiblement concentrées et augmenter la dose au besoin.

Mise en garde

L'échinacéa peut souvent causer une sensation de picotements sur la langue. Cette réaction est normale et sans danger. Les ouvrages médicaux sur la plante ne mentionnent pas d'effets nocifs.

Cependant, on a rapporté que des racines d'échinacéa en vrac auraient été remplacées par d'autres plantes. Toute falsification risque de réduire l'efficacité de la plante et, à l'occasion, causer des effets secondaires graves.

Heureusement, bon nombre de compagnies spécialisées emballent l'échinacéa selon les normes de sécurité strictes. Les plantes qui portent le sceau d'approbation peuvent être utilisées en toute confiance.

La Food and Drug Administration inclut l'échinacéa parmi les plantes dont la fiabilité reste à déterminer. Toutefois, il existe des preuves attestant que la plante ne présente aucun danger. Les femmes en bonne santé qui ne sont pas enceintes et qui n'allaitent pas peuvent l'utiliser sans crainte si elles respectent les doses prescrites.

L'échinacéa ne devrait être consommée à des fins thérapeutiques qu'après accord avec son médecin. Si elle provoque de légers troubles, tels que des maux d'estomac ou de la diarrhée, prenez-en moins ou cessez d'en prendre. Consultez votre médecin en cas d'effets indésirables ou si les symptômes persistent deux semaines après le début du traitement.

De jolies fleurs

L'échinacéa est une plante vivace qui peut atteindre 0,5 à 1 m de haut et dont les fleurs sont striées de pourpre. L'échinacéa possède des racines noires, une seule tige recouverte de poils raides et des feuilles étroites.

On cultive la plante à partir de graines ou de boutures de racines que l'on cueille au printemps ou à l'automne. Ne recouvrez pas les graines. Lorsque la température atteint environ 20 °C, enfoncez-les doucement dans un sol sablonneux et humide.

L'échinacéa pousse bien dans un sol pauvre, légèrement acide et rocailleux, en plein soleil, mais les sols plus riches lui conviennent bien aussi. Il faudra à la plante de trois à quatre ans avant que ses racines ne soient assez larges pour être récoltées. Cueillez-les à l'automne, dès que la plante a fait des graines. On devrait fendre les racines qui ont 1 cm de diamètre avant de les mettre à sécher.

ÉPHÉDRA

La première plante médicinale du monde

Famille: *Ephedraceæ*. Également le genêt et la prêle
Genres et espèces: *Ephedra sinica, E. vulgaris, E. nevadensis, E. antisyphilitica* et autres espèces
Autres noms: Raisin de mer, herbe aux jointures, uvette, thé des mormons
Parties utilisées: Les tiges et les branches

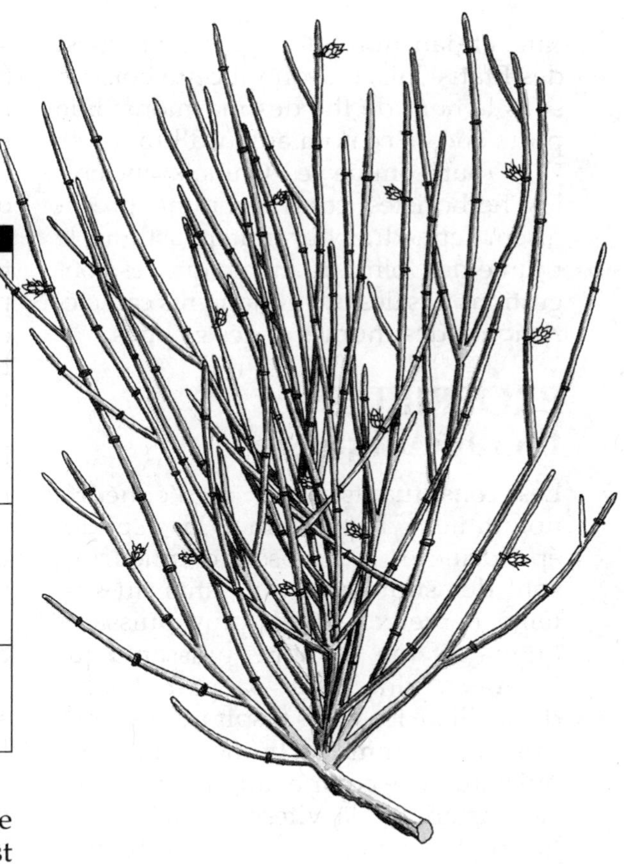

Le médicament que l'on considère comme le plus vieux du monde est l'éphédra, un décongestionnant puissant des voies respiratoires. Malheureusement, la plupart des personnes qui achètent en vente libre un médicament contre le rhume contenant une substance chimique identique (la pseudo-éphédrine) ignorent que ce médicament est issu d'une tradition de guérison par les plantes datant de plus de 5 000 ans.

Ma huang et le thé des mormons

Les origines de la médecine chinoise se perdent dans la légende, mais les herboristes de renom s'accordent pour dire que ce sont les médecins chinois qui ont commencé à prescrire une infusion d'éphédra pour traiter les rhumes, l'asthme et le rhume des foins il y a plus de 3 000 ans. Les espèces indienne et pakistanaise de cette plante ont été utilisées dans la médecine pendant presque aussi longtemps. L'éphédra chinoise (*E. Sinica*) est connue sous le nom de *ma huang*.

Quand les mormons arrivèrent dans l'Utah en 1847, les Indiens qui s'y trouvaient leur firent connaître l'éphédra originaire d'Amérique, une boisson tonique au goût de pin. Les mormons l'adoptèrent pour remplacer le thé et le café, et dans toute la région de l'Ouest des États-Unis, on connut cette boisson sous le nom de thé des mormons. Elle porte encore ce nom aujourd'hui.

Tout comme les Chinois anciens, les herboristes contemporains préconisent l'éphédra pour traiter l'asthme, le rhume des foins, de même que les congestions nasales et pulmonaires caractéristiques des rhumes et des grippes.

PROPRIÉTÉS thérapeutiques

Les constituants actifs de l'éphédra, notamment l'éphédrine, la pseudo-éphédrine et la norpseudo-éphédrine, sont des stimulants puissants du système nerveux central: plus puissants que la caféine, et moins puissants que l'amphétamine. Pour sa part, l'éphédrine dilate les voies respiratoires, agissant ainsi comme un bronchodilatateur qui stimule le cœur et augmente la tension artérielle, la vitesse métabolique, la transpiration et la production d'urine. Elle réduit également les sécrétions de la salive et des acides gastriques.

L'éphédra chinois contient un taux élevé d'éphédrine. L'espèce américaine est plutôt riche en norpseudo-éphédrine.

Certains commerçants de plantes médicinales ont appelé l'espèce américaine *ma huang*, et l'herbe chinoise *thé des mormons*. Assurez-vous que l'espèce est bien indiquée sur l'étiquette quand vous achetez de l'éphédra. L'espèce *E. sinica* contient les plus grandes propriétés de décongestionnant et de bronchodilatation. Les autres espèces sont moins efficaces.

DÉCONGESTIONNANT. De la fin des années vingt aux années quarante, l'éphédrine fut utilisée dans bon nombre de produits pour les rhumes, l'asthme et le rhume des foins comme décongestionnant et bronchodilatateur. L'éphédrine se montrait efficace et relativement sûre, mais on savait qu'elle pouvait causer des effets secondaires dangereux, notamment la hausse de la tension artérielle et des palpitations. Finalement, on remplaça l'éphédrine par un substitut chimique proche, la pseudo-éphédrine, que les scientifiques considéraient aussi efficace mais moins aléatoire. La pseudo-éphédrine est un ingrédient actif que contiennent bon nombre de médicaments pour le rhume et les allergies vendus dans le commerce.

PERTE DE POIDS. En tant que stimulant du système nerveux central, l'éphédrine du *ma huang* augmente le taux du métabolisme basal, c'est-à-dire qu'elle encourage l'organisme à brûler ses calories plus rapidement. Les animaux de laboratoire à qui l'on a administré de l'éphédrine ont montré une augmentation du taux du métabolisme basal et, par conséquent, accusé une importante perte de poids, selon une étude publiée dans l'*American Journal of Clinical Nutrition*.

La caféine contenue, notamment dans le café, le thé, le cacao, le chocolat, le maté et d'autres boissons à base de cola, augmente l'effet de l'éphédra sur la perte de poids. La caféine et l'éphédrine cependant sont des stimulants puissants. Consommés en même temps, ils peuvent causer de l'insomnie, de la nervosité, de l'irritabilité et de l'agitation.

Les spécialistes avouent toutefois que, pour perdre du poids d'une façon permanente, il faut adhérer à un régime alimentaire faible en gras, riche en fibres et suivre un programme régulier d'aérobic.

LA CIGARETTE. Une étude démontre que l'éphédrine aide les fumeurs à se déshabituer de la cigarette. Si vous voulez cesser de fumer, prenez de l'éphédra et voyez si les effets sont concluants.

SANTÉ DE LA FEMME. L'éphédrine provoque des contractions utérines chez les animaux de laboratoire. Les femmes enceintes devraient s'abstenir d'en prendre, alors que d'autres pourraient l'essayer pour provoquer leurs règles.

EMPLOI CONTESTÉ. Dans le Far West, l'éphédra jouissait d'une réputation de remède contre la gonorrhée et la syphilis. Cette plante était très répandue dans plusieurs maisons de tolérance, d'où le nom latin de l'une de ses espèces, *E. antisyphilitica*.

Toutefois, semble-t-il, l'éphédra n'a aucun effet sur la syphilis ou la gonorrhée. Toute personne qui souffre de lésions génitales ou d'écoulements vaginaux devrait consulter son médecin.

Préparation et posologie

Consommez une décoction ou une teinture afin de profiter des bienfaits thérapeutiques de l'éphédra, notamment de ses effets décongestionnants et amaigrissants ou encore pour cesser de fumer ou déclencher les règles. La plante a un goût agréable qui rappelle le pin.

Pour une décoction, mélanger 1 c. à café de *ma ḥuang* séché par tasse d'eau bouillante, puis laissez infuser de 10 à 15 minutes. Ne dépassez pas deux tasses par jour.

Pour une teinture, prenez de 1/4 à 1 c. à café jusqu'à trois fois par jour. Si vous utilisez une préparation commerciale, veuillez suivre le mode d'emploi.

L'éphédra est déconseillée aux enfants de moins de deux ans. Les enfants plus âgés et les personnes de plus de 65 ans devraient commencer par des préparations faiblement concentrées et augmenter la dose au besoin.

Mise en garde

Les chercheurs médicaux affirment que la pseudo-éphédrine, constituant chimique utilisé dans les préparations commerciales contre le rhume, est plus fiable que l'éphédrine. Selon les herboristes scientifiques, la plante d'éphédra est beaucoup plus sûre que l'éphédrine ou la pseudo-éphédrine. Dans son herbier, *Herbal Medicine for Everyone*, l'herboriste britannique Michael McIntyre écrit que l'éphédrine à l'état pur «augmente de façon radicale la tension artérielle ... alors que la plante produit l'effet contraire». L'herboriste allemand et médecin Rudolph Fritz Weiss maintient que la plante «présente plus d'avantages que la pseudo-éphédrine. L'éphédra est avant tout bien tolérée et cause moins de symptômes cardiaques comme les palpitations.»

Cette controverse entre l'éphédra et la pseudo-éphédrine n'est pas résolue. Toute personne souffrant d'hypertension artérielle devrait consulter son médecin avant de prendre de l'éphédra. Si tel est le cas, vous munir d'un dispositif qui vous permettrait de mesurer votre propre tension artérielle. Si vous en possédez déjà un, vous pouvez vérifier les effets de l'éphédra. Si la plante réduit votre tension artérielle, votre médecin vous donnera sûrement l'autorisation de l'utiliser. Si par contre elle augmente votre tension artérielle, abstenez-vous d'en prendre. Toute personne qui souffre d'une maladie cardiaque, de diabète, de glaucome ou d'hyperthyoïdie, affection de la glande thyroïde, devrait faire preuve de prudence et s'abstenir de prendre de l'éphédra.

L'éphédra cause souvent de l'insomnie. Les gens qui ont ce problème ne devraient pas en prendre en fin de journée.

Enfin, l'éphédra peut désydrater l'organisme. Augmentez votre apport de liquide lorsque vous consommez de l'éphédra.

La Food and Drug Administration inclut l'éphédra parmi les plantes dont la sécurité reste à déterminer. Les femmes en bonne santé qui ne sont pas enceintes, qui n'allaitent pas, qui ne souffrent pas d'hypertension artérielle, de maladie cardiaque, de diabète, de glaucome ou d'hyperthyroïdie, et qui ne prennent aucun médicament susceptible d'augmenter la tension artérielle ou de causer de l'anxiété ou de l'insomnie peuvent utiliser l'éphédra sans crainte si elles respectent les doses prescrites. L'éphédra ne devrait être consommée à des fins thérapeutiques qu'après accord avec son médecin. Si elle provoque de légers troubles, tels que des maux d'estomac ou de la diarrhée, prenez-en moins ou cessez d'en prendre. Consultez votre médecin en cas d'effets indésirables ou si les symptômes persistent deux semaines après le début du traitement.

Les sportifs qui font de la compétition devraient s'abstenir d'en prendre. L'éphédra figure sur la liste des substances proscrites du United States Olympic Committee.

Une plante étrange

L'éphédra n'est pas une plante de jardin. C'est une plante bizzare, d'allure primitive, un arbrisseau presque dénudé qui ressemble à la prêle. Elle possède des tiges et des branches solides et sans écorce qui sont munies de petites feuilles qui ressemblent à des écailles et de petites fleurs jaune-vert qui poussent en été. Certaines plantes produisent des fleurs femelles, et d'autres, des fleurs mâles.

ÉPINE VINETTE

De puissants antibiotiques

Famille: *Berberidaceæ.* Également la pomme de mai, le mandragore et le caulophylle faux-pigamon
Genres et espèces: *Berberis vulgaris.* Raisin d'Oregon: *B. aquifolium* ou *Mahonia aquifolium*
Autres noms: Berberis vulgaire, vinettier et oseille des bois
Partie utilisée: L'écorce de racine

Qui a dit que les plantes médicinales sont moins efficaces que les médicaments? Une étude révèle toutefois que la berbérine, constituant actif de l'épine vinette, est plus efficace contre les bactéries que le chloramphénicol, un antibiotique pharmaceutique puissant. Ce n'est d'ailleurs pas son seul atout. En plus de jouer un rôle anti-infectieux, l'épine vinette et son proche parent, le raisin d'Oregon, stimulent le système immunitaire, diminuent la tension artérielle et réduisent la taille de certaines tumeurs.

Pouvoir de guérison ancien

Depuis 2 500 ans, l'épine vinette joue un rôle de premier plan dans la guérison par les plantes. Les Égyptiens y recouraient pour prévenir les épidémies. Son efficacité était probablement fondée compte tenu de son action antibiotique. Les guérisseurs ayurvédiques de l'Inde la prescrivaient dans les cas de dysenterie, autre usage confirmé par la science moderne.

«Baie à jaunisse»

Au début du Moyen Âge, les herboristes européens se conformaient à la Doctrine des signatures, la croyance médiévale selon laquelle l'apparence d'une plante révèle son pouvoir de guérison. L'épine vinette possède des fleurs jaunes, et ses racines produisent une teinture jaune. Cette couleur caractérise aussi celle des yeux et de la peau des personnes qui souffrent de jaunisse, une maladie du foie bien connue. C'est la raison pour laquelle l'épine vinette a souvent servi à traiter les maladies du foie et de la vésicule biliaire et qu'on y réfère comme «baie à jaunisse».

Outre ses propriétés thérapeutiques dans le cas de problèmes hépatiques, les guérisseurs de l'ancienne Russie la conseillaient pour traiter les inflammations, l'hypertension artérielle et les saignements utérins anormaux.

Ce sont les premiers colons qui introduisirent l'épine vinette en Amérique du Nord, les Indiens la reconnurent comme un proche parent de leur raisin d'Oregon, une plante sacrée dont ils vénéraient l'immense pouvoir de guérison. Plusieurs tribus adoptèrent l'épine vinette de bonne grâce et la réservèrent aux cas de dysenterie, d'ulcères buccaux, de maux de gorge, de plaies infectées et de douleurs intestinales.

Au XIXe siècle, les médecins éclectiques américains prescrivaient l'épine vinette comme purgatif et comme traitement de la jaunisse, de la dysenterie, des infections oculaires, du choléra, des fièvres et des «impuretés du sang», autrement dit de la syphilis.

La formule de Hoxsey

L'épine vinette entrait dans la composition de la célèbre et très controversée formule de Hoxsey. Harry Hoxsey, ancien mineur, fit valoir les bienfaits de cette thérapie alternative contre le cancer pendant une vingtaine d'années, soit des années trente aux années cinquante.

PROPRIÉTÉS thérapeutiques

Aujourd'hui, la plupart des herboristes recommandent l'épine vinette contre le mal de gorge, sous forme de gargarismes en décoctions, de même que pour la diarrhée et la constipation. En fait, s'ils lisaient les revues médicales, ils la recommanderaient pour de nombreuses affections.

ANTIBIOTIQUE. La berbérine contenue dans l'épine vinette possède des propriétés anti-infectieuses indéniables. Toutes les études conviennent que cette plante tue les microorganismes responsables de l'infection des plaies (*Staphylocoques*, *Streptocoques*), des diarrhées (*Salmonelle*, *Shigella*), de la dysenterie (*Endamœba Histolytica*), du choléra (*Vibrio choleræ*), de la giardiase (*Giardia lamblia*), des infections du canal urinaire (*Escherichia coli*) et des infections mycosiques (*Candida albicans*).

STIMULANT IMMUNITAIRE. La berbérine renforce le système immunitaire et permet à l'organisme de combattre l'infection. Des études démontrent que ce constituant de l'épine vinette accélère le rôle des macrophages (littéralement, «les gros mangeurs»), c'est-à-dire les globules blancs qui dévorent les microorganismes nocifs.

CONJONCTIVITE AIGUË CONTAGIEUSE. En Allemagne, la berbérine a toujours été vantée pour son efficacité à résoudre les problèmes oculaires. Les yeux sensibles, les paupières enflammées et la conjonctivite sont d'ailleurs traités avec une préparation à la berbérine, l'ophthiole. En l'absence de ce traitement, préparez une infusion et appliquez en compresse.

HYPERTENSION ARTÉRIELLE. L'épine vinette contient des agents chimiques qui réduisent l'hypertension artérielle en dilatant les vaisseaux sanguins. C'est la preuve qu'elle joue un rôle important dans le traitement de l'hypertension artérielle.

AUTRES PROPRIÉTÉS. Le vieux Harry Hoxsey avait peut-être raison. Une étude révèle que l'épine vinette aide à réduire la grosseur des tumeurs.

Une autre étude suggère qu'elle joue un rôle anti-inflammatoire et que, par conséquent, elle pourrait être utile dans les cas d'arthrites.

Toutefois, avant de la prescrire, il vaut mieux attendre les résultats de recherches plus poussées.

EMPLOIS CONTESTÉS. Quelques herboristes considèrent toujours l'épine vinette comme «l'un des meilleurs remèdes en cas de mauvais fonctionnement du foie». Des scientifiques britanniques ont isolé, dans la plante, des substances qui favorisent l'écoulement biliaire. Cependant, l'épine vinette s'avère inefficace pour traiter la jaunisse ou d'autres affections hépatiques.

Préparation et posologie

Pour une décoction, faites bouillir 1/2 c. à café de racines en poudre dans une tasse d'eau pendant 15 à 30 minutes. Buvez froid. Ne dépassez pas la posologie indiquée. Pour masquer le goût très amer, ajoutez du miel ou une boisson à bases de plantes odorantes.

Il est déconseillé de donner de l'épine vinette aux enfants de moins de deux ans. Les enfants plus âgés et les personnes de plus de 65 ans devraient commencer par une préparation plus légère et augmenter la dose au besoin.

L'épine vinette peut également être appliquée en compresse pour soulager la conjonctivite aiguë contagieuse. Trempez un chiffon propre dans le liquide et placez-le sur l'œil.

Mise en garde

De fortes doses d'épine vinette peuvent causer des nausées, des vomissements, des convulsions, des chutes graves de la tension artérielle, un ralentissement du rythme cardiaque et des difficultés respiratoires. Les personnes qui souffrent de maladies cardiaques ou de problèmes respiratoires chroniques doivent obtenir l'accord de leur médecin avant de prendre de l'épine vinette. En tout temps, elles doivent éviter les fortes doses.

La berbérine agit sur l'utérus. Aussi, elle est déconseillée aux femmes enceintes.

L'épine vinette est une plante extrêmement forte que les personnes en mauvaise santé, les femmes enceintes et les mères qui allaitent doivent utiliser avec prudence. Seul le médecin peut décider d'un usage thérapeutique. Si elle provoque de légers troubles, tels que des maux d'estomac ou de la diarrhée, prenez-en moins ou cessez d'en prendre. Abandonnez le traitement si vous vous sentez étourdi. Consultez votre médecin en cas d'effets indésirables ou si les symptômes persistent deux semaines après le début du traitement.

Pourquoi ne pas en faire de la confiture?

L'épine vinette est un arbuste vivace qui peut atteindre 2,50 m de haut. Il a une écorce grise et lisse, de longues épines et des fleurs d'un jaune lumineux qui pendent en grappes et fleurissent au printemps.

L'épine vinette pousse essentiellement dans le Nord-Est et le Midwest des États-Unis. Semez à l'automne dans un sol fertile, humide et bien drainé. Les graines germent au printemps. On peut aussi repiquer des boutures.

L'épine vinette aime particulièrement le soleil, mais tolère bien les endroits ombragés. Taillez au printemps après la floraison. La taille est importante, car elle empêche l'arbuste de grandir exagérément et de dépérir. Fertilisez le sol pour redonner de la vitalité à la plante. Coupez-la à 30 cm du sol à la fin de l'hiver. Protégez la plante du froid et du vent. Ramassez l'écorce des racines au printemps ou à l'automne, et séchez-les.

Avec les baies, faites de la confiture et de la gelée. Le jus de l'épine vinette peut très bien remplacer le jus de citron.

ESTRAGON

Un traitement contre le mal de dents

Famille: *Compositæ*. Également la marguerite, le pissenlit et le souci
Genre et espèce: *Artemisia dracunculus*
Autres noms: Estragon français ou russe, herbe du dragon
Partie utilisée: Les feuilles

Surtout connu comme étant l'épice indispensable à toute sauce béarnaise, l'estragon, comme toutes les plantes aromatiques, a une longue tradition de plante médicinale. Cependant, à la différence de la plupart des autres aromates, on cessa de croire à ses vertus thérapeutiques au XVIIe siècle. On l'a redécouverte il y a très peu de temps et on s'en sert à présent comme anesthésique oral ou pour aider à prévenir les maladies du cœur.

La plante des Pèlerins

Les Grecs de l'Antiquité savaient que l'estragon mâché engourdissait la bouche. Pour cette raison, ils l'utilisaient pour traiter les maux de dents. Ils pensaient aussi que son pouvoir anesthésiant en faisait une herbe privilégiée pour soulager le mal des transports.

Le naturaliste romain Pline l'Ancien écrivait que l'estragon prévenait la fatigue que l'on ressentait lors de longs voyages. Et durant le Moyen Âge, les Pèlerins mirent des brins d'estragon dans leurs chaussures.

Vers le Xe siècle, les médecins arabes recommandaient l'estragon pour stimuler l'appétit, chose assez étrange puisque l'herbe engourdit la bouche.

Sous la Doctrine des signatures, croyance médiévale selon laquelle l'apparence d'une plante révèle son pouvoir de guérison, on considérait que cette plante aux racines sinueuses pouvait soigner les morsures de serpents. Au cours des siècles, la croyance s'étendit à la guérison des morsures de chiens enragés. Mais au XVIIe siècle, cette croyance disparut.

Plus tard, les herboristes abandonnèrent pratiquement l'estragon parce qu'il perdait presque toute son huile aromatique aux propriétés thérapeutiques quand on le faisait sécher. Même les médecins éclectiques américains du XIXe siècle ne l'utilisaient pas. Ils faisaient pourtant grand cas des médicaments à base de plantes.

Peu d'herboristes contemporains valorisent l'estragon. On ne trouve cette plante que dans la cuisine française. Ceux qui croient en ses vertus thérapeutiques répètent ses emplois traditionnels comme diurétique, stimulant de l'appétit et pour traiter les maux de dents.

PROPRIÉTÉS thérapeutiques

L'estragon n'est pas une plante exceptionnelle, mais elle mérite sa place dans la guérison par les plantes. Son constituant actif est son huile; cependant, le séchage détruit bon nombre de ses propriétés. Par conséquent, on doit utiliser une plus grande quantité de feuilles fraîches ou surgelées, ou encore d'énormes quantités de feuilles séchées.

ANESTHÉSIQUE. L'huile d'estragon contient un anesthésique biochimique, l'eugénol, constituant principal de l'huile de clou de girofle qui comporte les mêmes propriétés anesthésiques. Ceci vient confirmer son usage traditionnel dans le soulagement des maux de dents. L'estragon ne fournit qu'un soulagement temporaire. Si le mal de dents persiste, consultez votre dentiste.

PRÉVENTION DE L'INFECTION. Comme toute épice culinaire, l'huile d'estragon a démontré une certaine efficacité à combattre les bactéries responsables des maladies dans des tests de laboratoire. Comme remède d'urgence, broyez des feuilles d'estragon fraîches et appliquez-les sur la plaie jusqu'à ce que vous puissiez la nettoyer et la panser.

AUTRES PROPRIÉTÉS. L'huile d'estragon contient un constituant chimique, la rutine, qui renforce les parois capillaires. Des études sur des animaux montrent que la rutine aide à prévenir les plaques athéromateuses qui sont souvent responsables des maladies cardiaques et de certains accidents vasculaires cérébraux. L'effet préventif de l'estragon sur la formation de plaques n'est qu'une hypothèse, mais il pourrait s'avérer favorable.

Une étude sur des animaux publiée dans le *Journal of the National Cancer Institute* suggère également que la rutine a une action anti-tumorale.

Préparation et posologie

Pour un soulagement temporaire des douleurs dans la bouche, mâchez quelques feuilles fraîches au besoin.

Comme remède d'urgence, appliquez des feuilles fraîches broyées sur la région affectée.

Pour une infusion agréable au goût de réglisse destinée à prévenir les maladies cardiaques, utilisez 1 à 2 c. à café d'herbes fraîches ou surgelées par tasse d'eau bouillante. Laissez infuser de 10 à 15 minutes. Ne dépassez pas trois tasses par jour.

Pour une teinture, prenez 1/2 à 1 c. à café jusqu'à trois fois par jour.

L'estragon ne devrait pas être donné aux enfants de moins de deux ans à des fins thérapeutiques. Les enfants plus âgés et les personnes de plus de 65 ans devraient commencer par des préparations faiblement concentrées et augmenter la dose au besoin.

Mise en garde

L'estragon contient un autre constituant chimique, l'estragole, qui en grandes quantités cause des tumeurs chez les souris. On n'a jamais associé l'estragon aux cas de cancer chez l'homme, mais tant que ses effets ne sont pas connus, les personnes qui ont des antécédents de cancer ne devraient pas utiliser l'estragon à des fins thérapeutiques.

D'autre part, les ouvrages médicaux sur l'estragon ne mentionnent pas d'effets nocifs. La Food and Drug Administration inclut l'estragon parmi les plantes qui ne présentent aucun danger. Les femmes en bonne santé qui ne sont pas enceintes et qui n'allaitent pas peuvent l'utiliser sans crainte si elles respectent les doses prescrites. L'estragon ne devrait être consommé à des fins thérapeutiques qu'après accord avec son médecin. S'il provoque de légers troubles, tels que des maux d'estomac ou de la diarrhée, prenez-en moins ou cessez d'en prendre. Consultez votre médecin en cas d'effets indésirables ou si les symptômes persistent deux semaines après le début du traitement.

Vive les Français!

Il y a deux espèces d'estragon, l'espèce russe et l'espèce française. La première contient moins d'huile et, par conséquent, a moins de saveur et de vertus médicinales. Lorsqu'on parle d'estragon, on devrait toujours se référer à la variété française. L'estragon russe peut pousser à partir de graines, mais la variété française devrait être cultivée à partir de boutures ou de racines. Divisez les racines au printemps et plantez des boutures d'environ 2 cm. Vous pouvez aussi transplanter des boutures en été. Espacez les plants.

L'estragon français est une plante vivace qui possède des racines sinueuses et des tiges qui atteignent environ 50 cm. Ses feuilles ressemblent à celles du romarin, mais elles sont plus grandes. Cette herbe fleurit rarement et lorsqu'elle le fait, les fruits sont stériles.

L'estragon pousse dans des sols riches bien drainés et en plein soleil. Faites en sorte de ne pas noyer les racines. Si les températures de vos hivers descendent sous la normale, couvrez de paillis à l'automne. Divisez les racines d'estragon tous les deux ans afin de conserver à la plante sa vigueur.

Les feuilles d'estragon s'abîment facilement. Récoltez-les délicatement au début de l'été. Puisque l'estragon perd de ses vertus médicinales lorsqu'il est séché, surgelez l'herbe fraîche ou conservez-la dans du vinaigre.

EUCALYPTUS

Un remède australien contre la grippe

Famille: *Myrtaceæ*. Également le myrte
Genre et espèce: *Eucalyptus globulus*
Autres noms: Gommier bleu, arbre-à-la-fièvre, eucalyptus globuleux
Partie utilisée: L'huile de ses feuilles

Si vous avez déjà utilisé un rince-bouche ou des décongestionnants, vous devez sans aucun doute bien connaître l'eucalyptus, la seule plante à avoir une odeur aussi rafraîchissante. D'autre part, si vous avez déjà vu un koala, le petit animal de l'Australie qui ressemble à un ours, vous connaissez sûrement l'eucalyptus. En effet, cette plante aux feuilles longues en forme de faux sert de nourriture à ce mignon marsupial recouvert de poils.

Le symbole de l'Australie

Le symbole de l'Australie, c'est aussi sa contribution à la guérison par les plantes et l'eucalyptus, un remède contre le rhume et la grippe approuvé par la Food and Drug Administration.

L'arbre australien de la fièvre

Les racines de l'eucalyptus contiennent un impressionnant volume d'eau. Les aborigènes d'Australie vivant à l'intérieur de ce pays très sec les mâchaient pour en extraire l'eau. Ils buvaient également du thé de feuilles d'eucalyptus pour lutter contre la fièvre.

Quand l'Angleterre décida de faire de l'Australie une colonie pénitentiaire et quand elle commença à envoyer par bateau des forçats, autour des années 1780, dans ce qui est appelé maintenant Sydney, les nouveaux immigrants ne se servirent pas immédiatement de l'eau de l'eucalyptus. De nombreux explorateurs de l'intérieur du pays moururent de soif sans avoir vu un seul eucalyptus.

Vers 1840, les membres d'équipage d'un cargo français jetant l'ancre à Sydney attrapèrent une maladie. Ils eurent une forte fièvre et ils la soignèrent avec du thé d'eucalyptus.

Petit à petit, l'écho d'incidents du genre se répercuta jusqu'en Europe, et l'on appela l'eucalyptus «l'arbre australien de la fièvre». Dans les années 1860, on utilisa souvent les feuilles et l'huile d'eucalyptus tout autour de la Méditerranée pour soigner la fièvre qui faisait des ravages depuis des temps très anciens. Quelques médecins estimaient que l'eucalyptus pouvait guérir la malaria, tandis que d'autres pensaient que cet arbre n'était d'aucune utilité dans la guérison de cette maladie.

Nous savons maintenant que l'eucalyptus n'a aucun effet direct sur le protozoaire qui cause la malaria mais, fait cocasse, l'arbre de l'eucalyptus fit disparaître cette maladie dévastatrice dans une bonne partie de l'Italie, de la Sicile et de l'Algérie, où elle avait fait rage impunément pendant des milliers d'années. La malaria est transmise par les moustiques vivant dans les régions marécageuses. Les Européens plantaient des eucalyptus dans les marais bordant la Méditerranée. Quand ces arbres poussaient, leurs racines trempaient dans l'eau et drainaient les marécages, délogeant ainsi les moustiques porteurs de malaria, de même que l'épidémie.

L'huile de cathéter

Au XIXe siècle, on utilisait en Angleterre l'huile d'eucalyptus dans les hôpitaux comme antiseptique pour les sondes urinaires. D'où le nom d'huile de cathéter donné à cet arbre.

Les médecins éclectiques du XIXe siècle se servaient de l'huile d'eucalyptus comme antiseptique sur les blessures et les instruments médicaux. Ils recommandaient aussi de l'inhaler sous forme d'inhalation contre la bronchite, l'asthme, la coqueluche et l'emphysème.

Les herboristes contemporains prescrivent l'eucalyptus comme antiseptique topique, en gargarisme pour un mal de gorge, et en vaporisateur pour soigner l'asthme, la bronchite et le croupe, ainsi que la congestion nasale survenant à la suite d'un rhume ou d'une grippe.

PROPRIÉTÉS thérapeutiques

L'huile de feuilles d'eucalyptus contient une substance chimique, l'eucalyptol, qui donne à la plante son arôme agréable et ses vertus curatives.

RHUME ET GRIPPE. L'eucalyptol semble détacher le flegme qui s'accumule dans la poitrine, facilitant ainsi l'expectoration. C'est la raison pour laquelle de nombreuses pastilles en sont parfumées.

En Russie, des études sur des animaux ont démontré que l'eucalyptol tue l'influenza, virus qui cause le type de grippe le plus dangereux. L'eucalyptol tue également certaines bactéries, ce qui veut dire qu'il peut prévenir les bronchites d'origine bactérienne, complications courantes qui s'ensuivent après un rhume ou la grippe.

TRAITEMENT DES BLESSURES. L'action antibactérienne de l'eucalyptol en fait un traitement efficace contre les coupures et les égratignures légères.

INSECTIFUGE. Selon une étude dans le *Science's News*, l'eucalyptol repousserait les cafards.

Préparation et posologie

Pour une inhalation, amenez à ébullition une poignée de feuilles ou quelques gouttes d'huile essentielle.

Frottez une ou deux gouttes d'huile d'eucalyptus sur les coupures ou les égratignures légères après les avoir bien nettoyées avec du savon et de l'eau. Pour un bain de plantes, enveloppez une poignée de feuilles dans un linge et faites couler de l'eau dessus.

Pour une infusion à la fois épicée et rafraîchissante qui vous permettra de soigner rhume et grippe, prenez 1 à 2 c. à café de feuilles séchées broyées par tasse d'eau bouillante. Laissez infuser 10 minutes. Ne dépassez pas deux tasses par jour. Si vous utilisez l'huile essentielle pour faire une infusion, ne prenez pas plus qu'une ou deux gouttes. Ne donnez pas d'eucalyptus aux enfants de moins de deux ans. Les enfants plus âgés et les personnes de plus de 65 ans devraient commencer par des préparations faiblement concentrées et augmenter la dose au besoin.

Si votre domicile est infesté de cafards et que vous ne voulez pas utiliser d'insecticide, trempez de petits linges dans l'huile d'eucalyptus et placez ces derniers dans vos armoires.

Mise en garde

En application externe, l'huile d'eucalyptus ne crée pas d'effets indésirables, mais les personnes sensibles pourraient développer une irritation cutanée.

L'huile d'eucalyptus est très toxique par voie orale. On a déjà rapporté des décès après la consommation d'une quantité aussi faible qu'une c. à café d'huile d'eucalyptus.

La Food and Drug Administration a approuvé l'utilisation d'huile d'eucalyptus dans la nourriture et les médicaments. Toute personne peut se servir de préparation d'eucalyptus en application externe, bien que les bébés et les enfants puissent faire la grimace à cause de son odeur violente. Cessez de l'utiliser si vous développez une irritation cutanée. Les femmes en bonne santé qui ne sont pas enceintes ou qui n'allaitent pas peuvent l'utiliser sans crainte si elles respectent les doses prescrites.

L'eucalyptus ne devrait être consommé à des fins thérapeutiques qu'après accord avec son médecin. S'il provoque de légers troubles, tels que des maux d'estomac ou de la diarrhée, prenez-en moins ou cessez d'en prendre. Consultez votre médecin en cas d'effets indésirables ou si les symptômes persistent deux semaines après le début du traitement.

Que savez-vous de l'eucalyptus?

Saviez-vous que plus de 500 espèces d'eucalyptus constituent les trois quarts de la végétation de l'Australie? La taille de l'eucalyptus peut varier d'un arbrisseau d'un mètre à l'arbre le plus grand sur la terre, soit environ 145 m de haut ou la hauteur d'un édifice de 40 étages.

L'eucalyptus pousse partout où il trouve une terre grasse bien irriguée et où la température n'atteint pas le point de congélation. Plantez les jeunes arbres que vous obtiendrez chez votre pépiniériste. Si les feuilles se mettent à cloquer, c'est qu'elles reçoivent trop d'eau.

L'eucalyptus tue souvent la végétation qui l'entoure, sauf d'autres plantes australiennes, et c'est la raison pour laquelle elles sont isolées. Les arbres poussent très rapidement, jusqu'à près d'un mètre par année, et leur tronc peut atteindre une circonférence énorme. Si vous plantez un eucalyptus dans votre cour, attendez-vous à ce qu'il l'envahisse. Les horticulteurs déconseillent la culture d'une telle plante, car ses racines endommageront les systèmes d'eau et d'égout, le tronc envahissant les trottoirs. Les branches ont tendance à se briser facilement au vent et endommagent régulièrement les propriétés qui l'entourent.

EUPATOIRE

Contre le rhume et la grippe

Famille: *Compositæ*. Également la marguerite, le pissenlit et le souci
Genre et espèce: *Eupatorium perfoliatum*
Autres noms: Eupatoire à feuilles de chanvre, chanvre d'eau, chanvrine, herbe de Sainte Cunégonde
Parties utilisées: Les feuilles et la partie supérieure des fleurs

L'eupatoire est une plante précieuse quand il s'agit de traiter les maladies virales et bactériennes bénignes, car elle stimule le système immunitaire contre l'infection.

La fièvre de dengue

L'eupatoire a toujours été utilisée comme traitement de la dengue, maladie infectieuse d'origine virale transmise par la piqûre des moustiques, caractérisée par des douleurs musculaires si intenses que les gens ont l'impression que leurs os vont se casser. De nos jours, la dengue est une maladie rare aux États-Unis. Elle frappe essentiellement les personnes qui ont séjourné dans les Tropiques. Ironiquement, il n'a jamais été prouvé que l'eupatoire apporte un soulagement réel aux personnes qui souffrent de la fièvre de dengue.

Les Indiens d'Amérique firent connaître l'eupatoire aux premiers colons européens comme un traitement doux de la fièvre. Les Indiens l'utilisaient pour toutes les maladies caractérisées par un état fébrile: la grippe, le choléra, la dengue, la malaria et la fièvre typhoïde.

Ils utilisaient aussi l'eupatoire pour soulager l'arthrite et traiter le rhume, l'indigestion, la constipation et le manque d'appétit.

Dans tous les greniers et tous les hangars

Les pionniers américains adoptèrent l'eupatoire avec tant d'enthousiasme qu'elle fut l'une des premières plantes médicinales à devenir populaires en Amérique. Pendant la guerre de Sécession, les soldats l'utilisèrent non seulement pour traiter la fièvre, mais comme fortifiant pour se garder en bonne santé. (La science moderne démontre que cet usage n'est pas justifié. Voir notre mise en garde à la page 190).

Dans son ouvrage de renom, *American Medicinal Plants*, le Dr C.F. Millspaugh écrivait: «Aucune plante n'est probablement plus utilisée que celle-ci. À la ferme, l'eupatoire pend en grappes des chevrons de chaque hangar ou de chaque grenier. Cette herbe est prête à être utilisée par les membres de la famille ou les voisins s'ils attrapent froid.»

Millspaugh considérait également l'eupatoire comme un excellent remède contre la malaria, problème crucial de l'Amérique du XIXe siècle. Il écrivait que la plante avait guéri une personne atteinte de malaria, alors que l'écorce de quinquina (écorce péruvienne), dont est extraite la quinine et médicament connu contre la malaria, s'était montrée impuissante.

Aspirine naturelle

L'eupatoire figurait comme traitement contre la fièvre dans le *U.S. Pharmacopœia* de 1820 à 1916 et dans le *National Formulary*, le manuel des pharmaciens, de 1926 à 1950. Mais avec le temps, sa réputation déclina et il fut supplanté par un autre médicament naturel contre la fièvre, l'aspirine.

De nos jours, les herboristes continuent de recommander avec conviction l'eupatoire contre la fièvre. Dans son *Holistic Herbal*, David Hoffmann le reconnaît comme «peut-être le meilleur remède contre la grippe».

PROPRIÉTÉS thérapeutiques

De nos jours, les détracteurs ridiculisent l'eupatoire aussi passionnément que les médecins du siècle dernier en vantaient les vertus. L'un d'eux dit que l'eupatoire n'apporte aucun soulagement. Un autre prétend que l'eupatoire ne procure aucun bienfait thérapeutique. Un troisième écrit: «Il est suprenant, voire incroyable, que l'eupatoire ait figuré au répertoire des plantes médicinales de 1820 à 1950, vu son remarquable manque d'efficacité.»

Les détracteurs n'ont pas tort à ce sujet. On n'a jamais prouvé que l'eupatoire pouvait supprimer la fièvre aussi bien que le fait l'aspirine. Cependant, des études récentes semblent suggérer que la plante possède après tout certaines vertus thérapeutiques.

RHUME ET GRIPPE. Des études européennes montrent que l'eupatoire peut aider à traiter des infections virales et bactériennes mineures en stimulant les globules blancs (les leucocytes), ce qui permet de détruire plus efficacement les micro-organismes responsables de la maladie. En Allemagne, où la guérison par les plantes est très populaire, des médecins ont récemment utilisé l'eupatoire pour traiter des infections virales, telles que la grippe et le rhume.

ARTHRITE. Une étude montre que l'eupatoire est un anti-inflammatoire doux, justifiant ainsi l'usage traditionnel qu'on en faisait dans le traitement de l'arthrite.

AUTRES PROPRIÉTÉS. Des études récentes menées à l'échelle mondiale suggèrent que les stimulants immunitaires de l'eupatoire ont une action anticancérigène. D'autres recherches devront toutefois être concluantes à ce sujet avant qu'on n'utilise l'eupatoire comme traitement contre les tumeurs.

EMPLOI CONTESTÉ. En dépit de l'usage traditionnel, on n'a jamais prouvé que l'eupatoire était efficace contre la fièvre de dengue ou la malaria.

Préparation et posologie

Prenez une infusion ou une teinture pour traiter les rhumes, les grippes et l'arthrite, de même que dans le cas d'inflammations mineures. Pour une infusion, prenez de 1 à 2 c. à café de feuilles séchées par tasse d'eau bouillante. Laissez infuser 10 à 20 minutes. Ne dépassez pas trois tasses par jour.

Le goût de l'eupatoire est amer. Ajoutez-y du sucre ou du miel, et un peu de citron, ou mélangez-le à une autre préparation à base de plantes.

Pour une teinture, prenez 1/2 à 1 c. à café jusqu'à trois fois par jour. L'eupatoire est déconseillée aux enfants de moins de deux ans. Les enfants plus âgés et les personnes de plus de 65 ans devraient commencer par des préparations faiblement concentrées et augmenter la dose au besoin.

Mise en garde

En grande quantité, l'eupatoire peut causer des nausées, des vomissements et de fortes diarrhées.

L'eupatoire contient des substances chimiques, les pyrrolizidines, qui, en grande quantité, endommagent la fonction hépatique et crée des tumeurs au foie chez les animaux de laboratoire. L'action de l'eupatoire sur le cancer humain, si elle existe, reste à prouver, car la plante comporte aussi des substances anticancérigènes.

Cependant, les pyrrolizidines de certaines plantes médicinales, telles que la consoude (voir p. 153), ont causé des lésions au foie chez certaines personnes qui avaient consommé des quantités plus importantes que la dose recommandée et ce, pendant de longues périodes. On ne devrait pas prendre de l'eupatoire comme s'il s'agissait d'un fortifiant. Ne dépassez surtout pas le dosage prescrit. Toute personne qui a des antécédents d'alcoolisme, de maladie du foie ou de cancer devrait s'en abstenir sans l'accord préalable de son médecin.

L'eupatoire est-elle fraîche ou toxique?

Ne consommez pas d'eupatoire fraîche. Elle contient une substance chimique toxique, le tréмérol, qui peut provoquer de la nausée, des vomissements, de la faiblesse, des tremblements musculaires et, à forte dose, le coma et même la mort. Le séchage de la plante permet d'éliminer le trémérol et ses effets toxiques.

La Food and Drug Administration inclut l'eupatoire parmi les plantes dont la fiabilité reste à prouver. Les femmes en bonne santé qui ne sont pas enceintes, qui n'allaitent pas, qui n'ont aucun antécédent d'alcoolisme, de cancer ou de maladie du foie peuvent l'utiliser sans crainte si elles respectent les doses prescrites. L'eupatoire ne devrait être consommée à des fins thérapeutiques qu'après accord avec son médecin. Si elle provoque de légers troubles, tels que des maux d'estomac ou de la diarrhée, prenez-en moins ou cessez d'en prendre. Consultez votre médecin en cas d'effets indésirables ou si les symptômes persistent deux semaines après le début du traitement.

L'eupatoire ne devrait être consommée pour plus deux semaines à la fois, et l'on ne devrait pas excéder les quantités prescrites.

Facile à cultiver

L'eupatoire est facile à reconnaître, car elle possède des feuilles à folioles opposées reliées à la tige.

La plante possède des tiges rondes, dressées, velues et creuses qui atteignent environ 1,20 m. Ces tiges se séparent en trois branches, lesquelles produisent de petites grappes de fleurs blanches et bleues, de l'été jusqu'à l'automne.

Cette plante vivace pousse facilement à partir de graines que l'on sème au printemps, ou de divisions de racines au printemps ou à l'automne. La plante préfère les sols riches, humides et bien drainés. Elle aime aussi le plein soleil, mais tolère des sols moins riches et de l'ombre.

Récoltez à la floraison en coupant la plante entière à quelques centimètres au-dessus du sol.

FENOUIL

La plante idéale pour la digestion

Famille: *Umbelliferæ.* Également la carotte et le persil

Genres et espèces: *Fœniculum vulgare, F. vulgare dulce*

Autres noms: Fenouil commun, fenouil des vignes

Parties utilisées: Les fruits (les graines), les branches et bulbe dans la cuisine

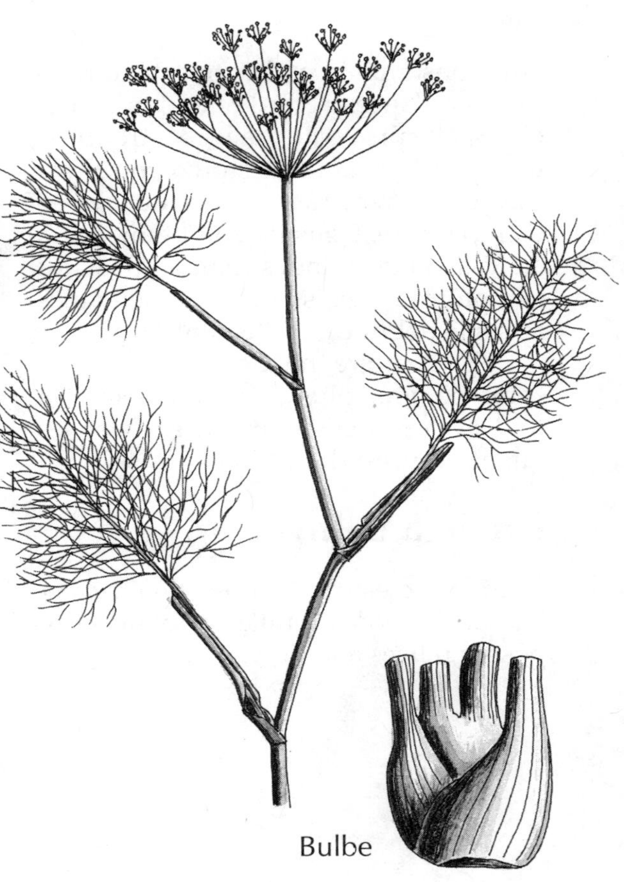

Bulbe

En Nouvelle-Angleterre, les puritains donnaient au fenouil le nom de «graines conviviales». Ils se réunissaient dans des églises pour assister à des services religieux qui n'en finissaient pas. Certains experts en la matière racontent que les puritains utilisaient le fenouil comme coupe-faim. D'autres prétendent que bon nombre de puritains mâchaient les graines de fenouil pour masquer l'odeur du whisky qu'ils buvaient avant de se rendre aux services religieux. Les puritains consommaient également du fenouil pour stimuler leur digestion. En effet, les vertus thérapeutiques de cette plante sont connues surtout en tant que stimulant digestif, de l'époque des Pharaons à nos jours.

Depuis l'histoire du marathon

Les Grecs de l'Antiquité appelaient le fenouil «marathon». Cette plante poussait de façon sauvage autour du village du même nom, situé à environ 42 km d'Athènes, où les Athéniens vainquirent les Perses en 490 avant notre ère. Un coureur de fond rapporta la nouvelle de la victoire à Athènes, et son exploit d'athlète donna l'idée des courses de marathon d'aujourd'hui.

Durant le IIIe siècle avant notre ère, Hippocrate prescrivit du fenouil pour traiter la colique infantile. Environ 400 ans plus tard, Dioscoride lui donna le nom de coupe-faim et recommanda les graines de la plante aux femmes qui allaitaient leur enfant afin de favoriser la lactation.

Le naturaliste romain Pline l'Ancien mit du fenouil dans 22 médicaments. Il remarqua en effet que lorsque les serpents se frottaient contre cette plante après une période de mue, leurs yeux vitreux s'éclaircissaient peu de temps après. Pline en déduisit que le fenouil pouvait soigner les maladies des yeux ainsi que la cécité.

Sous la Doctrine des signatures, croyance médiévale selon laquelle l'apparence d'une plante révèle son pouvoir de guérison, les fleurs jaunes du fenouil furent associées à la couleur de la bile, et on se mit à recommander l'herbe pour soigner la jaunisse.

Charlemagne, roi des Francs, ordonna que cette plante fût cultivée dans tous les jardins impériaux. Et au palais royal d'Édouard I, roi d'Angleterre, on en consommait près de 4 kg par mois.

Le fenouil fut l'une des plantes préférées de Hildegard de Bingen. L'abbesse et herboriste allemande la prescrivait pour les rhumes, la grippe, le cœur, et pour «rendre heureux, avec une bonne digestion ... et une odeur de corps agréable».

Sorcellerie et autres supercheries

Les Anglo-Saxons qui envahirent l'Angleterre vers le Ve siècle utilisaient le fenouil en tant qu'épice et stimulant digestif. Ils le suspendaient également au-dessus de leurs portes pour se protéger contre la sorcellerie.

Au XVIIe siècle, le fenouil devint un pilier de la guérison par les plantes et un assaisonnement fort apprécié pour le poisson. L'herboriste britannique du XVIIe siècle, Nicholas Culpeper, qui n'était pas amateur de poisson, écrivit que cette plante «altère le tempérament flegmatique causé par le poisson ... qui contrarie les sens du corps». Culpeper recommandait le fenouil pour «interrompre le vent, augmenter le lait, éclaircir les yeux des brouillards qui entravaient la vue ... et faire disparaître les reflux qu'éprouvent souvent les personnes indisposées de maux d'estomac». Il déclarait aussi que le fenouil «faisait venir les règles».

Les guérisseurs populaires ajoutaient du fenouil à des laxatifs puissants, tels que le nerprun, le séné, la rhubarbe et l'aloès, afin de neutraliser les crampes intestinales qu'ils procurent souvent.

Le fenouil arrive en Amérique

Ce sont les premiers colons qui introduisirent le fenouil en Amérique du Nord. Henry Wadsworth Longfellow s'inspirait de Pline l'Ancien quand il écrivait:

> «Au-dessus des plus petites plantes se dressait le fenouil avec ses fleurs jaunes; et bien plus jeune que nous il fut doté de pouvoirs merveilleux pour redonner la vue à quelqu'un.»

Les médecins éclectiques américains du XIXe siècle prescrivaient le fenouil comme stimulant digestif, de même que pour favoriser la lactation, provoquer les règles et «atténuer les effets désagréables d'autres médicaments».

En Amérique latine, on fait toujours bouillir des graines de fenouil dans du lait afin d'encourager la lactation chez les mères qui allaitent. Les Jamaïquains utilisent cette plante pour traiter les rhumes, et les Africains prennent du fenouil quand ils ont une diarrhée ou une indigestion.

Les herboristes contemporains recommandent le fenouil comme stimulant digestif et de la lactation, comme expectorant, collyre et comme tampon dans les mélanges de plantes laxatives.

PROPRIÉTÉS thérapeutiques

Le fenouil ne guérit pas les troubles de la vue, mais la science a confirmé certains de ses usages traditionnels.

STIMULANT DIGESTIF. Comme tout aromate, le fenouil semble détendre les parois du muscle lisse du tube digestif, agissant ainsi comme un antispasmodique. La plante soulage aussi les flatulences. En outre, des chercheurs européens ont démontré que le fenouil tue certaines bactéries, ce qui confirme son usage traditionnel dans le traitement de la diarrhée.

En Allemagne, où la médecine par les plantes est très populaire, le fenouil est utilisé comme l'anis et le carvi dans le traitement de l'indigestion, des flatulences et des coliques infantiles.

SANTÉ DE LA FEMME. Les antispasmodiques soulagent non seulement le tube digestif, mais d'autres muscles lisses comme celui de l'utérus. Cependant, on faisait usage du fenouil comme promoteur de règles, et non l'inverse. En grande quantité, il est possible que le fenouil stimule suffisamment pour déclencher les règles.

Une étude stipule que le fenouil comporte des propriétés œstrogéniques, ce qui veut dire que la plante agirait comme l'œstrogène, hormone de reproduction chez la femme. Son action pourrait expliquer l'usage traditionnel que l'on en faisait pour stimuler la lactation et déclencher les règles.

À cet effet, certaines femmes peuvent en consommer à titre d'essai. Pour leur part, les femmes plus âgées pourraient en prendre afin de soulager les malaises de la ménopause.

CANCER DE LA PROSTATE. On prescrit souvent des hormones sexuelles femelles (œstrogènes) dans le cas de cancer de la prostate. Cependant, toutes formes de cancers exigent des soins médicaux professionnels. Consultez votre médecin si vous désirez prendre du fenouil de pair avec votre traitement régulier.

Préparation et posologie

Comme stimulant digestif, mâchez une pincée de graines de fenouil ou buvez une infusion ou une teinture. Consommez une infusion ou une teinture dans le but de déclencher vos règles ou, sous surveillance médicale, comme traitement possible contre le cancer de la prostate.

Pour une infusion agréable à saveur de réglisse, prenez de 1 à 2 c. à café de fenouil broyé par tasse d'eau bouillante. Laissez infuser pendant 10 minutes. Ne dépassez pas trois tasses par jour.

Pour une décoction, prenez 1/2 à 1 c. à café jusqu'à trois fois par jour.

Les préparations de fenouil dilué doivent être données avec prudence aux enfants de moins de deux ans dans le cas de coliques infantiles. Si les malaises persistent, consultez votre pédiatre.

Les enfants plus âgés et les personnes de plus de 65 ans devraient commencer par des préparations faiblement concentrées et augmenter la dose au besoin.

Mise en garde

Le fenouil a non seulement une faible action œstrogénique, mais l'œstrogène, constituant principal de la pilule contraceptive, peut engendrer bon nombre de réactions sur l'organisme. Les femmes à qui leur médecin proscrit la pilule devraient s'abstenir de prendre du fenouil à des fins thérapeutiques. Enfin, toute personne qui a des antécédents de problèmes de coagulation ou des cancers hormonaux-dépendants devrait également l'éviter.

Les femmes enceintes ne devraient pas consommer du fenouil à des fins thérapeutiques.

À propos du foie

Une étude a montré que le fenouil a des effets contraires sur le foie. Il aggrave la fonction hépatique chez certains animaux, alors qu'il favorise la régénération chez d'autres animaux qui ont subi une ablation partielle du foie. Jusqu'à ce que ces découvertes soient éclaircies, les personnes qui ont des antécédents d'alcoolisme, d'hépatite ou de maladies du foie devraient être prudentes ou ne pas utiliser cette plante à des fins thérapeutiques.

On peut consommer des graines de fenouil en toute confiance, mais son huile peut provoquer des irritations cutanées chez les personnes sensibles. Absorbée par voie orale, l'huile de fenouil peut causer de la nausée, des vomissements et même des spasmes. Ne consommez pas d'huile de fenouil.

Autres précautions

La Food and Drug Administration inclut le fenouil parmi les plantes qui ne présentent aucun danger.

Les femmes en bonne santé qui ne sont pas enceintes et qui n'allaitent pas peuvent l'utiliser sans crainte si elles respectent les doses prescrites.

Le fenouil ne devrait être consommé à des fins thérapeutiques qu'après accord avec son médecin. S'il provoque de légers troubles, tels que des maux d'estomac ou de la diarrhée, prenez-en moins ou cessez d'en prendre. Consultez votre médecin en cas d'effets indésirables ou si les symptômes persistent deux semaines après le début du traitement.

Un arôme de réglisse

Le fenouil est une belle plante qui atteint environ 2 m. Ses feuilles sont duveteuses et la plante possède de longues tiges qui sont couronnées par des grappes de petites fleurs jaunes en forme d'ombrelle. Les petits fruits (graines ovales) sont cannelés et couleur vert de gris. Toutes les parties de la plantes dégagent une odeur d'anis et de réglisse.

Le fenouil pousse bien à partir de semences que l'on plante dans un sol riche et humide à l'automne ou après les risques de gel. Les graines mettent environ deux semaines à pousser. Espacez les plants de 25 cm. N'arrosez pas trop les plants, mais augmentez la quantité d'eau à mesure que le fenouil pousse, car cela rehausse le goût succulent des tiges. Les feuilles peuvent être récoltées lorsque la plante arrive à maturité.

Lorsque les tiges mesurent près de 2 cm, couvrez-les de terre afin de créer l'effet de blanchiment qui adoucit la saveur. Récoltez après 10 jours.

Cueillez les graines à la fin de l'été quand elles prennent un ton vert-de-gris.

Le fenouil peut endommager d'autre plantes environnantes comme les fèves, les tomates et le carvi. S'il y a de la coriandre à proximité, le fenouil ne produira pas de fruits.

Alerte: À l'état sauvage, on pourrait confondre le fenouil avec la ciguë qui peut causer la mort. Ne cueillez pas de fenouil sauvage à moins d'être certain de l'espèce.

FENUGREC

Un stabilisateur possible du taux de cholestérol

Famille: *Leguminosæ*. Également les fèves et les pois
Genre et espèce: *Trigonella fœnum-græcum*
Autres noms: Trigonelle, sénégrain
Partie utilisée: Les graines

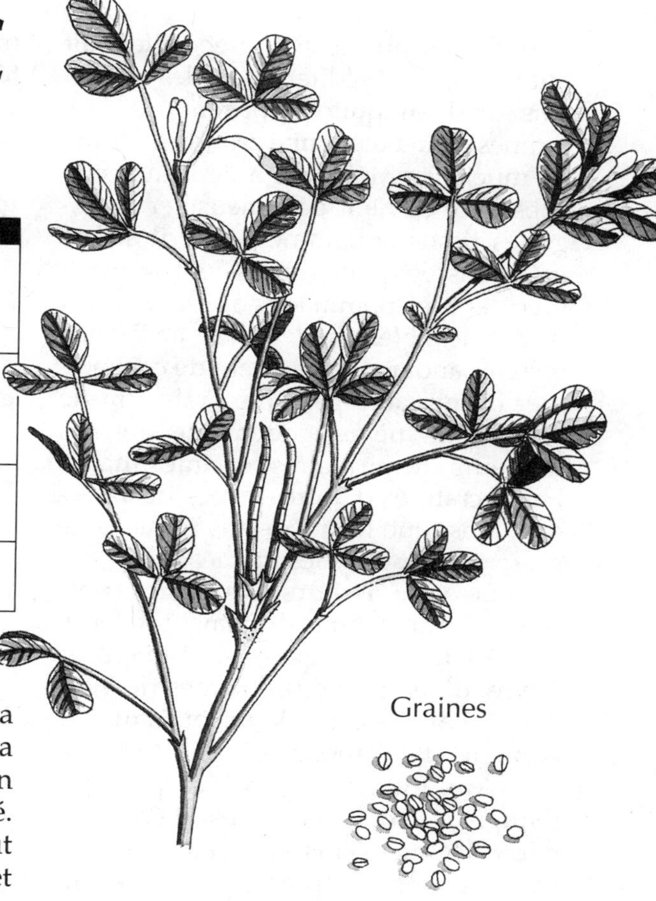

Depuis les temps anciens jusqu'à la fin du XIXe siècle, le fenugrec joua un rôle très important dans la guérison par les plantes. Puis on le laissa de côté. De nos jours, cette plante, dont le goût est un mélange étrange de céleri amer et de sirop d'érable, semble de nouveau jouir d'un certain crédit. En effet, dans un certain nombre d'études réalisées sur les animaux, on note que le fenugrec permet de réduire les taux de cholestérol. Cette plante pourrait donc procurer des bienfaits similaires chez les humains.

Le foin grec

Le fenugrec était utilisé comme médicament pour traiter les animaux malades bien longtemps avant que ses graines ne devinssent un médicament populaire pour soigner les personnes malades. Les Grecs de l'Antiquité mélangeaient la plante à du fourrage pour animaux, moisi ou endommagé par les insectes, pour le rendre plus agréable au goût, et ils découvrirent que les chevaux malades et le bétail mangeaient du fenugrec quand ils n'avaient rien d'autre à se mettre sous la dent. Les Égyptiens et les Romains adoptèrent le «foin grec», c'est ainsi qu'ils appelèrent le fenugrec. De nos jours, on utilise beaucoup cette plante pour parfumer la nourriture des chevaux et du bétail. En outre, certains vétérinaires en font encore l'usage pour encourager les chevaux malades et le bétail à manger.

Tandis que le fenugrec s'étendait autour de la Méditerranée, les médecins de l'Antiquité apprirent que ses graines contenaient une grande quantité de mucilage. Mélangée à de l'eau, cette substance devient gélatineuse et soulage les tissus enflammés ou irrités. Les médecins égyptiens utilisaient le fenugrec dans les pommades qui servaient à traiter les blessures et les abcès. Ils recommandaient également de consommer cette plante par voie orale afin de soigner les fièvres, de même que les douleurs respiratoires et intestinales. Hippocrate et d'autres Grecs de l'époque, ainsi que les médecins romains, le prescrivaient dans les mêmes cas.

Les guérisseurs chinois respectueux des traditions donnaient le fenugrec à leurs patients qui souffraient de fièvre, d'hernie, de problèmes de vésicule biliaire, de douleurs musculaires et même d'impuissance.

Aux Indes, où l'on incorporait le fenugrec à des mélanges d'épices à curry, les médecins ayurvédiques s'en servaient comme traitement contre l'arthrite, la bronchite et les troubles digestifs. Les femmes indiennes mangeaient les graines pour augmenter la production de leur lait maternel.

Les femmes arabes, de la Libye à la Syrie, mangeaient des graines grillées de fenugrec pour prendre du poids et atteindre ainsi les proportions des personnages de Rubens, synonymes de beauté depuis les temps anciens jusqu'au XIXe siècle.

Arme militaire

Le fenugrec est la seule plante à vertus thérapeutiques utilisée comme arme militaire. Pendant le siège romain de Jérusalem, de 66 à 70 de notre ère, le général et futur empereur Vespasien ordonna à ses troupes d'assiéger les murs imposants de la cité. Le meilleur moyen pour se défendre consistait à verser de l'eau bouillante sur les attaquants et leurs échelles. Selon *The History of the Jewish War* écrite par le traître juif Flavius Josephus, ceux qui défendaient Jérusalem ajoutèrent du fenugrec à l'huile qu'ils versèrent sur les Romains, la rendant ainsi plus glissante.

Jardiniers amateurs de plantes et fabricants de fines liqueurs, les moines bénédictins rendirent populaire le fenugrec à travers l'Europe aux alentours du IXe siècle. Puis on utilisa fréquemment cette plante dans la médecine populaire de la même manière que chez les Anciens, c'est-à-dire pour soigner les blessures et les fièvres, ou pour soulager les affections digestives et respiratoires.

Le composé de Pinkham

Ce furent les premiers colonisateurs qui introduisirent le fenugrec en Amérique du Nord. Ils l'utilisèrent comme fourrage ainsi que dans la médecine populaire où il fut reconnu comme promoteur des règles. La plante devint ainsi l'ingrédient principal du mélange de légumes mis au point par Lydia E. Pinkham, l'une des spécialités pharmaceutiques les plus populaires pour les troubles menstruels. Les spécialistes de la santé furent outragés de la vente d'un tel produit, et leurs protestations jouèrent un rôle dans la création de la Food and Drug Administration (FDA), organisme chargé de régler les plaintes sur les médicaments. (Un mélange de Pinkham reformulé est encore disponible aujourd'hui, mais sans fenugrec.)

Les herboristes modernes recommandent le fenugrec en cataplasmes et en pansements adhésifs pour traiter les blessures, les furoncles et les éruptions. Ils estiment qu'un gargarisme chaud de fenugrec apaise un mal de gorge. Et ils préconisent la consommation de la plante pour soigner la toux et la bronchite.

Mais de nos jours, le fenugrec est surtout utilisé aux États-Unis pour simuler le goût du sirop d'érable.

PROPRIÉTÉS thérapeutiques

La science moderne a confirmé certains usages traditionnels du fenugrec. Cependant, l'un de ses bienfaits thérapeutiques importants ne fut découvert que récemment.

TAUX DE CHOLESTÉROL. Des études montrent que le fenugrec réduit les taux de cholestérol chez le chien. La plante n'a pas fait l'objet de tests du même ordre chez les humains, mais les résultats de l'étude favorisent de plus amples recherches.

MAUX DE GORGE. Le mucilage adoucissant du fenugrec peut aider à soulager les douleurs des maux de gorge et de toux, et les malaises causés par l'indigestion mineure.

SANTÉ DE LA FEMME. Presque un siècle après la mort de Lydia Pinkham, une expérience sur des animaux a appuyé l'action du fenugrec comme stimulant utérin, particulièrement durant les dernières semaines de la grossesse. Les graines de fenugrec contiennent une substance chimique, la diosgénine, semblable à l'œstrogène, hormone de reproduction féminine. L'œstrogène permet à l'organisme de retenir de l'eau, et l'un des effets secondaires de la pilule contraceptive est le ballonnement. La rétention d'eau se traduit souvent par une augmentation du poids corporel. Peut-être ces femmes arabes qui mangeaient du fenugrec pour prendre du poids étaient-elles sur la bonne voie. La plante peut aider les femmes qui ne sont pas enceintes à déclencher leurs règles, bien que cet usage n'ait pas été confirmé.

ARTHRITE. Les chercheurs belges ont découvert que le fenugrec possède une action anti-inflammatoire douce, ce que confirme l'usage traditionnel que l'on en faisait dans le traitement des blessures, de l'arthrite et d'autres inflammations.

AUTRES PROPRIÉTÉS. Des études sur des animaux montrent que le fenugrec réduit les niveaux de glucose sanguin. Ces résultats n'ont pas été prouvés chez les humains, et les personnes atteintes de diabète devraient obtenir l'autorisation de leur médecin avant d'avoir recours à la plante et de voir si elle leur permet de maîtriser leur taux de glucose.

Préparation et posologie

Prenez une décoction de fenugrec afin de profiter des bienfaits thérapeutiques de la plante. Vous pourrez notamment soulager vos maux de gorge, déclencher vos règles ou peut-être améliorer votre arthrite. De pair avec votre traitement régulier, le fenugrec pourrait s'avérer utile pour réduire votre taux de cholestérol ou maîtriser les taux de glucose sanguin. Pour une décoction amère à saveur d'érable, amenez à ébullition 2 c. à café de graines broyées par tasse d'eau. Laissez mijoter pendant 10 minutes. Ne dépassez pas trois tasses par jour. Afin d'améliorer la saveur, ajoutez du sucre, du miel, du citron, de l'anis ou de la menthe poivrée.

Pour une teinture, prenez 1/4 à 1/2 c. à café jusqu'à trois fois par jour. Les préparations médicinales sont déconseillées aux enfants de moins de deux ans. Les enfants plus âgés et les personnes de plus de 65 ans devraient commencer par des préparations faiblement concentrées et augmenter la dose au besoin.

Mise en garde

Les femmes enceintes devraient s'abstenir de consommer du fenugrec, car c'est un stimulant utérin.

La Food and Drug Administration inclut le fenugrec parmi les plantes qui ne présentent aucun danger. Les femmes en bonne santé qui ne sont pas enceintes ou qui n'allaitent pas peuvent l'utiliser sans crainte si elles respectent les doses prescrites. Le fenugrec ne devrait être consommé à des fins thérapeutiques qu'après accord avec son médecin. Si elle provoque de légers troubles, tels que des maux d'estomac ou de la diarrhée, prenez-en moins ou cessez d'en prendre. Consultez votre médecin en cas d'effets indésirables ou si les symptômes persistent deux semaines après le début du traitement.

Simple comme bonjour!

Le fenugrec est une plante annuelle qui atteint environ 40 cm et qui ressemble à un gros trèfle. Il possède des feuilles à trois grandes folioles ovales, de même que des fleurs blanches et triangulaires qui produisent des gousses très longues. Ses cosses sont dressées et arquées et mesurent environ 5 cm. Elles contiennent de 10 à 20 graines cabossées, légèrement aplaties.

Après les risques de gel, et lorsque la température du sol a atteint environ 10 °C, la plante peut germer dans presque tous les sols si elle est en plein soleil. Les semences ne prennent que quelques jours à germer. La plante met environ trois semaines à fleurir et produit des graines trois semaines plus tard. N'arrosez pas excessivement afin d'éviter la pourriture des racines. Récoltez les cosses lorsqu'elles arrivent à maturité, mais avant qu'elles ne commencent à se fendre. Enlevez les graines et séchez-les au soleil.

FLEUR DE LA PASSION

Remède contre la tension et l'insomnie

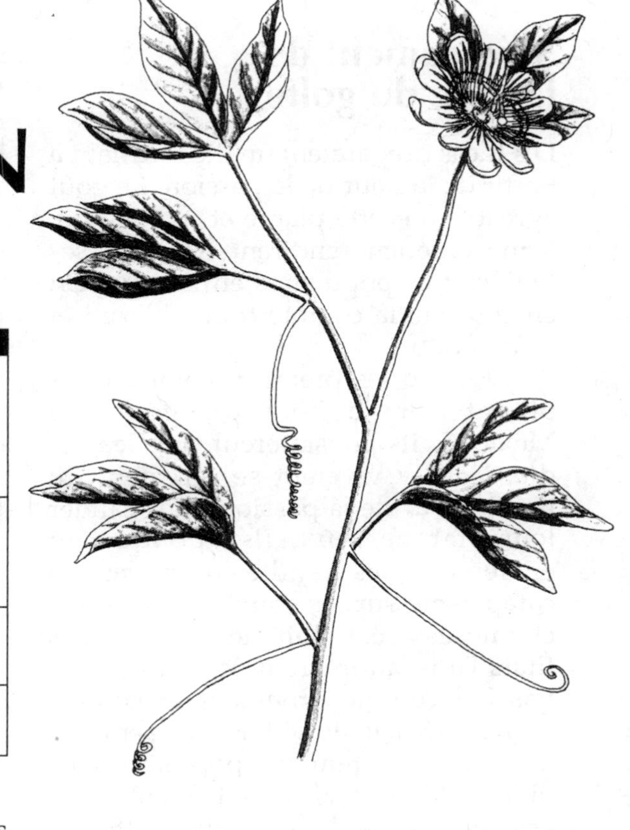

Famille: *Passifloraceæ.* Également la calebasse douce et le chèvrefeuille jamaïcain
Genre et espèce: *Passiflora incarnata*
Autres noms: Abricot, citron d'eau
Partie utilisée: Les feuilles

Au milieu des années 1560, très haut dans les Andes péruviennes, 20 ans après que Francisco Pizarro eut brutalement étouffé la dernière rébellion des Incas et les eut forcés à se convertir au christianisme, le Dr Nicholas Monardes de Séville eut mauvaise conscience pour le carnage que ses compatriotes avait fait. Il parcourut les montagnes à la recherche de quelque signe d'approbation divine de la conquête espagnole. Il trouva alors dans une vigne une grande et belle fleur dont certaines parties semblaient évoquer la Passion du Christ.

Pour le Dr Monardes, les trois parties de la plante représentaient les trois clous de la croix. Son ovaire ressemblait à un marteau. Sa couronne évoquait la couronne d'épines. Et ses 10 pétales lui rappelaient les 10 apôtres véritables (les 12 apôtres moins Judas, le traître, et Pierre, qui renia Jésus-Christ). Monardes baptisa la vigne fleur de la passion.

Quelques herboristes mal renseignés recommandent du thé de fleur de la passion comme aphrodisiaque, confondant Passion du Christ et le mot passion. Cette plante n'a aucun effet aphrodisiaque. Bien au contraire. C'est un tranquillisant doux et un sédatif que l'on peut prescrire pour traiter l'anxiété, le stress, l'insomnie, et également pour prévenir la crise cardiaque.

Médicament de la côte du golfe

Les Incas préparaient un thé fortifiant à partir de la fleur de la passion. Le goût agréable de cette plante et son symbolisme chrétien rendirent très vite ses feuilles très populaires en Europe. On en consomma comme tranquillisant et sédatif doux.

Quand les premiers colons s'établirent sur la côte du golfe du Mexique, ils constatèrent que les Indiens qui y vivaient se servaient du thé de fleur de la passion pour calmer leur état nerveux. Ils appliquaient également ses feuilles écrasées en cataplasme sur les coupures et les ecchymoses. Les habitants du sud des États-Unis adoptèrent la fleur de la passion comme ornement et comme vigne médicinale. Mais cette plante demeura un remède populaire jusqu'en 1839, alors que les médecins éclectiques de la côte du golfe du Mexique la classèrent dans le *New Orleans Medical Journal* comme sédatif non narcotique et comme plante facilitant la digestion.

Les médecins éclectiques du XIXe siècle adoptèrent la fleur de la passion comme «un important remède» en cas d'insomnie, de nervosité, de troubles menstruels, de diarrhée, d'épilepsie et de coqueluche. Ils prescrivirent également le jus de feuilles de fleur de la passion en application externe pour les brûlures, les blessures et les maux de dents.

Les herboristes contemporains recommandent la fleur de la passion principalement comme tranquillisant et sédatif. Dans *Weiner's Herbal*, Michael Weiner écrit «elle peut être notre meilleur tranquillisant». Les herboristes la recomnandent aussi pour faciliter la digestion et pour soulager la douleur.

On classait la fleur de la passion dans le *National Formulary* de 1916 à 1936 parmi les tranquillisants sédatifs. En 1978, la Food and Drug Administration (FDA) bannissait son usage comme plante qui stimulait le sommeil, car on manquait de preuves à cet effet.

PROPRIÉTÉS thérapeutiques

En 1978, la Food and Drug Administration avait de bonnes raisons de bannir de son répertoire la fleur de la passion jusqu'à ce qu'on ait effectué plus de recherches à son sujet. Cependant, la FDA ne semble pas s'être tenue à jour dans le dossier.

TRANQUILLISANT, SÉDATIF. La fleur de la passion contient des substances tranquillisantes comme le maltol, le maltol éthylique et les flavonoïdes. Bon nombre de chercheurs ont conclu que l'herbe a une action complexe sur le système nerveux central, lui conférant ainsi une action globale douce de tranquillisant et de sédatif, malgré la présence de stimulant. En Europe, la fleur de la passion est un ingrédient que l'on retrouve dans certaines préparations tranquillisantes et sédatives. Ces préparations ne contiennent aucun narcotique et peuvent être obtenues en vente libre. En outre, elles ne créent aucune accoutumance.

STIMULANT DIGESTIF. La fleur de la passion détend les parois du muscle lisse du tube digestif, agissant ainsi comme un antispasmodique et appuyant l'usage que l'on en faisait comme stimulant digestif.

SANTÉ DE LA FEMME. Les antispasmodiques soulagent non seulement le tube digestif, mais d'autres muscles lisses comme celui de l'utérus; ce qui confirme l'usage traditionnel de la fleur de la passion dans le soulagement des douleurs menstruelles.

TRAITEMENT DES BLESSURES. Une étude suggère que la fleur de la passion permet de soulager les douleurs. Deux autres études montrent qu'elle tue bon nombre de bactéries, de champignons ou la moisissure qui peuvent provoquer de nombreuses maladies, ce qui justifie l'usage qu'en faisaient les Indiens d'Amérique et les médecins éclectiques dans le traitement des blessures.

AUTRES PROPRIÉTÉS. Dans des études chez des animaux, on a montré que certains constituants chimiques de la plante dilatent les artères coronaires, dont la congestion peut mener à une crise cardiaque. La plante pourrait s'avérer une bonne mesure préventive. Les maladies cardiaques sont une condition grave qui exige des soins médicaux professionnels. Si vous désirez inclure la fleur de la passion dans votre traitement régulier, obtenez d'abord l'autorisation de votre médecin et continuez de vous faire suivre.

Préparation et posologie

Pour des soins d'urgence, broyez quelques feuilles de fleur de la passion que vous appliquerez sur de petites coupures jusqu'à ce que vous puissiez les nettoyer et les panser.

Pour une infusion au goût agréable qui pourrait vous aider à vous détendre ou à vous endormir, prenez 1 c. à café de feuilles séchées par tasse d'eau bouillante. Laissez infuser de 10 à 15 minutes. Les insomniaques pourraient en boire une tasse avant de se coucher. Pour d'autres usages, ne dépassez pas trois tasses par jour.

Pour une teinture, prenez 1/4 à 1 c. à café jusqu'à trois fois par jour.

La fleur de la passion est déconseillée aux enfants de moins de deux ans. Les enfants plus âgés et les personnes de plus de 65 ans devraient commencer par des préparations faiblement concentrées et augmenter la dose au besoin.

Mise en garde

Les ouvrages médicaux sur la fleur de la passion ne mentionnent pas d'effets nocifs. Cependant, certains composés chimiques de la plante sont des stimulants utérins. On n'associe pas entièrement la fleur de la passion à la fausse couche, mais les femmes enceintes devraient être prudentes et s'abstenir de consommer une herbe aux effets si complexes, particulièrement sur le système nerveux central.

Certains experts prétendent que la fleur de la passion contient de la cyanide, substance toxique. Ce fait est une erreur de botanique. La fleur de la passion bleue (*P. cærulea*) contient une substance toxique, cependant la *P. incarnata*, plante médicinale, n'en contient aucune. Assurez-vous que l'on vous vend l'espèce *P. incarnata* lorsque vous vous achetez des fleurs de la passion.

Autres précautions

Les femmes en bonne santé qui ne sont pas enceintes, qui n'allaitent pas et qui ne prennent aucun tranquillisant ou sédatif peuvent l'utiliser sans crainte si elles respectent les doses prescrites.

La fleur de la passion ne devrait être consommée à des fins thérapeutiques qu'après accord avec son médecin. Si elle provoque de légers troubles, tels que des maux d'estomac ou de la diarrhée, prenez-en moins ou cessez d'en prendre. Consultez votre médecin en cas d'effets indésirables ou si les symptômes persistent deux semaines après le début du traitement.

Une vigne divine

La fleur de la passion est une vigne vivace grimpante qui pousse rapidement et qui peut atteindre près de 10 m avant les périodes de gel. Ses feuilles sont d'un vert terne de 10 à 15 cm de long et comportent de trois à cinq folioles dentées. Ses fleurs blanches parfumées sont teintées de pourpre et ont environ 6 à 7 cm de diamètre. Elles s'épanouissent en mai et produisent un fruit jaune ou orange de la taille d'un œuf qui est comestible. C'est pourquoi on l'appelle souvent la vigne d'abricots ou de melons d'eau.

La fleur de la passion pousse facilement à partir de graines, de boutures ou de racines que l'on coupe à l'automne. Elle préfère les terreaux riches, légèrement acides, bien irrigués et bien drainés, dans des sites bien éclairés, mais à l'ombre des rayons du soleil. Cette racine vivace est robuste, mais elle ne pourrait survivre à des températures sous la normale. Il est préférable de soutenir les vrilles de la vigne au moyen d'une clôture ou d'un treillis afin qu'elle puisse grimper aisément.

Récoltez les feuilles au moment où s'épanouissent les fleurs. Bien irrigués, les fruits sont comestibles et ont une douce saveur.

FRAMBOISE

Favorable durant la grossesse

Famille: *Rosaceæ*. Également la rose, la pomme, l'amande et la fraise
Genres et espèces: *Rubus idæus, R. strigosus*
Autre nom: Ronce du Mont Ida
Parties utilisées: Les feuilles et les fruits

Pendant plus de 2 000 ans, la framboise occupa une place peu importante parmi les plantes à action thérapeutique, juste après la mûre. Mais depuis les années 1940, cette plante est sortie de l'ombre de la mûre et l'a pratiquement remplacée pour ses vertus thérapeutiques, surtout parce qu'elle est devenue depuis l'herbe de prédilection pour les femmes enceintes.

Une plante de rechange

Les Grecs de l'Antiquité, les Chinois, les Ayurvédiques et les Indiens d'Amérique utilisaient la framboise et la mûre de façon interchangeable pour traiter les blessures et la diarrhée.

Au XVIIe siècle, l'herboriste britannique Nicholas Culpeper recommanda la mûre parce qu'elle était «très astringente» et bonne pour «les fièvres, les ulcères, les plaies putrides de la bouche et des parties génitales … la tuberculose… les hémorroïdes, les calculs rénaux … et les écoulements sanguins menstruels».

Le texte des médecins éclectiques, *Kings's American Dispensatory*, perpétua la longue tradition qui consistait à placer la framboise juste sous la mûre qui, elle, jouait «un grand rôle dans le traitement de la dysenterie … était agréable au goût, atténuait la souffrance, et, enfin, avait les mêmes effets qu'un médicament».

Les herboristes contemporains préconisent la framboise pour soigner

la diarrhée et pour traiter la nausée et les vomissements, particulièrement les nausées du matin durant la grossesse. Un herboriste va même jusqu'à appeler la framboise la «panacée durant la grossesse ... qui soulage la future mère de ses états nauséeux, qui prévient la fausse couche et qui enraie les douleurs de la période de travail».

PROPRIÉTÉS thérapeutiques

La framboise n'éliminera pas les douleurs de la période de travail durant l'accouchement et elle n'est pas non plus une panacée durant la grossesse. Cependant, la science a confirmé certaines de ses vertus thérapeutiques dans le cas des femmes enceintes.

GROSSESSE. En 1941, la framboise est sortie de l'ombre de la mûre lorsqu'une étude sur des animaux publiée dans le journal médical britannique *Lancet* démontra qu'elle contenait un «principe relaxant utérin». Au cours des trente années qui suivirent, d'autres études ont confirmé cette découverte, et les médecins britanniques et européens prescrivirent bon nombre de préparations à base de framboise aux femmes enceintes pour les nausées du matin, l'irritabilité utérine et les menaces de fausse couche.

DIARRHÉE. Les feuilles de framboise contiennent des tannins qui possèdent des propriétés astringentes, ce qui appuie l'usage que l'on en faisait comme traitement contre la diarrhée.

AUTRES PROPRIÉTÉS. Une étude sur des animaux démontre que la framboise permet de réduire les taux de glucose sanguin, confirmant ainsi certaines vertus thérapeutiques dans le traitement du diabète.

Une autre étude montre que le tannin des racines de framboise a une certaine valeur thérapeutique dans le traitement d'une forme rare de cancer.

Préparation et posologie

Pour une infusion douce et agréablement astringente afin de traiter la diarrhée ou les malaises de la grossesse, prenez 1 à 2 c. à café d'herbes séchées par tasse d'eau bouillante. Laissez infuser de 10 à 15 minutes. Buvez-en au besoin.

Pour une teinture, prenez de 1/2 à 1 à c. à café jusqu'à trois fois par jour.

Les parents doivent faire preuve de prudence lorsqu'ils donnent une infusion de framboises diluée à leurs enfants pour soigner la diarrhée.

Mise en garde

En général, les médecins conseillent aux femmes enceintes d'éviter toute forme de médicament durant la grossesse afin de ne pas nuire au fœtus. La framboise à des fins thérapeutiques fait exception à la règle, bien qu'elle ne doive être consommée qu'après accord et sous la surveillance d'un obstétricien. On recommande la framboise depuis des décennies comme relaxant utérin et les ouvrages médicaux actuels sur la framboise ne mentionnent pas d'effets nocifs. Les femmes qui ont des antécédents de fausse couche pourraient particulièrement l'apprécier. D'autre part, on doit faire preuve de prudence et n'utiliser selon le cas que la dose la plus efficace en faible quantité. Commencez par une infusion diluée et augmentez la concentration au besoin.

Les tannins ont à la fois des propriétés cancérigènes et anticancérigènes. Les femmes enceintes qui ont des antécédents de cancer devraient discuter de la consommation de la framboise avec leur médecin.

Autres précautions

Cependant, les personnes en bonne santé peuvent l'utiliser sans crainte si elles respectent les doses prescrites.

La framboise ne devrait être consommée à des fins thérapeutiques qu'après accord avec son médecin. Si elle provoque de légers troubles, tels que des maux d'estomac ou de la diarrhée, prenez-en moins ou cessez d'en prendre. Consultez votre médecin en cas d'effets indésirables ou si les symptômes persistent deux semaines après le début du traitement.

Un fruit délectable

La framboise est un arbrisseau à souche émettant des stolons et des pousses bi-annuelles qui peut atteindre de 1 à 2 m. Elle possède des feuilles à folioles dentées et des fleurs blanches qui s'épanouissent l'été, de même que des grappes de baies rouges douces-amères qui deviennent très sucrées lorsqu'elles atteignent la maturité.

Les arbrisseaux de framboises poussent et se propagent rapidement. Il est difficile de se débarrasser des racines. Même quand on les retire du sol, les petits fragments de racines qui restent donneront de nouvelles pousses. Assurez-vous de bien contenir vos plants de framboises.

Plantez des coupures de racines de 1 cm dans quelques centimètres de terre. Le framboisier pousse bien en plein soleil dans un sol dégagé, riche et bien drainé que l'on agrémente de terreau bien engraissé.

Récoltez les feuilles en tout temps. Les fruits mûrs apparaissent en été. Afin de faciliter la récolte des baies, attachez les branches à des treillis. Récoltez le plus de fruits possibles.

GENIÈVRE

Un guérisseur à base de gin

Famille: *Cupressaceæ*. Également le cyprès
Genre et espèce: *Juniperus communis*
Autres noms: Genévrier commun, pétron, pétrot
Partie utilisée: Les baies

Si vous avez déjà bu un Martini, vous connaissez certainement le genièvre. Les baies aromatiques de cette plante constituent l'élément de base du gin. Le genièvre fait également augmenter la production de l'urine. Cette propriété laisse donc supposer que cette plante pourrait peut-être traiter le syndrome prémenstruel, l'hypertension artérielle et l'insuffisance cardiaque congestive.

Un désinfectant français

Au Moyen Âge, les Européens plantaient un genévrier près de la porte d'entrée de leur maison afin d'éloigner les sorcières. Malheureusement, l'arbre ne constituait pas la protection idéale. Une sorcière pouvait toujours pénétrer si elle arrivait à deviner le nombre d'aiguilles que contient le genévrier.

Au fil du temps, on oublia sa réputation de plante protectrice et l'on crut alors que la fumée du genévrier prévenait la lèpre et la peste bubonique. Jusqu'à la Seconde Guerre mondiale, les infirmières françaises brûlaient du genièvre dans les chambres d'hôpital afin de les désinfecter.

Au XVIIe siècle, on utilisait couramment le genièvre comme diurétique pour augmenter la production d'urine. L'herboriste britannique Nicholas Culpeper écrivait que la plante «incite à uriner de façon infinie ... est un remède puissant contre l'hydropisie (l'insuffisance cardiaque congestive) qui guérit la maladie». De plus, Culpeper prescrivait le genièvre comme traitement pour soigner «la toux, l'essoufflement, la consomption (tuberculose) ... pour déclencher les règles ... et pour permettre un accouchement rapide et sans complications pour l'enfant et pour la mère.»

La plante qui facilite l'accouchement

Les Indiens d'Amérique découvrirent de leur côté que le genièvre possédait des propriétés qui facilitaient l'accouchement chez les femmes. Lorsque le conquistador Francisco Vasquez Coronado, à la recherche des «Sept Cités» fabuleuses de Cíbola, arriva en 1540 dans ce que l'on appelle maintenant le Nouveau-Mexique, il remarqua que les femmes Zunis consommaient après un accouchement des baies de genièvre pour activer la guérison de leur utérus. Elles y avaient également recours pour traiter les blessures infectées et l'arthrite.

Les médecins éclectiques américains du XIXe siècle mirent en doute l'emploi du genièvre pour faciliter l'accouchement, mais crurent énormément en ses vertus thérapeutiques pour traiter l'insuffisance cardiaque congestive. Ils prescrivirent également le genièvre en application externe pour l'eczéma et le psoriasis, et par voie orale dans les cas de gonorrhée, d'infections de la vessie et du rein, de même que d'autres problèmes uro-génitaux.

Les herboristes contemporains recommandent le genièvre en application externe comme antiseptique. Ils préconisent la consommation de la plante pour les infections de la vessie, l'arthrite, les crampes intestinales et la goutte. L'un d'entre eux conseille même cette plante comme déodorant urinaire dans les cas d'incontinence chronique: la plante donne à l'urine l'odeur de la violette. Un autre herboriste déclare que le genièvre «détruit tous les champignons».

En hollandais

Mais les revendications médicinales concernant le genièvre ont peu de poids par rapport à la consommation du gin, alcool inventé par les Hollandais durant le XVIIe siècle. Notre mot gin vient du mot hollandais *geniver* signifiant genièvre. Les Britanniques furent tellement enthousiasmés par le gin qu'il devint l'une de leur boisson préférée.

PROPRIÉTÉS thérapeutiques

L'huile aromatique de genièvre contient un diurétique chimique, le terpinène—4-ol, qui augmente le taux de filtration rénale, ce qui confirme l'usage que l'on en faisait comme diurétique. En fait, cet ingrédient se trouve dans certains diurétiques vendus dans le commerce.

HYPERTENSION ARTÉRIELLE. Les médecins prescrivent souvent des diurétiques pour traiter l'hypertension artérielle. Cette maladie est une affection grave qui exige des soins médicaux professionnels. Si vous désirez ajouter de la genièvre à votre traitement régulier, discutez-en d'abord avec votre médecin.

Les diurétiques épuisent les réserves de potassium, minéral essentiel au bon fonctionnement de l'organisme. Si vous consommez du genièvre, mangez des aliments riches en potassium, tels que les bananes et les légumes frais.

INSUFFISANCE CARDIAQUE CONGESTIVE. Culpeper exagérait sûrement lorsqu'il prétendait que le genièvre guérissait cette maladie. Comme diurétique, la plante peut être intégrée à un traitement global. L'insuffisance cardiaque est une maladie grave qui exige des soins médicaux professionnels. Si vous désirez utiliser du genièvre, discutez-en d'abord avec votre médecin.

SANTÉ DE LA FEMME. Dans des études sur des animaux, on a démontré que le genièvre stimule les contractions utérines. Les femmes enceintes devraient s'abstenir d'en prendre, sauf au terme de leur grossesse et sous surveillance médicale, lorsqu'il s'avérera nécessaire de stimuler la période de travail. Certaines femmes pourraient l'essayer afin de déclencher leurs règles.

Les diurétiques peuvent apporter un certain soulagement aux ballonnements prémenstruels qui affectent certaines femmes. Les femmes atteintes du syndrome prémenstruel pourraient essayer le genièvre quelques jours avant leurs règles.

ARTHRITE. Le genièvre pourrait être doté de propriétés anti-inflammatoires, laissant croire en ses vertus thérapeutiques dans le traitement de l'arthrite, l'un des usages traditionnels qu'en faisaient les Indiens. En Allemagne, où la guérison par les plantes est très populaire, les médecins prescrivent des préparations à base de genièvre pour l'arthrite et la goutte.

EMPLOI CONTESTÉ. Le genièvre ne détruit pas tous les champignons et son efficacité n'a jamais été prouvée dans le traitement de la gonorrhée ou des infections de la vessie et du rein.

Préparation et posologie

Consommez une infusion de genièvre pour ses bienfaits thérapeutiques comme diurétique, pour traiter l'inflammation causée par l'arthrite ou encore pour provoquer vos règles. Pour une infusion, prenez 1 c. à café de baies broyées par tasse d'eau bouillante. Laissez infuser de 10 à 20 minutes. Ne dépassez pas deux tasses par jour pendant plus de six semaines. Le genièvre a un goût relevé, agréable et aromatique.

Le genièvre est déconseillé aux enfants de moins de deux ans. Les enfants plus âgés et les personnes de plus de 65 ans devraient commencer par des préparations faiblement concentrées et augmenter la dose au besoin.

Mise en garde

De fortes quantités de genièvre peuvent irriter le rein et possiblement l'endommager. Les personnes qui sont atteintes d'une infection du rein ou qui ont des antécédents d'insuffisance rénale devraient s'abstenir d'en prendre. Même de faibles doses réparties sur de longues périodes peuvent provoquer des problèmes. «La règle, écrit le médecin et herboriste allemand Rudolph Fritz Weiss, est de ne jamais consommer le genièvre pendant plus de six semaines.»

Les symptômes d'une dose excessive comprennent la diarrhée, les douleurs intestinales, les douleurs rénales, l'albuminurie (taux élevé de protéines dans les urines), l'hématurie (du sang dans les urines), une urine violacée, un rythme cardiaque accéléré et une tension artérielle élevée.

Cessez la consommation du genièvre s'il cause l'un des symptômes susmentionnés. Près d'un tiers des personnes atteintes de rhume des foins développent une allergie au genièvre, selon une étude publiée dans *Clinical Allergy*. De préférence, n'utilisez pas cette plante si vous souffrez de rhume des foins.

Autres précautions

Chose étrange, la Food and Drug Administration inclut le genièvre parmi les plantes qui ne présentent aucun danger, connaissant les risques de toxicité rénale qu'on lui attribue. Les femmes en bonne santé qui ne sont pas enceintes, qui n'allaitent pas, qui n'ont aucune maladie du rein et qui ne prennent pas de diurétiques sous une autre forme, peuvent utiliser le genièvre sans crainte si elles respectent les doses prescrites.

Le genièvre ne devrait être consommé à des fins thérapeutiques qu'après accord avec son médecin. S'il provoque de légers troubles, tels que des maux d'estomac ou de la diarrhée, prenez-en moins ou cessez d'en prendre. Consultez votre médecin en cas d'effets indésirables ou si les symptômes persistent deux semaines après le début du traitement.

Bon nombre d'aînés souffrent d'insuffisance rénale. Les personnes qui ont plus de 65 ans devraient s'informer auprès de leur médecin au sujet de la maladie avant de consommer du genièvre.

Les plantes mâles et les plantes femelles

Le genre *Juniperus* comprend plus de 70 espèces de plantes aromatiques. La plupart d'entre elles sont de petits arbres, mais certaines atteignent près de 15 m. L'espèce que l'on utilise le plus dans la guérison par les plantes, la *J. communis*, ou genièvre commun, atteint de 2 à 7 m, selon la région où elle pousse. Ses branches rapprochées et enchevêtrées sont couvertes d'une écorce brun-roux, d'une gomme gluante et d'épines pointues d'environ 1 cm. Les espèces mâles produisent des fleurs jaunes et les espèces femelles, des fleurs vertes. Les espèces femelles produisent aussi des petits cônes aromatiques de couleur verte qui deviennent bleu foncé pendant leur période de maturation.

Si vous voulez récolter des baies, assurez-vous de planter les espèces mâles et femelles, sinon les espèces femelles ne porteront pas de fruits. Les genévriers préfèrent habituellement un sol sablonneux et le plein soleil. Toutefois, ils s'adaptent à différents types de sol et à diverses conditions climatiques. Consultez un pépiniériste à ce sujet.

Les espèces femelles produisent simultanément des baies immatures (vertes) et des baies matures (bleu foncé). Récoltez seulement les baies matures à l'automne. Faites-les sécher au soleil. Lorsqu'elles sont sèches, elles deviennent noires et ternes. Entreposez-les dans des contenants hermétiques afin de préserver leur huile volatile.

GENTIANE

Une boisson qui requinque

Famille: *Gentianaceæ*. Également d'autres espèces de gentiane
Genre et espèce: Gentiana lutea
Autres noms: Grande gentiane, jansonna, quinquina indigène
Partie utilisée: Les racines

Durant les années de crise, le mot *moxie* en argot américain signifiait courage avec une nuance d'imprudence. On peut dire que Teddy Roosevelt, Charles Lindberg et Al Capone avaient tous du cran. Ce terme vient d'une boisson douce-amère que l'on pouvait se procurer depuis les années 1890 en Nouvelle-Angleterre seulement. Cette boisson doit son amertume aux racines de la gentiane, plante aux vertus thérapeutiques qui existe depuis 3 000 ans en tant que digestif «amer». Les recherches actuelles démontrent que la gentiane pourrait stimuler la digestion.

La plante pour tous les maux

Les Égyptiens, les Grecs et les Romains de l'Antiquité utilisaient la gentiane comme stimulant de l'appétit, comme antiseptique pour les plaies de la bouche, et comme traitement contre les vers intestinaux, les troubles digestifs, les affections du foie, ainsi que les troubles menstruels.

Au VIe siècle, les médecins arabes adoptèrent la gentiane des Grecs et firent connaître son usage médicinal en Asie. Depuis lors, les médecins chinois l'utilisent pour traiter les troubles digestifs, les maux de gorge et de tête, ainsi que l'arthrite. Les médecins ayurvédiques de l'Inde se servaient de la gentiane dans les cas de fièvres, de maladies vénériennes, de jaunisse et d'autres problèmes hépatiques.

Au Moyen Âge, les herboristes européens prisaient la gentiane parce qu'elle entraînait moins d'irritations intestinales que les autres digestifs amers.

L'herboriste britannique du XVIIe siècle Nicholas Culpeper écrivit que la gentiane «fortifie infiniment l'estomac, facilite la digestion, soulage le cœur et les fièvres de toutes sortes, tue les vers et préserve contre l'évanouissement. Par contre, cette plante fait trop uriner et fait venir les règles trop vite. Par conséquent, les femmes enceintes ne doivent pas en consommer.»

Quand les premiers colons arrivèrent en Virginie et dans les Carolines, ils s'aperçurent que les Indiens qui souffraient de maux de dos appliquaient une décoction de racines de gentiane (l'espèce américaine *G. puberula*) pour en atténuer la douleur.

Les médecins éclectiques américains du XIXe siècle considéraient que la gentiane était un «tonique puissant» et le prescrivaient pour «augmenter l'appétit et stimuler la digestion». Mais leur traité, *King's American Dispensatory*, mettait en garde: «Prise en grande quantité, la gentiane pourrait opprimer l'estomac et irriter les intestins. Elle peut aussi produire de la nausée, des vomissements et des maux de tête.»

La gentiane fut inscrite de 1820 à 1955 dans le *U.S. Pharmacopœia* en tant que stimulant digestif.

Avant l'introduction du houblon, les racines de gentiane servaient à la fabrication de la bière. La plante est encore utilisée dans les liqueurs, les vermouths et bon nombre de digestifs amers très populaires en Europe.

Le «Moxie» fait de l'argent

Puis le *Moxie* fit son apparition. En 1885, Augustin Thompson, natif de la ville d'Union, dans l'État du Maine, introduisit le *Moxie* sous le nom de *Beverage Moxie Nerve Food*. L'étiquette originale déclarait que le brassage de cette boisson amère permettait de soigner «l'épuisement du cerveau et des nerfs, la perte de virilité, l'état de confusion, la stupidité et la démence». Thomson essaya de vendre son remède de charlatan comme médicament, mais il se ravisa très vite: il se rendit compte que son produit était adopté comme boisson non alcoolisée plutôt que comme médicament. Pendant des années, il se vendit mieux que le coca-cola en Nouvelle-Angleterre. On peut encore se procurer cette boisson dans cet État, et la gentiane constitue toujours l'un de ses ingrédients.

Dans son *Modern Herbal*, Maude Grieve parlait en ces termes de la gentiane: «L'une de nos boissons amères fortifiantes les plus utiles, particulièrement pour traiter la débilité, la faiblesse des organes digestifs ou le manque d'appétit. C'est l'un des meilleurs fortifiants pour le corps humain.» Les herboristes contemporains réagissent favorablement à Maude Grieve. L'un d'entre eux suggère de mâcher de la racine de genièvre au lieu de fumer des cigarettes.

PROPRIÉTÉS thérapeutiques

Oubliez la gentiane dans les cas d'impuissance, d'état de confusion, d'imbécillité et de folie. Cependant, la racine amère de la gentiane est sûrement à la hauteur de sa réputation première.

DIGESTION. La gentiane contient un agent chimique, la gentianine, qui stimule les sécrétions acides de l'estomac, appuyant ainsi l'usage thérapeutique que l'on en fait comme stimulant digestif depuis plus de 3 000 ans. Essayez-la avant les repas.

ARTHRITE. Une étude chinoise a démontré que la gentiane possède de grandes propriétés anti-inflammatoires, ce qui explique que les médecins chinois d'autrefois étaient sur la bonne voie lorsqu'ils prescrivaient la plante pour soigner l'arthrite. Essayez donc la gentiane si vous souffrez d'arthrite ou de toute autre maladie inflammatoire.

SANTÉ DE LA FEMME. On n'a jamais prouvé que la gentiane pouvait stimuler l'utérus. Cependant, des herboristes ont cru que la plante était un stimulant menstruel puissant pendant des siècles. Les femmes enceintes devraient toutefois être prudentes et ne pas l'utiliser. Certaines femmes pourraient l'essayer afin de déclencher leurs règles.

Préparation et posologie

Prenez une décoction ou une teinture afin de stimuler la digestion. Vous pouvez aussi l'utiliser pour traiter l'arthrite ou déclencher les règles.

Pour une décoction, amenez à ébullition 1 c. à café de racines en poudre dans trois tasses d'eau pendant trente minutes. Refroidissez la préparation. Consommez 1 c. à café avant les repas. La gentiane a un goût très amer. Vous pouvez ajouter du sucre ou du miel pour en adoucir le goût.

Pour une teinture, prenez 1/4 à 1 c. à café avant les repas.

La gentiane est déconseillée aux enfants de moins de deux ans. Les enfants plus âgés et les personnes de plus de 65 ans devraient commencer par des préparations faiblement concentrées et augmenter la dose au besoin.

Mise en garde

Les boissons douces-amères à base de gentiane sont populaires en Allemagne, où la guérison par les plantes est très répandue. Les médecins allemands recommandent aux gens atteints d'hypertension artérielle de s'abstenir d'en prendre. Ils confirment également l'avertissement des médecins éclectiques américains qui disaient qu'en grande quantité la gentiane peut irriter l'estomac et éventuellement causer des nausées ou des vomissements.

La Food and Drug Administration approuve la gentiane dans l'utilisation d'aliments ou de breuvages alcoolisés. Les femmes en bonne santé qui ne sont pas enceintes, qui n'allaitent pas et ne souffrent pas d'hypertension artérielle ou de maladie gastro-intestinale chronique peuvent l'utiliser sans crainte si elles respectent les doses prescrites. La gentiane ne devrait être consommée à des fins thérapeutiques qu'après accord avec son médecin. Si elle provoque de légers troubles, tels que des maux d'estomac ou de la nausée, prenez-en moins ou cessez d'en prendre. Consultez votre médecin en cas d'effets indésirables ou si les symptômes persistent deux semaines après le début du traitement.

Comment cultiver la plante?

La gentiane est une merveilleuse plante vivace de près de 2 m de haut, munie de racines médicinales ramifiées, de feuilles ovales, pointues et très nervurées et de jolies fleurs jaunes.

La gentiane exige peu de soins, sauf une irrigation abondante et un abri contre le vent et le grand soleil, une fois qu'elle a germé. Mais cela n'est pas chose facile. Les graines doivent geler afin de germer, et même avec le gel elles peuvent mettre un an à germer ou ne pas pousser du tout. Les spécialistes en la matière recommandent d'utiliser des boutures de racines. La gentiane préfère les sols légèrement acides, terreux et riches. On peut l'aider en la protégeant avec de la tourbe, une fois par an.

Récoltez les racines à la fin de l'été. Les meilleures racines sont d'un brun-roux foncé; elles sont robustes et souples et ont une odeur désagréable. Au début, elles ont un goût assez doux, puis elles deviennent très amères. Faites sécher les racines, puis réduisez-les en poudre.

GINGEMBRE

Adieu au mal des transports

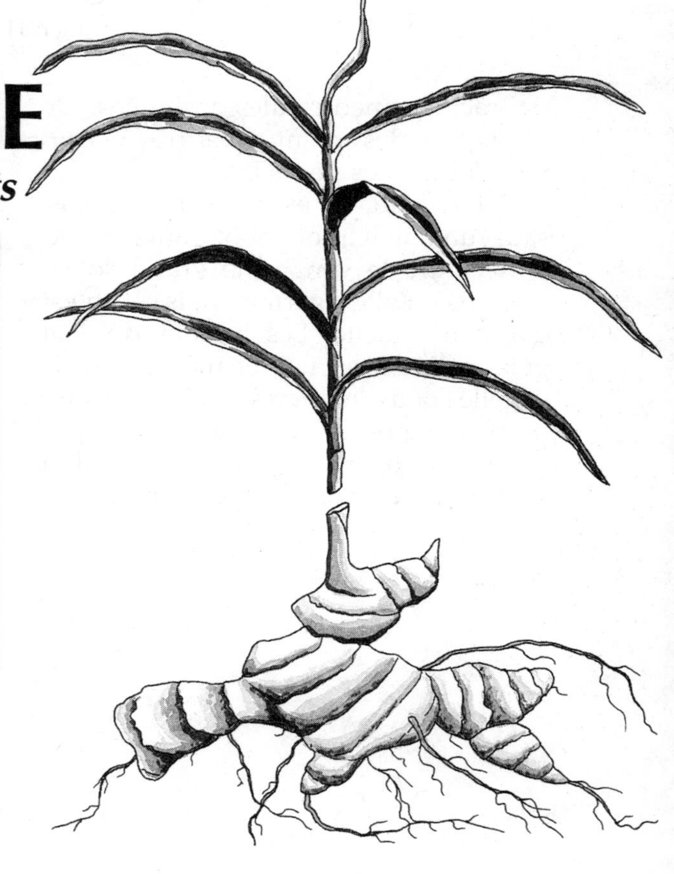

Famille: *Zingiberaceæ*. Également le curcuma et le cardamome
Genre et espèce: *Zingiber officinale*
Autres noms: Gingembre jamaïcain, gingembre africain et gingembre asiatique
Partie utilisée: Les racines

Un vieux proverbe indien dit: «Le gingembre possède toutes les qualités que peut posséder une plante.» C'est à peine exagéré. Depuis le début de l'histoire, la racine du gingembre, charnue et aromatique, est utilisée dans la cuisine et dans la médecine par les plantes. La science moderne a approuvé certaines de ses utilisations médicinales traditionnelles, y compris son importance dans la prévention du mal des transports. Elle a découvert que le gingembre avait d'autres vertus thérapeutiques.

L'herbe des dieux

Les Indiens de l'Antiquité utilisaient leur propre gingembre pour conserver leur nourriture et pour soigner leurs problèmes digestifs. Ils estimaient également que cette plante les nettoyait physiquement et spirituellement. Ils évitaient de consommer de l'oignon ou de l'ail avant leurs célébrations religieuses à cause de leur odeur très forte, de peur d'offenser les divinités. Ils mangeaient par contre des morceaux de gingembre, cette plante laissant sur eux un parfum doux leur permettant de se présenter devant leurs dieux.

Le gingembre apparut principalement dans le premier grand herbier chinois le *Pen Tsao Ching* (*Le grand classique des plantes médicinales*), compilé par le légendaire empereur Shen Nung aux alentours de l'an 3000 avant notre ère. Comme l'histoire le raconte, cet herboriste avisé essaya des centaines d'herbes sur lui-même jusqu'au jour où il absorba un peu trop d'une plante empoisonnée et en mourut. Shen Nung préconisait le gingembre pour les rhumes, la fièvre, les refroidissements, le tétanos et la lèpre. Le *Pen Tsao Ching* était également favorable à la pratique indienne selon laquelle le gingembre frais «élimine l'odeur du corps et met en contact avec le spirituel».

Au fil des années, les marins chinois se mirent à mâcher du gingembre pour prévenir le mal de mer, et les médecins chinois le prescrivirent pour traiter l'arthrite et les problèmes de rein.

Les femmes chinoises boivent encore du thé de gingembre pour leurs douleurs menstruelles, les états nauséeux de la grossesse et pour d'autres problèmes gynécologiques.

Les Chinois considèrent également que le gingembre est un excellent antidote dans les cas d'empoisonnement par les crustacés. C'est pour cette raison que le poisson chinois et les plats de fruits de mer sont souvent assaisonnés avec cette plante.

Le pain d'épice et la boisson non alcoolisée au gingembre

Les Grecs de l'Antiquité adoptèrent le gingembre comme stimulant digestif. Après de gros repas, ils mangeaient du gingembre enveloppé dans du pain. Avec le temps, ils incorporèrent cette plante dans le pain. Cette plante qui aidait à digérer se transforma en pain d'épice.

Les Romains utilisèrent aussi le gingembre comme stimulant digestif. Cependant, après la chute de Rome, cette plante se fit rare en Europe et devint très coûteuse.

Le commerce avec l'Asie augmentant et le gingembre devenant ainsi plus accessible, la demande européenne fut insatiable. Les modestes gâteaux au gingembre des Grecs de l'Antiquité se transformèrent en personnages de gingembre très sucrés et en pièces montées aussi élaborées que la maison en pain d'épice de la sorcière du conte de Grimm, *Hansel et Gretel*. En Angleterre et dans ses colonies américaines, le gingembre fut incorporé à une boisson soulageant l'estomac, la bière de gingembre, précurseur de la boisson au gingembre d'aujourd'hui, remède maison encore utilisé pour soigner la diarrhée, les nausées et les vomissements.

Les médecins éclectiques américains du XIXe siècle prescrivaient la poudre de gingembre, le thé, le vin et la bière pour traiter la diarrhée chez les enfants, l'indigestion, les nausées, la dysenterie, les flatulences, la fièvre, les maux de tête, les maux de dents et les troubles menstruels.

Les herboristes contemporains recommandent le gingembre pour les rhumes, la grippe et le mal des transports, comme stimulant digestif et pour déclencher les règles.

PROPRIÉTÉS thérapeutiques

Outre les boissons et les gâteaux à base de gingembre, la science appuie certains usages traditionnels de la plante et en a découvert plusieurs autres.

MAL DES TRANSPORTS ET NAUSÉES DU MATIN. Les marins de la Chine ancienne qui utilisaient du gingembre afin de prévenir le mal de mer étaient sur la bonne voie. L'action anti-nausée du gingembre soulage le mal des transports et les étourdissements (vertiges) mieux que tout autre traitement médicamenteux régulier, notamment la dramamine, selon une étude publiée dans le journal médical britannique *Lancet*. Au cours d'une étude, on a administré à 36 bénévoles qui avaient des antécédents du mal des transports 100 mg de dramamine ou 940 mg de poudre de gingembre. On les a ensuite assis dans un fauteuil à bascule programmé pour déclencher le mal de mer. Ces personnes étaient libres d'arrêter le mouvement du fauteuil dès qu'elles commençaient à sentir la nausée. Les personnes qui avaient pris du gingembre ont tenu 50 % plus longtemps que celles à qui l'on avait donné de la dramamine. Également, les chercheurs recommandent les capsules de gingembre, le thé de gingembre ou les boissons à base de gingembre dans les cas de nausées du matin pendant la grossesse. Certains médecins le suggèrent maintenant aux personnes qui subissent un traitement de chimiothérapie.

STIMULANT DIGESTIF. Le gingembre semble soulager l'indigestion et les douleurs abdominales, car elle soulage le tube digestif, confirmant ainsi ses propriétés antispasmodiques. Le gingembre possède aussi une action anti-nausée et contient des substances semblables aux enzymes digestives qui dégradent les protéines.

SANTÉ DE LA FEMME. Les antispasmodiques soulagent non seulement le tube digestif, mais d'autres muscles lisses comme celui de l'utérus. Le gingembre peut soulager les douleurs menstruelles.

RHUME ET GRIPPE. Des études chinoises démontrent que le gingembre peut tuer le virus de la grippe. Un rapport indien indique qu'il augmente la capacité du système immunitaire à combattre l'infection. Ces découvertes appuient les usages traditionnels que l'on faisait du gingembre pour traiter les rhumes, la grippe et d'autres maladies infectieuses.

ARTHRITE. Des études ont décelé des substances anti-inflammatoires dans le gingembre, ce qui confirme l'usage que l'on en faisait pour traiter l'arthrite.

MALADIE CARDIAQUE ET ACCIDENT VASCULAIRE CÉRÉBRAL. Dans l'Antiquité, peu de gens vivaient assez longtemps ou consommaient suffisamment de gras pour développer une maladie cardiaque ou un accident vasculaire cérébral. Les temps ont changé. Ces maladies comptent aujourd'hui pour 50 % des décès aux États-Unis. Le gingembre peut les prévenir en contrôlant plusieurs facteurs de risque.

D'abord, le gingembre permet de réduire les taux de cholestérol, selon une étude publiée dans le *New England Journal of Medicine*. La plante permet aussi de diminuer la tension artérielle et prévient les caillots internes qui sont souvent responsables de ces maladies.

AUTRES PROPRIÉTÉS. Une étude montre que le gingembre cause une régression tumorale chez des animaux de laboratoire. Bien que cette étude ne porte pas sur des humains, le gingembre pourrait un jour être utile aux traitements contre le cancer chez l'homme.

Préparation et posologie

Assaisonnez vos aliments afin d'obtenir des plats aromatiques et épicés.

Pour le mal des transports, les spécialistes recommandent de prendre 1500 mg environ 30 minutes avant le départ. Les capsules de gingembre en vente dans le commerce sont plus commodes, mais un verre de boisson à base de gingembre (ginger ale) est suffisant, à condition que le gingembre ne soit pas artificiel.

Consommez une tisane de gingembre comme stimulant digestif, comme traitement contre les rhumes et la grippe, la nausée, les nausées du matin ou l'arthrite, ou encore pour prévenir les maladies cardiaques et les accidents vasculaires cérébraux. Pour une tisane au gingembre, prenez 2 c. à café de racines en poudre ou râpées par tasse d'eau bouillante. Laissez infuser 10 minutes.

De faibles préparations à base de gingembre peuvent être données aux enfants de moins de deux ans qui souffrent de coliques.

Mise en garde

L'action anti-nausée du gingembre peut prévenir les nausées du matin, mais la plante a surtout la réputation de déclencher les règles. Le gingembre peut-il provoquer une fausse couche? C'est possible s'il est consommé en grande quantité. Il y a des cas où les préparations commerciales sont à conseiller. Les femmes enceintes qui ont des antécédents de fausse couche devraient s'abstenir d'en prendre. Une étude suggère que l'action du gingembre est directement liée à la quantité que l'on consomme. Cette étude publiée dans le *Lancet* rapporte que moins de 1 g était utilisé pour prévenir la nausée. Pour déclencher les règles, les médecins chinois recommandent de 20 g à 28 g.

Une tasse de tisane forte au gingembre contient environ 250 mg de la plante. Un plat très relevé en gingembre en contient 500 mg et un verre de boisson gazeuse au gingembre en contient 1000 mg. Ces quantités ne suffisent pas à déclencher les règles.

Les ouvrages médicaux sur le gingembre ne mentionnent pas que la plante provoque l'avortement ou cause des malformations congénitales.

Les femmes enceintes qui n'ont aucun antécédent de fausse couche peuvent essayer les tisanes de gingembre ou les boissons gazeuses à base de gingembre en quantités normales afin de traiter les nausées du matin.

Bien que le gingembre soulage habituellement l'indigestion, certaines personnes qui en prennent pour prévenir le mal des transports disent qu'il cause des brûlures d'estomac.

La Food and Drug Administration inclut le gingembre parmi les plantes qui ne présentent aucun danger. Les personnes en bonne santé peuvent l'utiliser sans crainte si elles respectent les doses prescrites.

Le gingembre ne devrait être consommé à des fins thérapeutiques qu'après accord avec son médecin. S'il provoque de légers troubles, tels que des brûlures d'estomac, prenez-en moins ou cessez d'en prendre. Consultez votre médecin en cas d'effets indésirables ou si les symptômes persistent deux semaines après le début du traitement.

Un climat tropical

Le gingembre est une plante vivace tropicale qui pousse à partir d'un gros rhizome charnu. Chaque année, la plante produit une tige ronde d'environ 1 m dont les feuilles minces et allongées mesurent environ 12 cm. La plante ne produit qu'une seule fleur de couleur jaune et pourpre.

Cette plante extérieure pousse à Hawaï, en Floride, au sud de la Californie, au Nouveau-Mexique, en Arizona et au Texas. Elle préfère être bien irriguée, et partiellement à l'ombre, dans des parterres ou carrés bien cultivés et engraissés de fumier et d'algues.

Le gingembre se reproduit à partir de racines fraîches, lesquelles contiennent des nœuds similaires à ceux que l'on trouve dans les pommes de terre. La racine de gingembre que l'on trouve dans la plupart des supermarchés (écorce d'un brun moyen) n'est généralement pas très fraîche et utile à la reproduction. C'est dans les marchés spécialisés en aliments asiatiques que l'on trouve le plus souvent des racines de gingembre à cultiver. Certains pépiniéristes peuvent aussi en avoir. Cherchez des racines de gingembre dont l'écorce est vert pâle.

Plantez les racines à une profondeur d'environ 7 cm et espacez-les de 25 cm. Après 12 mois, déracinez la plante, récoltez quelques racines et replantez ce qui reste.

Le gingembre peut aussi être cultivé à l'intérieur, dans des pots profonds et un sol qui contient du terreau, du sable, du compost et de la tourbe. À l'intérieur, la plante requiert de la chaleur, beaucoup d'eau et un taux d'humidité élevé. Idéalement, il faut recréer les conditions de la serre pour qu'elle donne son meilleur rendement.

GINKGO

Depuis l'aube des temps

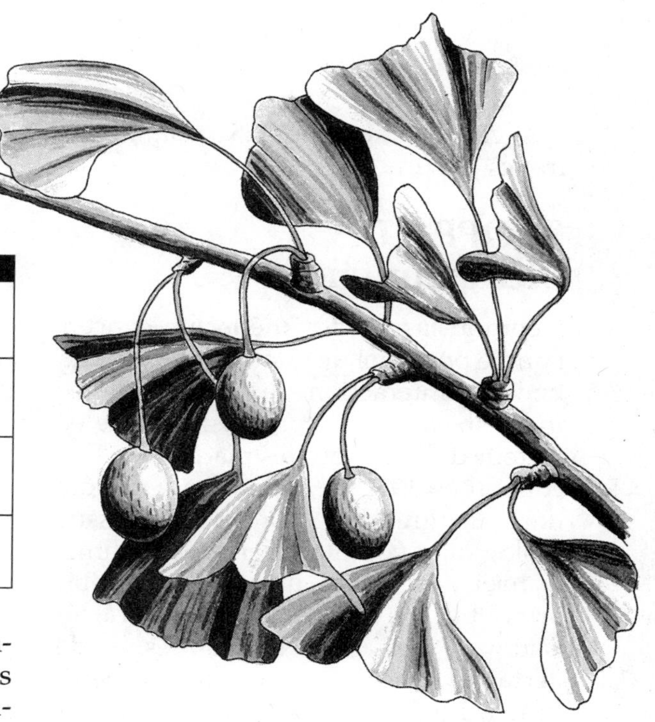

Famille: *Ginkgoaceæ*
Genre et espèce: *Ginkgo biloba*
Autre nom: Aucun
Partie utilisée: Les feuilles

Le ginkgo est le plus vieil arbre encore en vie sur la terre. Grâce à ses vertus thérapeutiques, il permet souvent de prolonger la vie des personnes âgées. En effet, le ginkgo peut prévenir et soulager beaucoup de maladies associées à l'âge: les accidents vasculaires cérébraux, les maladies de cœur, l'impuissance, la surdité, la cécité ainsi que la perte de mémoire.

Élixir de longue vie

Dans le premier grand herbier, le *Pen Tsao Ching* (*Le Grand classique des plantes médicinales*), attribué au légendaire empereur Shen Nung, on parlait du ginkgo en ces termes: «Bon pour le cœur et les poumons». Les médecins chinois soucieux des traditions l'utilisent pour soigner l'asthme et les engelures, l'enflure des mains et des pieds survenant à la suite d'un refroidissement.

Les Chinois et les Japonais anciens mangeaient également des graines de ginkgo grillées comme stimulants digestifs et pour prévenir l'ivresse.

Les guérisseurs ayurvédiques de l'Inde soucieux des traditions associaient le ginkgo à une longue vie et l'on dit qu'ils utilisaient les feuilles de cet arbre comme ingrédient dans la préparation du soma, élixir de longévité.

On introduisit les ginkgos en Europe en 1730, et de nos jours, ils bordent les rues et les parcs, dans les pays à climat tempéré. Mais, bien que les horticulteurs du XVIIIe siècle les plantèrent à travers toute l'Europe, les herboristes de cette époque les ignorèrent. Résultat, les feuilles en forme d'éventail du ginkgo n'ont pas d'histoire dans la guérison par les plantes en Occident.

De nos jours, les herboristes européens et les médecins les plus éminents pensent tout à fait différemment. En Europe, ce sont les médicaments à base de ginkgo que l'on prescrit le plus, avec des ventes atteignant 25 millions de francs par an.

PROPRIÉTÉS thérapeutiques

L'enthousiasme des médecins concernant le potentiel de guérison du ginkgo tient à l'interaction de la plante avec une substance de l'organisme appelée facteur d'activation des plaquettes. Découvert en 1972, ce facteur joue un rôle dans un grand nombre de processus biologiques comme les crises d'asthme, le rejet des greffes d'organes, le débit artériel et les caillots sanguins caractéristiques des crises cardiaques et de certains accidents vasculaires cérébraux. En inhibant le facteur d'activation des plaquettes, le ginkgo s'impose comme une plante dont le potentiel de guérison est énorme, particulièrement dans des affections associées au vieillissement.

ACCIDENT VASCULAIRE CÉRÉBRAL. Avec l'âge, le débit du sang vers le cerveau peut diminuer, ce qui veut dire que les cellules de l'encéphale sont sous-alimentées en oxygène. Si un blocage de ce débit sanguin survient, il en résulte un accident vasculaire cérébral, la troisième cause de décès aux États-Unis. Des douzaines d'études montrent que le ginkgo augmente considérablement le débit sanguin au cerveau et peut même favoriser la guérison après un accident vasculaire cérébral.

MÉMOIRE ET TEMPS DE RÉACTION. La mémoire et les facultés mentales s'améliorent à mesure que le débit sanguin au cerveau s'accroît. Au cours d'une petite étude menée auprès de huit femmes, la mémoire à court terme, et le temps de réaction se sont améliorés considérablement après qu'elles aient consommé du ginkgo.

CRISE CARDIAQUE. Le ginkgo favorise également le débit sanguin cardiaque. Il peut aider à prévenir les crises cardiaques en réduisant les risques de caillots sanguins internes.

CLAUDICATION INTERMITTENTE. Lorsque les dépôts de cholestérol congestionnent les artères des jambes, il en résulte une claudication intermittente, qui se traduit par de la douleur, des crampes et de la faiblesse, particulièrement dans les mollets. Le ginkgo peut favoriser la circulation sanguine dans les jambes. Une étude menée pendant un an auprès de 36 personnes atteintes de claudication intermittente a démontré que le ginkgo procure un soulagement de la douleur beaucoup plus important que les traitements réguliers.

IMPUISSANCE. Une étude publiée dans le *Journal of Urology* montre que le ginkgo peut diminuer les symptômes de l'impuissance causés par le rétrécissement des artères qui transportent le sang au pénis. Soixante hommes affligés de problèmes d'érection provoqués par une circulation sanguine restreinte ont reçu 60 mg de ginkgo par jour. Après un an, 50 % d'entre eux pouvaient avoir une érection.

DÉGÉNÉRESCENCE MACULAIRE. Cette maladie est une dégénérescence de la rétine, tunique interne nerveuse de l'œil nécessaire à la vision. La dégénérescence maculaire est la cause principale de cécité chez les adultes. Une étude française a démontré que le ginkgo procure une amélioration importante de la vision chez les personnes atteintes de cette maladie.

SURDITÉ COCHLÉAIRE. Des chercheurs croient que cette forme de perte de l'ouïe résulte d'une diminution de la circulation sanguine dans les nerfs associés à l'audition. Une étude menée par des chercheurs français a comparé les effets du ginkgo à ceux de traitements réguliers. Cette étude a conclu à un rétablissement important dans les deux groupes, bien que l'amélioration était plus notable dans le groupe à qui l'on avait administré du ginkgo.

BOURDONNEMENTS D'OREILLES (TINNITUS). Une étude effectuée à Paris, pendant 13 mois, auprès de 103 patients qui étaient atteints de cette maladie a démontré une efficacité certaine. Le ginkgo a amélioré le cas de tous les patients qui en avaient pris.

ÉTOURDISSEMENTS CHRONIQUES (VERTIGES). Au cours d'une autre étude, 70 personnes atteintes de vertiges chroniques ont été traitées pendant trois mois avec un extrait de ginkgo ou un placebo. À la fin de l'étude, on conclut que 18 % des personnes qui avaient pris le placebo ne ressentaient plus d'étourdissements comparativement à 47 % à qui l'on avait administré du ginkgo. Un écart important.

ASTHME. Le facteur d'activation des plaquettes provoque le type de constriction bronchique typique dans les cas d'asthme. Le ginkgo vient contrecarrer ce facteur et aide à prévenir les constrictions bronchiques, ce qui confirme l'usage traditionnel qu'en faisaient les Chinois dans le traitement de l'asthme et d'autres malaises respiratoires.

AUTRES PROPRIÉTÉS. Des études préliminaires suggèrent que le ginkgo pourrait prévenir le rejet de greffes d'organes. La plante pourrait également être efficace contre les allergies, l'hypertension artérielle, les maladies du rein et la maladie d'Alzheimer.

Il ne fait aucun doute que le ginkgo est l'une des plantes thérapeutiques les plus prescrites en Europe.

Préparation et posologie

Le ginkgo n'est généralement pas disponible comme plante naturelle, cependant bon nombre de compagnies spécialisées offrent des préparations commerciales. Suivez le mode d'emploi. Comme la plupart de ces préparations sont sous forme de capsules ou de gélules, la plante n'a pas de goût.

Si vous possédez votre propre ginkgo, vous pouvez infuser quelques feuilles et bénéficier des vertus thérapeutiques de la plante. De nombreuses feuilles de ginkgo sont nécessaires à une préparation médicamenteuse. C'est une bonne raison de se procurer des préparations commerciales.

Mise en garde

Le facteur d'activation des plaquettes joue un rôle important dans la coagulation sanguine. L'action inhibitrice du ginkgo sur ce facteur peut nuire aux personnes atteintes de troubles de coagulation.

Les personnes qui consomment de très grandes quantités de ginkgo ont rapporté de l'irritabilité, de l'agitation, de la diarrhée, des nausées et des vomissements. La plante n'est pas toxique, si le dosage prescrit est respecté.

Les femmes en bonne santé qui ne sont pas enceintes, qui n'allaitent pas et qui ne souffrent pas de troubles de coagulation peuvent utiliser le ginkgo sans crainte si elles respectent les doses prescrites. Le ginkgo est déconseillé aux enfants de moins de deux ans. On ne devrait pas en donner aux enfants plus âgés, sauf pour prévenir les crises d'asthme. Le ginkgo ne devrait être consommé à des fins thérapeutiques qu'après accord avec son médecin. S'il provoque de légers troubles, tels que des nausées ou de la diarrhée, prenez-en moins ou cessez d'en prendre. Consultez votre médecin en cas d'effets indésirables ou si les symptômes persistent deux semaines après le début du traitement.

Les espèces mâles

Le ginkgo est un arbre majestueux à feuilles caduques qui mesure plus de 30 m de haut et 7 m de diamètre. Ses feuilles plates en forme d'éventails comportent deux lobes. Les ginkgos produisent des fleurs mâles et des fleurs femelles. Les espèces femelles produisent des fruits de la taille d'un abricot de couleur jaune orange, lesquelles contiennent des graines comestibles.

Les ginkgos sont de beaux arbres qui peuvent pousser presque partout aux États-Unis. Informez-vous auprès de votre pépiniériste à ce sujet. Ne plantez que l'espèce mâle. Les fruits produits par les espèces femelles ont une odeur désagréable.

Plantez les jeunes arbres dans des sols bien drainés et soutenez la plante à l'aide d'un tuteur afin d'assurer qu'elles pousse droit. Les jeunes arbres ont une allure peu attrayante mais deviennent majestueux avec le temps. Arrosez régulièrement jusqu'à ce que l'arbre ait atteint environ 7 m. Après quoi l'arbre peut survivre de lui-même. Les ginkgos sont résistants aux insectes et aux maladies et poussent à un rythme de près d'un mètre par an. À l'automne, les feuilles deviennent dorées avant de tomber.

GINSENG

Le fortifiant par excellence des Asiatiques

Famille: *Araliaceæ*. Également la vigne
Genres et espèces: *Panax ginseng* (espèces chinoise, coréenne et japonaise); *Panax quinquefolius* (espèce américaine); *Eleutherococcus senticosus* (espèce sibérienne)
Autres noms: Ginseng sibérien, ginseng américain, ginseng coréen, racine de tartare, racine de l'immortalité
Partie utilisée: Les racines

Racine

Le ginseng est une plante aussi fascinante que controversée. Racine d'une liane semblable au lierre qui se répand sur le sol, le ginseng fait l'objet de plus de 1 200 ouvrages et articles scientifiques. Cependant, ses bienfaits sont encore très contestés.

Ses partisans affirment que la plante ne présente aucun danger. Ils louent ses propriétés revivifiantes et aphrodisiaques, et l'apprécient pour stimuler la mémoire, la faculté d'apprentissage et le système immunitaire, également pour améliorer le rendement intellectuel et la forme physique. Ils maintiennent aussi que la racine de ginseng diminue le taux de cholestérol et de glucose dans le sang et minimise les ravages du stress, du vieillissement, des radiations, de l'alcool et de la drogue.

De leur côté, ses détracteurs prétendent que ses effets se limitent au «syndrome d'abus» potentiellement dangereux.

La racine de vie

La famille du ginseng comporte trois espèces: la chinoise ou coréenne (*P. ginseng*), l'américaine (*P. quinquefolius*) et la sibérienne (*E. senticosus*). L'espèce sibérienne n'est pas considérée comme authentique, mais elle contient des substances chimiques actives identiques au vrai ginseng. Des études révèlent que ses effets aussi sont similaires. Par conséquent, les trois espèces sont regroupées sous le nom de ginseng et utilisées indifféremment en Occident.

Le ginseng possède une racine charnue à plusieurs branches qui rappelle la forme humaine avec ses bras et ses jambes. Les Chinois appelèrent cette plante racine de vie ou *jen shen*, et plus tard ginseng.

Le ginseng tient une place privilégiée dans le premier herbier chinois, le *Pen Tsao Ching*, dont les données furent compilées par l'empereur Shen Nung reconnu pour sa sagesse. Ce dernier recommandait la racine de ginseng pour «éclairer l'esprit et le rendre plus sage» et déclarait qu'un usage prolongé augmente l'espérance de vie. En Chine, la ressemblance fort prisée avec la forme vivante contribua à faire du ginseng un revitalisant de toutes les parties du corps, surtout chez les personnes âgées. On l'utilisait pour traiter les infirmités de l'âge, telles que la léthargie, l'impuissance, l'arthrite, la sénilité, les troubles de la ménopause et la perte de désir sexuel. Aujourd'hui, les Chinois, les Coréens et les Japonais tiennent le ginseng pour le meilleur ami de la santé, bien que sa réputation de «racine de l'immortalité» soit quelque peu exagérée.

Une plante encore plus prisée que l'or

À mesure que la popularité du ginseng grandit en Asie, la demande monta en flèche et les réserves de ginseng s'épuisèrent. Le ginseng chinois se fit de plus en plus rare et devint plus précieux que l'or. Des marchands sans scrupules vendirent d'autres racines en les faisant passer pour du ginseng. La falsification reste un problème d'actualité.

Contrairement à d'autres plantes asiatiques qui se firent peu à peu apprécier en Occident (par exemple, le gingembre et la cannelle), le ginseng est resté inconnu en Europe jusqu'au XVIIIe siècle. C'est en effet à cette époque que les missionnaires informèrent les premiers botanistes européens de sa réputation de plante qui augmente l'espérance de vie. Les Européens se moquèrent de la croyance des Asiatiques. Cependant, les voyageurs qui connaissaient un peu l'Asie, surtout les jésuites, appréciaient les propriétés exceptionnelles de cette plante.

Le secret des jésuites

En 1704, un explorateur français rentra à Paris avec, dans ses bagages, un échantillon de ce qui s'avéra par la suite être du ginseng américain originaire du sud du Canada. En France, les jésuites avertirent leurs confrères du Canada de son extraordinaire valeur marchande en Chine. Plusieurs années plus tard, les jésuites de Montréal envoyèrent par bateau une cargaison de ginseng à Canton, où d'autres jésuites le vendirent aux Chinois pour des sommes fabuleuses.

Les jésuites continuèrent à envoyer en Chine autant de racines de ginseng que les Indiens pouvaient en récolter. Ils firent fortune et pendant des années gardèrent secret ce commerce lucratif. Mais un jour le secret fut dévoilé. On se mit à raconter que les pères célibataires semblaient prendre un intérêt particulier à cultiver une plante qui poussait au ras du sol. On prétendait dans des contrées aussi lointaines que le Cathay que la plante était un aphrodisiaque.

Quand le secret fut connu de tous, on découvrit que le ginseng poussait dans des régions aussi méridionales que la Géorgie et qu'il avait eu un certain succès auprès des premiers colons américains qui cherchaient à augmenter leur performance sexuelle. La plupart des gens furent déçus. William Byrd, un propriétaire de plantation de ginseng, écrivit à la fin du XVIIe siècle que le ginseng «titille les sens, mais ne cause aucun de ces effets pernicieux qui rendent les hommes insupportables et grossiers avec les femmes».

Vers 1740, peu d'Américains consommaient du ginseng, mais la rumeur selon laquelle il était très prisé en Chine atteignit les 13 colonies américaines, tout comme cent ans plus tôt, on avait appris que la Californie recélait d'importantes mines d'or. Des agents maritimes firent circuler des prospectus offrant d'acheter la plante pour la somme fabuleuse de 1 $ la livre. Des prospecteurs parcoururent le pays, des gardiens de la frontière de l'Ouest et des marchands de fourrures récoltèrent le ginseng pour améliorer leur ordinaire. Le ginseng devint vite un produit d'exportation extrêmement précieux, plus précieux encore que les fourrures les plus rares.

Les Américains adoptent la plante

Les jésuites firent connaître le ginseng aux Indiens d'Amérique. Ces derniers l'adoptèrent pour combattre la fatigue, stimuler l'appétit et faciliter la digestion. Certaines tribus l'utilisaient dans leurs philtres d'amour.

Au XIXe siècle, les médecins éclectiques américains lui attribuaient des pouvoirs comme stimulant dans les cas de fatigue intellectuelle et le prescrivaient pour le manque d'appétit, l'indigestion, l'asthme, la laryngite, la bronchite et la tuberculose. Le *Kings' American Dispensatory* ajoutait qu'il «rend les hommes plus virils».

De nos jours, les herboristes, tout comme les Chinois, recommandent le ginseng pour ses propriétés revivifiantes censées augmenter l'espérance de vie. Ils le préconisent aussi pour soigner la fièvre, les inflammations, les rhumes, la toux, les problèmes respiratoires, la dépression, les troubles menstruels, les accouchements et comme stimulant du système immunitaire.

Le ginseng américain à l'état sauvage n'est plus aussi abondant qu'autrefois, mais on le récolte encore dans les Appalaches. Le ginseng à l'état sauvage se vend environ 800 FF les 500 g à des agents de l'exportation. La plupart de ceux qui le récoltent n'utilisent jamais la plante pour eux-mêmes. Le commerçant géorgien Jake Plott déclarait: «J'ai toujours pensé que le ginseng ne valait pas grand chose, sauf au point de vue monétaire.»

Le commentaire de Jake Plott résume parfaitement la façon dont un grand nombre de scientifiques considèrent la plante la plus révérée des Asiatiques. Ses détracteurs rejettent ses prétendus bienfaits, parlent avec mépris de «folklore de l'Extrême-Orient» et prétendent que les études qui vantent ses vertus ne sont pas crédibles. Ils accusent le ginseng de provoquer de graves effets indésirables dont de la nervosité, de l'insomnie, de la diarrhée, de l'hypertension artérielle et des troubles hormonaux communément appelés «syndrome d'abus du ginseng».

De leur côté, les ouvrages scientifiques avancent que la plante est relativement sûre et bénéfique dans un certain nombre de cas.

PROPRIÉTÉS thérapeutiques

Le ginseng doit ses vertus médicinales à plusieurs agents chimiques appelés ginsénosides. On ne connaît toujours pas leur mode d'intervention, mais leurs effets sont très déroutants. Par exemple, certains d'entre eux stimulent le système nerveux central, alors que d'autres ralentissent son fonctionnement. Certains augmentent la tension artérielle, alors que d'autres la diminuent. Seules des recherches supplémentaires pourront clarifier ces observations.

LE GINSENG AUGMENTE LA RÉSISTANCE AUX MALADIES. Certains partisans qualifient le ginseng d'adaptogène, terme technique qui signifie fortifiant. Le plus éminent d'entre eux est le chercheur soviétique Israæl I. Brekhman, un professeur qui a étudié le ginseng pendant presque 30 ans à l'Académie des sciences de l'ancienne Union soviétique. Ce professeur écrit que le ginseng possède un grand nombre d'effets thérapeutiques, entre autres, «qu'il protège l'organisme contre le stress, les radiations et les différentes toxines chimiques et augmente la résistance générale de l'organisme».

Les scientifiques américains n'ont guère confiance dans la recherche soviétique. Cependant, des chercheurs américains reconnaissent que le ginseng est un adaptogène. Entre autres, Norman R. Farnsworth, professeur et chercheur en pharmacognosie à l'école de pharmacie de l'université de l'Illinois décrit ses nombreux effets dans le journal *Economic and Medicinal Plant Research*.

Le terme adaptogène englobe plusieurs effets. De nombreuses études réalisées sur des soldats russes, coréens et chinois, sur des marins, des athlètes, des correcteurs d'épreuves imprimées, des ouvriers d'usine et des téléphonistes démontrent que la plante:

- neutralise les effets de la fatigue sans qu'il soit nécessaire de recourir à la caféine et améliore la forme physique. Les athlètes olympiques russes, chinois et coréens prennent du ginseng pendant leur entraînement et avant les compétitions. Quelques athlètes américains ont aussi commencé à en prendre.
- neutralise les effets néfastes du stress à la fois physique et émotionnel.
- prévient la perte d'hormones qui combattent le stress dans la glande surrénale.
- améliore la mémoire.

STIMULANT DU SYSTÈME IMMUNITAIRE. Le ginseng semble stimuler le système immunitaire des animaux et des humains. Entre autres, il régénère les globules blancs (macrophages et cellules «K» tueuses) qui détruisent les micro-organismes responsables des maladies. Le ginseng favorise la production d'interféron, agent chimique propre à l'organisme, qui combat les virus, et d'anticorps qui luttent contre les infections bactériennes et virales.

Des chercheurs russes ont donné à 1 500 ouvriers 4 mg de ginseng par jour. Contrairement à leurs collègues qui n'avaient pas consommé de ginseng, les ouvriers objets de l'étude se sont absentés beaucoup moins souvent de leur travail pour cause de rhume, grippe, angine, bronchite et infection des sinus. Les cosmonautes russes prennent du ginseng pour améliorer leur forme physique et prévenir les maladies pendant leur séjour en orbite.

Les chercheurs américains ont confirmé les effets anti-viraux et stimulants du système immunitaire propres au ginseng. Une étude a démontré que le ginseng guérit l'herpès buccal chronique causé par l'infection du virus de l'herpès. Une fois le traitement terminé, l'herpès refait son apparition.

CHOLESTÉROL ÉLEVÉ. Selon plusieurs études américaines, le ginseng fait diminuer le taux de cholestérol dans le sang. Il augmente également le taux de bon cholestérol (lipoprotéines à haute densité ou HDL). Plus le taux de bon cholestérol augmente, moins le risque de crise cardiaque est élevé.

CRISES CARDIAQUES. Lorsque des dépôts de cholestérol (plaques athéromateuses) viennent rétrécir les artères qui alimentent le cœur en sang et que se forment des caillots, il survient une crise cardiaque. Le ginseng a une action anticoagulante (anti-plaquettaire) qui réduit le risque de formation de caillots et de crise cardiaque.

DIABÈTE. Le ginseng réduit le taux de glucose dans le sang. Il est donc possible que cette plante soit efficace dans le traitement du diabète. Le diabète est une maladie grave qui requiert un traitement médical. Les diabétiques peuvent essayer cette plante avec l'accord de leur médecin.

PROTECTION CONTRE LES MALADIES DU FOIE. Le ginseng protège le foie contre les effets néfastes des médicaments, de l'alcool et d'autres substances toxiques. Au cours d'une expérience, des chercheurs ont administré des doses mortelles de différents narcotiques à des animaux de laboratoire traités au préalable avec des extraits de ginseng. Les animaux ont survécu. Au cours d'une étude pilote, le ginseng a amélioré le fonctionnement du foie chez 24 personnes âgées souffrant de cirrhose et d'autres maladies du foie attribuables à l'alcool.

RADIOTHÉRAPIE. Le gingembre peut également protéger les cellules de l'organisme contre les effets des radiations. Au cours de deux expériences réalisées en laboratoire, on a injecté à des animaux plusieurs agents protecteurs, puis on les a soumis aux mêmes taux de radiation qu'en radiothérapie. Le ginseng s'est révélé le meilleur agent de protection contre la détérioration des cellules saines, ce qui laisse supposer que le ginseng pourrait être utilisé de pair avec un traitement de radiothérapie contre le cancer.

CANCER. Les chercheurs chinois affirment avoir prolongé de quatre ans la vie des patients atteints de cancer de l'estomac, grâce au ginseng. Des scientifiques russes prétendent que la plante fait décroître certaines tumeurs animales.

PERTE D'APPÉTIT. Les Asiatiques ont toujours considéré que le ginseng était extrêmement bénéfique aux personnes âgées. En vieillissant, le goût et l'odorat s'altèrent et l'appétit diminue. De plus, l'intestin absorbe de moins en moins les aliments. Par conséquent, certaines personnes âgées souffrent de malnutrition, ce qui les affaiblit physiquement et moralement, et augmente le risque de maladie. Comme stimulant de l'appétit, le ginseng jouit d'une réputation millénaire . Une étude a d'ailleurs démontré qu'il augmente la capacité de l'intestin à absorber les aliments et, ce faisant, aide à prévenir les problèmes de malnutrition.

AUTRES PROPRIÉTÉS. Plusieurs études ont cherché à confirmer la réputation chinoise selon laquelle le ginseng est un aphrodisiaque doux. Aucune cependant n'a porté sur des humains et il faut être extrêmement prudent avant de conclure que les recherches sur la sexualité des animaux s'appliquent à l'homme. Chez les animaux, l'instinct domine l'appétit sexuel, alors que chez les humains, des facteurs complexes à la fois sociaux et psychologiques entrent en ligne de compte. Il n'empêche que les études russes révèlent que le traitement au ginseng améliore la qualité du sperme chez le taureau. De plus, une étude publiée dans l'*American Journal of Clinical Medicine* a démontré que les animaux traités au ginseng sont plus actifs sexuellement que les autres.

Une question de falsification

De nombreuses études sur le ginseng ont révélé ses extraordinaires bienfaits. Cependant, ses détracteurs préfèrent mentionner des études qui ne démontrent aucune efficacité. Comment expliquer cette contradiction? Tout simplement parce que ces dernières études portent sur des plantes que l'on a substituées au ginseng.

Plante rare dotée d'une très grande valeur marchande, le ginseng a subi de nombreuses falsifications au cours des siècles. Il n'est pas exclu que les chercheurs aient étudié une plante ne contenant que peu ou pas de ginseng. D'autres chercheurs ont évalué 54 produits censés contenir du ginseng disponibles dans un certain nombre de magasins d'aliments naturels américains. 60 % d'entre eux se sont avérés inutiles, car leur concentration de ginseng était insuffisante; 25 % ne contenaient pas du tout de ginseng.

L'industrie des aliments naturels a dénoncé cette étude et la revue sur le commerce des aliments naturels *Whole Foods* a commandé un test indépendant qui a abouti aux mêmes résultats.

Il a été démontré que la plante qui contient le moins de ginseng est le ginseng rouge et sauvage de l'Amérique, ou ginseng du désert. Ce «ginseng» a fait son apparition dans les magasins d'aliments naturels à la fin des années soixante-dix. Lorsqu'on sait que la plante adore les endroits ombragés et humides, l'appellation «ginseng du désert» est une hérésie. Pourtant, beaucoup de consommateurs se sont laissés berner. Le faux ginseng a été identifié comme de la patience rouge, une plante laxative. D'où la colère des herboristes honnêtes qui ont obligé les magasins d'aliments naturels à retirer la plupart des «ginsengs rouges et sauvages» de leurs rayons au début des années quatre-vingt.

Préparation et posologie

Même si vous prenez du vrai ginseng, il est possible que vous ne ressentiez aucun effet s'il n'est pas mûr. Les racines de ginseng ne devraient pas être récoltées avant l'âge de six ans, mais parfois de jeunes racines sont mélangées pour augmenter la quantité. Ce type de falsification risque de rendre la plante parfaitement inefficace. Le traitement de la plante risque aussi de nuire à sa valeur intrinsèque.

Les chercheurs demandent aux consommateurs de choisir avec soin leurs produits à base de ginseng. Toutefois, le seul moyen d'être absolument sûr de l'authenticité et de l'âge du ginseng est de le cultiver soi-même, ce qui est plus facile à dire qu'à faire. Si vous achetez du ginseng, lisez soigneusement les étiquettes. Choisissez des variétés contenant des racines pleines, non traitées et dont la maturation a duré six ans.

Le ginseng a un goût douceâtre et légèrement aromatisé. Prenez des racines en poudre, des tisanes, des capsules ou des comprimés que vous pouvez vous procurer dans les magasins d'aliments naturels et dans les herboristeries. La dose est de 1/2 à 1 c. à café de ginseng par jour. Certains affirment qu'il faut consommer du ginseng tous les jours, d'autres conseillent de le prendre pendant un mois, puis de cesser pendant les deux mois qui suivent.

Vous pouvez aussi faire une décoction à partir de racines séchées et pulvérisées. Prenez une 1/2 c. à café par tasse d'eau. Portez à ébullition. Laissez infuser 10 minutes. Ne dépassez pas deux tasses par jour.

Mise en garde

En présence de plantes controversées, les détracteurs exagèrent les effets indésirables et amènent les partisans outrés à prendre le contre-pied et à déclarer que la plante ne présente absolument aucun danger. Les effets indésirables du ginseng ne devraient pas inquiéter outre mesure. Toutefois, aucun médicament ou remède à base de ginseng n'est totalement inoffensif.

Le ginseng ne cause que rarement des problèmes de santé, mais les revues médicales contiennent une dizaine de rapports. Le ginseng peut causer de l'insomnie, des douleurs aux seins, des symptômes d'allergies, des crises d'asthme, une augmentation de la tension artérielle et un trouble du rythme cardiaque (arythmie cardiaque). Les personnes qui souffrent d'insomnie, de rhumes des foins et de seins fibrokystiques devraient l'utiliser avec prudence. Quiconque souffre de fièvre, d'asthme, d'emphysème, d'hypertension artérielle ou d'arythmie cardiaque devraient s'abstenir d'en prendre. Également, les personnes qui souffrent de problèmes de coagulation devraient éliminer le ginseng en raison de son action anticoagulante

En Asie, le ginseng est l'herbe par excellence des personnes âgées. Par conséquent, n'en donnez jamais aux enfants. Des études réalisées en Asie n'ont pas permis de déceler des malformations congénitales chez les bébés des rats, lapins et agneaux. Cependant, les femmes enceintes ne devraient pas en consommer.

L'excès des «abus»

Le ginseng n'est pas complètement inoffensif. Cependant, il a été prouvé que l'une des études censée révéler quelques-uns de ses graves effets indésirables, précisément celle qui a mis en évidence le syndrome d'abus du ginseng, était fortement biaisée.

L'expression a été employée pour la première fois dans un article publié en 1979 dans le *Journal of the American Medical Association*. À cette époque, un chercheur fut chargé d'étudier 133 malades psychiatriques qui disaient consommer du ginseng. Ce chercheur déclara que 14 d'entre eux, soit environ 10 %, étaient atteints du syndrome d'abus du ginseng. Il s'agissait bien de malades psychiatriques, c'est-à-dire des personnes souffrant de graves problèmes mentaux. Mais le chercheur ne chercha pas à délimiter le cadre de son étude et à définir la nature des problèmes. Au contraire, il appliqua les résultats à l'ensemble de la population en toute impunité.

Les malades psychiatriques avaient bien dit qu'ils consommaient du ginseng, mais le chercheur avoua, un peu plus tard, qu'il n'avait pas tenté de savoir si le ginseng était authentique. Il reconnut que plusieurs de ces malades consommaient du «ginseng du désert» qui, comme nous l'avons appris, n'est pas du vrai ginseng.

Les malades psychiatriques consommèrent jusqu'à 15 g de ginseng par jour, c'est-à-dire plusieurs fois la dose permise. Certains la consommèrent par inhalation ou injection, deux méthodes totalement étrangères à l'usage traditionnel et révélant que les sujets de l'étude prenaient en même temps des médicaments interdits. Le chercheur ne mentionna jamais que ses patients prenaient des médicaments. Il se borna à dire qu'un certain nombre consommait régulièrement de la caféine au cours des deux années que dura l'étude.

Le syndrome de l'abus de ginseng se manifestait par de la nervosité, de l'insomnie ainsi que par de l'hypertension artérielle. Dans de rares cas, le ginseng risque de compromettre le sommeil ou d'augmenter la tension artérielle, mais ces symptômes sont caractéristiques d'une forte consommation de caféine. En présence de résultats faussés par la consommation de caféine et peut-être par d'autres médicaments, il est impossible de déterminer les causes de ces prétendus symptômes d'abus.

Un autre symptôme important relié au syndrome de l'abus était la diarrhée du matin. Il n'est pas exclu que le ginseng du désert reconnu pour ses propriétés laxatives en ait été la cause. Les chercheurs ont finalement conclu que le syndrome «imite l'intoxication des corticostéroïdes». Même au plus fort de leurs manifestations, les prétendus symptômes n'ont rien à voir avec l'intoxication corticostéroïdienne, maladie complexe caractérisée par de l'acné, une augmentation inhabituelle du système pileux, de la rétention des liquides (œdèmes), de l'hypertension artérielle, une hausse du glucose sanguin, une plus grande vulnérabilité face à l'infection et un arrondissement du visage (faciès lunaire).

Il n'empêche que, depuis la publication de cet article, les revues médicales et les articles de journaux qui portent sur le ginseng mentionnent systématiquement le syndrome d'abus de ginseng et l'intoxication corticostéroïdienne. Il est pourtant très clair que le ginseng n'a jamais causé aucune de ces deux affections.

Autres précautions

La Food and Drug Administration inclut le ginseng parmi les plantes qui ne présentent aucun danger. Les femmes en bonne santé qui ne sont pas enceintes, qui n'allaitent pas et qui ne souffrent pas d'insomnie, de rhume des foins, de seins fibro-kystiques, de fièvre, d'asthme, d'emphysème, d'hypertension artérielle, d'arythmie cardiaque ou de problèmes de coagulation peuvent l'utiliser si elles respectent les doses prescrites.

Le ginseng ne devrait être utilisé à des fins thérapeutiques qu'après accord avec son médecin. S'il provoque de légers troubles, tels que des allergies ou de l'insomnie, prenez-en moins ou cessez d'en prendre. Consultez votre médecin en cas d'effets indésirables ou si les symptômes persistent deux semaines après le début du traitement.

Dieu et les cultivateurs

Le ginseng est extrêmement difficile et coûteux à cultiver. Les personnes qui voudraient en faire pousser dans leur jardin devraient se rappeler les paroles d'un horticulteur frustré: «Seuls Dieu et les cultivateurs de ginseng savent ce qu'ils font, mais aucun ne veut donner son secret.»

Ces plants ont besoin d'ombre. Les cultivateurs couvrent donc les châssis construits le long des rangs de tulle de nylon. Le ginseng est sujet à de fréquentes infections fongiques. Aussi, maintenir les jeunes plants en vie est une véritable gageure. De plus, il faut attendre six ans avant de récolter les racines.

Quand les racines sont prêtes pour la récolte, les cultivateurs ne sont pas au bout de leur peine. En Orient, leur prix dépend en partie de leur agencement. Plus elles ont une forme humaine, plus elles sont chères. Il suffit de casser un «bras» ou une «jambe» au moment de la récolte ou pendant le séchage pour que son prix baisse.

Cultivez votre propre ginseng

Comme les boutures de racines ne sont pas toujours saines, la plupart des cultivateurs sèment des graines qui coûtent environ 425FF le kilo. Mais les graines peuvent aussi être malades. Avant de les semer, désinfectez-les dans une solution contenant une dose d'eau oxygénée chlorée et neuf doses d'eau pendant 10 minutes.

Semez au début de l'automne dans des lits bien préparés et riches en humus. Enfoncez les graines à environ 1,75 cm du sol et espacez les plants de 16 cm. Le ginseng ne donne que très peu de rendement dans des sols sablonneux ou argileux. Maintenez le pH du sol entre 5,0 et 6,0. La germination peut prendre une année. Les plants ont besoin d'ombre et poussent idéalement sous les arbres mais des châssis couverts conviennent bien aussi.

Récoltez les racines six ans après les avoir plantées. Retirez-les délicatement du sol, afin de ne pas briser leurs «membres». Laissez-les sécher pendant un mois.

GUI

Dans le cas d'hypertension artérielle

Famille: *Loranthaceæ*. Tous ses proches parents sont appelés gui

Genres et espèces: *Viscum album* (espèce européenne); *Phoradendron serotinum* (espèce américaine), également *P. tomentosum*

Autres noms: Bois de Sainte-Croix, verquet, blondeau, bouchon, vert de pommier

Parties utilisées: Les feuilles, les fruits (les baies) et les brindilles

Chacun sait que le gui est une plante sous laquelle on s'embrasse pour se souhaiter la bonne année. Cette coutume a des origines bibliques. Comme plante médicinale, le gui ne fait pas l'unanimité. Certains la qualifient de douce et d'inoffensive, d'autres la considèrent comme un poison et prétendent que toutes ses parties sont toxiques.

Comme toujours, la vérité se situe entre les deux. Le gui est potentiellement dangereux, mais les Européens l'ont abondamment utilisé et, semble-t-il, en toute sécurité dans les cas d'hypertension artérielle et de cancer.

Le baiser des dieux

La coutume du baiser sous le gui remonte à la mythologie scandinave. Un jour, Baldr, le dieu de la paix, fut tué d'un coup de flèche taillée dans une branche de gui. Ses parents, le dieu Odin et la déesse Frigg, le ramenèrent à la vie, puis ils dédièrent la plante à la déesse de l'amour et décrétèrent que quiconque passerait sous le gui recevrait un baiser.

Les premiers chrétiens croyaient que le gui était un arbre à part entière dont le bois aurait servi à fabriquer la croix sur laquelle Jésus fut crucifié.

Mais Dieu punit la plante pour avoir participé à la mort de son Fils et en fit un parasite. Cette légende biblique a donné au gui son nom latin *lignum crucis* ou herbe de la croix.

Une controverse ancienne

Le gui est une plante parasite qui pousse dans les arbres et se loge dans les racines. Hippocrate la prescrivait pour soigner la mélancolie, mais la plupart des médecins, surtout Dioscoride et Galien, la réservaient à des usages externes. Sans le savoir, ces médecins laissaient entrevoir la controverse que la plante suscite à l'heure actuelle.

Un traité médical français de 1682 préconisait le gui dans les cas d'épilepsie. Certains herbiers la recommandent dans les cas de convulsions. (Ironiquement, le gui peut provoquer des convulsions à fortes doses.)

Au XVIIe siècle, l'herboriste britannique Nicholas Culpeper renouvela les recommandations d'Hippocrate selon lesquelles la plante calmait les crises de mélancolie et aidait à guérir les vieilles plaies. Il vantait aussi ses mérites pour requinquer, de même que dans les cas d'apoplexie. Il conseillait aussi d'en porter un brin autour du cou pour se protéger contre les sorcières.

Le gui arrive en Amérique

Plusieurs tribus indiennes utilisaient le gui pour aider les femmes à avorter et accélérer le travail pendant l'accouchement.

Le traité des médecins éclectiques américains du XIXe siècle, le *Kings'American Dispensatory*, préconisait les espèces de gui européen et américain dans les cas d'épilepsie, de fièvre typhoïde, d'hydropisie (insuffisance cardiaque congestive), de douleurs menstruelles et de règles tardives. On les conseillait aussi pour soulager les hémorragies à la suite d'un acouchement. Toutefois, cet ouvrage médical mettait en garde contre certains abus: «La plante, peut-on y lire, possède des propriétés toxiques. L'ingestion de feuilles et de baies a été, dans un certain nombre de cas, tenue pour responsable de vomissements, de catharsis, de spasmes musculaires, de coma, de convulsions et même de décès.»

Les Coréens utilisent le gui pour soigner les rhumes, la faiblesse musculaire et l'arthrite. Les médecins chinois prescrivent les tiges intérieures séchées comme laxatifs, stimulants digestifs, sédatifs et relaxants utérins au cours de la grossesse.

Américains contre Européens

Les herboristes eurent tôt fait de croire que le gui européen et le gui américain avait des effets indésirables. Le gui européen était réputé pour diminuer la tension artérielle et soulager le tube digestif, alors que la plante américaine était censée augmenter la tension artérielle et stimuler les contractions utérines et intestinales.

De nos jours, les opinions des herboristes sont partagées. Certains affirment que les deux espèces ont des effets secondaires. D'autres croient que non. Selon certains, la plante a des effets calmants et diminue la tension artérielle. Elle régularise le rythme cardiaque et détend le système nerveux. Cependant, d'autres prétendent qu'au contraire, elle augmente la tension artérielle et stimule les contractions utérines. Dans *The Herb Book,* le professeur John Lust déclare que les baies sont vénéneuses: «Plusieurs enfants sont morts après avoir consommé des baies de gui.» Dans le *Weiner's Herbal,* le professeur Michael Weiner vient le contredire: «Il y a de bonnes raisons de croire que les rapports qui font état d'effets indésirables et même de décès ne sont pas fondés. Nous n'avons aucune preuve qu'il s'agissait de gui et non d'une autre plante.»

PROPRIÉTÉS thérapeutiques

Malgré leur réputation de provoquer des effets indésirables, il a été prouvé que le gui américain et le gui européen contiennent tous deux des agents chimiques similaires et ont des effets semblables. Le gui peut effectivement ralentir le pouls et stimuler les contractions gastro-intestinales et utérines. En outre, il peut réduire la tension artérielle.

HYPERTENSION ARTÉRIELLE. Le gui contient des substances qui à la fois augmentent et diminuent la tension artérielle, bien que la diminution de la tension artérielle semble prédominer. En Allemagne, où la médecine par les plantes est très populaire, de l'extrait de gui entre dans la composition de plusieurs médicaments destinés à faire baisser la tension artérielle. L'herboriste allemand Rudolph Fritz Weiss écrit: «Il est incontestable que le gui pris oralement est extrêmement bénéfique dans les cas d'hypertension artérielle ... Le gui est le médicament par excellence, car son action anti-hypertensive est bien tolérée. En outre, le gui n'est pas toxique si le dosage est respecté.» L'hypertension artérielle est une grave maladie qui requiert des soins médicaux professionnels. Ne prenez du gui qu'avec l'accord de votre médecin et sous surveillance médicale.

STIMULANT IMMUNITAIRE. Au cours d'une expérience médicale, on a constaté que les cellules endommagées par les rayons X se régénéraient plus rapidement, grâce à une préparation commerciale de gui.

TRAITEMENT DU CANCER. Des tests de laboratoire qui remontent à 25 ans ont révélé que le gui empêche la croissance des tumeurs. En Allemagne, les médecins ajoutent trois substances à base de gui au traitement de chimiothérapie réservé à leurs patients atteints de cancer. Ces médicaments se révèlent particulièrement efficaces dans le traitement des tumeurs des poumons et des ovaires. Le Dr Weiss écrit à ce sujet: «Le grand avantage des extraits de gui est que, contrairement à d'autres médicaments utilisés en chimiothérapie, leurs effets toniques et stimulants pour le système immunitaire ne sont pas toxiques. De plus, ils sont bien tolérés.»

Le gui n'a pas fait l'objet d'études sérieuses dans le traitement du cancer aux États-Unis, en raison de sa mauvaise réputation comme plante vénéneuse. Ironiquement, bon nombre de médicaments contre le cancer sont aussi toxiques.

Préparation et posologie

Le gui ne devrait être utilisé que sous la surveillance d'un médecin qui connaît bien les plantes médicinales. Dans le cas d'hypertension artérielle, le Dr Weiss recommande de consommer une infusion où sont utilisées trois parties égales de gui, d'aubépine et de baume. Laissez infuser 2 c. à café de la préparation de 5 à 10 minutes. Buvez une tasse le matin et le soir. D'autres herboristes recommandent l'infusion suivante: 1 c. à café de gui fraîchement séché dans une tasse d'eau bouillante que vous laisserez infuser pendant 10 minutes. Ne dépassez pas une tasse par jour.

Pour une teinture, utilisez la dose recommandée de cinq gouttes par jour.

Le gui est à proscrire aux enfants et peut provoquer des effets indésirables chez les aînés.

Mise en garde

La plupart des autorités médicales américaines se moquent du Dr Weiss quand il affirme que le gui est «doux, non toxique et bien toléré». La Food and Drug Administration estime que la plante présente des risques pour la santé et n'approuve aucune préparation à base de gui comme traitement médical. Dans *Natural Product Medicine*, les médecins spécialisés en pharmacognosie Ara Der Marderosian et Lawrence Liberti écrivent au nom de leurs collègues: «Le gui devrait être déconseillé, car sa toxicité est incontestable.»

Le gui est-il vraiment toxique? Les médecins éclectiques américains ont rapporté des cas de coma, de convulsions et de décès, suite à l'ingestion massive de feuilles et de baies de gui. L'ouvrage de renom qu'a publié J.M. Kingsbury, *Poisonous Plants of the United States*, rapporte un décès causé par la consommation excessive de baies. Les Drs Der Marderosian et Liberti mentionnent deux décès. Le premier est dû à une infusion de gui utilisée comme fortifiant, le deuxième, à une consommation excessive de gui destiné à provoquer un avortement.

Par contre, dans l'une de ses plus récentes parutions, *Annals of Emergency Medicine*, répertorie plus de 300 cas de consommation de gui sans toutefois mentionner un seul décès ni même un signe d'intoxication parmi toutes les personnes qui ont consommé la plante, essentiellement ses baies. Les chercheurs ont conclu que le gui est potentiellement toxique, mais que l'ingestion de trois baies ou de deux feuilles maximum ne peut causer une intoxication grave.

Éloignez la plante des enfants

Des enfants sont décédés après n'avoir consommé que deux baies. Surtout, gardez la plante hors de portée des enfants. Si vous en suspendez au dessus de la porte au premier de l'an, prévenez vos enfants qu'ils ne doivent en aucun cas manger les baies. Idéalement, vous devriez les retirer.

Les femmes doivent être prudentes

Le gui contient un agent chimique, la tyramine, qui peut provoquer des contractions utérines. Par conséquent, les femmes enceintes ne devraient pas en consommer, sauf si leur grossesse est arrivée à terme et uniquement sous la surveillance d'un médecin dans le cas où elles voudraient stimuler le travail utérin.

Une seule dose destinée à faire avorter peut être mortelle. Ne prenez jamais de gui afin de mettre un terme à votre grossesse.

Les personnes qui prennent des antidépresseurs inhibiteurs de la monoamine-oxydase devraient éviter le gui, car l'interaction de ces médicaments avec la plante risque de se traduire par une augmentation importante de la tension artérielle, éventuellement par une perte de conscience.

Le gui risque de ralentir le rythme cardiaque. Toutes personnes qui souffrent de maladies cardiaques ou qui présentent des antécédents d'accidents vasculaires cérébraux devraient aussi l'éviter.

Autres précautions

Le gui peut être utilisé à faibles doses et uniquement sous la surveillance d'un médecin. Les femmes en bonne santé qui ne sont pas enceintes, qui n'allaitent pas, qui ne prennent aucun inhibiteur de monoamine-oxydase ou autre médicament contre la tension artérielle peuvent le consommer à faibles doses pendant de courtes périodes.

Le gui ne devrait être consommé à des fins thérapeutiques qu'après accord avec son médecin. S'il provoque de légers troubles, tels que des maux d'estomac ou de la diarrhée, prenez-en moins ou cessez d'en prendre. Consultez votre médecin en cas d'effets indésirables ou si les symptômes persistent deux semaines après le début du traitement.

Présentez-vous aux urgences si les symptômes de toxicité suivants se présentent: nausée, vomissements, diarrhée, maux de tête, ralentissement du rythme cardiaque, hallucinations, spasmes musculaires ou convulsions. Le gui consommé en grandes quantités, des accidents mortels peuvent survenir au plus tard dix heures après l'ingestion.

La plante parasite de Noël

Le gui américain et le gui européen sont deux plantes parasites et toxiques à branches ligneuses et à feuilles persistantes qui se logent dans beaucoup d'arbres. L'espèce europénne a de minces feuilles coriaces de 5 cm de long de forme oblongue. L'espèce américaine a également des feuilles coriaces, mais elle est plus large et peut mesurer jusqu'à 8 cm de long. Les deux plantes produisent de petites baies blanches collantes qui contiennent des graines simples.

Le gui vit dans les hauteurs, ce qui lui convient parfaitement. Ses baies blanches et collantes attirent les oiseaux qui les transportent d'arbre en arbre. Les oiseaux mangent quelques baies. Celles qu'ils laissent tomber viennent se coller contre l'écorce de l'arbre. En quelques jours, les graines de ces baies produisent de petites racines qui viennent se nicher et se reproduire dans l'arbre hôte.

On cueille le gui à l'état sauvage mais il semble que certains fabricants spécialisés dans les produits de Noël insèrent les graines collantes dans l'écorce des arbres hôtes afin qu'elles se reproduisent.

GUIMAUVE

Aliment ou remède?

Famille: *Malvaceæ*. Également le coton, la rose trémière et l'hibiscus
Genre et espèce: *Althæa officinalis*
Autres noms: Guimauve officinale, althée, mauve blanche
Parties utilisées: Les racines, parfois les feuilles et les fleurs

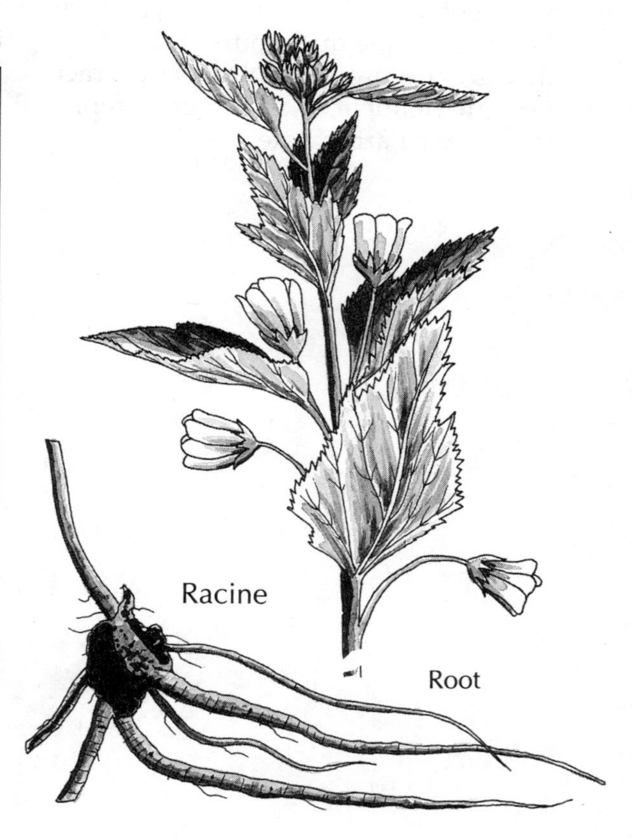

Cette plante est connue en tant que friandise composée d'une pâte molle et sucrée douce pour le palais. Cependant, la guimauve d'aujourd'hui n'a rien de la plante d'origine et l'on ne peut la comparer aux délices d'autrefois. Il est regrettable que peu de gens ne connaissent la guimauve que comme un bonbon, et non comme une plante médicinale dont on a fait grand usage pendant 2 500 ans.

Le temps de la famine

La guimauve a nourri avant de soigner. Dans le *Livre de Job* (30:4), on mentionne une plante qui était consommée durant les famines. Durant le Moyen Âge, au temps des mauvaises récoltes, les gens faisaient bouillir des racines de guimauve, puis ils les faisaient frire avec de l'oignon dans du beurre. De nos jours, on trouve dans des guides pratiques d'herboristerie la guimauve parmi les plantes récoltées à l'état sauvage.

Les vertus thérapeutiques de la plante remontent au temps d'Hippocrate qui prescrivait une décoction de racines de guimauve pour traiter les ecchymoses et les pertes de sang causées par les blessures. Quatre cent ans plus tard, le médecin grec Dioscoride recommandait les cataplasmes de racines de guimauve contre les morsures et les piqûres d'insectes, et prescrivait une décoction contre les maux de dents, les vomissements et comme antidote.

Les Romains aimaient la guimauve. Le naturaliste romain Pline l'Ancien écrivait: «Quiconque prend une cuillerée de guimauve éloignera la maladie pour la journée.»

Les médecins arabes du Xe siècle utilisaient les cataplasmes de feuilles de guimauve pour traiter les inflammations. Les premiers guérisseurs européens, pour leur part, se servaient de racines de guimauve comme traitement oral et externe, en raison de leur action thérapeutique contre les maux de dents, les maux de gorge, les troubles digestifs et les irritations urinaires.

Les bienfaits de la guimauve

La guimauve était l'une des plantes préférées de l'herboriste britannique du XVIIe siècle Nicholas Culpeper. «Vous vous souvenez peut-être du temps où une maladie dévastatrice décima bon nombre de gens … le collège des médecins était totalement impuissant. Mon fils en fut atteint et … je n'avais que de la guimauve broyée et bouillie dans du lait à lui donner. En deux jours, j'en remercie Dieu, il fut guéri. Et, par reconnaissance à Dieu, je m'en ferai le porte-parole afin de lui assurer la postérité.»

Culpeper recommandait les racines de guimauve, de même que ses feuilles et ses graines, pour leur action calmante «dans le cas de fièvre … de troubles d'estomac … de pleurésie, de tuberculose et d'autres maladies de la poitrine … de toux, et d'irritation de la gorge … d'essoufflements, de respiration sifflante et de crampes … de tuméfactions dans les seins de la femme … et d'autres maux incommodants.»

Ce furent les premiers colons qui introduisirent la guimauve en Amérique du Nord et, vers le XIXe siècle, on l'inscrivit dans le *U.S. Pharmacopœia*. Les médecins éclectiques américains la prescrivaient en application externe pour les blessures, les ecchymoses, les brûlures et les enflures de tout genre. Par voie orale, ils suggéraient des décoctions de racines pour les rhumes, les maux de gorge, la diarrhée, la gonorrhée, les problèmes gastro-intestinaux et presque toutes les affections liées aux reins et à la vessie.

Les herboristes contemporains restreignent habituellement leur recommandation de guimauve aux maladies respiratoires et aux irritations gastro-intestinales. Certains la préconisent pour les troubles urinaires.

Les Français furent les premiers à utiliser les racines de guimauve il y a des siècles pour la confection des bonbons. Ils pelaient l'écorce des racines et en extrayaient la pulpe blanche qu'ils portaient à ébullition afin de la ramollir et de libérer son goût sucré. Ils ajoutaient du sucre et obtenaient ainsi des bâtonnets sucrés, blancs et presque spongieux qui, avec les années, sont devenus les boules de guimauves que nous connaissons aujourd'hui.

PROPRIÉTÉS thérapeutiques

La substance spongieuse des racines de guimauve est appelée mucilage. Elle gonfle et forme une gelée lorsqu'elle entre en contact avec de l'eau.

COUPURES ET BLESSURES. L'application externe de gelée de guimauve peut aider à soulager les coupures, les égratignures, les blessures et les brûlures.

TROUBLES RESPIRATOIRES. Lorsqu'on la consomme, la guimauve peut soulager les maux d'estomac et l'irritation respiratoire associée aux maux de gorge, à la toux, aux rhumes, à la grippe et à la bronchite.

SYSTÈME IMMUNITAIRE. Au cours d'une récente expérience, on a remarqué que la guimauve augmente la capacité des globules blancs à absorber les microbes responsables de la maladie (phagocytose), ce qui corrobore sa réputation de plante thérapeutique, aux effets calmants, particulièrement utile dans le traitement des blessures et des infections gastro-intestinales.

AUTRES PROPRIÉTÉS. Une étude sur des animaux indique que la racine de guimauve réduit les taux de glucose sanguin, confirmant ses vertus thérapeutiques dans le traitement du diabète.

Préparation et posologie

Une décoction au goût sucré vous permettra de bénéficier des effets apaisants de la guimauve et de son efficacité à combattre l'infection. Pour une décoction, amenez à ébullition 1/2 à 1 c. à café de racines coupées ou broyées par tasse d'eau, pendant 10 à 15 minutes. Ne dépassez pas trois tasses par jour.

Pour une préparation de guimauve en application externe, coupez les racines très finement et ajoutez assez d'eau pour obtenir une gelée gluante. Appliquez la gelée directement sur la plaie ou le coup de soleil superficiel. Dans le cas de blessures ou de coups de soleil graves, consultez votre médecin afin d'obtenir le meilleur traitement.

Les décoctions de guimauve faiblement concentrées peuvent être prescrites avec prudence aux enfants de moins de deux ans.

Mise en garde

Les ouvrages médicaux sur la guimauve ne mentionnent pas d'effets nocifs.

Les femmes en bonne santé qui ne sont pas enceintes et qui n'allaitent pas peuvent l'utiliser sans crainte si elles respectent les doses prescrites.

La guimauve ne devrait être consommée à des fins thérapeutiques qu'après accord avec son médecin. Si elle provoque de légers troubles, tels que des maux d'estomac ou de la diarrhée, prenez-en moins ou cessez d'en prendre. Consultez votre médecin en cas d'effets indésirables ou si les symptômes persistent deux semaines après le début du traitement.

Une plante de marécage

La guimauve pousse, il ne faut pas s'en étonner, dans les marais, les marécages, les prés humides et le long des rives. La plante est une vivace d'environ 1 m aux longues racines pivotantes. Les tiges, qui meurent chaque automne, sont ramifiées et duveteuses. Ses feuilles arrondies, de couleur vert gris, mesurent entre 2 à 6 cm. Elle sont lobées, dentées et recouvertes de duvet. Les fleurs de la plante, roses ou blanches s'épanouissent en été. Elles sont larges de 4 ou 5 cm et donnent des fruits.

La guimauve est une plante coriace qui exige un sol humide et le plein soleil. On peut la faire pousser à partir de racines, de boutures ou de divisions de racines. Les graines devraient être plantées au printemps et les racines à l'automne. Espacez les plants de près de 60 cm.

Ne récoltez pas les racines avant deux ans. À l'automne, lorsque la partie supérieure est morte, creusez pour trouver les racines matures et retirez les petites racines latérales. Lavez, pelez et séchez ces racines en entier ou en tranches.

HAMAMÉLIS

Une plante bien appréciée des médecins

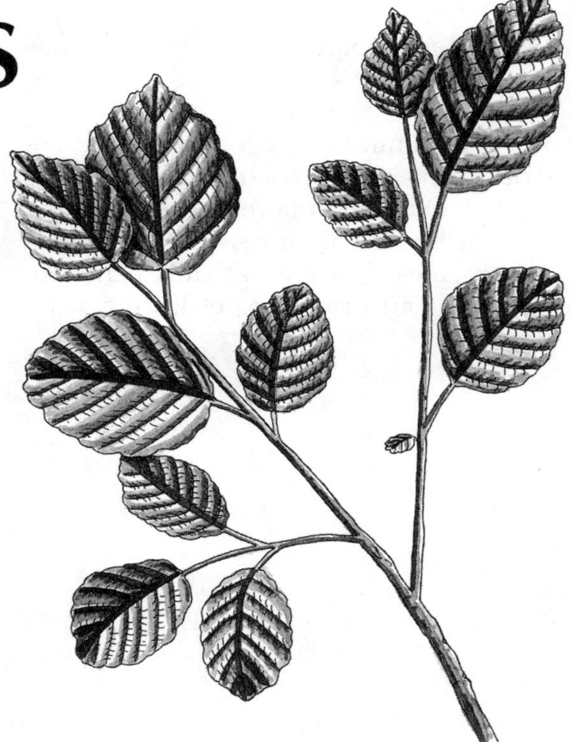

Famille: *Hamamelidaceæ*
Genre et espèce: *Hamamelis virginiana*
Autre nom: Noisetier de sorcière
Parties utilisées: Les feuilles et l'écorce

Si vous connaissez quelqu'un qui fait fi du pouvoir de la guérison par les plantes, demandez-lui donc ce qu'il pense de l'hamamélis. Le liquide clair au goût âcre, extrait de cette plante touffue est un remède maison très répandu, utilisé pour les coupures, les ecchymoses, les hémorroïdes et les douleurs musculaires. Ce sont les Américains qui croient le plus aux vertus thérapeutiques de la plante: ils achètent chaque année presque cinq millions de litres d'hamamélis. Mais, ironiquement, le commerce de cette plante est au cœur de nombreux débats.

Ce n'est pas sorcier

À cause de sa ressemblance avec le noisetier, on appelle souvent ce petit arbre le «noisetier des sorcières». Les premiers colons utilisèrent cet arbuste pour fabriquer des balais et s'en servirent comme moyen de transport, tout comme les sorcières. D'autres personnes attribuèrent ce nom à l'hamamélis parce qu'il fleurit l'hiver et fait entendre un bruit sec quand il répand ses graines, signe évident qu'il détient un pouvoir occulte. D'autres enfin pensent que les branches fourchues de cet arbuste étaient utilisées par les sourciers qui cherchaient de l'eau, pratique associée à la sorcellerie.

Son nom n'a rien à voir avec la sorcellerie. En anglais du Moyen Âge, le mot *witch* avait un autre sens. Épelé *wych* ou *wyche*, il voulait dire souple. Les branches de l'hamamélis sont très souples, si bien que les Indiens d'Amérique les utilisaient pour fabriquer leurs arcs.

Soulagement des plaies

L'usage de l'hamamélis dans la médecine amérindienne est très étendu. De nombreuses tribus frottaient une décoction de cette plante sur les coupures, les ecchymoses et les piqûres d'insectes. Ils l'utilisaient aussi pour les douleurs aux articulations et aux muscles, ainsi que pour les maux de dos. Ils buvaient du thé à l'hamamélis pour faire cesser une hémorragie interne, prévenir une fausse couche et pour soigner un rhume, faire cesser une fièvre, un mal de gorge et les douleurs menstruelles.

Les premiers colons utilisèrent l'hamamélis à l'exemple des Indiens d'Amérique, mais la plante ne demeura un remède populaire que jusqu'en 1840. À cette époque, un médecin de la tribu des Oneidas fit connaître l'hamamélis à un certain Theron T. Pond de la ville d'Utica, dans l'État de New York. Pond s'aperçut des propriétés astringentes de la plante et de sa capacité à soigner les brûlures, les furoncles, les plaies et les hémorroïdes. En 1848, il commença à lancer sur le marché l'extrait d'hamamélis, qui connut un immense succès.

L'ère de la controverse

L'eau d'hamamélis est tout simplement une décoction des feuilles et des brindilles de l'arbuste qui contiennent du tannin, constituant qui rend l'extrait très astringent. Mais à la fin du XIXe siècle, les fabricants ont adopté une nouvelle méthode à la vapeur plus simple, mais qui enlevait entièrement le tannin du produit. D'où est née la controverse.

Le *King's American Dispensatory* des médecins éclectiques américains affirmait: «Prendre une décoction est très indiqué en cas d'hémorragie, de diarrhée, de dysenterie, d'enflure, d'inflammation, de tumeur, d'hémorroïdes, de saignement de nez, et en cas d'hémorragie de l'utérus qui survient après un accouchement … Cette pratique a cependant presque disparu depuis l'introduction de l'extrait d'hamamélis distillé.

Par contre, l'hamamélis figurait en tant qu'anti-inflammatoire et astringent dans la *U.S. Pharmacopœia* de 1862 à 1916, et dans le *National Formulary*, revue de référence des pharmaciens, de 1916 à 1955. Le *National Formulary* la retira de son répertoire parce que, en 1947, la 24e édition de *The Dispensatory of the United States* déclarait que l'hamamélis «a tellement peu de vertus curatives qu'elle ne peut être digne d'une reconnaissance officielle».

Aujourd'hui, on peut trouver l'hamamélis sur les étagères de toutes les pharmacies.

Les herboristes contemporains, pour éviter toute controverse, recommandent seulement la décoction de l'écorce d'hamamélis, qui contient des tannins astringents. Ils reconnaissent tous unanimement l'action astringente et rafraîchissante de l'hamamélis en application externe pour soigner les coupures, les brûlures, les ecchymoses, les inflammations et les hémorroïdes. Ils suggèrent d'utiliser cette plante en gargarisme dans les cas de mal de gorge et d'aphtes buccaux, et en usage interne en cas de diarrhée.

PROPRIÉTÉS thérapeutiques

Que se passerait-il si brusquement personne au monde ne croyait aux vertus thérapeutiques de l'hamamélis?

ASTRINGENT. Les feuilles de l'hamamélis, ses brindilles et son écorce contiennent des concentrations élevées de tannin. Une étude sur les animaux menée en Belgique a démontré que l'hamamélis resserrait les vaisseaux sanguins, en faisant ainsi un astringent de longue date.

L'eau d'hamamélis vendue dans le commerce peut ne pas contenir de tannin, mais d'autres substances chimiques, qui produisent une action antiseptique, anesthésique, astringente et anti-inflammatoire, entrent dans sa composition.

Préparation et posologie

Pour une décoction astringente, faites bouillir 1 c. à café de feuilles ou de brindilles séchées d'hamamélis par tasse d'eau bouillante. Laissez infuser 10 minutes. Appliquez-la directement ou mélangez-la à une pommade.

Pour un gargarisme amer et astringent, mettez 1 c. à café d'écorce d'hamamélis par tasse d'eau bouillante. Laissez infuser 10 minutes, puis tamisez le liquide.

Tout le monde peut utiliser l'hamamélis de façon externe. Pour les enfants de moins de deux ans, elle doit être diluée.

Mise en garde

Les ouvrages médicaux sur l'hamamélis consommée en petite quantité ne mentionnent pas d'effets nocifs.

Les femmes en bonne santé qui ne sont pas enceintes ou qui n'allaitent pas peuvent l'utiliser sans crainte si elles respectent les doses prescrites.

Si l'hamamélis provoque de légers troubles, tels qu'une irritation cutanée, diminuez-en la dose ou cessez d'en prendre. Consultez votre médecin en cas d'effets indésirables ou si les symptômes persistent deux semaines après le début du traitement.

Une floraison hivernale très jolie

Le nom latin que porte l'hamamélis vient de la Virginie, mais l'arbuste pousse dans tout l'est des États-Unis. Presque toute l'hamamélis vendue dans le commerce pousse dans les Carolines et au Tennessee.

L'hamamélis est une plante vivace qui perd ses feuilles à l'automne. Elle n'a qu'une racine qui fait apparaître plusieurs tiges tordues qui deviennent des branches souples et velues. L'hamamélis fleurit beaucoup plus longtemps que d'autres plantes, généralement de septembre à décembre.

Les fleurs jaunes de l'arbuste en forme d'araignée apparaissent en même temps que ses fruits de l'année précédente mûrissent. Les cosses de ses graines s'ouvrent en explosant avec un bruit sec et propulsent leurs deux graines noires jusqu'à plus de 7 m de haut. Les graines sont comestibles et peuvent être comparées à des noisettes.

Comme l'hamamélis fleurit longtemps, elle apporte dans tous les jardins une couleur supplémentaire. Cette plante pousse à partir de graines ou de boutures de brindilles. On doit réfrigérer les graines à environ 5 °C pendant plusieurs mois avant de les planter afin de faciliter la germination. Les boutures produisent généralement des racines au bout de 10 semaines environ. L'hamamélis pousse mieux dans un sol riche, sablonneux ou tourbeux, et en partie à l'ombre. Elle supporte cependant d'être plantée dans un sol plus pauvre et de pousser en plein soleil.

Ramassez les feuilles et les brindilles à n'importe quel moment de l'année et faites-les sécher.

HERBE AUX CHATS

Une irrésistible attirance

Famille: *Labiatæ*. Également la menthe
Genre et espèce: *Nepeta cataria*
Autres noms: Cataire, chataire, menthe de chat
Parties utilisées: Les feuilles et les fleurs

Il n'est pas nécessaire d'être herboriste pour connaître l'effet que cette plante produit sur les chats. Mais nous voici en présence d'une plante qui peut sur ces animaux avoir à la fois un effet calmant et toxique. Chez les humains, l'herbe aux chats soulage souvent l'appareil digestif et les douleurs menstruelles; elle calme aussi les nerfs. Elle est également très utile à tous les jardiniers.

Des vapeurs thérapeutiques

On connaît l'herbe aux chats de l'Europe à la Chine depuis au moins 2 000 ans. Utilisée dans les tisanes, les vapeurs très agréables de citron et de menthe qu'elle dégage soignent, paraît-il, le rhume et la toux, soulagent la congestion pulmonaire et libèrent le flegme. Les vieux herbiers vantaient sa capacité de favoriser la transpiration, traitement traditionnel utilisé pour faire tomber la fièvre.

On emploie également depuis très longtemps l'herbe aux chats comme tranquillisant, sédatif et stimulant digestif, de même que pour déclencher les règles et pour traiter les douleurs menstruelles, les flatulences et la colique infantile. En effet, les parents donnaient souvent une infusion légère d'herbe aux chats à leurs enfants, quand ils souffraient de coliques, et leur mettaient parfois un petit sac de cette plante autour du cou: les vapeurs qu'ils inhalaient calmaient leur douleur.

Des quantités égales d'herbe aux chats et de safran étaient recommandées pour faire baisser la fièvre de la variole et de la scarlatine.

On mâchait aussi les feuilles d'herbe aux chats pour soulager un mal de dents, et aussi fou que cette pratique puisse paraître aujourd'hui, on utilisait des feuilles d'herbe aux chats que l'on fumait pour soigner la bronchite et l'asthme.

L'herbe aux chats était une boisson très populaire dans l'Angleterre pré-élisabéthaine. Du temps des grands explorateurs, on lui préféra une plante chinoise aux vertus plus stimulantes, le thé (*Camellia sinensis*). Cependant, tous les Anglais amoureux de l'herbe aux chats ne passèrent pas au thé chinois sans un certain regret. En effet, dans son livre *The Herb Garden*, une certaine Miss Bardswell mentionnait «L'infusion d'herbe aux chats était ... une affaire bien meilleure pour la santé.»

La racine du bourreau

Ce furent les premiers colons qui introduisirent l'herbe aux chats en Amérique du Nord. Cette plante poussa rapidement à l'état sauvage et on la retrouve de nos jours sur tout le continent américain. Les Indiens adoptèrent la plante et l'utilisèrent comme les blancs le préconisèrent, c'est-à-dire pour traiter l'indigestion et les coliques chez les enfants d'une part, et comme boisson pour se désaltérer, d'autre part.

Les pionniers Américains crurent également que les racines d'herbe aux chats pouvaient rendre odieuses même les personnes les plus gentilles. Les bourreaux, pour se rasséréner, avaient l'habitude de consommer les racines de cette plante avant d'exécuter les prisonniers.

L'herbe aux chats figurait comme calmant pour l'estomac dans le *U.S. Pharmacopeia* de 1842 à 1882, et dans le *National Formulary*, ouvrage de référence des pharmaciens, de 1916 à 1950.

Les herboristes contemporains croient toujours aux vertus thérapeutiques de l'herbe aux chats. L'un d'entre eux écrit: «Une plante avec un effet si puissant sur nos amis les chats ... ne peut pas être dépourvue de valeur thérapeutiques chez les humains.» Les herbiers modernes recommandent l'herbe aux chats comme tranquillisant, sédatif, stimulant digestif, et pour traiter les rhumes, la colique, la diarrhée, les flatulences ainsi que la fièvre.

Ce n'est pas un hallucinogène

Un reportage publié dans le *Journal of the American Medical Association* en 1969 déclarait que la consommation d'herbe aux chats entraînait une intoxication semblable à celle que procure la marijuana. Les téléscripteurs des agences de presse reçurent cette nouvelle qui fit la une des journaux et les propriétaires de boutiques d'animaux perplexes rapportèrent un soudain engouement pour cette herbe, une sorte de jouet pour les chats.

Mais le reportage fut rapidement discrédité par des correspondants qui submergèrent le journal de lettres signalant que «l'herbe aux chats» des photos qui se trouvaient dans l'article étaient en fait de la marijuana. On ne rapporte aucun cas de personne intoxiquée avec de l'herbe aux chats, et les autorités abandonnèrent vite l'idée que fumer de l'herbe aux chats causait un mal de gorge.

Malheureusement, les journaux populaires ne partagèrent pas tous le même avis. Comme Varro Tyler l'écrivait dans *The New Honest Herbal*, «Une fois qu'une déclaration erronée a été publiée, il est presque impossible de l'oublier. L'herbe aux chats continue à figurer dans pratiquement tous les livres consacrés aux médicaments comme «mauvais traitement en tant qu'intoxicant doux». Cependant, cela est faux.

L'intoxication des chats est un autre sujet. Tous les chats sont attirés par l'herbe aux chats, mais seulement deux tiers d'entre eux présentent une forte «euphorie féline d'herbe aux chats», d'après un rapport publié dans *Economic Botany*. L'euphorie des chats est héréditaire et tous les chats n'en ont pas le gène.

PROPRIÉTÉS thérapeutiques

Des études démontrent que l'herbe aux chats ne touche pas seulement au domaine des félins. Les herboristes modernes tendent à exagérer ses valeurs thérapeutiques, mais des scientifiques ont confirmé bon nombre de ses usages traditionnels.

STIMULANT DIGESTIF. Comme toutes les autres espèces de menthe, l'herbe aux chats peut détendre les parois du muscle lisse du tube digestif, conférant à la plante des propriétés antispasmodiques. Consommez une tasse sous forme de tisane d'herbe aux chats après le repas si vous êtes sujet à l'indigestion ou aux brûlures d'estomac.

SANTÉ DE LA FEMME. Les antispasmodiques soulagent non seulement le tube digestif, mais d'autres muscles lisses comme celui de l'utérus. L'action antispasmodique de la plante confirme l'usage traditionnel que l'on en faisait pour soulager les douleurs menstruelles.

L'herbe aux chats est depuis longtemps utilisée comme déclencheur de règles. Des recherches récentes révèlent que la plante ne devrait pas stimuler l'utérus; cependant, les femmes enceintes devraient faire preuve de prudence et ne pas en prendre à des fins thérapeutiques.

TRANQUILLISANT. Les chercheurs allemands estiment que les agents chimiques (isomères népétalactone) responsables de l'intoxication des chats ont les mêmes propriétés que les sédatifs naturels (valépotriates) de la valériane. Cette découverte appuie l'usage traditionnel de l'herbe aux chats comme tranquillisant doux et sédatif. Afin d'un mesurer les bienfaits, essayez une tasse d'infusion lorsque vous vous sentez tendu ou avant de vous coucher.

PRÉVENTION DE L'INFECTION. L'herbe aux chats possède également des propriétés antibiotiques, ce qui confirme son utilisation dans les cas de diarrhée et de fièvre. Comme antibiotique, l'herbe aux chats n'est pas très puissant, mais il peut aider à prévenir l'infection des petites blessures.

Préparation et posologie

Prenez une infusion agréable, au goût de menthe, comme stimulant digestif, tranquillisant doux ou pour soulager vos douleurs menstruelles.

Pour une infusion, prenez 2 c. à café d'herbes séchées par tasse d'eau bouillante. Laissez infuser de 10 à 20 minutes. Ne portez pas l'herbe aux chats à ébullition; cette opération ferait évaporer son huile thérapeutique. Ne dépassez pas trois tasses par jour.

Si vous préférez une teinture, prenez 1/2 à 1 c. à café jusqu'à trois fois par jour.

Les infusions faibles et refroidies doivent être données avec prudence aux enfants qui ont des coliques. Les enfants plus âgés et les personnes de plus de 65 ans devraient commencer par prendre des préparations faiblement concentrées et augmenter la dose au besoin.

En cas d'urgence, appliquez des feuilles d'herbe aux chats broyées sur les coupures et les égratignures jusqu'à ce que vous puissiez les nettoyer et les panser.

Mise en garde

L'herbe aux chats est une plante non toxique; certaines personnes cependant pourraient souffrir de maux d'estomac.

La Food and Drug Administration mentionne l'herbe aux chats comme une plante dont la fiabilité reste à prouver. Les femmes en bonne santé, qui ne sont pas enceintes et qui n'allaitent pas peuvent l'utiliser sans crainte si elles respectent les doses prescrites.

L'herbe aux chats ne devrait être consommée à des fins thérapeutiques qu'après accord avec son médecin. Si elle provoque de légers troubles, tels que des maux d'estomac ou de la diarrhée, prenez-en moins ou cessez d'en prendre. Consultez votre médecin en cas d'effets indésirables, ou si les symptômes persistent deux semaines après le début du traitement.

Protégez vos chats

L'herbe aux chats est une plante vivace aromatique de couleur gris vert. Elle peut atteindre près d'un mètre et elle comporte toutes les caractéristiques de la famille des menthes: une tige carrée, des feuilles frisottées et des fleurs à deux lèvres.

L'herbe aux chats pousse facilement à partir des graines ou des divisions de racines que l'on plante au printemps ou à l'automne. Elle pousse dans presque tous les sols bien drainés, en plein soleil ou partiellement à l'ombre. Certains cultivateurs estiment que garder le sol plus sec rend la plante plus aromatique. Espacez les plants d'environ 25 cm. Récoltez les parties supérieures des fleurs à la fin de l'été, lorsque les fleurs sont épanouies. Séchez-les et entreposez-les dans des contenants opaques hermétiques afin de préserver l'huile volatile de la plante. La mythologie des jardiniers prétend que les chats ne sont pas attirés par l'herbe aux chats lorsqu'elle est dans le sol. Cependant, tel n'est pas le cas. En effet, les chats détruisent souvent les plantes avant la récolte. Il faut s'assurer de ne pas meurtrir les feuilles, car les plantes intactes n'attirent pas les chats. Toutefois, toute meurtrissure d'une feuille de la plante en dégage son odeur aromatique qui attire les félins.

HOUBLON

À votre santé

Famille: *Moraceæ.* Également la figue et la mûre; *Cannabaceæ.* Également le chanvre et la marijuana.

Genre et espèce: *Humulus lupulus*

Autres noms: Houblon lupulin, vigne du Nord, salsepareille nationale, couleuvrée septentrionale

Partie utilisée: Les fibres des fruits femelles

On sait que le houblon est une plante amère et aromatique qui peut servir à fabriquer la bière. Ce que l'on sait moins bien, c'est que depuis très longtemps on utilise aussi cette plante pour ses vertus médicinales. Plusieurs de ses emplois traditionnels ont d'ailleurs été approuvés par la science moderne.

Les médecins chinois prescrivirent le houblon pendant des siècles comme stimulant digestif et pour traiter la lèpre, la tuberculose et la dysenterie.

Les Grecs et les Romains de l'Antiquité recommandaient aussi cette plante comme stimulant digestif et pour soigner les troubles intestinaux. Le naturaliste romain Pline l'Ancien essaya la plante comme légume de jardin; on pouvait en effet en manger les jeunes pousses au printemps avant qu'elles n'arrivent à maturité et qu'elles ne deviennent coriaces et amères. (Certaines personnes mangent encore les pousses, qu'elles apprêtent de la même façon que les asperges.)

Bière: pain liquide

Pendant longtemps, le houblon demeura une plante peu importante jusqu'au jour où, il y a environ 1 000 ans, certains brasseurs commencèrent à l'utiliser pour conserver leur boisson d'orge fermenté que nous appelons la bière.

La bière découle tout bonnement de la cuisson du pain. Comme l'agriculture se développait, les femmes d'intérieur de la fin de la préhistoire remarquèrent que le pain fabriqué à partir de grain cru se conservait moins bien que celui fabriqué à partir de grain germé. C'est ainsi qu'avant de réduire leur grain en farine, elles le laissaient tremper dans de l'eau pour le faire gonfler. Si l'eau était contaminée par les micro-organismes de la levure qui provient de la peau des fruits, elle fermentait et devenait une bière brute douce.

Les anciennes bières, qui seraient probablement imbuvables de nos jours, connurent un énorme succès auprès des gens de cette époque. Environ 2 500 ans avant notre ère, 40 % de la récolte du grain sumérien était utilisée dans le brassage. Et le premier code légal écrit du monde, le *Code of Hammurabi* de Babylone, rédigé en 1750 avant notre ère, décrivait les amendes affligées aux commerces de bière qui vendaient un produit trop faible ou à un prix trop élevé.

Au fil des siècles, les brasseurs ajoutèrent des plantes dans leur bière afin de l'aromatiser: marjolaine, achillée et armoise. Aux alentours du IXe siècle, les Allemands commencèrent à mettre du houblon dans leur bière, à la fois pour rehausser son arôme et pour la conserver. Au XIVe siècle, la plupart des bières européennes contenaient du houblon.

Outrage à l'Angleterre

Le houblon était bien connu en Angleterre. Cette plante vivace grimpante poussait à l'état sauvage dans ce pays, et on l'utilisait beaucoup dans la médecine populaire comme stimulant amer de l'appétit et de la digestion.

Mais la boisson fermentée de choix en Angleterre était la bière européenne, bière douce fabriquée il y a très longtemps sans houblon. Vers l'an 1500, les brasseurs anglais apprirent que le houblon possédait des propriétés de conservation et l'ajoutèrent à leurs bières, transformant ainsi leurs bières douces en bières amères, et faisant ainsi un outrage national.

Des légions de personnes qui détestaient le houblon firent parvenir une pétition au Parlement afin de faire bannir cette plante qui «pourrait mettre en danger la santé des personnes». Henri VIII, pourtant adepte des traditions de la bière, se plia à leur demande et interdit le houblon dans le brassage en Angleterre. Cette pratique demeura illégale jusqu'à ce que son fils, Édouard VI, en levât l'embargo en 1552.

Mais le scandale ne s'arrêta pas là. Un siècle plus tard, l'écrivain anglais John Evelyn déclarait: «Le houblon transforme notre bière britannique en bière banale. Ce seul ingrédient conserve en réalité la boisson, mais par contre apporte des maladies et raccourcit la vie.»

La fatigue du ramasseur de houblon

Par le brassage de la bière, le houblon se transforma de légume de printemps en culture commerciale. Les cultivateurs de houblon remarquèrent que cette plante procurait deux effets étranges aux personnes qui la récoltaient: elles se fatiguaient facilement et les femmes de leur côté avaient leurs règles plus tôt. Avec le temps, la plante acquit une réputation de sédatif et de déclencheur de règles.

Le houblon a été introduit depuis comme sédatif, non seulement dans le thé, mais également dans les oreillers. Le parfum doux de cette plante provoque, semble-t-il, le sommeil.

L'herboriste anglais du XVIIe siècle Nicholas Culpeper recommandait le houblon pour soigner «les engorgements du foie et de la rate … pour nettoyer le sang … pour aider à guérir la syphilis et pour faire cesser les écoulements sanguins». Culpeper ajoutait son opinion à la longue controverse bière britannique/bière banale, écrivant que les emplois médicinaux du houblon rendirent «la bière … meilleure que la bière européenne».

De sédatif à une spécialité pharmaceutique

En Amérique du Nord, les Indiens utilisèrent le houblon américain de leur pays comme sédatif et comme stimulant digestif.

Les médecins éclectiques du XIXe siècle se servirent du houblon comme stimulant digestif et pour traiter «l'excitation morbide du délirium tremens». Mais ils furent peu impressionnés par sa réputation de sédatif et estimaient qu'«il ne faisait souvent aucun effet.»

Le houblon figura en tant que sédatif dans le *U.S. Pharmacopœia* de 1831 à 1916. Durant le XIXe siècle, il était l'un des ingrédients principaux de nombreux produits pharmaceutiques.

Durant les années 1950, les musiciens de jazz qui fumaient de la marijuana était appelés des «têtes de houblon» parce que la marijuana produisait sur eux des effets identiques au houblon. Le houblon est botaniquement apparenté à la marijuana, mais fumer cette plante n'entraîne pas d'intoxication.

Les herboristes contemporains préconisent cette plante essentiellement comme sédatif, tranquillisant et stimulant digestif.

PROPRIÉTÉS thérapeutiques

Les brasseurs d'autrefois savaient sûrement ce qu'ils faisaient, le houblon contient deux agents chimiques, le humulone et le lupulone, qui peut en tuer les bactéries responsables du pourrissement.

PRÉVENTION DE L'INFECTION. Les propriétés combattantes des bactéries servent à prévenir l'infection dans le cas du houblon. Cette plante n'est pas un antibiotique puissant à base d'herbes. Dans des cas d'urgence, appliquez les parties supérieures des fleurs broyées sur les coupures et les égratignures jusqu'à ce que vous puissiez les nettoyer et les panser.

Une étude démontre que le houblon est efficace contre la bactérie responsable de la tuberculose, confirmant ainsi l'usage traditionnel qu'en faisaient les Chinois.

SÉDATIF. Pendant des décennies, les scientifiques se moquaient des soi-disant propriétés sédatives du houblon. En 1983, un agent chimique sédatif, le 2-méthyl—3-butène—2-ol, fut découvert. Cet agent chimique est à peine présent dans les feuilles fraîches, mais la concentration augmente à mesure que l'on fait sécher la feuille. Si vous utilisez le houblon comme un sédatif potentiel, ne prenez que l'herbe séchée et vieillie.

STIMULANT DIGESTIF. Le houblon peut détendre les parois du muscle lisse du tube digestif, selon des chercheurs français, appuyant ainsi l'usage que l'on en faisait comme plante digestive antispasmodique.

SANTÉ DE LA FEMME. Les chercheurs allemands prétendent que le houblon contient des agents chimiques similaires à l'œstrogène, hormone de reproduction féminine. Cela pourrait expliquer les fluctuations menstruelles qui se produisent chez les femmes qui récoltent la plante. D'autres études réfutent cette théorie et elle reste à ce jour contestée.

Prescription et posologie

Afin de prévenir l'infection et de stimuler la digestion, prenez le houblon le plus frais que vous pourrez trouver. Contre l'insomnie, prenez du houblon séché et vieilli.

Pour une infusion, prenez 2 c. à café d'herbe par tasse d'eau bouillante. Laissez infuser 5 minutes. Le houblon a un goût agréablement amer.

Le houblon est déconseillé aux enfants de moins de deux ans. Les enfants plus âgés et les personnes de plus de 65 ans devraient commencer par des préparations faiblement concentrées et augmenter la dose au besoin.

Mise en garde

De nombreuses personnes qui récoltent le houblon développent une irritation cutanée, appelée dermatite du houblon. Sinon, on ne lui attribue aucun effet nocif.

Les Allemands avaient peut-être raison de croire que le houblon contenait des agents chimiques similaires à l'œstrogène, hormone de reproduction féminine. Les femmes enceintes devraient s'abstenir d'en prendre. Les femmes atteintes de cancers hormonaux-dépendants devraient également l'éviter.

La Food and Drug Administration inclut le houblon parmi les plantes qui ne présentent aucun danger. Les femmes en bonne santé qui ne sont pas enceintes, qui n'allaitent pas ou qui ne prennent pas de sédatif peuvent l'utiliser sans crainte si elles respectent les doses prescrites.

Le houblon ne devrait être consommé à des fins thérapeutiques qu'après accord avec son médecin. Si elle provoque de légers troubles, tels que des maux d'estomac ou de la diarrhée, prenez-en moins ou cessez d'en prendre. Consultez votre médecin en cas d'effets indésirables ou si les symptômes persistent deux semaines après le début du traitement.

Une vigne grimpante

Le houblon est une vigne résineuse, duveteuse et grimpante. On la cultive à des fins commerciales en Bavière, en Allemagne, et dans le nord-ouest du Pacifique, dans des champs de houblon. À maturité, les vignes atteignent souvent 8 m.

Le houblon peut pousser à partir de graines, mais la plupart des cultivateurs utilisent des racines qu'ils ont coupées au printemps ou à l'automne. Plantez ces coupes en monticules de terre utilisant trois racines et en les espaçant d'environ 40 cm.

Le houblon exige un sol humide, riche et bien retourné, de même que le plein soleil. Arrosez fréquemment.

Récoltez les fleurs femelles à l'automne lorsqu'elles semblent fermes et qu'elles deviennent d'une couleur ambre. Elles seront aussi couvertes d'une poussière jaune. Faites-les sécher immédiatement dans un four au réglage le plus bas.

HYDRASTIS

Un antibiotique puissant

Famille: *Ranunculaceæ*. Également le bouton d'or, le pied d'alouette et la pivoine
Genre et espèce: *Hydrastis canadensis*
Autres noms: Ficaire (en Europe), renoncule âcre, renoncule scélérate, petite douve
Parties utilisées: Les rhizomes et les racines

L'hydrastis est une plante à la fois populaire et efficace. La combinaison de ces deux propriétés provoque déjà la controverse. Il n'est pas surprenant alors d'apprendre que beaucoup d'herboristes contemporains l'appellent «l'une de nos plantes les plus utiles» tandis que d'autres autorités scientifiques citent encore un pharmacologiste qui écrivait (dans les années 1948) que la plante a «peu, si ce n'est aucune indication rationnelle» et peut causer «la mort à la suite d'une paralysie respiratoire ou d'un arrêt cardiaque».

Tout compte fait, il n'y a aucune raison de s'alarmer. L'hydrastis peut être bénéfique quand elle est utilisée prudemment. Cependant, elle produit parfois aussi des effets nocifs. Les herboristes amateurs bien informés peuvent utiliser cette plante sans risque.

Racine jaune

Les Indiens du Nord-Est réduisaient en poudre les racines jaunes de l'hydrastis et utilisaient le jus jaune obtenu comme teinture. Ils s'en servaient aussi médicalement comme collyre (d'où les noms «baume pour les yeux» et «racine pour les yeux»), comme traitement pour les plaies de la peau, ainsi que pour soigner le mal de gorge, les troubles digestifs, et pour se rétablir après un accouchement.

Les premiers colonisateurs adoptèrent cette plante, mais ne l'utilisèrent pas beaucoup avant le XIXe siècle alors que Samuel Thomson, à l'origine de la médecine par les herbes thomsonienne, la rendit populaire comme antiseptique. Thomson avait de l'aversion pour le nom indien de cette plante, racine jaune, et le changea pour hydrastis.

La mode de la médecine thomsonienne disparut lors de la guerre de Sécession, mais les médecins éclectiques du XIXe siècle adoptèrent l'hydrastis et ils répandirent énormément son emploi. Ils recommandaient cette plante en application externe pour soulager les hémorroïdes, les fissures rectales, la conjonctivite, l'eczéma, les furoncles, les blessures; en application interne, comme stimulant digestif et pour traiter les rhumes, l'amygdalite, la diphtérie, les problèmes utérins, l'hémorragie du post-partum, les troubles digestifs, ainsi que comme tonique pendant la convalescence de toute maladie grave.

Le gingembre du pauvre homme

Après la guerre de Sécession, la plante d'or connut un âge d'or. En effet, elle était contenue dans un grand nombre de spécialités pharmaceutiques, en particulier Dr. Pierce's Golden Medical Discovery, une boisson tonique très populaire.

La demande monta en flèche, et le prix de l'hydrastis grimpa à 5FF les 500 g, la rendant presque aussi chère que la plante médicinale la plus chère des États-Unis, le gingembre. La différence entre ces deux plantes, c'est que le gingembre était ramassé pour être exporté en Chine alors que l'hydrastis était utilisé aux États-Unis. Avec le temps, l'hydrastis acquit la réputation médicinale du gingembre en tant que panacée et tonique pour la longévité, d'où son nom populaire de «gingembre du pauvre homme».

Tout comme le gingembre, on ramassa tellement l'hydrastis qu'il disparut presque du pays. Comme il devint rare, on le falsifia. Il est cultivé de nos jours mais coûte toujours très cher, et la falsification reste toujours un problème d'actualité.

L'hydrastis figurait comme astringent et antiseptique dans le *U.S. Pharmacopœia* de 1831 à 1936. Les antibiotiques modernes l'évincèrent par la suite.

Réputation d'argent pour une herbe d'or

Les herboristes contemporains peuvent à peine contenir leur enthousiasme envers l'hydrastis. Dans *Back to Eden*, Jethro Kloss parle de l'hydrastis en ces termes «l'un des plus merveilleux remèdes du règne végétal ... Un réel soigne-tout».

Les herboristes modernes recommandent l'hydrastis en application externe comme antiseptique pour nettoyer les plaies, et pour traiter l'eczéma, la teigne, la mycose, les démangeaisons, ainsi que la conjonctivite. Ils le prescrivent en application interne pour les troubles digestifs et les rhumes, et pour diminuer un flux sanguin menstruel excessif et les saignements utérins du post-partum.

La plupart de herboristes signalent également que l'hydrastis déclenche les contractions utérines et «stimule énormément le système nerveux».

L'hydrastis est également la plante préférée des homéopathes. Ils la prescrivent en doses minuscules à leurs patients pour soigner l'alcoolisme, l'asthme, l'indigestion, le cancer, les hémorroïdes et les maladies du foie.

L'hydrastis demeure un médicament très populaire. Dans *Hoosier Home Remedies*, ouvrage faisant un tour d'horizon de la médecine populaire de l'Indiana, le Dr Varro Tyler relate qu'il découvrit que cette plante était très souvent utilisée comme astringent et antiseptique pour traiter les ulcères de la gorge, les lèvres gercées et beaucoup d'autres problèmes externes.

Enfin, à la fin des années 1970, les héroïnomanes allèrent jusqu'à croire qu'une infusion d'hydrastis pouvait prévenir la détection d'opiats dans les échantillons d'urine.

PROPRIÉTÉS thérapeutiques

L'hydrastis ne prévient pas la détection d'opiacée, ou tout autre médicament, dans l'urine. Elle n'est pas non plus une plante guérit tout.

Les scientifiques ont découvert que l'hydrastis contient deux constituants actifs, la berbérine et l'hydrastine. La berbérine, constituant plus important, est l'un des agents chimiques actifs de l'épine vinette. Ces deux herbes ont donc des usages et des risques semblables, mais l'hydrastis est plus populaire et plus coûteuse. Les personnes qui recherchent une plante moins chère devraient utiliser l'épine vinette.

ANTIBIOTIQUE. L'hydrastis peut aider à combattre les infections bactériennes, fongiques et protozoaires. La berbérine, un des constituants de l'hydrastis, tue de nombreuses bactéries qui causent la diarrhée. La berbérine élimine également les protozoaires qui provoquent de la dysenterie amoébique et de la giardiase. De nombreuses études montrent que la berbérine lutte également contre la bactérie du choléra. En fait, des chercheurs indiens ont découvert récemment que ce constituant agissait plus favorablement sur le choléra que le chloromicétine, antibiotique puissant. Ces résultats confirment l'usage traditionnel de l'hydrastis comme remède gastro-intestinal, particulièrement pour les infections diarrhéiques.

STIMULANT IMMUNITAIRE. La berbérine tue non seulement les microbes, elle renforce également le système immunitaire en augmentant le nombre des globules blancs (macrophages) qui absorbent les microorganismes responsables de la maladie.

SANTÉ DE LA FEMME. Certaines études sur des animaux révèlent que la berbérine semble détendre l'utérus, cette découverte confirme l'usage traditionnel que l'on faisait de cette plante pour interrompre le débit menstruel excessif et l'hémorragie du post-partum. D'autres études montrent toutefois qu'elle stimule les contractions utérines.

Les femmes enceintes devraient s'abstenir de prendre de l'hydrastis. Les femmes qui ont un débit menstruel abondant pourraient l'essayer à des fins thérapeutiques. L'hémorragie du post-partum est une affection grave qui exige des soins médicaux immédiats. Si vous désirez essayer l'hydrastis de pair avec votre traitement régulier, discutez-en avec votre médecin.

STIMULANT DIGESTIF. Chez les humains, l'hydrastis peut aider à soulager l'intestin et à stimuler les sécrétions de bile. Cette propriété leur faciliterait la digestion des graisses.

AUTRES PROPRIÉTÉS. De nombreuses études sur des animaux démontrent que l'hydrastis permet de réduire les tumeurs, appuyant l'usage traditionnel de cette plante dans le traitement contre le cancer. L'hydrastis jouera peut-être ainsi un rôle en chimiothérapie dans les prochaines années.

Préparation et posologie

Prenez l'hydrastis en infusion ou teinture comme antibiotique ou stimulant du système immunitaire, ou encore afin de réduire l'écoulement menstruel.

Pour une infusion, prenez 1/2 à 1 c. à café de racines d'hydrastis en poudre par tasse d'eau bouillante. Laissez infuser 10 minutes. Ne dépassez pas deux tasses par jour. L'hydrastis a un goût amer. Pour cette raison, ajoutez-y du miel, du sucre ou du citron, ou mélangez-le à une préparation à base de plante.

Pour une teinture, prenez 1/2 à 1 c. à café jusqu'à deux fois par jour.

L'hydrastis est déconseillée aux enfants de moins de deux ans. Les enfants plus âgés et les personnes de plus de 65 ans devraient commencer par des préparations faiblement concentrées et augmenter la dose au besoin.

Mise en garde

Les agents chimiques actifs de l'hydrastis ont un effet contraire sur la tension artérielle. La berbérine peut la réduire; par contre, l'hydrastine peut l'augmenter. Les personnes atteintes d'hypertension artérielle, de maladie cardiaque, de diabète, de glaucome ou qui présentent des antécédents d'accident vasculaire cérébral devraient être prudentes et s'abstenir d'en prendre. Demandez de préférence à votre médecin de mesurer votre tension artérielle si vous ne la connaissez pas, et demandez-lui son autorisation avant de prendre de l'hydrastis.

Attention à la fraude

À cause de son coût élevé, l'hydrastis fait l'objet de falsification depuis plus de 100 ans. L'une des «fausses» plantes est celle appelée la sanguinaire du Canada (*Sanguinaria canadensis*). Lorsqu'elle est fraîche, cette plante est rouge, mais séchée, elle devient jaune comme l'hydrastis et son goût est tout aussi amer. La sanguinaire du Canada a une action laxative puissante. En fortes doses, elle peut causer des étourdissements, des brûlures gastro-intestinales, une soif intense et des vomissements. Si votre hydrastis agit comme purgatif ou cause l'un des symptômes mentionnés ci-dessous, arrêtez de la consommer. C'est peut-être de la sanguinaire du Canada.

À fortes doses, l'hydrastis irrite parfois la peau, la bouche et la gorge, et provoque des nausées et des vomissements. Les douches vaginales à base d'hydrastis peuvent causer de l'irritation.

Les ouvrages médicaux sur l'hydrastis ne mentionnent aucun effet nocif. Cependant, l'hydrastis stimule le système nerveux central, et chez les animaux, de fortes doses ont provoqué une paralysie respiratoire et un arrêt cardiaque, menant au décès. Dans le cas de l'hydrastis, tenez-vous en au dosage prescrit.

Autres précautions

La Food and Drug Administration inclut l'hydrastis parmi les plantes dont la fiabilité reste à prouver. Les femmes en bonne santé qui ne sont pas enceintes, qui n'allaitent pas, qui ne souffrent pas d'hypertension artérielle, de glaucome, de diabète, ou qui ne présentent pas d'antécédents de maladie cardiaque ou d'accident vasculaire cérébral peuvent utiliser l'hydrastis sans crainte si elles respectent les doses prescrites.

L'hydrastis ne devrait être consommée à des fins thérapeutiques qu'après accord avec son médecin. Si elle provoque de légers troubles, tels que des maux d'estomac ou une irritation de la bouche, prenez-en moins ou cessez d'en prendre. Consultez votre médecin en cas d'effets indésirables ou si les symptômes persistent deux semaines après le début du traitement.

Une plante difficile à cultiver

L'hydrastis est une petite plante vivace qui possède une tige annuelle duveteuse de couleur pourpre qui pousse depuis un rhizome noueux, recouvert d'écorces jaune brun et d'une pulpe jaune vif. L'hydrastis possède des feuilles lobées, semblables à celles de la framboise. Ses petites fleurs blanches s'épanouissent au printemps et produisent des baies d'un rouge orangé.

L'hydrastis n'est pas facile à cultiver. La plante peut pousser à partir de graines, mais il faut au moins cinq ans à ses racines pour atteindre une valeur médicinale. La plupart des spécialistes recommandent d'acheter des rhizomes de deux ans d'âge chez un pépiniériste spécialisé afin de pouvoir récolter les racines trois ans plus tard.

Les bons rhizomes devraient dégager un arôme doux, au parfum de réglisse. Plantez les rhizomes au début de l'automne à 2,5 cm du sol, les espaçant d'environ 16 cm. Le sol devrait être fertilisé de compost, de feuilles fanées, de sable et d'engrais d'os broyés.

L'hydrastis exige de l'humidité et un bon drainage. Elle pousse mieux à l'ombre. Récoltez les rhizomes et les racines à la fin de l'automne après le premier gel. Nettoyez les racines, séchez-les jusqu'à ce qu'elles se cassent. Réduisez-les ensuite en poudre et entreposez-les dans des contenants hermétiques.

HYDROCOTYLE ASIATIQUE

Excellente pour les problèmes de peau

Famille: *Umbelliferæ*. Également la carotte et le persil
Genres et espèces: *Centella asiatica* ou *Hydrocotyle asiatica*
Autres noms: Racine de mouton
Partie utilisée: Les feuilles

Il y a très longtemps, les Cingalais originaires de l'île de Ceylan (le Sri Lanka actuel) remarquèrent que les éléphants, mammifères renommés pour leur longévité, aimaient manger les feuilles arrondies d'une toute petite plante appelée hydrocotyle asiatique. Cette plante acquit ainsi la réputation de prolonger la vie. Un proverbe cingalais disait: «Deux feuilles par jour repoussent la vieillesse.»

L'hydrocotyle asiatique ne prolonge pas la vie, mais elle peut stimuler votre système immunitaire, accélérer la cicatrisation de vos plaies, aider à traiter le psoriasis, faire circuler le sang dans vos jambes et prévenir ainsi les varices.

Un médicament contre la lèpre

Les herboristes ayurvédiques de l'Inde recommandèrent d'abord l'hydrocotyle asiatique comme le gingembre, c'est-à-dire pour prolonger la vie et traiter les problèmes de santé reliés à l'âge. Mais avec le temps, on utilisa de plus en plus cette plante en usage interne et externe pour traiter tous les problèmes de santé reliés à la peau, y compris la lèpre.

Les guérisseurs des Philippines se servirent de l'hydrocotyle asiatique pour traiter les blessures de leurs clients ainsi que la gonorrhée. Les médecins chinois la prescrivaient en cas de fièvres, de rhumes et de grippes.

En Europe, l'hydrocotyle asiatique fit l'objet d'une accusation montée de toutes pièces. Plusieurs espèces de cette plante poussaient dans ce pays, mais les Européens l'accusèrent de causer le piétin (maladie du pied du mouton, d'où son nom jadis populaire de «pourriture du mouton»). Cependant, rien ne prouve que cette plante causa la maladie chez ces animaux.

Des plantes très proches de l'hydrocotyle asiatique poussent également aux États-Unis, et les médecins américains éclectiques du XIXe siècle étaient très en faveur de cette plante pour traiter la lèpre en Asie. Un rapport publié à l'époque mentionne: «En 1852, le Dr Boileau, originaire de l'Inde, qui souffrait depuis de longues années de lèpre ... essaya cette plante et fut guéri.»

Les médecins éclectiques estimaient que l'hydrocotyle asiatique était salutaire et produisait de l'effet en application externe dans les cas de problèmes de peau, mais qu'elle agissait comme un «poison» si on la consommait. Cependant, ils soutenaient que prise en grande quantité, l'hydrocotyle asiatique causait des «maux de tête, des vertiges, des états de stupeur, des démangeaisons et du sang dans les selles».

Une vieille légende chinoise

L'hydrocotyle asiatique n'était guère utilisée au début du XXe siècle, mais après la Seconde Guerre mondiale, on l'inclut dans une préparation à base de plantes qu'on appela Fo-Ti-Tieng. Une vieille légende cingalaise prétendait que l'infusion augmentait l'espérance de vie. Cette légende veut que Li Ching Yun, un herboriste de la Chine ancienne, ait consommé la préparation sur une base régulière. Il a vécu 256 ans et a survécu à 23 de ses épouses. Le thé devient populaire et l'hydrocotyle asiatique refit son apparition comme fortifiant à base de plantes.

Les herboristes contemporains recommandent la plante en application externe comme un cataplasme pour les blessures. Par voie orale, ils prescrivent de faibles doses comme stimulant et de fortes doses comme sédatif.

PROPRIÉTÉS thérapeutiques

On prétend que l'hydrocotyle asiatique augmente l'espérance de vie. Cette réputation est aussi farfelue que la légende de Li Ching Yun à ce sujet. Cependant, la science moderne confirme certains autres usages thérapeutiques de la plante.

GUÉRISON DES BLESSURES. L'hydrocotyle asiatique favorise la guérison des blessures. Selon une étude publiée dans *Annals of Plastic Surgery*, la plante accélérerait la guérison des brûlures et réduirait les tissus cicatriciels. D'autres études montrent que la plante favorise la guérison des greffes de peau et de la dilatation vaginale durant l'accouchement, intervention chirurgicale appelée épisiotomie.

PSORIASIS. Une étude montre que la crème à base d'hydrocotyle asiatique peut soulager les lésions douloureuses du psoriasis et confirme ainsi son usage traditionnel. Sept patients atteints de cette affection ont utilisé la crème. En moins de deux mois, elle a guéri les lésions chez cinq d'entre eux et un seul a connu une récidive quatre mois après la fin du traitement. La crème à base d'hydrocotyle asiatique n'est pas vendue dans le commerce. Cependant, vous pouvez utiliser en compresse une infusion d'hydrocotyle asiatique afin de traiter votre psoriasis.

LÈPRE. L'usage traditionnel de l'hydrocotyle asiatique dans le traitement de la lèpre, ou maladie de Hansen, a été corroboré par une étude publiée dans le journal britannique *Nature*. La bactérie qui cause la lèpre est recouverte d'une couche cireuse qui la protège contre le système immunitaire. L'hydrocotyle asiatique contient un agent chimique, l'asiaticoside, qui dissout cette couche, permettant ainsi au système immunitaire de détruire la bactérie.

CIRCULATION SANGUINE. L'hydrocotyle asiatique peut aussi favoriser la circulation sanguine dans les membres inférieurs. Dans une étude, 94 personnes souffrant d'une mauvaise circulation dans les jambes, ou insuffisance veineuse, ont reçu 60 mg d'hydrocotyle asiatique ou un placebo. Après deux mois, les personnes qui avaient consommé la plante ont montré une nette amélioration de leur système circulatoire et une réduction de l'enflure.

AUTRES PROPRIÉTÉS. Une mauvaise circulation dans les jambes peut causer des varices. Les chercheurs n'ont pas mené d'études précises sur les bienfaits de la plante comme traitement des varices, cependant la capacité de l'hydrocotyle asiatique à améliorer la circulation sanguine dans les jambes pourrait aider à prévenir, voire à traiter, les varices.

L'hydrocotyle asiatique a un effet sédatif sur les animaux de laboratoire. Bien que cet effet n'ait jamais été prouvé chez les humains, certains scientifiques croient qu'il est probable. Chez les animaux, la consommation en grande quantité d'hydrocotyle asiatique a un effet narcotique, provoquant un état de stupeur et éventuellement le coma. Certains scientifiques prétendent que la réaction pourrait se produire chez les humains, confirmant ainsi l'opinion des médecins éclectiques américains qui rejetaient toute consommation de cette plante. Curieusement, l'hydrocotyle asiatique pourrait aussi aider à lutter contre l'insomnie. Abstenez-vous toutefois de dépasser les doses prescrites. Curieusement, certaines études attestent que l'hydrocotyle asiatique cause de l'agitation et de l'insomnie, ce qui contredit le rôle d'un prétendu «narcotique». Il semble que ces études aient porté sur le cola, herbe à forte teneur en caféine.

Préparation et posologie

Prenez une infusion d'hydrocotyle asiatique afin d'améliorer la circulation sanguine dans vos jambes ou si vous souffrez d'insomnie. Pour une infusion, prenez 1/2 c. à café par tasse d'eau bouillante. Ne dépassez pas deux tasses par jour. L'hydrocotyle asiatique a un goût amer et astringent. Ajoutez-y du sucre, du miel et du citron, ou mélangez-le à une autre préparation à base de plantes pour en adoucir la saveur.

Pour le traitement des blessures ou du psoriasis en application topique, essayez des compresses d'hydrocotyle asiatique. Si les résultats ne sont pas concluants, essayez une infusion plus forte.

Les infusions d'hydrocotyle asiatique sont déconseillées aux enfants de moins de deux ans. Les enfants plus âgés et les personnes de plus de 65 ans devraient commencer par des préparations faiblement concentrées et augmenter la dose au besoin.

Mise en garde

Le seul effet indésirable qui ait pu être confirmé est l'irritation cutanée chez les personnes qui ont une peau très sensible.

L'agent chimique asiaticoside qui aide à combattre la lèpre semble être un cancérogène faible. Une solution concentrée de cet agent chimique a été appliquée sur la peau de souris, une fois par semaine, pendant 18 mois (ce qui représente un traitement à long terme chez la souris). 2,5 % des animaux ont développé des tumeurs cutanées. Ce test n'a pas été effectué chez les humains. Les personnes qui ont des antécédents de cancer devraient s'abstenir de consommer de l'hydrocotyle asiatique, même en petite quantité. Consultez votre médecin à ce sujet.

Autres précautions

La Food and Drug Administration mentionne l'hydrocotyle asiatique comme une plante dont la fiabilité reste à prouver. Les femmes en bonne santé qui ne sont pas enceintes, qui n'allaitent pas, qui n'ont pas d'antécédents de cancer et qui ne prennent pas de tranquillisants ou de sédatifs peuvent l'utiliser sans crainte si elles respectent les doses prescrites.

L'hydrocotyle asiatique ne devrait être consommé à des fins thérapeutiques qu'après accord avec son médecin. S'il provoque de légers troubles, tels qu'une irritation cutanée ou des céphalées, prenez-en moins ou cessez d'en prendre. Consultez votre médecin en cas d'effets indésirables ou si les symptômes persistent deux semaines après le début du traitement.

À propos de la plante

L'hydrocotyle asiatique n'est pas cultivée en Amérique du Nord, bien que plusieurs espèces de la même famille poussent à l'état sauvage.

En tant que membre de la famille des ombilifères, l'hydrocotyle asiatique est apparentée à la carotte, au persil, à l'aneth et au fenouil, mais elle ne comporte ni les feuilles duveteuses ni les fleurs en forme d'ombrelles qui les caractérisent. En fait, la tige rampante de la plante pousse dans des endroits marécageux et produit des feuilles en forme d'éventail. Les fleurs s'épanouissent discrètement au ras du sol.

HYSOPE

Un antiseptique biblique

Famille: *Labiatæ*. Également la menthe
Genre et espèce: *Hyssopus officinalis*
Autre nom: Hiope
Parties utilisées: Les feuilles et les fleurs

Il est dit dans le livre des Psaumes (51:9): «Donnez-moi de l'hysope comme purge et je serai purifié.» Ce nettoyant biblique fait bien davantage que nettoyer. Il peut en effet avoir la même action qu'un antiseptique pour soigner des infections comme les boutons de fièvre et l'herpès génital.

Le nettoyeur du temple

Les prêtres juifs utilisaient de l'hysope à odeur très forte il y a 2 500 ans pour nettoyer le temple de Jérusalem et d'autres édifices consacrés au culte. Les Grecs l'adoptèrent et le médecin Dioscoride prescrivait la plante en infusion pour soigner la toux, l'asthme et l'essoufflement, sous forme de cataplasmes et de frictions sur la poitrine, et comme aromatique nasal et décongestionnant de la poitrine.

L'abbesse et herboriste allemande Hildegard de Bingen écrivait que l'hysope «nettoie les bronches». Elle recommandait aussi aux personnes atteintes de dépression de consommer un plat de poulet cuit dans de l'hysope et du vin.

Dans l'Europe du XVIIe siècle, l'hysope était un purificateur d'air très souvent utilisé. On l'appelait aussi «la plante qui s'éparpille». En effet, les feuilles écrasées et les parties supérieures des fleurs de cette plante étaient éparpillées autour des maisons pour dissimuler les odeurs. À cette époque, on prenait rarement un bain et les animaux habitaient sous le même toit que les fermiers.

Quand le bain devint une pratique courante, on cessa d'éparpiller les fleurs de l'hysope et on mit cette plante dans des paniers à parfums que l'on déposait dans les chambres des malades.

L'herboriste britannique du XVIIe siècle Nicholas Culpeper appuya le médecin Dioscoride dans l'utilisation de l'hysope pour soigner les maladies de la poitrine: «Elle expulse le flegme dur et elle est efficace pour soigner toutes les maladies de la poitrine et du poumon.» Il disait aussi: «Elle tue les vers dans les intestins ... Bouillie avec des figues, elle devient un excellent gargarisme pour l'amygdalite purulente ... Bouillie dans du vin, elle nettoie bien les inflammations ... ointe sur la tête, l'huile tue les poux.»

Des usages multiples dans le Nouveau Monde

Les colons introduisirent l'hysope en Amérique du Nord et l'utilisèrent pendant longtemps pour traiter les infections des voies respiratoires. L'hysope acquit également une réputation de déclencheur de règles et on s'en servit pour provoquer les fausses couches. (Il ne guérit pas ces maladies.)

Mais au fil du temps, la popularité de l'hysope déclina. Les médecins éclectiques américains du XIXe siècle prescrivaient cette plante en application externe pour soulager la douleur des ecchymoses, et comme gargarisme pour le mal de gorge et l'amygdalite, ainsi que pour traiter l'asthme et les quintes de toux.

Les herboristes contemporains recommandent l'hysope en compresse et en cataplasme pour les ecchymoses, les brûlures et les blessures, et en infusion pour les refroidissements, la toux, la bronchite, les flatulences, l'indigestion, pour déclencher les règles, ainsi que pour calmer les crises d'épilepsie. Quelques herboristes attirent l'attention sur le fait que le micro-organisme qui produit la pénicilline pousse dans les feuilles de l'hysope et que pour cette raison elle a un effet bénéfique sur les blessures et sur les infections des voies respiratoires.

PROPRIÉTÉS thérapeutiques

Ce nettoyant biblique ne nettoiera pas votre maison aussi bien que les produits modernes, mais certains usages traditionnels de la plante ont été confirmés par la science.

HERPÈS. L'hysope inhibe la croissance du virus *Herpes simplex*, responsable de l'herpès génital et buccal. Essayez une infusion sous forme de compresse si vous souffrez de cette infection chronique récurrente.

TOUX. L'huile d'hysope contient de nombreux constituants apaisants semblables au camphre et un expectorant chimique, la marrubiine, qui détache le flegme des parois respiratoires. Certaines sources scientifiques conviennent que l'hysope est un traitement moyennement efficace contre la toux et l'irritation respiratoire causées par la grippe et les rhumes.

EMPLOI CONTESTÉ. Le *Penicillium* pousse vraiment sur l'hysope, de même qu'à peu près partout sur la terre. L'affirmation selon laquelle l'hysope favorise la guérison parce qu'elle contient de la pénicilline est farfelue.

Préparation et posologie

Pour un cataplasme, prenez 28 mg d'herbes séchées par litre d'eau bouillante. Laissez infuser 15 minutes et laissez refroidir. Trempez un linge propre dans l'infusion et appliquez sur les boutons de fièvre ou l'herpès génital au besoin.

Pour une infusion, prenez 2 c. à café d'herbe par tasse d'eau bouillante. Laissez infuser 10 minutes. Ne dépassez pas trois tasses par jour pour traiter la toux. L'hysope dégage une odeur forte semblable au camphre et elle a un goût amer. Ajoutez-y du sucre, du miel ou du citron, ou mélangez-la à une préparation à base de plantes afin d'en adoucir le goût.

Pour une teinture, prenez 1 c. à café jusqu'à trois fois par jour. L'hysope est déconseillée aux enfants de moins de deux ans. Les enfants plus âgés et les personnes de plus de 65 ans devraient commencer par des préparations faiblement concentrées et augmenter la dose au besoin.

Mise en garde

L'action de l'hysope comme stimulant utérin n'a pas été prouvée. Cependant, l'usage que l'on en faisait pour provoquer l'avortement devrait être un signe avertisseur pour les femmes enceintes. Les ouvrages médicaux sur l'hysope ne mentionnent pas d'effets nocifs.

Assurez-vous que l'hysope que vous utilisez provient de l'espèce *H. officinalis*. Bon nombre d'autres plantes nord-américaines sont appelées hysope, notamment les espèces *Gratiola officinalis*, certaines espèces du genre *Agastache* et diverses espèces du *Bacopa*. Ces espèces ne devraient pas être consommées.

Autres précautions

La Food and Drug Administration inclut l'hysope parmi les plantes qui ne présentent aucun danger. Les femmes en bonne santé qui ne sont pas enceintes et qui n'allaitent pas peuvent l'utiliser sans crainte si elles respectent les doses prescrites.

L'hysope ne devrait être consommée à des fins thérapeutiques qu'après accord avec son médecin. Si elle provoque de légers troubles, tels que des maux d'estomac ou de la diarrhée, prenez-en moins ou cessez d'en prendre. Consultez votre médecin en cas d'effets indésirables ou si les symptômes persistent deux semaines après le début du traitement.

Le paradis des abeilles

Si vous voulez attirer les abeilles dans votre jardin, cultivez ce robuste, mais joli arbrisseau. La plante est une vivace qui a la réputation de rehausser la saveur du raisin et d'augmenter la production de choux que l'on plante à proximité.

L'hysope possède de petites feuilles allongées et des tiges carrées, caractéristiques de la menthe. La plante atteint environ 1/2 m et dégage une odeur médicinale qui s'apparente à la menthe lorsque les feuilles sont broyées. Des grappes denses de fleurs bleues et violettes se forment à la pointe des tiges en été et au début de l'automne.

L'hysope préfère les endroits secs et ensoleillés et tolère la plupart des terreaux. Partiellement à l'ombre, la plante devient chétive. On peut la cultiver à partir de graines, de boutures ou de divisions de racines. Les graines devraient être plantées à 1 cm du sol après les dangers de gel. Les boutures ou les divisions feront des racines à l'intérieur ou à l'extérieur dans un endroit frais et ombragé.

Espacez les plants de 25 cm. Ajoutez du compost à chaque printemps. Arrosez les pousses tous les deux ou trois jours. À maturité, la plante préfère un environnement plus sec et exige peu de soins.

Une fois qu'elle aura atteint environ 40 cm et dégagera son arôme particulier, coupez les têtes afin de stimuler la croissance. Avant que la plante ne fleurisse, coupez-la à environ 8 cm du sol. Faites séchez et conservez dans des contenants hermétiques.

LAURIER

Beaucoup plus qu'un insecticide

Famille: *Lauraceæ.* Également l'avocat, la cannelle et la muscade
Genre et espèce: *Laurus nobilis*
Autres noms: Laurier vrai, laurier-sauce, laurier noble, laurier commun
Partie utilisée: Les feuilles

Plante glorieuse par excellence, le laurier couronnait les plus grands poètes et les meilleurs athlètes de l'Antiquité. Ironiquement, avec le temps, elle a perdu de sa dignité. Aujourd'hui, on la dit très efficace pour faire la chasse aux cafards. Bien que la plupart des usages traditionnels ne soient pas confirmés par la science, le laurier mérite considération. De plus, de nouvelles recherches laissent entrevoir que le laurier n'a pas encore livré tous ses secrets.

Héritage divin

Les étudiants qui terminent leur médecine prêtent encore le serment d'Hippocrate qui commence ainsi: «Je jure par Apollon, le médecin ...» La légende veut que le laurier soit un don d'Apollon, le dieu grec de la médecine. Apollon aimait la belle nymphe, Daphnée, mais Daphnée détestait Apollon. Un jour, Daphnée demanda aux dieux de la protéger des assiduités d'Apollon. Ces derniers la changèrent sur-le-champ en branche de laurier.

L'amoureux transi déclara que l'arbre était sacré. Dès lors, il offrit des couronnes de laurier aux poètes et aux guerriers afin de souligner le lyrisme des premiers et la vaillance des deuxièmes. Les mortels l'imitèrent. Aux premiers Jeux Olympiques de 776 avant notre ère, les vainqueurs furent couronnés de lauriers. Les Romains couronnèrent eux aussi leurs empereurs de laurier. Aujourd'hui, on appelle les grands poètes des lauréats et on dit des personnes qui se sont fait remarquer par le passé qu'elles sont «assises sur leurs lauriers».

Douleurs articulaires

Le médecin grec Galien avançait que les feuilles et les baies de laurier pouvaient soigner une grande variété de maladies dont l'arthrite. Il se servait aussi de cette plante pour déclencher les règles.

Environ 1 500 ans plus tard, au XVIIe siècle, l'herboriste britannique Nicholas Culpeper recommanda lui aussi le laurier pour «soulager les articulations douloureuses et les problèmes d'utérus … régulariser le cycle menstruel … et accélérer les accouchements difficiles». Il avançait aussi que le laurier est très utile en cas de vers intestinaux, de toux, de démangeaisons, d'essoufflements, de maladies infectieuses et «de diverses maladies des nerfs, des artères et du ventre».

Au fil du temps, les herboristes se dissocièrent des affirmations de Culpeper. Ils n'eurent recours au laurier que pour l'arthrite et les problèmes strictement féminins. Au Moyen-Orient, on appliquait un mélange de laurier et de cognac sur les articulations douloureuses et on buvait le liquide pour provoquer les contractions ou avorter.

Les Indiens d'Amérique et les premiers colons s'en servaient pour faciliter les accouchements et pour déclencher les règles. Les douleurs, les maux de tête, les maux d'estomac, les problèmes arthritiques, les piqûres d'insectes et les plaies étaient aussi traités avec des feuilles de laurier.

Vers le XIXe siècle, le laurier perdit sa réputation de plante à vertu médicinale. Le texte médical du mouvement éclectique, *Kings's American Dispensatory*, concluait: «L'huile de laurier reste encore utile pour soulager les douleurs rhumatismales (arthrite).»

PROPRIÉTÉS thérapeutiques

Si, pour vous, le laurier ne sert qu'à donner du goût à la soupe ou aux ragoûts, vous vous privez d'un excellent calmant naturel. Bien sûr, le laurier ne remplacera jamais les somnifères, mais son efficacité dans bien des domaines est incontestable, surtout en santé mentale.

GESTION DU STRESS. Des expériences menées sur des animaux de laboratoire ont démontré que de faibles doses d'huile de laurier ont un effet relaxant. Par contre, de fortes doses provoqueraient un état de stupeur temporaire. De plus, la plante diminue la tension artérielle des animaux, mais l'effet est minime. Il n'est cependant pas prouvé que le laurier aide les humains à s'endormir ou qu'il diminue leur tension artérielle, mais les expériences sur les animaux sont malgré tout éloquentes. Beaucoup de gens disent que le laurier les détend. Ajouté à l'eau du bain, il semble favoriser la détente et le sommeil.

ANTI-CAFARDS. Qui aime voir des cafards ou d'autres blattes dans sa cuisine? Un article du *Science News* affirme que le laurier contient un agent chimique, le cinéole, qui repousse les indésirables. Si vous êtes envahis par ces insectes, froissez quelques feuilles de laurier dans vos mains et répandez-les dans vos placards.

INFECTION. Comme la plupart des épices aromatiques, l'huile de feuille de laurier tue les bactéries et les champignons. Le laurier n'est pas un antiseptique assez puissant pour remplacer un traitement médical approprié. Cependant, l'herbe fraîche peut être utilisée en application externe dans le cas d'accidents mineurs survenus à la maison.

AUTRES PROPRIÉTÉS. Durant de récentes expériences, on a d'abord administré une dose mortelle de strychnine à des animaux de laboratoire suivie d'une préparation à base d'huile de laurier. Les animaux ont survécu. Ceci est la preuve que le laurier possède des propriétés médicinales que la science ne peut expliquer.

EMPLOIS CONTESTÉS. Bon nombre d'herboristes conseillent de frotter un peu d'huile de laurier sur les articulations douloureuses. Cependant, la recherche scientifique ne lui prétend aucune action anti-inflammatoire. Même si le laurier n'est pas reconnu pour ses propriétés calmantes dans les cas d'arthrite, le simple fait de masser suffit à calmer la douleur.

Préparation et posologie

Pour un traitement d'urgence, appliquez des feuilles de laurier fraîchement froissées sur les coupures mineures et sur les éraflures.

Pour vous détendre, faites une infusion au goût agréable. Prenez 1 à 2 c. à café de feuilles de laurier émiettées par tasse d'eau bouillante. Filtrez avant de boire, car les feuilles de laurier sont suffisamment pointues pour blesser. Prenez jusqu'à trois tasses par jour. Vous pouvez aussi ajouter une à deux gouttes d'huile de laurier au thé, au cognac ou au miel.

Si vous préférez la tisane, ne prenez qu'une demi-cuillérée à café, jusqu'à trois fois par jour.

Les préparations de laurier sont déconseillées aux enfants de moins de deux ans. Les enfants plus âgés et les personnes de plus de 65 ans devraient commencer par des préparations faiblement concentrées et augmenter la dose au besoin.

Mise en garde

Pendant des milliers d'années, le laurier a aidé les femmes à régulariser leur cycle menstruel et à avorter. Pourtant, la plante ne contient aucun stimulant utérin. Dans le doute, les femmes enceintes devraient s'abstenir d'en prendre.

Le laurier figure sur la liste des herbes qui ne présentent aucun danger selon la Food and Drug Administration américaine. Les femmes en bonne santé qui ne sont pas enceintes ou qui n'allaitent pas peuvent l'utiliser sans crainte si elles respectent les doses prescrites.

Le laurier ne devrait être consommé à des fins thérapeutiques qu'après accord avec son médecin. Si le laurier provoque des troubles légers, tels que des maux d'estomac, prenez-en moins ou cessez d'en prendre. Consultez votre médecin en cas d'effets indésirables ou si les symptômes persistent deux semaines après le début du traitement.

Évitez le laurier en applications externes si vous avez une peau particulièrement sensible. Le laurier peut en effet causer une irritation cutanée.

Cultivez votre propre laurier

Le laurier est un petit arbre vert aux feuilles persistantes qui dépasse rarement 61 cm. Ses feuilles vert sombre, lustrées et résistantes, aux bords ondulés sont portées par de courtes tiges. Le laurier fleurit au printemps. Ses fleurs sont toutes petites et n'ont pas de pétales. Les baies de laurier sont de couleur pourpre foncé ou noire. Elles n'ont qu'une seule graine et sont à peu près de la taille des petits raisins.

La belle Daphnée avait livré un rude combat contre Apollon. Il n'est donc pas étonnant que le laurier soit difficile à cultiver. «Incroyablement difficile», écrivent Gæa et Shandor Weiss dans *Growing and Using the Healing Herbs.* «Presque invariablement, les graines moisissent. Les boutures font rarement des racines. Si, par bonheur, elles en font, cela prendra six mois.»

Les deux herboristes conseillent plutôt d'acheter des jeunes pousses chez le pépiniériste. Le laurier ne peut survivre aux hivers froids. Il pousse bien dans un pot, mais il ne doit pas dépasser 2,40 m de haut. Cultivez-le à l'intérieur de la maison. Vous profiterez ainsi de son merveilleux arôme et de feuilles fraîches toute l'année. Le laurier aime le soleil, de même que les sols bien drainés, moyennement riches. Ne sortez pas votre laurier tant que les risques de gel ne sont pas écartés.

Ses feuilles peuvent être cueillies toute l'année.

LUZERNE

L'amie du cœur

Famille: *Leguminosæ*. Également le haricot et le pois
Genre et espèce: *Medicago sativa*
Autres noms: Trèfle chilien, herbe à buffles, luzerne (en Grande-Bretagne)
Partie utilisée: Les feuilles

Pendant longtemps, les fermiers ont utilisé la luzerne comme plante de fourrage. Depuis environ vingt ans, les graines de luzerne figurent au menu des végétariens et d'autres amateurs de nourriture saine. Mais ce sont les feuilles de luzerne qui ont un réel pouvoir de guérison. Elles peuvent en effet réduire le taux de cholestérol et prévenir les maladies cardiaques, de même que certains accidents vasculaires cérébraux.

Un pouvoir de guérison ancien

Ce qui est bon pour les animaux est bon pour l'homme, pensaient les Chinois. Comme leurs animaux mangeaient la luzerne avec appétit, ils se mirent à préparer les jeunes et tendres feuilles. Quelque temps plus tard, les médecins chinois y recoururent pour ouvrir l'appétit et traiter les problèmes de digestion comme les ulcères.

Les médecins Ayurvédiques de l'Inde soignaient les ulcères avec de la luzerne. Ils la prescrivaient également dans les cas d'arthrite et de rétention aqueuse. Les Arabes nourrissaient leurs chevaux avec de la luzerne convaincus qu'elle les rendrait plus rapides et plus vigoureux. Ils l'appelaient *al-fac-facah*, «père de toutes les nourritures». Les Espagnols lui donnèrent le nom d'*alfalfa*.

C'est l'Espagne qui a introduit la luzerne en Amérique. Elle est aujourd'hui une des plantes fourragères les plus populaires, surtout dans les plaines du Midwest. À l'instar des Chinois, les pionniers américains croyaient eux aussi que ce qui est excellent pour les animaux convient aussi aux humains. Aussi, ils utilisaient la luzerne dans les cas d'arthrite, de furoncles, de cancer, de scorbut, d'affections urinaires et intestinales. Les femmes s'en servaient pour déclencher leurs règles.

Après la guerre de Sécession, la luzerne perdit sa réputation de plante médicinale. À la faveur du courant naturaliste des années soixante-dix, elle obtint une place de choix dans la cuisine diététique et retrouva ainsi la faveur populaire.

PROPRIÉTÉS thérapeutiques

La plupart des anciens usages thérapeutiques ont été longtemps contestés, mais les scientifiques modernes ont peut-être découvert des vertus insoupçonnées: la luzerne serait bénéfique dans les cas de maladies cardiaques, d'accidents vasculaires cérébraux et de cancer, les trois affections les plus mortelles.

MALADIES CARDIAQUES ET ACCIDENTS VASCULAIRES CÉRÉBRAUX. Des études réalisées sur les animaux révèlent que les feuilles de luzerne permettent de réduire les taux de cholestérol sanguin ainsi que les dépôts de plaque sur les parois artérielles, largement responsables des maladies cardiaques et des accidents vasculaires cérébraux. Les graines de luzerne ont un effet similaire mais moins important. Bien que les études sur des animaux ne s'appliquent pas forcément aux humains, la revue médicale britannique *Lancet* rapporte qu'un homme qui mangeait de la luzerne en très grande quantité a vu son taux de cholestérol diminuer de façon considérable.

CANCER. Une étude a démontré que la luzerne aide à neutraliser les carcinogènes dans l'intestin. Une autre étude, publiée dans le *Journal of the National Cancer Institute*, révèle que la plante bloque les carcinogènes dans le côlon et accélère leur élimination de l'organisme.

Les graines de luzerne contiennent également deux agents chimiques, la stachydrine et l'homostachydrine, qui déclenchent les règles et sont responsables de fausses couches. Les femmes enceintes devraient s'abstenir d'en consommer (voir mise en garde, page 276).

MAUVAISE HALEINE. La luzerne contient de la chlorophylle présente dans la plupart des produits commerciaux rafraîchissant l'haleine. Buvez une infusion de luzerne si vous avez mauvaise haleine.

AUTRES PROPRIÉTÉS. Des études en laboratoire ont révélé que la luzerne combat les champignons responsables de maladies. Il est possible qu'un jour elle serve à traiter les infections mycosiques.

EMPLOIS CONTESTÉS. Les herboristes contemporains s'accordent pour dire que la luzerne est utile dans les cas d'ulcères. Ils devraient revoir leur position. Cet usage reste à prouver. Les herboristes recommandent aussi la luzerne pour les problèmes intestinaux et comme diurétique dans les cas de rétention acqueuse. Ces usages ne sont pas non plus confirmés par la science. Certains fabricants de suppléments vitaminiques proposent des comprimés de luzerne pour traiter l'asthme et la fièvre des foins. Cependant, une étude publiée dans le *Journal of the American Medical Association* révèle que ces utilisations sont sans fondement. La luzerne ne contient aucun bronchodilatateur pour le traitement de l'asthme ni aucun antihistaminique pour soulager le rhume des foins.

Quant à son utilisation traditionnelle pour déclencher les règles, les chercheurs n'ont pu déceler aucun stimulant utérin dans les feuilles de luzerne.

Préparation et posologie

Pour la salade, ne prenez que les feuilles. Laissez les graines. Les comprimés et les capsules de luzerne sont disponibles dans les herboristeries, de même que dans les magasins d'aliments naturels et de suppléments vitaminiques. Suivez le mode d'emploi.

Préparez une infusion avec une ou deux c. à café de feuilles séchées par tasse d'eau bouillante. Laissez infuser de 10 à 20 minutes. Buvez trois tasses par jour si vous faites du cholestérol. L'infusion a un parfum d'herbe séchée et a le goût de camomille. Elle laisse un goût légèrement amer dans la bouche.

Les infusions de feuilles de luzerne sont déconseillées aux enfants de moins de deux ans. Les enfants plus âgés et les personnes de plus de 65 ans devraient commencer par des préparations faiblement concentrées et augmenter la dose au besoin.

Mise en garde

Il est déconseillé de manger les graines de luzerne. Elles contiennent de forts taux de canavanine, des acides aminés très toxiques. Avec le temps, les graines de luzerne risquent d'introduire assez de canavanine dans l'organisme pour provoquer la pancytopénie, trouble sanguin réversible, selon un rapport de la revue médicale *Lancet*. Dans cette maladie, les plaquettes sanguines ne peuvent jouer leur rôle de coagulant et les globules blancs ne combattent plus l'infection.

La canavanine contenue dans les graines de luzerne a également été reliée au lupus érythémateux aigu, une maladie inflammatoire grave qui attaque plusieurs organes, particulièrement les reins. Les graines de luzerne ont réactivé la maladie chez certaines personnes qui étaient en rémission, selon un rapport publié par le *New England Journal of Medicine*. Une autre étude confirme que les graines de luzerne transmettent bel et bien le lupus chez le singe. Quiconque souffre de lupus devrait éviter de croquer des graines de luzerne.

La luzerne contient également des saponines, produits chimiques qui peuvent détruire les globules rouges et provoquer l'anémie. Par conséquent, certains herboristes déconseillent la luzerne sous quelque forme que ce soit ou d'autres plantes médicinales riches en saponines. Cette mise en garde semble injustifiée. Les femmes en bonne santé qui ne sont pas enceintes ou n'allaitent pas peuvent utiliser de la luzerne sans crainte si elles respectent les doses prescrites. Actuellement, rien n'atteste que des plantes médicinales contenant des saponines auraient provoqué de l'anémie chez des sujets sains qui n'avaient pas dépassé les doses prescrites. Cependant, les personnes atteintes d'anémie devraient obtenir l'accord de leur médecin avant de consommer de la luzerne.

Alerte médicinale

La feuille de luzerne figure comme une herbe non toxique dans le guide de la Food and Drug Administration. La luzerne devrait être utilisée à des fins thérapeutiques uniquement avec l'accord du médecin. Si la luzerne provoque de légers troubles, tels que des maux d'estomac ou de la diarrhée, diminuez la dose ou cessez d'en prendre. Consultez votre médecin en cas d'effets indésirables ou si les symptômes persistent deux semaines après le début du traitement.

Faites vos propres semis

Si vous ne pouvez trouver des feuilles de luzerne, semez des graines. La luzerne est une plante vivace touffue aux racines profondes qui peuvent atteindre 1 m de haut. Elle ressemble au trèfle. Les feuilles sont divisées en trois folioles. Les fleurs de couleur lavande, bleu pâle et jaune fleurissent depuis mai jusqu'à octobre.

La luzerne aime les sols riches en terreau. Elle tolère l'argile mais pas le sable qui manque d'éléments nutritifs. Semez en automne et espacez les rangs de 45 cm. Préparez le sol avec du fumier et du phosphate de roche. Les jeunes plants ont besoin d'arrosages fréquents, mais une fois qu'ils ont fait leurs racines, ils tolèrent bien la sécheresse. Quand la plante est en fleurs, coupez-la à 5 cm du sol et suspendez-la pour la faire sécher.

MARJOLAINE

Un soulagement épicé pour l'estomac

Famille: *Labiatæ*. Également la menthe

Genres et espèces: *Origanum majorana* et d'autres espèces d'*Origanum*

Autres noms: Marjolaine sauvage, marjolaine bâtarde, origan

Parties utilisées: Les feuilles et les parties supérieures des fleurs

On fait plus souvent appel aux vertus culinaires de la marjolaine qu'à ces bienfaits thérapeutiques. C'est dommage, car les scientifiques ont confirmé que la plante agit comme stimulant digestif et traitement possible de l'herpès.

Les Grecs de l'Antiquité croyaient que la marjolaine avait d'abord été cultivée par Aphrodite, déesse de l'amour, qui, au simple toucher, lui avait donné son arôme parfumé. Les couples grecs portaient des couronnes de marjolaine à leur mariage. Les Grecs croyaient également que si une jeune fille plaçait de la marjolaine dans son lit, Aphrodite lui rendrait visite dans ses rêves et lui révélerait l'identité de son futur époux. Aujourd'hui, dans certaines parties de l'Europe, les jeunes filles cachent des branches de marjorlaine dans leur trousseau afin de s'assurer un mariage heureux. (Pour des draps à senteur fraîche, accrochez quelques branches de marjolaine dans votre armoire à linge.)

Stimulant digestif romain

Les médecins grecs de l'Antiquité utilisaient la marjolaine comme antidote pour les morsures de serpent et comme traitement contre les douleurs musculaires et articulaires. Cependant, les vertus thérapeutiques de la plante ne furent vraiment exploitées que lorsque les Romains découvrirent qu'elle apaisait les maux d'estomac. Les herboristes romains croyaient également que la marjolaine pouvait guérir les ecchymoses, alléger les douleurs menstruelles, déclencher les règles et traiter la conjonctivite, de même que tout autre problème relié aux yeux.

À la fin du XVIIe siècle, l'usage de la marjolaine dans la guérison par les plantes était très répandue. L'herboriste britannique Nicholas Culpeper l'appelait «l'excellent remède pour le cerveau … et pour l'estomac … la décoction qui … dégage le plus de flegme … [et] soulage toutes les maladies de la poitrine. L'huile de la marjolaine assouplit les articulations qui sont raides et soulage l'utérus des douleurs menstruelles … [et] provoque les règles féminines.»

Ce sont les premiers colons qui introduisirent la marjolaine en Amérique du Nord et qui l'utilisèrent par la suite à la fois comme épice culinaire et plante médicinale. Au XIXe siècle, les médecins éclectiques américains la recommandaient comme tonique qui stimule et qui permet de déclencher les règles. Les guérisseurs traditionnels utilisaient aussi de la marjolaine pour traiter les coliques infantiles, l'arthrite et certains cancers.

De nos jours, les herboristes recommandent la marjolaine comme stimulant digestif, tranquillisant et antitussif. Certains prétendent que la marjolaine soulage les douleurs menstruelles sans pour autant provoquer les règles, alors que d'autres croient qu'elle en favorise le déclenchement. Divers herboristes prescrivent les infusions de marjolaine pour soulager les maux de tête, avant le coucher pour éviter l'insomnie, et avant l'heure d'embarquement pour prévenir le mal des transports.

Marjolaine ou origan?

À l'occasion, certains livres de recettes suggèrent de remplacer l'origan par de la marjolaine afin d'obtenir des sauces à la fois plus douces et plus piquantes. Toutefois, il se peut bien que l'origan dans votre armoire ne soit en fait que de la marjolaine, vu que toutes les espèces de marjolaine sont aussi appelées origan. En revanche, seulement quelques-unes des 50 plantes appelées origan sont confondues avec la marjolaine. De nombreux fins gourmets n'arrivent pas à faire la différence entre les deux plantes (voir Origan, à la page 323).

PROPRIÉTÉS thérapeutiques

Les Romains avaient peut-être raison quand ils prétendaient que la marjolaine apaisait les maux d'estomac.

STIMULANT DIGESTIF. La marjolaine semble apaiser les troubles du tube digestif, faisant d'elle un antispasmodique. L'action de la marjolaine sur l'estomac peut aussi expliquer l'usage que l'on en fait pour prévenir le mal des transports, malaise généralement caractérisé par des symptômes gastro-intestinaux.

SANTÉ DE LA FEMME. Les antispasmodiques ne soulagent pas seulement les parois du muscle lisse du tube digestif, mais aussi d'autres muscles lisses comme celui de l'utérus. Cela justifie l'usage de la plante dans le traitement des douleurs menstruelles.

La marjolaine ne devrait pas stimuler les règles quand on la prend à des fins thérapeutiques. C'est toutefois l'action qu'on lui attribue depuis des siècles. Les femmes enceintes ne devraient consommer que des quantités culinaires. D'autres pourraient l'essayer dans l'espoir de déclencher leurs règles, méthode qui pourrait s'avérer utile à l'occasion.

HERPÈS. Des études en laboratoire ont montré que la marjolaine inhibe la croissance de l'*Herpès simplex*, virus qui cause l'herpès génital et les aphtes buccaux. Si vous souffrez de crises récurrentes d'herpès, essayez de saupoudrer l'herbe sur la plaie ou utilisez quelques gouttes d'une teinture que vous appliquerez sur les aphtes ou l'herpès génital. Cela peut apporter un certain soulagement, bien qu'on n'ait pu confirmé les bienfaits cliniques de la plante contre l'herpès à ce jour.

EMPLOI CONTESTÉ. Aucune étude ne prouve que la marjolaine soulage la raideur des articulations.

Préparation et posologie

Prenez une infusion ou une teinture de marjolaine afin de bénéficier de ses effets apaisants sur l'estomac ou pour essayer de déclencher vos règles. Pour une infusion douce, légèrement épicée, prenez 1 à 2 c. à café de feuilles séchées ou la partie supérieure des fleurs fraîches par tasse d'eau bouillante. Laissez infuser pendant 10 minutes. Ne dépassez pas trois tasses par jour.

Pour une teinture, prenez 1/2 à 1 c. à café jusqu'à trois fois par jour.

Placez de la poudre de marjolaine séchée sur les aphtes ou sur l'herpès génital.

Des préparations de marjolaine faible peuvent être données en doses médicinales aux enfants de moins de deux ans pour les coliques infantiles. Les enfants plus âgés et les personnes de plus de 65 ans devraient commencer par des préparations faiblement concentrées et augmenter la dose au besoin.

Mise en garde

Les ouvrages médicaux sur la marjolaine ne mentionnent pas d'effets nocifs.

La Food and Drug Administration inclut la marjolaine parmi les plantes qui ne présentent aucun danger. Les femmes en bonne santé qui ne sont pas enceintes et qui n'allaitent pas peuvent l'utiliser sans crainte si elles respectent les doses prescrites.

La marjolaine ne devrait être consommée à des fins thérapeutiques qu'après accord avec votre médecin. Si elle provoque de légers troubles, tels que des maux d'estomac ou de la diarrhée, prenez-en moins ou cessez d'en prendre. Consultez votre médecin en cas d'effets indésirables ou si les symptômes persistent deux semaines après le début du traitement.

Un choix épicé

La marjolaine, ou *O. majorana*, est une plante vivace originaire d'Espagne, du Portugal et du Nord de l'Afrique. Toutefois, elle est cultivée comme une annuelle en Amérique du Nord.

La marjolaine est une plante duveteuse à tiges carrées souvent tintées de rouge. Les feuilles sont ovales et pointues. Ses fleurs, blanches, roses ou lavande fleurissent à la fin de l'été et se lient en grappes.

Une fois que les petites graines à germination lente commencent à pousser, la plante croît facilement. Afin d'obtenir les meilleurs résultats, faites germer la plante à l'intérieur, puis transplantez-la à l'extérieur après les dangers de gel. Disposez les plants en groupe de trois en les espaçant de 15 cm. Cinq groupements ou 15 plantes sauront suffire aux besoins culinaires d'une famille.

La marjolaine aime le plein soleil et les sols riches et bien drainés. Enlevez les mauvaises herbes souvent jusqu'à ce que la plante ait atteint sa maturité. Pincez les bourgeons de fleurs afin d'encourager la croissance des feuilles.

Cueillez les feuilles peu après le bourgeonnement. À l'automne, coupez la plante à 2 cm du sol. La marjolaine sèche facilement; entreposez-la dans des contenants hermétiques.

MARRUBE

Un remède contre la toux, le rhume et la grippe

Famille: *Labiatæ*. Également la menthe
Genre et espèce: *Marrubium vulgare*
Autres noms: Marrube blanc, bonhomme, herbe aux crocs, marrochemin, mapiochin
Parties utilisées: Les feuilles et la partie supérieure des fleurs

Le marrube est resté pendant presque 2 000 ans une plante médicinale expectorante très populaire ainsi qu'un remède contre la toux. Même les médecins les plus sceptiques envers la médecine par les plantes reconnaissent sa sécurité et ses effets. Personne ne s'attendait donc à ce que la Food and Drug Administration (FDA) interdise sa vente en tant que remède contre la toux après avoir déclaré qu'elle était sans effet. Les herboristes n'apprécièrent pas du tout cette initiative. La FDA alla encore plus loin: elle décréta un autre expectorant «efficace», malgré les objections de nombreux scientifiques.

Poison romain, antidote et davantage

Le marrube fut d'abord employé à des fins thérapeuthique dans la Rome antique comme l'un des nombreux ingrédients (parfaitement inefficaces) des antidotes connus sous le nom de *theriaca*. Les Européens du Moyen Âge finirent par doter la plante de pouvoirs magiques, dont celui de protéger contre les sortilèges des sorcières.

Le médecin romain Galien fut le premier à recommander le marrube comme remède contre la toux et les problèmes respiratoires; cette plante est utilisée comme expectorant depuis lors.

L'abbesse et herboriste allemande Hildegard de Bingen considérait que le marrube était l'une des meilleures plantes pour soigner les rhumes.

Le britannique John Gerard écrivait: «Le sirop fabriqué avec de fraîches feuilles vertes de marrube et du sucre est l'un des remèdes les plus étonnants qui soient contre la toux et les sifflements des poumons.»

L'herboriste britannique du XVIIe siècle Nicholas Culpeper écrivait qu'en plus de soigner «ceux qui ont absorbé du poison ... une décoction de la plante séchée prise avec du miel est un excellent remède pour les personnes qui manquent de souffle, toussent ou qui sont atteintes de tuberculose ... Cette plante aide à expulser le flegme dur de la poitrine.»

Une plante amie des poumons

Les premiers colons introduisirent le marrube en Amérique du Nord où il devint un remède populaire pour soigner la toux, le rhume et la tuberculose. Les herboristes s'en servaient également comme laxatif, déclencheur de règles, et pour traiter l'hépatite, la malaria, les vers intestinaux et les troubles menstruels.

Les médecins éclectiques du XIXe siècle le prescrivaient pour la toux, le rhume, l'asthme, les vers intestinaux et les douleurs menstruelles.

La plupart des herboristes contemporains recommandent le marrube seulement pour les problèmes respiratoires mineurs: la toux, le rhume et la bronchite.

PROPRIÉTÉS thérapeutiques

L'ordre de la Food and Drug Administration de retirer le marrube de leur liste de remèdes contre la toux et le rhume n'est pas une preuve de son inefficacité. D'ailleurs, de nombreuses études ont prouvé ses propriétés thérapeutiques.

EXPECTORANT. Le marrube contient un agent chimique, la marrubiine. Des études russes et allemandes démontrent que la plante est un expectorant, c'est-à-dire qu'elle dégage le flegme des parois respiratoires. En Europe, la plante a été utilisée pendant des décennies dans bon nombre de sirops pour la toux et de pastilles. Même Varro Tyler, herboriste de renom, qualifie la plante d'«expectorant efficace». En décidant d'exclure le marrube, la Food and Drug Administration a suivi les recommandations d'une agence conseil qui a décrété que seule la guaéphénécine est un expectorant fiable et efficace. Ironiquement, de nombreux pneumologues ne sont pas d'accord. L'interdiction de la FDA ne concerne toutefois que les préparations de marrube vendues comme remèdes contre la toux. On peut toujours se procurer le marrube en vrac ou acheter des produits pour les maux de gorge qui en contiennent. Certains herboristes entendent contester la décision de la FDA à ce sujet.

AUTRES PROPRIÉTÉS. Des études européennes portant sur des animaux montrent que le marrube dilate les vaisseaux sanguins, ce qui lui confère une certaine valeur thérapeutique dans le traitement de l'hypertension artérielle.

D'autres études sur des animaux révèlent qu'en petites quantités, le marrube aide à régulariser le rythme cardiaque (arythmie), mais qu'en grandes quantités, il peut avoir l'effet contraire.

Préparation et posologie

Pour un remède contre la toux, prenez 1/2 à 1 c. à café de feuilles séchées par tasse d'eau bouillante. Laissez infuser pendant 10 minutes. Ne dépassez pas trois tasses par jour. Ajoutez du sucre ou du miel à l'infusion afin d'adoucir son goût amer.

Pour une teinture, prenez 1/4 à 1/2 c. à café jusqu'à trois fois par jour.

Le marrube est déconseillé aux enfants de moins de deux ans. Les enfants plus âgés et les personnes de plus de 65 ans devraient commencer par des préparations faiblement concentrées et augmenter la dose au besoin.

Mise en garde

Aucun cas d'effets secondaires n'a été rapporté chez les humains. Mais, puisqu'en grandes quantités la plante peut provoquer des arythmies, les personnes atteintes de maladies cardiaques devraient s'abstenir d'en prendre. L'usage traditionnel du marrube comme promoteur de règles n'a pas été prouvé scientifiquement. Cependant, les femmes enceintes devraient l'utiliser avec prudence.

Les femmes en bonne santé qui ne sont pas enceintes, qui n'allaitent pas ou qui ne souffrent pas de maladie cardiaque peuvent utiliser le marrube sans crainte si elles respectent les doses prescrites. Le marrube ne devrait être consommé à des fins thérapeutiques qu'après accord avec son médecin. S'il provoque de légers troubles, tels que des maux d'estomac ou de la diarrhée, prenez-en moins ou cessez d'en prendre. Consultez votre médecin en cas d'effets indésirables ou si les symptômes persistent deux semaines après le début du traitement.

Une plante vivace qui s'impose

Le marrube est une plante vivace qui dégage un arôme agréable. Elle possède des tiges carrées qui atteignent environ 36 cm. Ses feuilles sont arrondies, crénelées et gaufrées et produisent de petites fleurs blanches qui poussent sur l'aisselle des feuilles supérieures. La plante entière est velue et douce comme du duvet.

Cette plante qui se nourrit elle-même est si prolifique qu'elle peut envahir le jardin. Elle n'exige que peu d'eau et s'accommode de sols pauvres. Bien qu'elle tolère les endroits partiellement ombragés, elle prolifère en plein soleil.

Plantez les graines juste sous la surface de la terre, au printemps ou à l'automne. Espacez les plants d'environ 5 cm.

Le marrube ne s'épanouit pas avant la deuxième année, mais vous pouvez récolter les feuilles et les parties supérieures après une saison. En terre, la plante dégage une odeur de musc désagréable pour certaines personnes, mais à mesure que la plante sèche, cette odeur disparaît.

MATRICAIRE

Contre la migraine

Famille: *Compositæ*. Également la marguerite, le pissenlit et le souci

Genres et espèces: *Chrysanthemum parthenium, matricaria parthenium, Tanacetum parthenium*

Autres noms: Camomille allemande, petite camomille, quinine sauvage, œil du soleil

Partie utilisée: Les feuilles

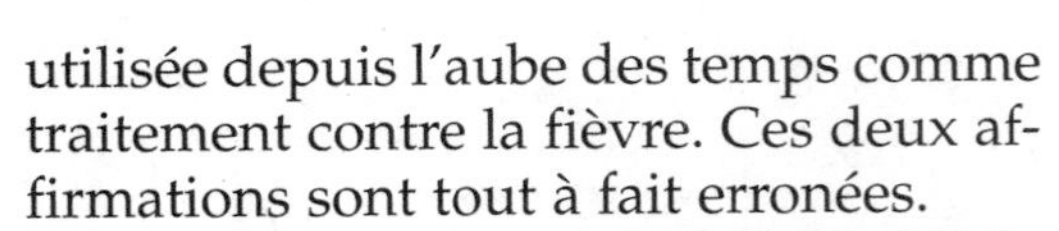

Jusqu'à la fin des années soixante-dix, on dénigra les vertus thérapeutiques de la matricaire. John Lust résumait les sentiments que la plupart des herboristes éprouvaient envers cette plante en ces termes: «La matricaire est tombée en très grande désuétude. Son nom ne signifie plus rien. Cette plante est très difficile à trouver, même dans les herboristeries.»

De nos jours, la matricaire fait à nouveau les manchettes. Des études récentes démontrent qu'elle est très efficace dans la prévention des migraines.

Des origines latines

De nombreuses sources prétendent que le mot matricaire vient de l'anglais *feverfew* ou du latin *febrifugia*, qui signifie «chasseur de fièvres». Elles nous informent également que la plante était utilisée depuis l'aube des temps comme traitement contre la fièvre. Ces deux affirmations sont tout à fait erronées.

La plante n'a jamais été appelée *febrifugia*. Les médecins de l'Antiquité, y compris Dioscoride et Galien, l'appelaient de son nom grec, *parthenion*, et la prescrivaient pour les problèmes menstruels et ceux liés à la naissance. Ce nom disparut durant le Moyen Âge, et la plante est aujourd'hui connue sous le nom de matricaire.

Convaincus que la matricaire était dotée de certaines vertus thérapeutiques, notamment contre la fièvre, les herboristes plantèrent cette plante très aromatique autour de leur maison en espérant qu'elle purifierait l'air et leur éviterait d'attraper la malaria, maladie qu'ils croyaient à tort être causée par l'air vicié (d'où malaria, de l'italien *mala*: vicié, et *aria*: air).

La malaria infesta l'Europe depuis les temps préhistoriques. On ne parvint pas à la soigner avant que des explorateurs espagnols ne revinssent du Pérou avec de l'écorce de quinquina. Ce furent les chimistes qui les premiers isolèrent son composé antimalarique, la quinine. Cette dernière remporta un tel succès dans le traitement de la malaria que l'on associa à d'autres plantes médicinales similaires, comme la matricaire, les mêmes vertus thérapeutiques. C'est d'ailleurs de là que vient l'un des autres noms de la plante, la quinine sauvage. Mais ce ne fut que de courte durée. La quinine fit preuve d'une telle supériorité dans le traitement de la malaria que l'on oublia tout simplement la matricaire.

À propos des maux de tête

Pendant un certain temps, plusieurs herboristes recommandèrent la matricaire pour soigner d'autres affections, particulièrement le mal de tête. Au XVIIe siècle, John Parkinson d'Angleterre déclarait que la matricaire était très efficace pour soigner tous les maux associés à la tête. Plus de 100 ans plus tard, John Hill écrivait: «En cas du pire mal de tête, les effets thérapeutiques de la matricaire dépassent ceux de n'importe quelle autre plante.»

Cependant, la plupart des herboristes s'en tenirent aux usages gynécologiques traditionnels. L'herboriste britannique du XVIIe siècle Nicholas Culpeper parlait de cette plante en ces termes: «Un fortifiant général de l'utérus» et la prescrivait sous forme d'infusion pour les rhumes et la congestion pulmonaire. Culpeper reconnaissait toutefois le déclin de la plante, déclarant qu'elle n'était «pas beaucoup utilisée dans la pratique actuelle».

Ce furent les premiers colons qui introduisirent la matricaire en Amérique du Nord, où la malaria figurait parmi les maladies les plus dévastatrices. Cependant, comme la plante passa de mode en Angleterre, on en cessa également l'utilisation dans ce pays.

Les médecins éclectiques américains du XIXe siècle la prescrivirent surtout comme déclencheur de règles et pour traiter «l'hystérie des femmes», ou troubles menstruels, et quelques autres maladies qui causaient de la fièvre.

PROPRIÉTÉS thérapeutiques

À la fin des années soixante-dix, un incident heureux permit de confirmer les toutes premières observations sur les bienfaits de la matricaire dans le soulagement des maux de tête.

MIGRAINES. L'épouse d'un médecin dirigeant du National Coal Board, en Grande-Bretagne, souffrait de migraines chroniques. Un mineur qui entendit parler de son problème lui raconta qu'il avait été lui-même victime de fortes migraines jusqu'au jour où il se mit à mâcher chaque jour quelques feuilles de matricaire. La femme décida d'essayer ce traitement et remarqua une amélioration immédiate. Au bout de 14 mois, ses violentes migraines n'étaient qu'un mauvais souvenir.

Son mari rapporta l'expérience au Dr E. Stewart Johnson de la City of London Migraine Clinic. À son tour, ce médecin donna des feuilles de matricaire à 10 de ses patients. Trois se dirent guéris et les sept autres, grandement soulagés.

Le Dr Johnson administra des feuilles de matricaire à 270 de ses patients atteints de migraines et analysa leur comportement: 70 % d'entre eux se dirent très soulagés, alors que bon nombre d'entre eux n'avaient pas réagi favorablement à un traitement régulier.

Le Dr Johnson effectua ensuite un test scientifique plus rigoureux. Il donna de la matricaire à certains patients et un placebo à d'autres. Ni le médecin ni les patients savaient à qui avaient été administré de la matricaire avant la fin du test. La matricaire se révéla beaucoup plus efficace que le placebo.

Quelque temps plus tard, le journal médical britannique *Lancet* publia les résultats d'une expérience encore plus rigoureuse, où 72 patients atteints de migraine avaient reçu un placebo ou une capsule de matricaire en poudre, l'équivalent de deux feuilles de taille moyenne. Ni les sujets volontaires ni les chercheurs ne savaient à qui l'on avait administré l'un ou l'autre. Au bout de deux mois, les groupes furent inversés: les participants qui avaient pris le placebo prirent de la matricaire et vice-versa. Les résultats furent édifiants: la matricaire réduisait les migraines de 24 %, et les maux de tête des victimes étaient moins violents et causaient beaucoup moins de nausées et de vomissements.

HYPERTENSION ARTÉRIELLE. Les études des effets de la matricaire sur les migraines ont aussi démontré que la plante peut réduire la tension artérielle. L'hypertension artérielle est une maladie grave qui exige des soins médicaux professionnels, mais la consommation de matricaire de pair avec un traitement régulier ne présente aucun danger.

STIMULANT DIGESTIF. Tout comme la camomille, la matricaire contient des agents chimiques qui peuvent détendre les muscles lisses du tube digestif, agissant ainsi comme un antispasmodique. Consommez de la matricaire après les repas.

SANTÉ DE LA FEMME. Les antispasmodiques ne détendent pas seulement le tube digestif, mais d'autres muscles lisses comme celui de l'utérus. En outre, l'une des raisons pour laquelle la matricaire prévient les migraines est qu'elle semble neutraliser certaines substances de l'organisme, les prostaglandines, que l'on associe à la douleur et à l'inflammation. Les prostaglandines jouent aussi un rôle dans le cas des douleurs menstruelles. L'action antispasmodique et anti-prostaglandine de la matricaire appuie l'usage traditionnel que l'on en faisait dans le traitement des malaises menstruels.

AUTRES PROPRIÉTÉS. Une étude sur des animaux suggère que la matricaire a un léger effet tranquillisant. Elle peut favoriser le sommeil si on la consomme avant d'aller se coucher.

Une autre étude lui associe des propriétés anti-tumorales. Il est toutefois trop tôt pour adopter la matricaire comme traitement contre le cancer.

Préparation et posologie

Pour une meilleure maîtrise des migraines, mâchez deux feuilles fraîches ou surgelées de matricaire, ou prenez une capsule qui en contient 85 mg. Le goût de la matricaire est très amer. La plupart des gens préfèrent les pilules ou les gélules à la plante. Si vous ne remarquez pas de résultats favorables après quelques semaines, n'abandonnez pas le traitement, mais changez plutôt de marque. Une étude parue dans *Lancet* a démontré que les pilules ou gélules ne contiennent que de très faibles quantités de matricaire.

Prenez aussi de la matricaire sous forme d'infusion pour ses autres bienfaits thérapeutiques: réduire la tension artérielle, stimuler la digestion et permettre de déclencher les règles.

Pour une infusion, prenez 1/2 à 1 c. à café de matricaire par tasse d'eau bouillante. Laissez infuser de 5 à 10 minutes. Ne dépassez pas trois tasses par jour.

La matricaire est déconseillée aux enfants de moins de deux ans. Les enfants plus âgés et les personnes de plus de 65 ans devraient commencer par des préparations faiblement concentrées et augmenter la dose au besoin.

Mise en garde

La croyance populaire veut que la matricaire ait été utilisée comme déclencheur de règles, bien qu'on n'ait pas prouvé que la plante entraîne des contractions utérines. Les femmes enceintes devraient être prudente ou s'abstenir d'en prendre.

La matricaire peut causer des aphtes buccaux et certaines personnes se plaignent de douleurs abdominales.

La matricaire peut inhiber la coagulation sanguine. Les personnes atteintes de troubles de coagulation ou qui prennent des anticoagulants devraient consulter leur médecin avant d'en consommer.

La matricaire supprime la migraine, mais ne la guérit pas. Les maux de tête reviennent lorsque l'on cesse d'en prendre, ce qui veut dire que les victimes de migraines pourraient consommer de la matricaire pendant des années. Une usage prolongé ne semble pas présenter de problèmes, bien que des études à ce sujet n'aient pas été effectuées.

Les femmes en bonne santé qui ne sont pas enceintes, qui n'allaitent pas, qui ne souffrent pas de problèmes de coagulation et qui ne prennent pas d'anticoagulants peuvent utiliser la matricaire sans crainte si elles respectent les doses prescrites.

La matricaire ne devrait être consommée à des fins thérapeutiques qu'après accord avec son médecin. Si elle provoque de légers troubles, tels que des aphtes buccaux ou des maux d'estomac, prenez-en moins ou cessez d'en prendre. Consultez votre médecin en cas d'effets indésirables ou si les symptômes persistent deux semaines après le début du traitement.

Un médicament contre les maux de tête

La matricaire est une plante vivace qui atteint environ 1 m. Elle possède de jolies fleurs qui ressemblent à la marguerite.

Quelques plantes seulement suffiront à prévenir les migraines. La matricaire pousse à partir de graines, bien que les experts recommandent de transplanter des boutures de racines lorsque la température atteint environ 20 °C. Espacez les plants de 40 cm. La matricaire préfère l'ombre partielle. Le compost favorise la croissance de la plante. Pincez les bourgeons afin que la plante devienne touffue. Récoltez les feuilles lorsqu'elles atteignent la maturité.

Les abeilles détestent la matricaire. Ne cultivez pas la plante près d'autres plantes qui exigent du pollen.

On peut aussi faire pousser de la matricaire à l'intérieur.

MÉLISSE

Un baume magique

Famille: *Labiatæ.* Également la menthe
Genre et espèce: *Melissa officinalis*
Autres noms: Citronnelle, citronnade, piment des abeilles, thé de France
Partie utilisée: Les feuilles

Les abeilles raffolent de cette plante odorante, d'où son nom générique *melissa* qui, en grec, veut dire abeille. La mélisse officinale soigne en douceur. Appréciée des herboristes depuis 2 000 ans, elle tient toujours une place privilégiée parmi les adeptes des plantes médicinales.

Une herbe joyeuse

Le médecin grec Dioscoride appliquait des feuilles de mélisse sur les plaies et donnait à ses malades quelques extraits de la plante mélangés à du vin. Le naturaliste romain Pline l'Ancien recommandait la mélisse pour arrêter les saignements. Au Xe siècle, les médecins arabes vantaient ses mérites aux gens nerveux et anxieux. Le grand médecin arabe du XIe siècle, Avicenne, écrivait à son sujet: «La mélisse met le cœur et l'esprit en fête.»

Au Moyen Âge, les Européens adoptèrent la mélisse pour soigner les personnes nerveuses et anxieuses. L'eau de mélisse eut tellement de succès comme tranquillisant et comme sédatif que Charlemagne ordonna à tous les sujets de son royaume de la cultiver dans leur jardin afin de pouvoir en disposer en tout temps.

Toujours au Moyen Âge, les herboristes européens en firent un remède miracle censé guérir presque tous les maux de la terre: insomnie, arthrite, maux de tête, maux de dents, plaies, problèmes digestifs, douleurs menstruelles. Les femmes y avaient recours quand leurs règles tardaient. Bref, la mélisse était considérée comme une panacée.

Dans son célèbre traité sur les plantes médicinales, l'herboriste britannique du XVIIe siècle Nicholas Culpeper confirmait les dires d'Avicenne: «La mélisse, écrivait-il, met le cœur et l'esprit en fête. Elle chasse les soucis et les pensées noires qu'engendre la mélancolie...» L'herboriste recommandait aussi la mélisse pour «les défaillances et la pâmoison, ... pour digérer, ... dégager le cerveau ... et régulariser le cycle menstruel».

Par la suite, la mélisse perdit la faveur populaire. Les pionniers nord-américains y faisaient rarement appel. Ils ne l'utilisaient que pour soulager les douleurs menstruelles et provoquer la sudation, vieux traitement contre la fièvre. Malgré son long passé de tranquillisant, les médecins éclectiques du XIXe siècle ne virent dans la mélisse qu'un «doux stimulant». Avec le temps, la plante a reconquis sa réputation et, aujourd'hui, elle est reconnue comme une plante médicinale extrêmement efficace.

PROPRIÉTÉS thérapeutiques

Les herboristes vantent les mérites de cette plante pour favoriser la sudation et déclencher les règles, mais aussi pour soigner bon nombre de troubles et de maladies comme les maux de tête, les flatulences, l'hypertension artérielle, le stress, la bronchite, l'indigestion, l'asthme et les coliques du nourrisson. Évidemment, la science moderne ne reconnaît pas tous ses usages, encore moins son pouvoir stimulant et sa capacité à «dégager le cerveau». Cependant, des études révèlent que cette plante a un très grand pouvoir de guérison.

GUÉRISON DES PLAIES. Dioscoride avait raison. La mélisse contient des agents chimiques, les polyphénols, qui pourraient aider à combattre plusieurs bactéries responsables d'infections, dont les streptocoques et les mycobactéries. La mélisse contient aussi de l'eugénol, anesthésique qui pourrait être d'un certain recours en cas de blessures.

HERPÈS ET AUTRES INFECTIONS VIRALES. La mélisse aide à combattre le virus des oreillons et de l'herpès. Contrairement à leurs consœurs européennes, les compagnies pharmaceutiques américaines ont pendant longtemps ignoré la possible action anti-virale de la mélisse. En Allemagne où les plantes médicinales sont très populaires, l'extrait de mélisse est un constituant actif de la Crème Lomarherpan utilisée pour les plaies et l'herpès génital.

TRANQUILISANT NATUREL. Des scientifiques ont découvert que l'huile de mélisse a bel et bien un effet tranquillisant, en plus d'être très odorante. En Allemagne, la mélisse est largement utilisée comme tranquillisant et comme sédatif.

DIGESTION. Des études allemandes ont démontré que la mélisse assouplit les tissus du muscle lisse du tube digestif et, par conséquent, facilite la digestion.

SANTÉ DE LA FEMME. Les plantes qui agissent au niveau digestif pourraient aussi détendre l'utérus, autre muscle lisse. Cet effet probable vient confirmer l'application traditionnelle de la mélisse dans le traitement des douleurs menstruelles. Cependant, la plante a la réputation d'être un stimulant utérin et donc de déclencher les règles. À ce jour, aucune recherche n'a pu clarifier la situation. Aussi, les femmes enceintes devraient s'abstenir de prendre de la mélisse. Les autres peuvent l'essayer en cas de retard dans leurs cycles menstruels.

Préparation et posologie

La mélisse est idéale pour se détendre dans le bain. Prenez une poignée de feuilles de mélisse, remplissez un sac en chiffon, et faites couler l'eau du bain. Profitez de son action apaisante et de son arôme citronné.

Pour les blessures, les compresses très chaudes sont particulièrement indiquées. Prenez 2 c. à café de mélisse en feuilles par tasse d'eau. Faites bouillir pendant 10 minutes, filtrez et appliquez à l'aide d'un linge propre.

Pour soulager les maux d'estomac, combattre l'infection ou soulager les douleurs menstruelles, faites une infusion légère au goût de citron. Prenez deux cuillerées à café par tasse d'eau. Laissez infuser de 10 à 20 minutes. Ne dépassez pas trois tasses par jour.

Pour une teinture, contentez-vous d'une demi-tasse ou d'une tasse et demie trois fois par jour. Pour les préparations commerciales, suivez le mode d'emploi.

Les infusions et les teintures de mélisse sont déconseillées aux enfants de moins de deux ans. Les enfants plus âgés et les personnes de plus de 65 ans devraient commencer par des préparations faiblement concentrées et augmentez la dose au besoin.

En cas de coupures bénignes, froissez des feuilles de mélisse fraîche entre vos mains et appliquez-les directement sur la plaie.

Mise en garde

Deux études récentes ont révélé que la mélisse interfère avec la thyrotropine, stimulant hormonal de la glande thyroïde. Même s'il n'est pas prouvé que cette herbe agisse au niveau thyroïdien, les personnes qui souffrent de problèmes de thyroïde devraient discuter avec leur médecin des effets inhibiteurs de la mélisse avant d'y recourir.

La mélisse figure sur la liste des plantes qui ne présentent aucun danger selon la Food and Drug Administration américaine. Les ouvrages médicaux ne mentionnent aucune nocivité. Les femmes en bonne santé ou qui n'allaitent pas peuvent l'utiliser sans crainte si elles respectent les doses prescrites.

La mélisse ne devrait être consommée à des fins thérapeutiques qu'après accord avec le médecin. Si elle provoque de légers troubles, tels que des maux d'estomac ou de la diarrhée, prenez-en moins ou cessez d'en prendre. Consultez votre médecin en cas d'effets indésirables ou si les symptômes persistent deux semaines après le début du traitement.

Cueillez la mélisse dans votre jardin

La mélisse est une plante vivace bien droite qui peut atteindre 60 cm de haut. Comme la menthe, elle a des tiges carrées et de petites fleurs blanches ou jaunes qui l'été forment des bouquets. Elle meurt en hiver, mais sa racine demeure vivante.

On peut cultiver la mélisse à partir de graines semées au printemps, ou à partir de boutures ou de racines coupées. Les graines germent à l'intérieur ou à l'extérieur. Toutefois, elles donnent un meilleur rendement quand elles ne sont pas recouvertes. Maintenez un bon degré d'humidité. De façon générale, la germination dure de trois à quatre semaines.

La mélisse aime les sols bien drainés dont le pH est presque neutre. Espacez les semis de 30 cm. L'herbe aime être partiellement à l'ombre. Au soleil, elle se fane et perd un peu de son arôme.

Ramassez les feuilles avant la floraison si vous voulez les utiliser à des fins thérapeutiques. Coupez toute la plante à quelques centimètres du sol. Séchez-la immédiatement pour éviter que les feuilles ne noircissent. La mélisse perd beaucoup de son arôme une fois séchée. Quand les feuilles sont bien sèches, réduisez-les en poudre et conservez-les dans des contenants opaques bien fermés afin que l'huile ne s'évapore pas.

MENTHE

Le merveilleux menthol

Famille: *Labiatæ.* Également le baume, le basilic, l'herbe aux chats, la marjolaine, le marrube et le pouliot
Genres et espèces: *Mentha piperita* (menthe poivrée), *M. spicata, M. viridis, M. aquatica, M. cardiaca* (menthe verte)
Autres noms: Des centaines d'espèces
Parties utilisées: Les feuilles et la partie supérieure des fleurs

Menthe verte Menthe poivrée

Avez-vous déjà mangé un bonbon à la menthe à la fin d'un repas? Ces sucreries bien familières viennent d'une coutume très ancienne qui consistait à terminer les banquets avec un brin de menthe pour faciliter la digestion. La science a corroboré cette pratique ancestrale ainsi que beaucoup d'autres utilisations thérapeutiques de ces plantes bien connues comme étant à l'origine du menthol, extrait qui aromatise les bonbons, les chewing-gums, les pâtes dentifrices et les rince-bouche.

Les doubles menthes

La menthe poivrée et la menthe verte sont toutes les deux employées dans la guérison par les plantes et ont des effets similaires. Cependant, la menthe poivrée a davantage de goût et son parfum est plus puissant. Elle est également la cadette de la menthe verte.

La menthe verte fut la première menthe médicinale. La menthe poivrée, hybride naturel de variétés de la menthe verte, apparut plus tard. Mais les spécialistes en la matière ne savent pas exactement quelles espèces de menthe verte entraient dans la composition de la menthe poivrée ou à quel moment la menthe la plus épicée apparut vraiment. Toutes les catégories de menthes portaient le même nom jusqu'en 1696, année où le botanique britannique John Ray en fit la distinction.

Dans l'*Ebers Papyrus*, le plus vieux texte médical du monde toujours disponible, on parlait de la menthe comme d'un calmant pour l'estomac. Depuis l'Égypte, la menthe s'étendit en Palestine, où elle servait de troc contre les impôts. Dans l'Évangile selon Saint-Luc (11:39), Jésus réprimanda les Pharisiens: «Vous payez des dîmes de menthe et vous vous repentez ... mais vous ne vous souciez pas de la justice et de l'amour de Dieu.»

Ses origines mythiques

Depuis la Terre Sainte, la menthe se répandit en Grèce et s'infiltra dans la mythologie grecque. Il semble que Pluton, dieu des morts, tomba amoureux de la belle nymphe Mintha. La femme du dieu Pluton, Perséphone, devint jalouse et transforma Mintha en plante. Pluton ne put ramener à la vie Mintha, mais il donna à la plante une odeur de parfum. Le mot «Mintha» évolua en un genre de plante, *Mentha*.

Chez les Grecs et chez les Romains, les femmes d'intérieur ajoutaient de la menthe au lait pour lui éviter de surir et servaient la plante à la fin des repas comme stimulant digestif. Le naturaliste romain Pline l'Ancien écrivait que la menthe «réanime l'esprit» et recommandait d'en suspendre dans les chambres des malades afin de favoriser la convalescence. Le médecin grec Dioscoride estimait que la menthe «échauffait les sens», et, par conséquent, agissait comme un aphrodisiaque. D'autres herboristes grecs et romains prescrivaient la menthe pour toutes les maladies, depuis les hoquets jusqu'à la lèpre.

Les médecins chinois et ayurvédiques utilisèrent la menthe pendant des siècles comme fortifiant et stimulant digestif. Ils s'en servaient aussi pour traiter les rhumes, l'angine et la fièvre.

L'abbesse et herboriste du Moyen Âge Hildegard de Bingen recommandait la menthe pour la digestion et la goutte.

L'herboriste britannique du XVIIe siècle Nicholas Culpeper écrivait: «La menthe est très favorable pour l'estomac ... particulièrement pour dissoudre les gaz et aider la colique ...

«Elle est bonne pour refouler le lait maternel ... et est un médicament très puissant pour arrêter le flux menstruel chez les femmes. Elle aide la morsure d'un chien enragé ... permet de débarrasser croûtes et plaies de la tête des jeunes enfants ...» Culpeper était cependant en désaccord avec Dioscoride au sujet de l'effet de la menthe sur le désir sexuel. Culpeper croyait que la plante était «un remède particulier pour les rêves sexuels et les émissions nocturnes, quand on l'appliquait à l'extérieur des testicules».

Peu après la période de Culpeper, la menthe poivrée et la menthe verte furent différenciées, et les herboristes choisirent la première comme meilleur remède pour stimuler la digestion, soigner la toux et traiter le rhume et la fièvre.

Frictions au menthol et autres usages

Les premiers colons remarquèrent, dès leur arrivée en Amérique, que les Indiens utilisaient une espèce de menthe locale pour traiter la toux, la congestion pulmonaire et la pneumonie. Ils se mirent alors à cultiver la menthe verte et la menthe poivrée qui devinrent rapidement des plantes sauvages.

À la fin du XIXe siècle, les médecins éclectiques américains prescrivirent la menthe poivrée pour le mal de tête, la toux, la bronchite, les maux d'estomac et les troubles menstruels. Ils l'ajoutèrent aux laxatifs afin de dissimuler leur goût désagréable et de réduire les douleurs intestinales.

Ces médecins estimaient la menthe verte, mais considéraient qu'elle «était quelque peu inférieure à la menthe poivrée», sauf pour sa «plus grande» aptitude à soigner la fièvre.

Les chimistes distillèrent le menthol de l'huile de la menthe poivrée au début des années 1880. Le texte des médecins éclectiques, le *King's American Dispensatory*, vantait ses «propriétés actives de germicide», et son «pouvoir anesthésique très important» quand elle était appliquée sur des plaies, des brûlures, des morsures et des piqûres d'insectes, de l'eczéma, de l'urticaire et des gencives douloureuses. Les médecins éclectiques utilisaient également les vapeurs du menthol en inhalations et en frictions sur la poitrine pour traiter l'asthme, le rhume des foins et les nausées du matin durant la grossesse.

Les herboristes contemporains recommandent la menthe verte en application externe pour les démangeaisons et les inflammations, et par voie orale pour stimuler la digestion et traiter les douleurs menstruelles, le mal des transports, les nausées du matin durant la grossesse, le rhume, la toux, la grippe, la congestion, le mal de tête, les brûlures d'estomac, la fièvre et l'insomnie. Certains herboristes considèrent que la menthe poivrée et la menthe verte sont interchangeables, mais la plupart croient que la menthe poivrée est plus efficace. Comme avec tant d'autres plantes aromatiques, les herboristes recommandent également les menthes comme moyen de détente dans un bain.

PROPRIÉTÉS thérapeutiques

La menthe verte et la menthe poivrée doivent toutes deux leur valeur à leurs huiles aromatiques. L'huile de la menthe poivrée est essentiellement à base de menthol. L'huile de la menthe verte contient un agent chimique semblable, le carvone. Ces deux composés ont des propriétés similaires. Mais, tout comme les herboristes le croyaient dans le passé, le menthol est le plus puissant.

STIMULANT DIGESTIF. Le menthol semble détendre les parois du muscle lisse du tube digestif, agissant ainsi comme un antispasmodique. Des études réalisées en Allemagne et en Russie ont démontré que la menthe poivrée aide aussi à prévenir les ulcères d'estomac et à stimuler les sécrétions de bile. Par conséquent, elle peut apporter des bienfaits additionnels en tant qu'ingrédient dans les médicaments, les préparations et les produits antiacides vendus dans le commerce.

ANESTHÉSIQUE. Les médecins éclectiques étaient sur la bonne piste quand ils disaient que le menthol avait «une efficacité très importante comme anesthésiant». On trouve cet ingrédient dans bon nombre de crèmes antidouleur pour la peau.

DÉCONGESTIONNANT. Les vapeurs de menthol soulagent les sinus du nez et la congestion pulmonaire. Le menthol est l'un des ingrédients que l'on trouve dans certains vaporisateurs.

PRÉVENTION DE L'INFECTION. Les médecins éclectiques américains étaient souvent sur la bonne piste quand ils disaient que le menthol est un «germicide actif». Dans des essais en laboratoire, on a prouvé que l'huile de menthe poivrée tue bon nombre de bactéries, de même que le virus *Herpes simplex* qui cause les boutons de fièvre et l'herpès génital, découverte qui justifie l'usage traditionnel de la menthe poivrée dans le traitement des blessures et de la bronchite.

SANTÉ DE LA FEMME. Les antispasmodiques détendent non seulement le muscle lisse du tube digestif, mais d'autres muscles lisses comme celui de l'utérus. Dans bon nombre d'herbier, on recommande la menthe poivrée comme traitement dans les cas de nausées du matin durant la grossesse. *The Toxicology of Botanical Medicines* estime cependant que des concentrations médicinales de menthe poivrée peuvent favoriser le déclenchement des règles.

Les femmes enceintes qui veulent essayer la menthe poivrée pour contrer leur état nauséeux devraient toujours s'en tenir à des concentrations diluées plutôt qu'à des infusions médicinales. Les femmes qui ont des antécédents de fausse couche devraient s'abstenir d'en prendre durant leur grossesse. Les autres peuvent essayer la menthe poivrée pour provoquer leurs règles.

Préparation et posologie

Pour soigner les blessures, les brûlures et l'herpès, appliquez directement sur la partie affectée quelques gouttes d'huile de menthe poivrée.

Pour un décongestionnant ou une infusion qui stimule la digestion, utilisez 1 à 2 c. à café de plantes séchées par tasse d'eau bouillante. Ne dépassez pas trois tasses par jour. La menthe poivrée a un goût plus prononcé que la menthe verte et elle rafraîchit la bouche.

Pour une teinture, prenez 1/4 à 1 c. à café trois fois par jour au maximum.

Pour un bain d'herbes, remplissez un sac en tissu de quelques poignées de plante séchée ou fraîche et laissez l'eau couler dessus.

Des préparations de menthe diluée peuvent être données avec prudence aux enfants âgés de moins de deux ans.

Mise en garde

Aucun problème en ce qui concerne la menthe verte ou la menthe poivrée séchée n'a été rapporté. L'arôme prononcé et âcre des huiles de menthe concentrées ont occasionné parfois des nausées chez les jeunes enfants. Si vous donnez des infusions à la menthe à des enfants, utilisez des infusions diluées.

Alerte médicale: ingéré, le menthol pur est un poison. Aussi peu qu'une cuillerée à café (environ 2 g) peut entraîner la mort. N'ingérez pas de menthol pur. On a également découvert que l'huile pure de menthe poivrée peut engendrer certains effets nocifs, notamment l'arythmie. Évitez donc également d'utiliser de l'huile de menthe poivrée.

Autres précautions

La Food and Drug Administration inclut la menthe poivrée et la menthe verte parmi les plantes qui ne présentent aucun danger. Les femmes en bonne santé qui ne sont pas enceintes et qui n'allaitent pas peuvent l'utiliser sans crainte si elles respectent les doses prescrites.

Les espèces de menthes ne devraient être consommées à des fins thérapeutiques qu'après accord avec son médecin. Si elles provoquent de légers troubles, tels que des maux d'estomac ou de la diarrhée, prenez-en moins ou cessez d'en prendre. Consultez votre médecin en cas d'effets indésirables ou si les symptômes persistent deux semaines après le début du traitement.

Presque trop facile à faire pousser

La menthe verte est une plante vivace qui peut atteindre 60 cm de haut et dont les racines se propagent dans le sol. Elle possède des tiges carrées, des feuilles de 5 cm dentées et en forme de lance, caractéristiques de toutes les plantes de la même espèce. Elle produit également des épis où s'épanouissent en été de petites fleurs blanches, roses ou lilas qui poussent en verticilles.

La menthe poivrée ressemble à la menthe verte, sauf pour sa hauteur qui excède celle de sa proche parente. Ses tiges sont pourprées, et ses feuilles sont plus longues et moins froissées.

Les espèces de menthe s'hybrident si facilement qu'il est souvent impossible de dire qu'elles poussent à partir de graines. La meilleure façon de propager la véritable menthe poivrée ou la menthe verte est d'employer des boutures de racines. N'importe quel bout de racine munie d'un nœud peut produire une plante. Contenez votre lit de menthe ou la plante dans des récipients. Dans un sol riche, humide et bien drainé, en plein soleil ou partiellement à l'ombre, les menthes qui se propagent peuvent envahir votre jardin.

Des coupes fréquentes encouragent la pousse. Les feuilles peuvent être récoltées quand elles sont parvenues à maturité. Coupez le plant entier à moins de quelques centimètres du sol quand les premières fleurs apparaissent. La plupart des espèces deviennent ligneuses au bout de quelques années. Bêchez-les et replantez les nouvelles boutures de racines.

MERISE

Un antitussif au goût agréable

Famille: *Rosaceæ.* Également la rose, la prune, l'amande et l'abricot
Genres et espèces: *Prunus serotina, P. virginiana*
Autres noms: Cerisier sauvage, guigne, bigarreau, cerisier des oiseaux
Parties utilisées: L'écorce interne et l'écorce des racines

Les antitussifs pour enfants ont souvent un goût de cerise. Ce parfum est parfaitement justifié. Depuis 1820, l'écorce de merisier sauvage originaire d'Amérique est mentionnée dans le *U.S. Pharmacopœia* comme expectorant et sédatif doux. Mais cette partie de l'arbre n'est pas sans danger. Elle contient en effet un composant chimique comparable au cyanure qui peut être mortel à très fortes doses.

Un remède populaire

À leur arrivée, les pionniers américains découvrirent que plusieurs tribus indiennes buvaient du thé d'écorce de merisier sauvage comme tranquillisant et sédatif. Ces dernières s'en servaient aussi pour traiter les rhumes, la toux et la diarrhée, et pour soulager les douleurs de l'accouchement et bien d'autres maux. Les pionniers adoptèrent l'usage que les Indiens d'Amérique en faisaient et l'utilisèrent dans les cas de bronchite, de pneumonie et de coqueluche.

Au XIXe siècle, l'écorce de merisier sauvage était l'un des remèdes à base de plantes les plus populaires de l'Amérique. En plus de soulager, il entrait dans la composition d'un grand nombre de produits pharmaceutiques.

Les médecins éclectiques américains du XIXe siècle avaient une préférence pour l'écorce de merisier sauvage qu'ils considéraient comme un excellent tranquillisant, un sédatif doux et un remède pour la toux sèche et opiniâtre associée aux rhumes et à la grippe. Ces médecins recommandaient aussi la plante comme fortifiant pendant la convalescence après de longues maladies.

De nos jours, les herboristes recommandent la merise pour les rhumes, la toux, l'asthme et la bronchite.

PROPRIÉTÉS thérapeutiques

La merise figure toujours dans le *U.S. Pharmacopœia* comme expectorant et sédatif doux.

ANTITUSSIF. Une seule source scientifique, la Food and Drug Administration (FDA), conteste l'efficacité du merisier sauvage. Cet organisme gouvernemental a conclu que son écorce «n'a que peu ou pas de propriétés curatives. Son seul mérite est de donner bon goût.» La FDA n'inscrit désormais à sa liste de produits approuvés qu'un seul expectorant. Faites donc l'essai du merisier sauvage et voyez si vous vous sentez mieux.

TRANQUILLISANT ET SÉDATIF. Un constituant chimique présent dans la plante, l'acide cyanhydrique, peut agir comme un tranquillisant doux et comme sédatif si le dosage prescrit est respecté. Cependant, l'acide cyanhydrique est relié au cyanure et des quantités démesurées sont toxiques. Ne dépassez en aucun cas les doses prescrites.

Préparation et posologie

Pour une infusion destinée à traiter la toux, le stress, l'anxiété ou l'insomnie, prenez 1 c. à café d'écorce réduite en poudre pour une tasse d'eau bouillante. Laissez infuser 10 minutes. Ne dépassez pas trois tasses par jour. La merise a un arôme agréable, mais un goût amer et astringent. Afin d'adoucir le goût, ajoutez du miel, du sucre et du citron ou mélangez-la à une autre préparation à base d'herbe.

Pour une teinture, prenez de 1/4 à 1/2 c. à café jusqu'à trois fois par jour.

La merise est déconseillée aux enfants de moins de deux ans. Les enfants plus âgés et les personnes de plus de 65 ans devraient commencer par des préparations faiblement concentrées et augmenter la dose au besoin.

Mise en garde

Alerte médicale: les feuilles, l'écorce de merisier sauvage et les noyaux de la merise contiennent tous de l'acide cyanhydrique qui, en grandes quantités, est un poison comparable au cyanure. Les animaux qui broutent de l'herbe ont été empoisonnés après avoir mangé de trop grandes quantités de feuilles, qui sont plus toxiques que l'écorce utilisée à des fins thérapeutiques.

Les principaux signes de toxicité sont les spasmes, des mouvements brefs et saccadés, ainsi qu'une difficulté à respirer et à parler. Si vous en êtes affligés, cessez de consommer la plante et consultez immédiatement un médecin.

Les ouvrages médicaux sur le merisier sauvage ne mentionnent aucun effet nocif si l'on respecte le dosage prescrit. Cependant, on a déjà rendu l'écorce de merisier sauvage responsable de malformations congénitales chez des animaux nés en laboratoire et dont les mères avaient ingéré la plante pendant leur gestation. Par conséquent, les femmes enceintes devraient s'abstenir de prendre de l'écorce de merisier sauvage.

Autres précautions

La Food and Drug Administration inclut la merise parmi les plantes qui ne présentent aucun danger. Les femmes en bonne santé qui ne sont pas enceintes ou qui n'allaitent pas peuvent l'utiliser sans crainte si elles respectent les doses prescrites.

La merise ne devrait être consommée à des fins thérapeutiques qu'après accord avec son médecin. Si elle provoque de légers troubles, tels que des maux d'estomac ou de la diarrhée, prenez-en moins ou cessez d'en prendre. Consultez votre médecin en cas d'effets indésirables ou si les symptômes persistent deux semaines après le début du traitement.

Un remède gigantesque

Le merisier sauvage est l'un des plus grands arbres en Amérique du Nord. Il peut atteindre 27 m. Il pousse dans les environs de la Nouvelle-Écosse, de la Floride, du Texas et du Nebraska. Le tronc est recouvert d'écorces noires et rugueuses, qui se détachent en lanières. L'écorce de la racine doit être pelée. Les deux types d'écorce ont des propriétés thérapeutiques et bien qu'elles semblent différentes, elles sont toutes deux connues comme écorces de merisier sauvage.

Les feuilles ovales et dentées sont d'un vert brillant. L'arbre produit des petites fleurs blanches à la fin du printemps, puis des fruits pourpres de la taille d'un gros pois.

Le merisier sauvage pousse bien dans des sols fertiles et en plein soleil. Les botanistes conseillent d'acheter les jeunes arbres chez le pépiniériste.

Les herboristes recommandent les jeunes et minces écorces des branches plutôt que l'écorce de l'arbre plus vieille et plus épaisse. En automne, coupez des branches et dépouillez-les de leur écorce. Les écorces se détériorent après un an d'entreposage; aussi, ramassez-les chaque année.

MILLEPERTUIS

Un espoir contre le SIDA

Famille: *Hypericaceæ.* Également la rose de Sharon
Genre et espèce: *Hypericum perforatum*
Autres noms: herbe aux mille trous, herbe percée, herbe aux piqûres, chasse-diable
Parties utilisées: Les feuilles et les fleurs

Le millepertuis est utilisé depuis plus de 2 000 ans comme plante médicinale, essentiellement pour ses propriétés cicatrisantes. Mais ce n'est que récemment que les scientifiques ont pu démontrer son efficacité comme stimulant du système immunitaire.

C'est en 1988 que son potentiel thérapeutique le plus étonnant a été découvert. Cette année-là, les chercheurs de l'université de New York et de l'institut Weizmann ont découvert que le millepertuis agissait de façon «radicale» contre une famille de virus qui incluent le VIH (virus d'immunodéficience humaine) responsable du syndrome d'immuno-déficience acquise ou SIDA. Depuis lors, on a noté des résultats positifs chez certaines personnes atteintes du SIDA qui avaient consommé la plante en grandes quantités.

En souvenir de la décapitation d'un saint

Les feuilles et les fleurs du millepertuis contiennent des glandes qui produisent une huile rouge quand on les pince. Les premiers chrétiens nommèrent la plante en l'honneur de Jean le Baptiste, car ils croyaient qu'elle exsudait son huile rouge sang le 29 août de chaque année, anniversaire de la décapitation du saint.

Au premier siècle de notre ère, le naturaliste romain Pline l'Ancien recommandait de mélanger du millepertuis au vin comme remède contre les morsures des serpents venimeux. Le physicien grec Dioscoride le recommandait en application externe pour les brûlures et en usage interne comme diurétique, traitement de la sciatique et des fièvres récurrentes comme la malaria ainsi que pour déclencher les règles. Les Grecs et les Romains croyaient aussi que la plante protégeait contre les mauvais sorts des sorcières.

Les chrétiens adoptèrent la croyance païenne selon laquelle le millepertuis chassait les mauvais esprits. Ils en faisaient brûler chaque année dans les feux de joie de la veille de la Saint-Jean afin de purifier l'air, d'éloigner les mauvais esprits et d'assurer de bonnes récoltes. Vers l'an 1400, on récitait ce poème qui résume bien la croyance de l'époque:

L'herbe de Saint Jean éloigne les sorcières de la terre
S'il est cueilli à minuit le jour de Son anniversaire.
Les démons et les sorcières ne jettent plus de sorts
À tous ceux qui cueillent la plante sans remords.
Frottez les linteaux avec cette fleur au jus rougeâtre
Ni les orages, ni les tempêtes n'auront alors l'audace
De frapper les maisons. Noue autour de ton cou cette plante sortilège
Afin que où que tu ailles elle soit là et te protège.

Un remède extrêmement précieux

Selon la Doctrine des signatures, croyance médiévale selon laquelle l'apparence d'une fleur révèle son pouvoir de guérison, on croyait que les plantes rouges guérissaient les plaies et que la «fleur au jus rouge» du millepertuis ne faisait pas exception. Au XVIe siècle, l'herboriste britannique John Gerard la préconisait comme un «remède extrêmement précieux pour les plaies profondes» et écrivait que l'herbe «fait uriner et soulage tous ceux qui ont des pierres dans la vessie».

L'ouvrage *London Pharmacopœia* de 1618 conseillait de couper des fleurs de millepertuis, de les immerger dans de l'huile et de laisser reposer le mélange au soleil pendant trois semaines. La teinture ainsi produite fut le traitement des blessures et des ecchymoses pendant plusieurs centaines d'années.

L'herboriste britannique du XVIIe siècle Nicholas Culpeper décrivait le millepertuis dans ces termes: «Voilà une plante extraordinaire qui guérit les blessures. Une fois bouillie dans du vin et bue lentement, elle guérit les plaies à l'intérieur du corps et les ecchymoses. Utilisée comme onguent, elle dégage les poumons, réduit l'enflure et aide les plaies à se refermer ... Elle est aussi très précieuse en cas de vomissements et de crachements de sang (tuberculose)».

Traitement des blessures

Ce furent les premiers colons américains qui introduisirent le millepertuis en Amérique du Nord. Quel ne fut pas leur étonnemment de constater que les Indiens d'Amérique utilisaient la plante comme les Européens, c'est-à-dire comme fortifiant et comme traitement des diarhées, de la fièvre, des morsures de serpents, des blessures et des problèmes de peau.

Au XIXe siècle, Charles Millspaugh, médecin et botaniste de renom, vantait les mérites du millepertuis comme traitement des plaies pendant la guerre de Sécession.

Au cours du XIXe siècle, l'homéopathie devint aussi populaire que la médecine traditionnelle et les homéopathes prescrivaient la plante dans de nombreux cas, entre autres pour les blessures, l'asthme, les morsures, la sciatique, la diarrhée, les hémorroïdes et certaines formes de paralysie. De nos jours, les homéopathes poursuivent la tradition.

Au XIXe siècle, les médecins éclectiques américains considéraient aussi le millepertuis comme un traitement utile dans les cas de blessures et pour la prévention du tétanos. De plus, ils vantaient la capacité de cette plante à soigner «l'hystérie» (troubles menstruels), en raison de son «pouvoir de guérison incontestable du système nerveux et de la mœlle épinière».

Une question de cloques

Depuis que la Food and Drug Administration a déclaré la plante dangereuse en 1977, les herboristes sont divisés sur son efficacité. On a remarqué que le bétail qui en consomme beaucoup souffre d'une hypersensibilité au soleil (photosensibilisation) et est fortement sujet aux coups de soleil accompagnés d'ampoules. Plusieurs sources confirment que le phénomène se produit aussi chez les humains, surtout chez ceux qui ont la peau claire.

Dans un herbier récent, il est mentionné ceci: «La consommation du millepertuis est fortement déconseillée.» D'autres herbiers avancent que les personnes à la peau claire devraient l'utiliser avec prudence, mais que les autres n'ont pas à s'inquiéter. Le problème semble être occulté dans la plupart des herbiers qui considèrent que le millepertuis a été utilisé en toute sécurité comme plante médicinale pendant plus de 2 000 ans.

Les herboristes peu soucieux de questions de sécurité recommandent le millepertuis en usage externe pour soigner les blessures et par voie orale dans les cas de sciatique, d'insomnie, de douleurs menstruelles, de maux de tête, de refroidissements, de congestion de la poitrine et comme tranquillisant.

PROPRIÉTÉS thérapeutiques

Le millepertuis a fait l'objet de recherches approfondies, essentiellement en Allemagne et en Russie. Il contient d'importantes quantités de flavonoïdes, agents chimiques qui pourraient moduler le système immunitaire. Le millepertuis contient aussi une autre substance, l'hypéricine, dotée d'une action antivirale et antidépressive. D'autres études démontrent aussi ses effets antibactériens, antifonqiques et anti-inflammatoires.

SIDA. L'un des résultats les plus encourageants du millepertuis est l'action de l'hypéricine contre le virus du SIDA.

Une étude publiée dans *Proceedings of the National Academy of Sciences* rapporte que la plante a démontré une «action radicale et relativement peu toxique» contre des virus similaires au

VIH (virus du SIDA) au cours de tests réalisés en laboratoire et sur des animaux. Des souris ont été infectées par le virus responsable de la leucémie. On leur a ensuite injecté une seule fois de l'extrait de millepertuis. On a constaté que la plante «empêchait la maladie d'apparaître». La plante s'est révélée tout aussi efficace avec des souris qui en avaient consommé oralement. Des tests de laboratoire préliminaires ont indiqué une action similaire contre le virus du VIH. De plus, la plante franchit la barrière hémato-encéphalique, ce qui est d'importance majeure dans le traitement du SIDA, car le virus attaque fréquemment le cerveau.

Ces découvertes ont enthousiasmé les chercheurs du SIDA. Certains d'entre eux ont cherché à analyser les effets du millepertuis chez les personnes atteintes de la maladie. Au moment de la publication de cet ouvrage, ces études n'étaient pas terminées. Cependant, depuis le début de 1989, le bulletin *Aids Treatment News* a publié plusieurs rapports et études sur des personnes atteintes du SIDA. Ces documents mentionnent une amélioration notable chez certains sidéens qui avaient consommé du millepertuis, entre autres une nette amélioration du système immunitaire, une augmentation de poids, un meilleur appétit et plus d'énergie.

Ces rapports sont encourageants. Cependant, comme toute information anecdotique, ils doivent être interprétés avec prudence. Tant que les études scientifiques ne seront ni terminées ni confirmées, le millepertuis ne pourra être considéré comme un traitement valable du SIDA. Toutefois, les résultats préliminaires semblent prometteurs.

Les personnes atteintes de la maladie qui ont participé aux études sur le millepertuis ont pris des «extraits normalisés» de millepertuis. Les résultats des recherches n'ont en effet aucune crédibilité du point de vue scientifique si la plante testée n'est pas normalisée.

CICATRISATION DES PLAIES. Plusieurs études confirment l'usage traditionnel du millepertuis dans la cicatrisation des plaies. L'hypéricine et d'autres agents chimiques antibiotiques présents dans l'huile rouge de la plante peuvent aider à prévenir l'infection. De plus, les flavonoïdes qui stimuleraient le système immunitaire aident à réduire l'inflammation des plaies. Une étude allemande a démontré que, comparée à un traitement conventionnel, une pommade de millerpertuis permet aux brûlures de guérir plus vite et laisse peu de cicatrices.

ANTIDÉPRESSEUR. En agissant sur l'activité de la monoamine-oxydase, agent chimique présent dans l'organisme, l'hypéricine se transforme en un agent inhibiteur de monoamine-oxydase. Ces inhibiteurs sont des antidépresseurs reconnus. Dans une étude allemande, 15 femmes traitées contre la dépression ont avoué s'être senties beaucoup mieux après avoir consommé du millepertuis. Entre autres, elles ont retrouvé leur appétit, le goût de vivre, une meilleure estime de soi et une partie de leur sommeil. Cependant, le millepertuis n'est pas un antidépresseur qui fait effet immédiatement. Selon l'herboriste et médecin allemand Rudolph Fritz Weiss, «l'effet du millepertuis ne se fait pas sentir dans les jours qui suivent, mais après deux ou trois mois».

Préparation et posologie

Pour le traitement du SIDA, consultez un médecin afin d'obtenir des extraits de plantes normalisés ou pour participer à un essai clinique portant sur la plante.

Pour la cicatrisation des plaies, appliquez des feuilles et des fleurs broyées sur la plaie après l'avoir nettoyée avec du savon et de l'eau.

Pour une infusion utilisée comme antidépressif ou comme stimulant du système immunitaire, prenez de 1 à 2 c. à café d'herbe séchée par tasse d'eau bouillante. Laissez infuser de 10 à 15 minutes. Ne dépassez pas trois tasses par jour. L'infusion de millepertuis est d'abord douce au goût, puis elle devient amère et astringente.

Pour une teinture, prenez de 1/4 à 1 c. à café jusqu'à trois fois par jour.

Les infusions de millepertuis sont déconseillées aux enfants de moins de deux ans. Les enfants plus âgés et les personnes de plus de 65 ans devraient commencer par des préparations faiblement concentrées et augmenter la dose si nécessaire.

Mise en garde

Associés à certains aliments et médicaments, les inhibiteurs de monoamine-oxydase peuvent augmenter dangereusement la tension artérielle (crises hypertensives). Les symptômes sont entre autres des maux de tête, le torticolis, des nausées, des vomissements, et une peau moite et froide. Toutefois, si l'on se limite aux doses prescrites, le millepertuis n'est pas aussi puissant que les inhibiteurs de monoamine-oxydase vendus en pharmacie. Cependant, il convient d'utiliser la plante avec prudence. Lorsque vous consommez du millepertuis, éliminez les amphétamines, les narcotiques, deux acides aminés (le tryptophane et la tyrosine), les pilules pour maigrir et les produits pour inhalation, les décongestionnants nasaux et les médicaments contre les rhumes et le rhume des foins. Ne buvez ni bière ni vin ni café, et évitez le salami, le yaourt, le chocolat, les fèves de Lima et les aliments fumés ou macérés dans du vinaigre.

Fuyez le soleil

On a remarqué que chez le bétail nourri au millepertuis, l'hypéricine se concentre près de la peau et entraîne des coups de soleil accompagnés de cloques.

Des animaux de laboratoire à qui l'on a injecté de fortes doses d'hypéricine sont morts après une exposition au soleil.

Selon les scientifiques, le millepertuis cause peu ou pas de problèmes de photosensibilisation si l'on respecte les doses prescrites. Il peut cependant causer des dommages aux personnes qui ont la peau claire et qui sont généralement plus sensibles au soleil. Ces personnes tout comme celles qui prennent de la tétracycline antibiotique, autre médicament photosensibilisateur, ne devraient pas s'exposer au soleil.

Les personnes atteintes du SIDA rapportent que la plante est relativement peu toxique, mais certaines d'entre elles ont noté de la somnolence, une sensibilité au soleil, des nausées et de la diarrhée.

Autres précautions

La Food and Drug Administration ne s'est toujours pas prononcée au sujet du millepertuis. Après l'avoir déclaré dangereux en 1977, elle a légèrement modifié ses règlements et permet aujourd'hui de l'utiliser dans la fabrication des vermouths.

Les femmes en bonne santé qui ne sont pas enceintes, qui n'allaitent pas, qui ne souffrent pas d'hypertension et qui ne prennent pas des inhibiteurs de monoamine-oxydase ou d'autres médicaments contre-indiqués peuvent utiliser la plante sans crainte si elles respectent les doses prescrites. Elles devraient toutefois consulter et se faire suivre par un médecin.

Le millepertuis ne devrait être consommé à des fins thérapeutiques qu'après accord avec son médecin. S'il provoque des maux de tête, le torticolis ou des nausées, prenez-en moins ou cessez d'en prendre. Si les symptômes persistent, consultez immédiatement votre médecin.

Des fleurs qui «saignent»

Le millepertuis est une plante annuelle ligneuse qui prolifère. Elle peut atteindre 60 cm de haut et possède un arôme qui rappelle celui de la térébenthine. Ses feuilles sont couvertes de glandes qui produisent une huile rouge. Ses fleurs en forme d'étoile prennent une couleur jaune doré en été. Elles contiennent aussi de l'huile et rougissent quand on les pince.

Le millepertuis se cultive à partir de morceaux de racines au printemps ou à l'automne. Il pousse dans presque tous les sols bien drainés, en plein soleil ou dans des endroits partiellement ombragés. Mettez la plante dans un pot afin de contrôler sa pousse. Bien qu'il soit une plante vivace, le millepertuis n'a pas une longue durée de vie. Il faut donc le replanter tous les deux ans.

Récoltez les feuilles et la partie supérieure de la plante au moment de la floraison. Laissez sécher et conservez dans des contenants hermétiques.

MOLÈNE VULGAIRE

Un calmant velouté

Famille: *Scrophulariaceæ.* Également la digitale ou la pourprée

Genre et espèce: *Verbascum thapsus*

Autres noms: Cierge-de-Notre-Dame, herbe à bonhomme, blanc-de-mai

Parties utilisées: Les feuilles, les fleurs et les racines

La molène vulgaire pousse partout. Il est même difficile de ne pas la remarquer. Cependant, la plupart des personnes qui tombent sur cette mauvaise herbe aux feuilles de velours, à la tige en forme de baguette et aux fleurs d'un jaune très vif, ne se rendent pas compte de la place importante qu'elle occupe dans la guérison par les plantes, surtout dans le cas de certains malaises respiratoires.

Plante de mèche de bougie

Quand elle est séchée, la molène vulgaire brûle facilement. Avant l'introduction du coton, les Anciens utilisaient ses feuilles et ses tiges comme mèches de bougies, lui donnant le nom de plante de mèche de bougie. Les tiges séchées et les fleurs de cette plante étaient également trempées dans de la graisse pour qu'elles brûlent plus longtemps, d'où leur nom populaire, torches.

Les anciennes civilisations autour du monde estimaient que la molène vulgaire était un protecteur magique contre la sorcellerie et les esprits malfaisants. Comme d'autres herbes utilisées en magie, la molène vulgaire a une longue histoire de guérisseuse. Son nom de famille botanique, le *Scrophulariaceæ*, est dérivé de *scrofula.* Ce vieux terme désigne une inflammation chronique des glandes lymphatiques, maladie plus tard identifiée comme une forme de tuberculose.

Le médecin grec Dioscoride prescrivait à ses patients une décoction de racines de molène vulgaire dans du vin pour traiter leur diarrhée. Au Moyen Âge, les Français utilisaient cette plante pour soigner la malandre, maladie chez les animaux qui se traduit par une poussée de furoncles dans le cou des chevaux. La malandre devint à la longue *malen*, et finalement *mullein*.

Remède respiratoire

Cette plante acquit très vite une réputation de remède respiratoire, réputation qui subsiste encore aujourd'hui. Dans l'Inde ancienne, les médecins ayurvédiques prescrivaient de la molène vulgaire pour la toux. L'herboriste britannique Nicholas Culpeper écrivait que prendre un gargarisme fait avec une décoction de molène vulgaire «soulageait le mal de dents ... et une vieille toux». Et l'herboriste William Coles écrivait que les fermiers «la donnaient à leur bétail pour les soulager d'une quinte de toux ...»

Ce furent les premiers colons qui introduisirent la molène vulgaire en Amérique du Nord, et les Indiens l'adoptèrent rapidement pour la toux, la bronchite et l'asthme. Dans l'Amérique de cette époque, on consommait cette plante d'une façon qui nous semblerait ridicule aujourd'hui: on la fumait.

Les médecins éclectiques américains du XIXe siècle prescrivaient la molène vulgaire comme diurétique pour traiter la rétention d'eau et soulager les problèmes d'estomac et de la respiration, grâce à sa faible action tranquillisante et antidouleur. Dans le *King's American Dispensatory*, on affirmait: «Son influence est nette sur la partie la plus élevée de l'appareil respiratoire.» Les médecins éclectiques recommandaient la molène vulgaire pour soigner le rhume, la toux, l'asthme et l'amygdalite, aussi bien que la diarrhée, les hémorroïdes et les infections urinaires.

Les herboristes contemporains préconisent de consommer la molène vulgaire dans les cas de toux, de rhume, de mal de gorge, et d'autres maladies respiratoires. En application externe, ils suggèrent une compresse chaude de vinaigre pour traiter les hémorroïdes.

À la fin du XIXe siècle et au début du XXe siècle, la molène vulgaire figurait dans le *National Formulary* comme remède contre la toux, mais elle y fut retirée en 1936 par manque d'efficacité. Toutefois, dans un rapport faisant un tour d'horizon de la médecine populaire en Indiana, Varro Tyler, chercheur à Purdue et herboriste de renom, estimait que la molène vulgaire était «un remède très populaire de l'Indiana pour soigner tous les types de maladies respiratoires».

PROPRIÉTÉS thérapeutiques

En laboratoire, la molène vulgaire inhibe la croissance de la bactérie responsable de la tuberculose, ce qui confirme peut-être l'usage que l'on en faisait dans le traitement du *scrofula*. De nos jours, on s'en sert surtout dans les cas de troubles respiratoires mineurs.

TOUX ET MAL DE GORGE. La molène vulgaire contient une substance, appelée mucilage, qui se gonfle et devient visqueuse lorsqu'elle est mouillée. Cela explique son action bénéfique sur la gorge irritée. L'herboriste et médecin allemand Rudolph Fritz Weiss écrit que la molène vulgaire «jouit d'une excellente réputation comme antitussif».

HÉMORROÏDES. La molène vulgaire apporte plus qu'un soulagement temporaire aux hémorroïdes. Elle contient également des tannins qui ont des propriétés astringentes. Une étude a démontré que la plante possède également des propriétés anti-inflammatoires.

DIARRHÉE. Les tannins astringents de la molène vulgaire confirment l'usage traditionnel que l'on en faisait dans le traitement de la diarrhée.

Préparation et posologie

Pour une infusion qui peut soulager la toux et les maux de gorge ou traiter les cas de diarrhée, prenez 1 c. à café de feuilles, de fleurs ou de racines de molène vulgaire séchée par tasse d'eau bouillante. Laissez infuser pendant 10 minutes. Ne dépassez pas trois tasses par jour. La molène vulgaire a un goût très amer. Ajoutez-y du sucre, du miel ou du citron, ou mélangez-la à une préparation à base de plante pour en rehausser la saveur.

Pour traiter les hémorroïdes, appliquez en compresse une infusion de plante forte, mais froide.

Pour une teinture, prenez 1/2 à 1 c. à café jusqu'à trois fois par jour.

Les infusions de molène vulgaire diluées doivent être données avec prudence aux enfants de moins de deux ans.

Mise en garde

Les graines de molène vulgaire sont toxiques. Aucun effet néfaste n'a toutefois été rapporté au sujet des feuilles, des fleurs ou des racines de la plante.

Les tannins ont à la fois une action cancérigène et anticancérigène. Les scientifiques sont toujours incertains à ce sujet. Les personnes qui présentent des antécédents de cancer devraient s'abstenir d'en prendre.

La Food and Drug Administration inclut la molène vulgaire parmi les plantes qui ne présentent aucun danger. Les femmes en bonne santé qui ne sont pas enceintes ou qui n'allaitent pas peuvent l'utiliser sans crainte si elles respectent les doses prescrites.

La molène vulgaire ne devrait être consommée à des fins thérapeutiques qu'après accord avec son médecin. Si elle provoque de légers troubles, tels que des maux d'estomac ou de la diarrhée, prenez-en moins ou cessez d'en prendre. Consultez votre médecin en cas d'effets indésirables ou si les symptômes persistent deux semaines après le début du traitement.

Une plante très généreuse

La molène vulgaire est une plante bisannuelle robuste qui pousse presque partout dans les climats tempérés. Au cours de la première années, elle produit une rosette de feuilles veloutées d'environ 15 à 35 cm qui se prolongent en ailes le long de la tige. La deuxième année, la plante produit une tige solitaire et fibreuse qui peut atteindre entre 1 m et 2 m. Au sommet de cette tige s'épanouissent de fleurs jaune pâle en gros épis compacts.

La molène vulgaire pousse facilement à partir de graines, dans un sol sablonneux en plein soleil. Elle tolère toutefois d'autres conditions. Semez les graines au printemps après les dangers de gel.

Récoltez le tiers de feuilles la première année, et les deux tiers l'année suivante avant que les fleurs ne s'épanouissent. Ramassez les fleurs dès qu'elles s'ouvrent. Ne récoltez les racines qu'à l'automne.

La molène vulgaire est une plante prolifique qui se reproduit d'elle-même. Les spécialistes recommandent de couper les têtes des fleurs avant que les graines ne soient mûres.

MÛRE

Plus que de la confiture et de la gelée

Famille: *Rosaceæ.* Également la rose, la pomme, l'amande, la fraise

Genres et espèces: *Rubus fruticosus* (européen), *R. villosus* (américain), autres espèces

Autres noms: Ronce des haies, baie de rosée, baie de goutte

Parties utilisées: Les feuilles, l'écorce, les racines et les fruits

Si pour vous la mûre est synonyme de confiture et de gelée, il est temps que vous approfondissiez vos connaissances, car c'est non seulement la mûre, mais le mûrier entier qui est précieux.

À une certaine époque, le mûrier était aussi prisé pour ses feuilles médicinales, son écorce et ses racines que pour son fruit doux. Aujourd'hui, la mûre a perdu sa réputation de plante guérisseuse. Sur ce terrain, elle a été remplacée par sa proche parente, la framboise. Il convient de réhabiliter la mûre. En usage externe, elle peut être utile pour soigner les blessures. Prise en sirop, elle a un goût agréable et favorise la guérison des aphtes (plaies buccales), des maux de gorge et de la diarrhée.

La «baie de goutte»

Les Grecs soignaient la goutte avec des mûres. Ils étaient d'ailleurs les seuls à utiliser la plante pour traiter cette maladie. Cependant, la médecine grecque était si répandue en Europe qu'au XVIIIe siècle, on continuait d'appeler la plante «baie de goutte».

De leur côté, les Chinois soignaient les problèmes de reins, l'incontinence urinaire et l'impotence avec des baies vertes.

Les Romains mâchaient les feuilles et l'écorce quand leurs gencives saignaient et ils faisaient des décoctions chaque fois qu'ils avaient de la diarrhée.

Enfin, les médecins arabes du Xe siècle tenaient le fruit pour aphrodisiaque. Cette réputation est fausse.

«Un excellent sirop»

Au Moyen Âge, on appliquait les feuilles de mûrier sur la peau afin de soigner les brûlures.

Au XVIIe siècle, dans son célèbre traité d'herboristerie, Nicholas Culpeper qualifiait l'herbe de «très liante». Il la préconisait aussi pour «soigner les fièvres, les ulcères, les plaies putrides de la bouche, les parties secrètes (parties génitales), les crachats de sang (tuberculose), les hémorroïdes, les calculs rénaux, le flux menstruel trop abondant et, possiblement, les poussées de chaleur (fièvres) à la tête, aux yeux et sur le corps».

Au XIXe siècle, les médecins éclectiques américains recommandaient une préparation de mûres comme «un excellent sirop qui se révélait des plus utile dans les cas de dysenterie, afin de soulager et de guérir les malades, tout en étant agréable au goût».

Ils recommandaient également les feuilles de mûre pour la gonorrhée, les écoulements vaginaux, les relevailles et «l'infantum du choléra», ancien terme qui désignait la diarrhée infectieuse du nourrisson, laquelle était mortelle avant que les antibiotiques ne soient découverts. Cette affection est encore mortelle dans plusieurs pays.

Les quelques herboristes contemporains qui doutent des propriétés thérapeutiques de la mûre la recommandent toutefois comme un astringent dans les cas de diarrhée.

PROPRIÉTÉS thérapeutiques

Contrairement aux affirmations de Nicholas Culpeper, la mûre ne guérit pas les problèmes génitaux, mais elle s'avère un bon remède pour bon nombre de maladies courantes.

DIARRHÉE. Le pourcentage élevé de tannins rend la mûre astringente et confirme son usage traditionnel dans les cas de diarrhée et de dysenterie.

BLESSURES. L'action astringente des tannins aide à resserrer les vaisseaux sanguins et à arrêter les saignements mineurs. Cette action des tannins expliquerait pourquoi on appliquait traditionnellement la plante sur les plaies. Les épines de mûrier causent souvent des coupure mineures, aussi, il est bien de disposer d'un traitement d'urgence.

APHTES, MAUX DE GORGE. Mangez quelques baies bien mûres. Leurs tannins astringents ont un pouvoir de guérison.

HÉMORROÏDES. La nature astringente de la mûre peut expliquer son usage traditionnel comme traitement des hémorroïdes.

AUTRES PROPRIÉTÉS. Une étude réalisée sur des lapins diabétiques révèle qu'une infusion corsée de feuilles de mûrier diminue le taux de glucose sanguin. Cette expérience suggère des applications intéressantes dans le contrôle du diabète.

Des études scientifiques ont aussi démontré que la framboise, proche parent de la mûre, détend l'utérus. La framboise est conseillée aux femmes qui souffrent de douleurs menstruelles.

Préparation et posologie

Les infusions, les décoctions et les tisanes sont recommandées dans les cas de diarrhées ou de maux de gorge. Pour une infusion, prenez 2 à 3 c. à café de feuilles de mûre séchées par tasse d'eau bouillante. Laissez infuser de 10 à 20 minutes. Ajoutez un peu de lait et ne dépassez pas trois tasses par jour. Pour l'infusion, vous pouvez également utiliser une poignée de baies broyées, séchées ou fraîches, ou 1 ou 2 c. à café d'écorce en poudre.

Pour une décoction, prenez une cuillerée à café de racine en poudre par tasse d'eau. Faites bouillir 30 minutes. Contentez-vous d'une tasse par jour. Versez-y une goutte de lait.

Pour une tisane, ne prenez que deux cuillerées à café par jour.

Pour les préparations commerciales, lisez le mode d'emploi.

Pour traiter les blessures et les hmorroïdes, trempez un chiffon propre dans une tisane ou une infusion corsée et appliquez-le sur la région affetée.

La mûre utilisée à des fins thérapeutiques ne doit pas être administrée à des enfants de moins de deux ans. Les enfants plus âgés et les personnes de plus de 65 ans devraient commencer par des préparations faiblement concentrées et augmenter la dose au besoin.

Mise en garde

Le rôle des tannins reste à clarifier. D'après certaines études, le tannin pourrait favoriser l'apparition du cancer et, simultanément, protéger de ses effets. On a beaucoup parlé de leur action cancérigène. Notamment, une étude publiée dans le *Journal of the National Cancer Institute* a montré que les tannins pouvaient causer l'apparition de tumeurs malignes chez les animaux de laboratoire. Par ailleurs, ces mêmes tannins préviendraient ces mêmes tumeurs.

L'action des tannins dans le cancer reste à déterminer. Certes, de petites quantités ne sont pas préjudiciables, mais on a noté un taux de cancer de l'estomac anormalement élevé chez les Asiatiques qui consomment beaucoup de thé, lequel contient de fortes doses de tannins. Pour en neutraliser l'effet, il faut ajouter du lait. C'est d'ailleurs ce que font les Anglais qui, contrairement aux Asiatiques, ne souffrent que peu ou pas de cancer de l'estomac. Par conséquent, les personnes qui ont été touchées par le cancer, essentiellement le cancer de l'estomac et le cancer du côlon, doivent s'abstenir de prendre des préparations à base de mûres. Les autres ne devraient pas dépasser les doses prescrites pour les infusions et les décoctions. Pour plus de sûreté, il est bon d'ajouter un peu de lait.

Signaux de détresse

De grandes quantités de tannins risquent de causer des maux d'estomac, des nausées et des vomissements. L'écorce de racine de mûrier contient la plus importante quantité de tannins. Les feuilles en contiennent un peu moins, et le fruit, encore moins. Les personnes qui souffrent de problèmes gastro-intestinaux comme la colite ne devraient pas utiliser les racines.

Les femmes en bonne santé qui ne sont pas enceintes et qui n'allaitent pas peuvent l'utiliser sans crainte si elles respectent les doses prescrites.

La mûre ne devrait être consommée à des fins thérapeutiques qu'après accord avec le médecin. Si la mûre provoque de légers troubles, tels que des nausées ou des vomissements, prenez-en moins ou cessez d'en prendre. Consultez votre médecin en cas d'effets indésirables ou si les symptômes persistent deux semaines après le début du traitement.

À l'état sauvage dans le jardin

Le mûrier pousse à l'état sauvage à peu près partout en Amérique du Nord. Ses tiges, longues et enchevêtrées, sont remplies d'épines. Son feuillage est plein de sève. Ses nombreux fruits rougissent quand ils mûrissent et prennent une couleur noir bleuté au milieu de l'été.

Le mûrier est si vigoureux et si prolifique qu'il forme vite un ensemble impénétrable. Les jardiniers savent très bien que le mûrier est presque impossible à déraciner. Même quand il est déraciné, des fragments de racines épars continuent de pousser. Pour remédier au problème, il est conseillé de planter l'arbuste dans des godets ou d'entourer ses racines de tôle.

Les mûres poussent facilement à partir de racines d'un peu plus d'un cm coupées à l'automne et conservées pendant l'hiver dans du sable frais (environ 10 °C). Plantez les racines verticalement à 8 cm du sol minimum, et 11 cm maximum. Espacez les plants de 30 à 90 cm.

Bien que le mûrier s'adapte à tous les milieux, il préfère les sols riches, humides et aérés, enrichis d'engrais ou de compost. Les plants fleurissent au printemps et font des fruits tout l'été.

Ramassez les feuilles et les racines en tout temps. Pour cueillir les mûres plus facilement, faites grimper les ronces sur des supports et taillez-les sans hésitation.

MYRRHE

Un rince-bouche résolument moderne

Famille: *Burseraceæ.* Également le bde-llium
Genres et espèces: *Commiphora abyssinica* ou *C. myrrha*
Autres noms: Mo yoa (en Chine), balsamodendron
Partie utilisée: La gomme résineuse

La Bible nous raconte que les frères de Joseph, étant très jaloux, comploterent de se débarrasser de lui. Mais comment allaient-ils se défaire de leur frère, rival non souhaité, sans avoir à le tuer et risquer de perdre l'affection de leur père? La réponse se présenta bientôt à l'horizon: «Et en levant les yeux, ils virent une caravane d'Ismaïliens à dos de chameaux qui venaient de Judée et qui, en route vers l'Égypte, transportaient avec eux de la gomme, du baume et de la myrrhe (Genèse 37:25). Les frères vendirent Joseph aux Ismaïliens.»

Ce n'est là qu'une référence parmi tant d'autres histoires bibliques où l'on mentionne ces pépites dures en forme de larme qui proviennent de la résine aromatique transparente ou brun roux produite à partir des entailles que l'on fait dans l'écorce d'un petit arbre du Moyen-Orient.

Ce furent les Égyptiens de l'Antiquité qui utilisèrent les premiers la myrrhe dans des mélanges qui servaient à l'embaumement. Par la suite, la myrrhe devint l'aromate biblique le plus utilisé dans les parfums et lors de funérailles. On l'utilisait aussi pour repousser les insectes. De nos jours, cette plante prévient la carie dentaire et la maladie des gencives.

Les origines mythologiques

Les Grecs relièrent la forme de larmes de la myrrhe à Myrrha, fille de Thesis, roi de la Syrie. On raconte que Myrrha refusa de vénérer Aphrodite, déesse de l'amour. Cette dernière, furieuse du refus, amena Myrrha à commettre un inceste avec son père.

Quand Thesis réalisa ce qu'il avait fait, il menaça de tuer sa fille. Pour la sauver, les dieux la transformèrent en un arbre, la myrrhe, dont la résine en forme de larme rappelle son chagrin.

Les médecins grecs et romains de l'Antiquité utilisèrent cette plante pour soigner leurs blessures et prescrivirent sa consommation pour stimuler la digestion et déclencher les règles.

Soulagements des gencives douloureuses

Au fil des siècles, on se servit de la myrrhe surtout comme traitement oral pour les saignements de gencives, les ulcères de la bouche et le mal de gorge. L'abbesse et herboriste allemande Hildegard de Bingen prescrivait un mélange de myrrhe en poudre et d'aloès afin de soulager les problèmes de dents. Plus tard, les herboristes l'utilisèrent aussi comme expectorant dans les cas de rhumes et de congestion pulmonaire.

Les médecins éclectiques américains du XIXe siècle considéraient que la myrrhe était un antiseptique qui, en application externe, servait à traiter les «plaies indolentes et les ulcères gangreneux». Ils en prescrivaient la consommation pour les rhumes, la laryngite, l'asthme, la bronchite, l'indigestion, la gonorrhée, le mal de gorge, les caries dentaires et la mauvaise haleine. Les médecins éclectiques mettaient également leurs patients en garde contre de trop grandes quantités de myrrhe qui pouvaient provoquer une action laxative violente, causer de la transpiration, des nausées, des vomissements et accélérer les battements du cœur.

Les herboristes contemporains recommandent d'ajouter de la myrrhe en poudre comme antiseptique pour désinfecter les plaies et blessures. Ils considèrent en outre qu'un gargarisme au moyen de cette plante peut s'avérer efficace contre les maux de gorge, les rhumes, le maux de dents et des gencives, la toux, l'asthme, de même que la congestion pulmonaire.

PROPRIÉTÉS thérapeutiques

Depuis un siècle, on continue d'utiliser la myrrhe dans le domaine de l'hygiène orale.

RINCE-BOUCHE. La myrrhe contient des tannins, qui ont sur les tissus un effet astringent. Les chercheurs chinois ont remarqué que les substances contenues dans cette plante combattaient les bactéries. Les scientifiques indiens de leur côté ont découvert que la plante a une action anti-inflammatoire. Tous ces facteurs prouvent son utilité en tant que rince-bouche. La myrrhe a un goût amer, mais rafraîchissant, et peut aider à soulager l'inflammation et détruire les bactéries de la gingivite, premier stade de la maladie des gencives. Cette plante est un des ingrédients que l'on trouve dans certains rince-bouche.

DENTIFRICE. La plupart des dentifrices européens contiennent de la myrrhe, plante qui aide à combattre les bactéries responsables de la carie dentaire.

AUTRES PROPRIÉTÉS. La myrrhe peut prévenir la maladie de cœur. Les premières études indiennes estiment que cette plante réduit le cholestérol. Elle peut aussi aider à prévenir la formation des caillots internes de sang à l'origine de la crise cardiaque.

Préparation et posologie

Pour un rince-bouche, faites macérer 1 c. à café d'herbe séchée et 1 c. à café d'acide borique dans 1/2 litre d'eau bouillante. Laissez reposer 30 minutes et tamisez le mélange. À consommer frais.

Pour une infusion qui peut aider à prévenir les maladies cardiaques, prenez 1 c. à café d'herbe en poudre par tasse d'eau bouillante. Laissez infuser pendant 10 minutes. Ne dépassez pas deux tasses par jour. La myrrhe a un goût amer et désagréable. Ajoutez du sucre, du miel et du citron à l'infusion, ou mélangez-la à une autre préparation à base de plantes pour rendre le goût meilleur.

Pour une teinture, prenez 1/2 à 1 c. à café jusqu'à trois fois par jour.

La myrrhe est déconseillée aux enfants de moins de deux ans. Les enfants plus âgés et les personnes de plus de 65 ans devraient commencer par des préparations faiblement concentrées et augmenter la dose au besoin.

Mise en garde

On n'a jamais démontré que la myrrhe stimulait les contractions utérines, mais son usage traditionnel comme déclencheur de règles devrait servir de mise en garde aux femmes enceintes.

D'après les médecins éclectiques, la myrrhe absorbée en grande quantité pourrait avoir une action laxative et pourrait causer d'autres symptômes comme la transpiration, les nausées, les vomissements et l'accélération du rythme cardiaque.

La Food and Drug Administration inclut la myrrhe parmi les plantes qui ne présentent aucun danger. Les femmes en bonne santé qui ne sont pas enceintes ou qui n'allaitent pas peuvent l'utiliser sans crainte si elles respectent les doses prescrites.

La myrrhe ne devrait être consommée à des fins thérapeutiques qu'après accord avec son médecin. Si elle provoque de légers troubles, tels que des maux d'estomac ou de la diarrhée, prenez-en moins ou cessez d'en prendre. Consultez votre médecin en cas d'effets indésirables ou si les symptômes persistent deux semaines après le début du traitement.

Si vos saignements de gencives ou votre douleur aux dents et aux gencives persistent au-delà de deux semaines, consultez un dentiste.

Un arbre guérisseur

La myrrhe est un grand arbrisseau ou un petit arbre qui pousse au Moyen-Orient, ainsi qu'en Éthiopie et en Somalie. Une huile jaune pâle s'échappe des entailles faites dans son écorce gris sombre et durcit pour former les pépites de myrrhe en forme de larme, qu'on utilise réduites en poudre comme plante médicinale.

NERPRUN

Un excellent laxatif

Famille: *Rhamnaceæ*. Également le cascara sagrada

Genres et espèces: *Rhamnus cathartica, R. frangula*

Autres noms: Noirprun, épine noire, épine de cerf, punajer

Parties utilisées: Les baies et l'écorce

Le nerprun est un laxatif si puissant que les spécialistes préconisent de ne l'utiliser qu'en dernier ressort, lorsque d'autres laxatifs plus doux n'ont pas fait effet.

Le nerprun est devenu une plante médicinale populaire en Europe vers le XIIIe siècle. À cette époque, il y avait peu de médicaments efficaces. On croyait que pour guérir la maladie, on devait purger le corps de toutes ses humeurs infectes. Il n'est donc pas surprenant que l'on prescrivât des laxatifs puissants. On préférait à toute autre plante le nerprun, car son action était sûre et rapide. Bien sûr, le nerprun ne guérissait pas la maladie. En fait, il purgeait vraiment les gens et leur causait des douleurs intestinales intenses.

À travers les âges

Depuis l'aube des temps, les herboristes recommandent le nerprun pour la jaunisse, les hémorroïdes, la goutte, l'arthrite et pour déclencher les règles.

Le nerprun a également une réputation de longue date comme traitement contre le cancer. En Amérique, il était l'un des ingrédients de la formule de Hoxsey (voir p. 18), un médicament populaire, mais fort controversé, contre le cancer.

PROPRIÉTÉS thérapeutiques

Le nerprun ne guérit ni la jaunisse ni l'arthrite. En outre, il est fort probable qu'il aggrave les hémorroïdes. Son action laxative est tellement puissante qu'on le considère comme un purgatif.

PURGATIF. L'emploi du nerprun pour son effet laxatif n'est pas contesté. C'est un ingrédient que l'on retrouve dans certains laxatifs en vente libre.

Le nerprun contient des agents chimiques, les anthraquinones dont l'effet purgatif est beaucoup trop fort pour la plupart des gens. On ne devrait l'utiliser qu'en dernier recours pour la constipation. D'abord, adoptez un régime alimentaire riche en fibres, buvez plus de liquides et faites plus d'exercice. Si cette méthode ne procure aucun soulagement, essayez un laxatif plus doux comme le plantain (voir p. 353). Si l'action de ce dernier n'est pas suffisante, essayez un anthraquinone à effet modéré comme le cascara sagrada (voir p. 125). Le nerprun ne devrait être utilisé en dernier recours qu'après accord avec son médecin.

AUTRES PROPRIÉTÉS. Harry Hoxsey avait peut-être raison. Le nerprun a une action anti-tumorale, selon une étude publiée dans le *Journal of the National Cancer Institute*. Cependant, d'autres études devront être effectuées avant que l'on n'utilise cette plante pour traiter le cancer.

Préparation et posologie

En Allemagne, les médecins prescrivent une infusion d'écorces de nerprun séchées, de graines de fenouil et de fleurs de camomille, laquelle soulage l'estomac. Prenez 1/2 c. à café de chaque plante, laissez infuser dans une tasse d'eau bouillante pendant 10 minutes. Buvez le mélange avant de vous coucher. Le goût est d'abord doux, puis il devient amer.

Pour une décoction, portez à ébullition 1 c. à café de nerprun séché dans trois tasses d'eau et laissez infuser pendant 30 minutes. Buvez la décoction une fois refroidie, 1 c. à café à la fois, avant de vous coucher.

Pour une teinture, prenez 1/2 c. à café avant de vous coucher.

Mise en garde

À cause de son action laxative puissante, le nerprun ne devrait pas être utilisé par les personnes qui souffrent de problèmes gastro-intestinaux chroniques, notamment les ulcères, la colite ou les hémorroïdes. Les femmes enceintes devraient s'abstenir d'en prendre.

N'utilisez pas le nerprun pendant plus de deux semaines d'affilée. Un usage prolongé pourrait provoquer le syndrome du côlon paresseux, c'est-à-dire l'incapacité d'évacuer les selles sans stimulation chimique. Si la constipation persiste, consultez un médecin.

Assurez-vous que le nerprun consommé est complètement séché. Sans quoi, il pourrait provoquer des vomissements, des douleurs abdominales graves et de violentes diarrhées. La plupart des herboristes recommandent de sécher les baies ou l'écorce pendant au moins un an. D'autres préconisent de les sécher pendant au moins deux ans avant de les utiliser. Le nerprun frais peut être séché artificiellement, dans un four chauffé à 120 °C, pendant quelques heures. Consultez immédiatement un médecin si vous souffrez de nausées ou de troubles abdominaux.

Les femmes en bonne santé, qui n'allaitent pas, qui n'ont pas de problèmes gastro-intestinaux chroniques et qui ne prennent aucun laxatif peuvent utiliser le nerprun avec prudence et pendant de courtes périodes si elles respectent les doses prescrites. Le nerprun ne devrait être consommé à des fins thérapeutiques qu'après accord avec son médecin. S'il provoque de légers troubles, tels que des douleurs intestinales ou de fortes diarrhées, prenez-en moins ou cessez d'en prendre. Consultez votre médecin en cas d'effets indésirables ou si la constipation persiste pendant plus de quelques jours.

Pas une herbe de jardin

Le nerprun est un arbrisseau qui atteint environ 7 m. Il possède des feuilles luisantes vert foncé et produit des baies noires de la taille d'un pois. Le nerprun n'est pas une plante de jardin.

ORIGAN

Un remède contre les rhumes

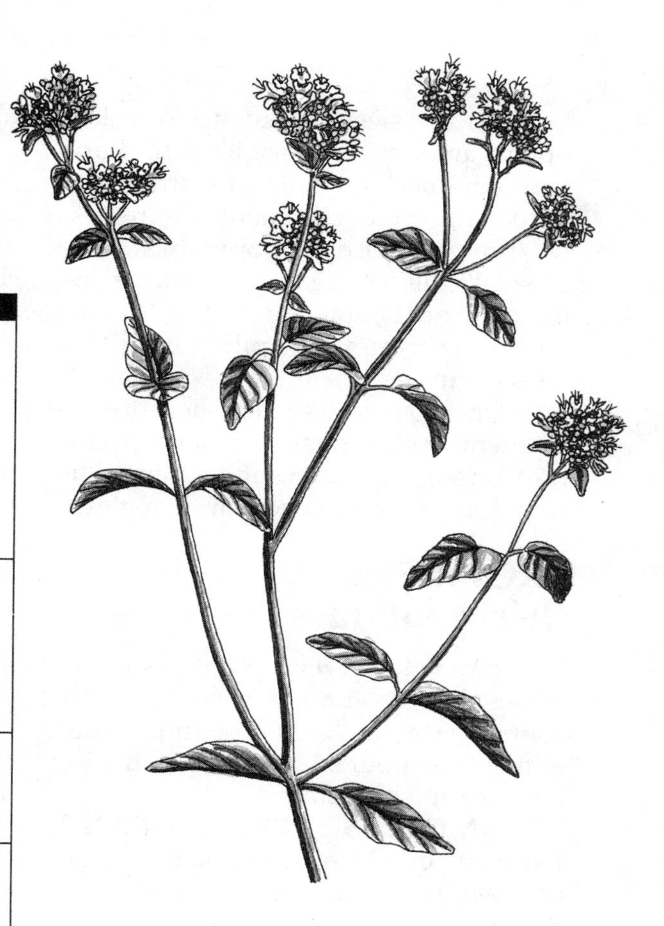

Familles: *Labiatæ*. Également la marjolaine et la menthe. *Verbenaceæ*. Également la verveine et le teck. *Asteraceæ*. Également l'aster. *Scrophulariaceæ*. Également la molène vulgaire
Genres et espèces: *Origanum vulgare, O. heracleoticum, O. onites* et *Lippia graveolens*; ainsi que 40 autres plantes
Autres noms: Marjolaine sauvage, sauge sauvage mexicaine
Parties utilisées: Les feuilles et les tiges

L'origan sert la plupart du temps à relever le goût de certains plats. Mais la seule prononciation du mot «origan» peut donner des maux de tête à bien des botanistes. La raison est très simple: plus de 40 plantes provenant de quatre familles botaniques différentes portent le nom d'origan. Cette confusion importe peu quand cette plante est utilisée à des fins thérapeutiques. En effet, comme toutes les plantes appelées origan ont le même goût et contiennent une huile analogue, elles produisent certainement toutes les mêmes effets.

Les médecins chinois respectueux des traditions utilisèrent l'origan pendant des siècles pour traiter la fièvre, les vomissements, la diarrhée, la jaunisse, ainsi que les irritations cutanées accompagnées de démangeaisons.

Beaucoup plus qu'un condiment

Les Européens l'utilisèrent comme la marjolaine, c'est-à-dire en aromate et en stimulant digestif, ainsi que pour traiter l'arthrite et pour déclencher les règles, en expectorant pour les rhumes, la grippe et la toux, et enfin en décongestionnant respiratoire.

Au XIXe siècle, les médecins éclectiques américains considéraient l'origan comme «un tonique stimulant doux» et un déclencheur de règles. D'autres guérisseurs populaires utilisaient l'huile d'origan pour traiter les maux de dents, soulager l'arthrite et favoriser la croissance pileuse sur les têtes chauves.

De nos jours, les herboristes estiment que l'origan est un expectorant, un stimulant digestif, un tranquillisant doux et un déclencheur de règles.

PROPRIÉTÉS thérapeutiques

L'origan ne fait certainement pas pousser les cheveux sur une tête chauve. Par contre, cette plante thérapeutique peut être utilisée pour soigner une mauvaise toux ou une bronchite.

ANTITUSSIF, EXPECTORANT. L'origan, quelle que soit son espèce, contient une huile volatile composée de deux expectorants aux propriétés chimiques semblables (carvacrol et thymol). Ces expectorants ayant la propriété de permettre aux flegmes de se détacher et de s'expulser plus facilement, on utilise cette plante dans le traitement des rhumes, de la grippe et de la congestion respiratoire.

STIMULANT DIGESTIF. Comme la plupart des épices culinaires, l'origan aide à soulager les parois du muscle lisse du tube digestif, donnant ainsi à la plante des propriétés antispasmodiques. Il permet également l'expulsion des parasites intestinaux. Grâce à ces deux effets thérapeutiques, l'origan est utilisé comme stimulant digestif depuis très longtemps.

Préparation et posologie

Pour calmer vos maux d'estomac à la fin d'un repas ou pour soigner votre rhume, faites-vous une infusion chaude, aromatique et épicée d'origan en mettant 1 à 2 c. à café d'herbes séchées par tasse d'eau bouillante. Laissez infuser 10 minutes. Ne dépassez pas trois tasses par jour.

L'origan est à déconseiller à des fins thérapeutiques aux enfants de moins de deux ans.

Mise en garde

Généralement, la plupart des plantes antispasmodiques soulagent le tube digestif et détendent en même temps l'utérus. Ce n'est pas le cas de l'origan. En effet, la science n'a jamais prouvé que cette plante stimulait les contractions utérines, même si on reconnaît depuis longtemps qu'elle peut déclencher les règles. Les femmes enceintes ne devraient consommer l'origan que dans leur alimentation, et éviter de l'utiliser à des fins thérapeutiques.

Les ouvrages médicaux sur l'origan ne mentionnent aucun effet nocif.

Les femmes en bonne santé qui ne sont pas enceintes ou qui n'allaitent pas peuvent utiliser l'origan sans crainte si elles respectent les doses prescrites.

L'origan ne devrait être consommé à des fins thérapeutiques qu'après accord avec son médecin. Si elle provoque de légers troubles, tels que des maux d'estomac ou de la diarrhée, prenez-en moins ou cessez d'en prendre. Consultez votre médecin en cas d'effets indésirables ou si les symptômes persistent deux semaines après le début du traitement.

Cultivez votre propre origan

Parmi les douzaines d'espèces de plantes portant le nom d'origan, on recommande généralement d'utiliser le *O. heracleoticum* parce qu'elle est la plus aromatique et la plus parfumée de toutes. Vous pouvez faire pousser la plante à partir de graines, de boutures ou de racines. Les graines mettent parfois beaucoup de temps à germer. La plante *O. heracleoticum* requiert de la lumière, un sol bien drainé et légèrement alcalin. Elle doit pousser en plein soleil pour avoir le meilleur goût et être très parfumée. Récoltez l'origan lorsque les plants sont en fleurs.

Une autre espèce d'origan bien appréciée est le *Lippia graveolens.* Ce type d'origan pousse à l'extérieur, dans le sud et le sud-ouest des États-Unis. À l'intérieur, on doit le faire pousser en pot, sur le bord d'une fenêtre exposée au sud. Le sol doit être bien drainé, mais pas forcément enrichi. Récoltez la plante lorsqu'elle est en fleurs.

ORME ROUGE

La plante préférée des pionniers américains

Famille: *Ulmaceæ.* Également les orties
Genres et espèces: *Ulmus rubra, U. fulva*
Autres noms: Orme des Indiens (en Amérique), orme champêtre, orme commun, ormeau, yvet
Partie utilisée: L'écorce séchée

Écorce séchée

De nos jours, aucun aliment ni médicament n'occupe la place d'honneur de l'orme rouge du XVIIIe et XIXe siècles aux États-Unis. De grandes forêts d'ormes couvraient en effet tout l'est de ce pays, et même dans les villes, l'écorce aux maints usages de cet arbre était à portée de la main.

Une écorce pour toutes les raisons

À l'époque où la réfrigération n'existait pas encore, on trempait dans de l'eau l'écorce de l'orme rouge que l'on enveloppait par la suite autour de la viande pour en retarder le pourrissement. Moulue grossièrement et mélangée à de l'eau, l'écorce devenait une masse spongieuse et était moulée en pansements pour couvrir les plaies. On s'en servait également pour recouvrir les pilules de médicaments au goût désagréable. Moulue et mélangée à de l'eau ou à du lait, l'écorce d'orme rouge devenait un aliment apaisant et nourrissant semblable aux flocons d'avoine. Ce mélange servait à traiter les maux de gorge, les rhumes, la toux, et les douleurs gastro-intestinales. De même, on l'utilisait pour nourrir les enfants et les patients dans les hôpitaux. On trouvait des pastilles d'orme rouge pour les maux de gorge dans presque toutes les armoires à pharmacie que l'on avait chez soi, et la plante était le principal remède maison national pour calmer toutes les douleurs.

L'orme rouge figure toujours dans le *National Formulary*, livre de référence des pharmaciens. De plus, les magasins de produits naturels vendent encore des pastilles à base de cette plante. Mais nos forêts d'ormes jadis si grandes ont été décimées par le champignon parasite de l'orme, ce qui eut pour conséquence d'appauvrir à la fois notre paysage et notre patrimoine de plantes médicinales.

Écorce pour les os cassés

Dioscoride, médecin grec du Ier siècle, prescrivait un bain d'orme européen pour hâter la guérison des os cassés. On a continué à prescrire ce traitement pendant plus de 1 500 ans. Au XVIIe siècle, l'herboriste britannique Nicholas Culpeper écrivait: «Après un bain dans cette décoction, les os cassés guérissent ... cette décoction est excellente aux endroits ... brûlés par le feu. Les feuilles écrasées que l'on appliquait sur les plaies en les attachant avec l'écorce soulageaient les plaies.» Culpeper estimait également qu'une décoction de racines d'orme rouge faisait pousser les cheveux sur les têtes chauves.

Les colons constatèrent que les Indiens utilisaient l'orme rouge américain à la fois comme nourriture et traitement des plaies, des maux de gorge, de la toux, des mastites (inflammation mammaire) et beaucoup d'autres maladies. Les pionniers adoptèrent ces coutumes et développèrent les leurs. Ils appliquaient par exemple des cataplasmes d'orme rouge sur les furoncles pour qu'ils éclatent.

Ce furent les herboristes thomsonniens du XIXe siècle qui recommandèrent une infusion d'orme rouge comme laxatif, suffisamment douce pour les enfants. Pour leur part, les sages-femmes huilaient leurs mains avec de l'écorce d'orme rouge avant de pratiquer des examens externes.

La loi du bâtonnet d'orme

Pour interrompre leur grossesse, les femmes indiennes se servaient de bâtonnets d'orme rouge. Les femmes blanches adoptèrent cette pratique, qui entraînait souvent la mort à la suite d'une infection de l'utérus et d'une hémorragie. Le résultat: plusieurs États passèrent des lois qui interdisaient la vente d'écorce d'orme rouge en morceaux plus longs que 3,75 cm.

Pendant la guerre de Sécession, on utilisait l'orme rouge pour traiter la syphilis, la gonorrhée et les hémorroïdes. Les médecins éclectiques américains estimaient qu'il était «très précieux» et «qu'une cuillerée à soupe de poudre bouillie dans du lait procure un régime nourrissant pour des enfants qu'on vient de sevrer, leur évitant les dérangements intestinaux auxquels ils sont souvent sujets. Quelques médecins considéraient que si les femmes consommaient de l'orme rouge durant et après le septième mois de leur grossesse, leur accouchement s'effectuerait plus en douceur.»

Les herboristes contemporains préconisent l'orme rouge en application externe pour couvrir les plaies et soulager les problèmes de la peau. Ils recommandent de le consommer sous forme d'infusion pour traiter le mal de gorge, la toux, la diarrhée, les ulcères, les colites et autres maladies gastro-intestinales.

PROPRIÉTÉS thérapeutiques

Même la Food and Drug Administration qualifie l'orme rouge d'excellent adoucissant.

BLESSURES. L'écorce d'orme rouge contient des cellules spéciales qui se gonflent en une masse spongieuse lorsqu'on y ajoute du liquide. Appliquée sur des blessures nettoyées à fond, cette masse sèche et forme un pansement naturel.

TOUX, MAUX DE GORGE, TROUBLES DIGESTIFS. Une décoction d'écorce d'orme rouge permet de soulager la gorge et le tube digestif.

SANTÉ DE LA FEMME. Les femmes enceintes utilisent les décoctions d'écorce d'orme rouge depuis des siècles. Les ouvrages médicaux ne rapportent aucun problème à ce sujet. L'ingrédient actif, le mucilage, ne devrait pas causer de tort au fœtus. Si vous avez des antécédents de grossesse difficile, consultez votre médecin avant d'en prendre.

EMPLOI CONTESTÉ. On n'a jamais prouvé que l'écorce d'orme rouge pouvait favoriser la guérison des os cassés.

Préparation et posologie

Pour un cataplasme qui servira de pansement pour des blessures, ajoutez assez d'eau dans de l'écorce en poudre jusqu'à ce que vous obteniez une pâte. Appliquez sur le site de la blessure.

Pour une décoction apaisante, prenez 1 à 3 c. à café de plante en poudre par tasse d'eau. Mélangez d'abord à un peu d'eau pour éviter les grumeaux. Portez à ébullition et laissez mijoter pendant 15 minutes. Ne dépassez pas trois tasses par jour. L'orme rouge a un goût léger et son arôme rappelle celle de l'érable.

Les préparations d'orme rouge peuvent être données avec prudence aux enfants de moins de deux ans.

Mise en garde

L'orme rouge peut provoquer une réaction allergique. Sinon, les ouvrages médicaux sur cette plante ne mentionnent pas d'effets nocifs.

Les personnes en bonne santé peuvent l'utiliser sans crainte si elles respectent les doses prescrites.

L'orme rouge ne devrait être consommé à des fins thérapeutiques qu'après accord avec son médecin. Consultez ce dernier en cas d'effets indésirables ou si les symptômes persistent deux semaines après le début du traitement. Consultez également votre médecin si vos blessures deviennent brûlantes, rougeâtres, douloureuses ou enflammées.

Les nombreuses vertus de l'orme rouge

L'orme rouge est un arbre majestueux qui atteint environ 18 m de haut. L'écorce de son tronc est brune, mais celle des branches est plutôt blanche. Il possède de grandes feuilles rugueuses, velues et dentées. Demandez à votre pépiniériste si l'orme rouge peut pousser dans votre région.

ORTIE

Traitement contre la goutte

Famille: *Urticaceæ.* Également d'autres espèces d'orties
Genre et espèce: *Urtica dioica*
Autres noms: Grande ortie et ortie dioïque
Parties utilisées: Les feuilles et les tiges

Tout le monde reconnaît que les piqûres d'ortie sont douloureuses. Par contre, ses propriétés médicinales ne font pas l'unanimité. Un herboriste contemporain la présente comme l'une des plantes dont on peut tirer le maximum de profit. Cependant, beaucoup de scientifiques estiment que la plante consommée oralement n'a pas de valeur au point de vue pharmacologique.

L'ortie n'est pas la plante la plus bénéfique qui soit, mais en application externe, elle calme les douleurs de la goutte. Quand on la consomme, elle peut soulager les symptômes du rhume des foins et traiter l'hypertension artérielle.

Aussi solide que du chanvre

L'ortie était autrefois utilisée pour le tissage avant qu'on ne reconnaisse ses vertus thérapeutiques. Les archéologues ont découvert au Danemark des linceuls mortuaires couverts de tissu d'ortie dans des sites datant de l'âge du bronze. Dans *Les Misérables,* de Victor Hugo, l'un des personnages dit du tissu d'ortie qu'il est aussi solide que le chanvre. Durant la Première Guerre mondiale, quand le coton se fit rare en Allemagne, on le remplaça par du tissu confectionné à partir d'ortie.

Son usage médicinal remonte à l'ancien monde. Aux environs du troisième siècle avant Jésus-Christ, les contemporains d'Hippocrate conseillaient d'appliquer du jus d'ortie sur les morsures de serpents et de scorpions. Consommée, l'ortie servait d'antidote contre les plantes vénéneuses, telles que la ciguë et l'herbe aux poules.

Les soldats romains se flagellaient avec des feuilles d'ortie dans certaines contrées froides pour se réchauffer la peau. Cette pratique, appelée urtication, est encore courante de nos jours dans les cas de raideurs articulaires provoquées par l'arthrite et de violentes douleurs articulaires caractéristiques de la goutte.

Du saignement de nez au lait maternel

Les premiers herboristes européens vantaient les bienfaits thérapeutiques de l'ortie dans le traitement de la toux et de la tuberculose. Aussi curieux que cela puisse paraître, la plante était fumée pour traiter l'asthme. Les herboristes prescrivaient aussi l'ortie pour soigner le scorbut et arrêter les saignements, particulièrement ceux du nez. On finit par attribuer au jus d'ortie certains pouvoirs reliés à la pousse des cheveux. Pendant tout le XIXe siècle, le jus d'ortie est d'ailleurs resté l'un des composants des remèdes de charlatan censés faire pousser les cheveux.

Au XVIIe siècle, l'herboriste britannique Nicholas Culpeper approuva toutes les ordonnances à base d'ortie que les médecins avaient prescrites avant lui et ajouta les siennes. Il déclarait: «Une décoction de feuilles d'ortie mélangée à du vin est très efficace pour provoquer les règles.»

Les Indiennes d'Amérique croyaient qu'une infusion d'ortie pendant la grossesse était bénéfique pour le fœtus et facilitait l'accouchement. Elles l'utilisaient également pour arrêter les saignements utérins après l'accouchement. Les premiers colons adoptèrent cet usage et les mères qui allaitaient consommaient aussi des orties pour produire davantage de lait.

Au XIXe siècle, les médecins éclectiques américains recommandaient l'ortie essentiellement comme un diurétique dans le traitement des troubles urinaires et des problèmes de vessie et de reins. Cependant, le *King's American Dispensatory* le présentait comme «un excellent styptique» (destiné à arrêter les saignements) et comme traitement de la diarrhée infantile, des hémorroïdes et de l'eczéma.

De nos jours, les herboristes recommandent l'ortie comme fortifiant permettant de «renforcer l'organisme et de le maintenir en bonne santé». Plusieurs souscrivent à tous les usages traditionnels de l'ortie, qu'il s'agisse de stimuler la lactation ou de faire pousser les cheveux.

PROPRIÉTÉS thérapeutiques

L'ortie ne permet pas aux cheveux de pousser. Elle ne favorise pas la lactation ni ne garantit un accouchement facile. Cependant la science appuie certains usages thérapeutiques que l'on en faisait dans le passé.

GOUTTE. Certains chercheurs allemands ont démontré que le jus et les infusions d'ortie soulagent la douleur provoquée par la goutte. Selon l'herboriste et médecin Rudolph Fritz Weiss, l'action de la plante n'est pas très puissante, mais l'usage prolongé pourrait donner de bons résultats cliniques.

James Duke, spécialiste de la guérison par les plantes pour le compte du U.S. Department of Agriculture, qui souffre également de la goutte, explique: «Je souffrais depuis une semaine de douleurs lancinantes au coude causées par la goutte. Les médicaments qu'avait prescrit mon médecin aidèrent à soulager la douleur, sans toutefois éliminer la goutte. Je me suis piqué le coude de feuilles d'orties. La piqûre m'a fait oublié temporairement l'autre douleur. Peut-être est-ce une coïcidence ou un remède de prédilection, je n'en sais rien. Mais la goutte avait disparu le soir même. Dans l'après-midi, j'ai pu faire de la marche et de la course sans ressentir aucune douleur.»

HYPERTENSION ARTÉRIELLE. L'ortie agit également comme diurétique. En Allemagne, où la guérison par les plantes est très populaire, les médecins prescrivent de l'ortie dans leur traitement contre l'hypertension artérielle. Le Dr Weiss explique: «Le jus d'ortie est des plus bénéfique comme diurétique. Il a l'avantage d'être bien toléré par les patients et d'être sûr, contrairement aux médicamants thiazidiques pharmaceutiques fort utilisés.

L'hypertension artérielle est une maladie grave qui exige des soins médicaux professionnels. Si vous désirez ajouter l'ortie à votre traitement régulier, consultez d'abord votre médecin.

L'ortie est peut-être plus sécuritaire que les médicaments thiazidiques, mais les diurétiques épuisent les réserves de potassium, nutriment essentiel au bon fonctionnement de l'organisme. Si vous prenez de l'ortie sur une base régulière, consommez également des aliments riches en potassium comme les bananes et les légumes frais.

Les femmes enceintes ou qui allaitent doivent éviter les diurétiques.

INSUFFISANCE CARDIAQUE CONGESTIVE. Les médecins prescrivent souvent des diurétiques aux patients atteints de cette maladie afin d'éviter que s'accumulent des liquides, caractéristique de l'insuffisance congestive. Les maladies cardiaques exigent des soins professionnels. Si vous désirez ajouter l'ortie à votre traitement régulier, ne le faites qu'après accord de votre médecin et sous sa surveillence.

RHUME DES FOINS. Une étude au National College of Naturopathic Medicine, à Portland, a démontré que des capsules de 300 mg d'herbe séchée à froid soulage assez bien les symptômes du rhume des foins. Ces capsules ne sont pas encore disponibles sur le marché. Essayez donc une infusion afin d'en vérifier l'efficacité.

SYNDROME PRÉMENSTRUEL. Les diurétiques soulagent les sensations de ballonnements causés par la rétention de fluides avant les règles. Les femmes qui souffrent du syndrome prémenstruel pourraient essayer l'ortie quelques jours avant leurs règles.

SCORBUT. L'ortie a une forte teneur en vitamine C, ce qui explique l'usage que l'on en faisait dans le traitement du scorbut.

AUTRES PROPRIÉTÉS. Une étude allemande suggère que le jus piquant de la plante pourrait soulager les symptômes de l'hypertophie de la prostate, affection bénigne.

Préparation et posologie

Pour du jus qui permettrait de soulager les douleurs causées par la goutte ou aider dans l'hyperthophie de la prostate, broyez les parties de la plante dans une centrifugeuse.

Pour une infusion agréable qui pourrait aider dans le traitement de l'hypertension artérielle, de l'insuffisance cardique congestive ou du rhume des foins, prenez 1 à 2 c. à café d'herbe séchée par tasse d'eau bouillante. Laissez infuser 10 minutes. Ne dépassez pas deux tasses par jour.

Pour une teinture, prenez 1/4 à 1 c. à café jusqu'à deux fois par jour.

Les préparations d'ortie sont déconseillées aux enfants de moins de deux ans. Les enfants plus âgées et les personnes de plus de 65 ans devraient commencer par des préparations faiblement concentrées et augmenter la dose au besoin.

Mise en garde

L'un des seuls problèmes associés à la plante est qu'elle pique. Si vous cultivez l'ortie, portez des gants de jardinage à la cueillette, de même qu'une chemise à manches longues et des pantalongs longs.

Il existe de nombreux remèdes maison pour soulager les piqûres d'ortie. Autrefois, on recommandait d'appliquer du jus d'ortie sur la région piquée, bien que l'application d'autres plantes comme le romarin, la sauge ou la menthe semble donner des résultats favorables. Pour un traitement sans herbes, il suffit de bien nettoyer la plaie avec de l'eau et du savon, d'utiliser des crèmes à base d'hydrocortisone et de prendre des antihistaminiques.

En grande quantité, la consommation d'infusion d'ortie peut causer une irritation gastrique, une peau brûlante et une interruption de la miction.

Certains régimes amaigrissants vantent les vertus des diurétiques afin de contrer la rétention d'eau. Cependant, les spécialistes en perte de poids déconseillent cette pratique, car la perte de poids au moyen de diurétiques est temporaire. Afin de s'assurer une perte de poids permanente, il faut adopter un régime alimentaire faible en gras et riche en fibres et un programme d'exercices soutenu.

L'ortie semble stimuler les contractions utérines chez les lapins. Les femmes enceintes devraient s'abstenir d'en consommer.

Autres précautions

La Food and Drug Administration inclut l'ortie parmi les plantes qui ne présentent aucun danger. Les femmes en bonne santé qui ne sont pas enceintes, qui n'allaitent pas et qui ne prennent pas de diurétiques peuvent utiliser l'ortie sans crainte si elles respectent les doses prescrites.

L'ortie ne devrait être consommée à des fins thérapeutiques qu'après accord avec son médecin. Si elle provoque de légers troubles, tels que des maux d'estomac ou de la diarrhée, prenez-en moins ou cessez d'en prendre. Consultez votre médecin en cas d'effets indésirables ou si les symptômes persistent deux semaines après le début du traitement.

Une plante qui brûle

L'ortie piquante n'est qu'une des 500 espèces d'*Urtica,* dérivé du latin *uro* qui veut dire brûler. Et leurs brûlures sont réelles. Soyez toutefois heureux que l'espèce de Java, l'*U. urentissima,* ne pousse pas en Europe ni en Amérique du Nord. Ses effets de brûlure durent près d'un an, semble-t-il.

La tige très droite de l'ortie pousse à partir d'un rhizome. La plante possède des feuilles opposées en forme de cœur, qui sont dentées et d'un vert foncé. Les fleurs mâles et les fleurs femelles éclosent sur différentes plantes (dioïques). Les poils qui donnent à cette plante son apparence duveteuse sont en fait des épines creuses rattachées à des sacs remplis d'agents irritants. Se frotter contre la plante fait plier ces poils et fait pénétrer la substance irritante dans la peau.

L'ortie pousse très bien à partir de graines ou de divisions de racines dans presque tous les types de sols. Semez les graines au printemps et coupez les racines à l'automne après que les feuilles sont mortes.

Récoltez les feuilles (portez des gants et des vêtements appropriés) avant que la plante ne fleurisse à la fin du printemps ou au début de l'été. Les jeunes feuilles peuvent être bouillies ou passées à l'étuvée comme les épinards. Elles peuvent aussi être mangées comme légume. Sécher ou bouillir la plante lui retire ses propriétés urticantes. Les jeunes racines fraîches ne piquent pas et peuvent être utilisées dans les salades.

L'ortie semble rehausser le contenu aromatique de l'huile de plantes comme la marjolaine, l'origan, la menthe poivrée, la sauge, la valériane et d'autres herbes aromatisées. L'ortie aide aussi les substances à se décomposer en engrais.

PAPAYE

Un stimulant digestif tropical

Famille: *Caricaceæ.* Également le corossol
Genre et espèce: *Carica papaya*
Autre nom: Pawpaw
Parties utilisées: les fruits, les feuilles et le latex

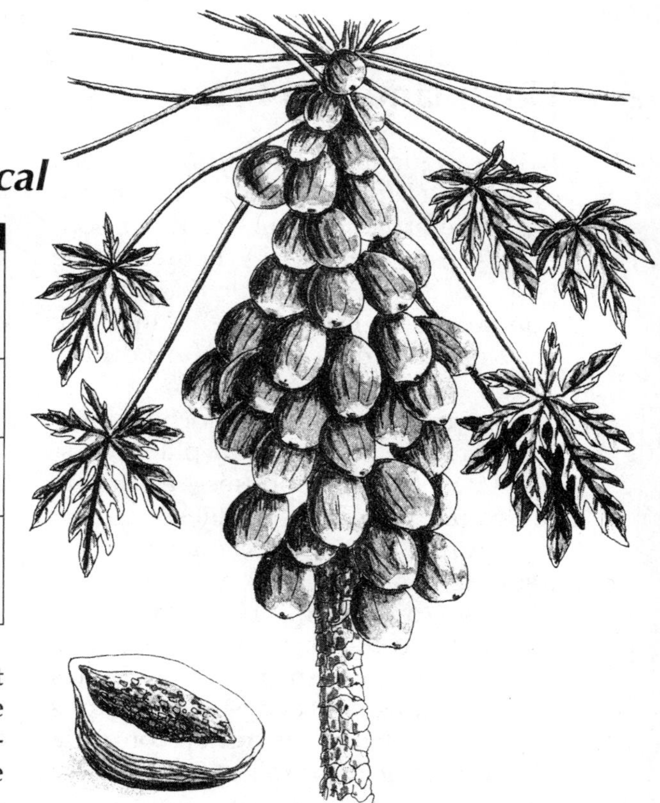

Fruit avec graines

Dans tous les livres de cuisine, il est dit que les desserts à la gélatine n'épaississent pas si on ajoute de l'ananas. C'est encore plus vrai si on ajoute de la papaye. Les deux fruits contiennent des enzymes digestives qui empêchent les protéines de la gélatine de se solidifier. C'est grâce à ces puissantes enzymes que la papaye est connue comme stimulant digestif.

Une plante idéale pour attendrir la viande

Il y a plusieurs siècles, les Indiens Caraïbes avaient déjà remarqué que la viande enveloppée dans de larges feuilles de papaye devenait plus tendre. Aujourd'hui, l'extrait de papaye est le constituant actif de la plupart des épices destinées à attendrir la viande.

Les Indiens faisaient aussi des incisions dans des papayes pas tout à fait mûres, cueillaient le liquide laiteux (latex) et l'appliquaient sur la peau afin de traiter le psoriasis, la teigne, les blessures et les infections. Les femmes Caraïbes mangeaient des papayes vertes pour déclencher les règles, avorter et provoquer les contractions utérines.

Quand les Européens introduisirent la papaye en Asie tropicale, la plante fut très vite intégrée à la médecine par les plantes. Les Philippins utilisaient une décoction de racines pour traiter les hémorroïdes. Les Javanais croyaient qu'il suffisait de manger une papaye pour prévenir l'arthrite. Les Japonais utilisaient le latex pour traiter les troubles digestifs. Dans tous les pays asiatiques, on appliquait des feuilles sur les blessures et on introduisait un peu de latex dans le col de l'utérus afin de déclencher le travail.

Jusqu'à ces dernières années, la papaye était exclue de la médecine par les plantes aux État-Unis. Au cours des vingt-cinq dernières années, les fruits tropicaux, entre autres la papaye, sont devenus des produits de consommation courante. Quant aux feuilles et au latex, on les trouve facilement dans la plupart des herboristeries.

De nos jours, les herboristes recommandent des infusions de fruits et de feuilles de papaye comme stimulants digestifs, également pour soulager les maux d'estomac et éliminer les vers intestinaux. Les herboristes suggèrent d'appliquer les feuilles et le latex sur les blessures.

PROPRIÉTÉS thérapeutiques

Les feuilles, le latex et le fruit de la papaye contiennent des enzymes digestives, ce qui explique l'action de la plante comme stimulant digestif et sa capacité d'attendrir les viandes. Ces enzymes sont présentes surtout dans le latex, et moins dans les feuilles et les fruits, bien que ces derniers en contiennent suffisamment pour stimuler la digestion.

STIMULANT DIGESTIF. L'enzyme digestive la plus importante de la papaye est la papaïne, semblable à l'enzyme digestive que produit l'organisme, la pepsine, qui permet de dégrader les protéines. En fait, la papaïne est souvent appelée pepsine végétale. La papaye contient d'autres enzimes, dont l'une similaire à la rennine humaine qui dégrade les protéines lactiques et une autre semblable à la pectase qui aide à digérer les féculents.

PRÉVENTION D'ULCÈRES. Une étude sur des animaux a démontré que la papaye agit directement sur l'estomac, aidant ainsi à prévenir les ulcères. On a administré à deux groupes d'animaux de laboratoire de fortes doses d'aspirine et de stéroïdes, constituants qui peuvent causer des ulcères. Les animaux à qui l'on avait donné de la papaye six jours avant l'expérience ont développé beaucoup moins d'ulcères. Cette découverte suggère que la papaye pourrait s'avérer bénéfique aux personnes atteintes d'arthrite qui consomment de fortes doses d'aspirine et à celles qui souffrent de maladies inflammatoires à qui l'on prescrit des stéroïdes.

LENTILLES. La papaïne est également un ingrédient actif des solutions nettoyantes enzymatiques que l'on utilise pour nettoyer les lentilles.

HERNIE DISCALE. En 1982, la Food and Drug Administration a reconnu une autre enzyme de la papaye, la chymopapaïne, comme traitement de l'hernie discale. Quand on l'injecte directement dans la région affectée, la chymopapaïne aide à dissoudre les débris cellulaires.

Préparation et posologie

Les fruits de la papaye sont tendres quand ils sont mûrs. Ils ont un peu le goût du cantaloup. Consommez-en avant le repas afin de faciliter la digestion.

Pour une infusion au goût agréable qui stimulera votre digestion, prenez 1 à 2 c. à café de feuilles séchées

par tasse d'eau bouillante. Laissez infuser 10 minutes. Buvez cette infusion pendant ou après les repas, surtout ceux qui sont riches en protéines (viande rouge et produits laitiers). Ne faites pas bouillir les feuilles, car cela mènerait à la désactivation de la papaïne.

Les enfants de moins de deux ans peuvent consommer le fruit sans crainte, mais les infusions doivent être données avec prudence.

Mise en garde

Les femmes enceintes peuvent consommer le fruit de la papaye avec modération, mais devraient s'abstenir de prendre de son latex ou de ses feuilles en doses médicinales. Bon nombre de cultures ont utilisé la papaye comme déclencheur de règles et des douleurs d'accouchement. En outre, une étude a démontré que la consommation de papaïne chez des animaux de laboratoire a causé des malformations congénitales, voire la mort du fœtus.

On a rapporté certaines réactions allergiques à la papaye, notamment de l'asthme.

Le latex de la papaye peut entraîner une inflammation de l'estomac (gastrite).

Les femmes en bonne santé qui ne sont pas enceintes ou qui n'allaitent pas peuvent utiliser la papaye sans crainte si elles respectent les doses prescrites.

La papaye ne devrait être consommée à des fins thérapeutiques qu'après accord avec son médecin. Si elle provoque de légers troubles, tels que des maux d'estomac ou de la diarrhée, prenez-en moins ou cessez d'en prendre. Consultez votre médecin en cas d'effets indésirables ou si les symptômes persistent deux semaines après le début du traitement.

L'arbre à melon

Si vous vivez dans les tropiques, vous pouvez sûrement faire pousser votre propre papayer.

Originaire des Antilles, l'arbre se trouve maintenant partout dans les tropiques. Il peut atteindre près de 8 m de haut. Son tronc est creux, son bois est spongieux et son écorce pâle est tellement fibreuse que l'on s'en servait pour fabriquer des cordes. Ses feuilles, dites palmaires, sont lisses et peuvent mesurer plus d'un demi-mètre en largeur.

Les fruits sont d'un jaune vert, en forme de poire, et contiennent une pulpe orangée. Bien que l'on vende surtout des papayes de la taille d'une pommme de terre, elles peuvent atteindre la grosseur d'un melon de 4 kg dans les tropiques, d'où son nom d'arbre à melon.

PERSIL

Plus qu'une garniture

Famille: *Umbelliferæ.* Également la carotte, le céleri, le fenouil, l'aneth et l'angélique
Genres et espèces: *Petroselinum crispum, P. hortense, P. sativum*
Autre nom: Aucun
Parties utilisées: Les feuilles, les fruits (les graines) et les racines

Le persil est l'une des plantes les plus familières qui soient. Le plus souvent, ses brins enchevêtrés ne servent qu'à décorer les plats. C'est regrettable, car le persil a une certaine valeur nutritive. De plus, il rafraîchit l'haleine après les repas. Cependant, comme plante médicinale, il ne fait pas l'unanimité. Dans *The New Honest Herbal,* Varro Tyler le considère comme une «herbe sans valeur». Mais, dans son traité de médecine *Herbal Medicine,* Rudolph Fritz Weiss le présente comme «une plante médicinale essentielle».

Une plante riche en symboles

Le persil est l'une des premières plantes à apparaître au printemps. Depuis des siècles, les Juifs en font un symbole de renouveau dans le *Seder*, rituel de la pâque juive.

Les Grecs de l'Antiquité considéraient la plante tout autrement. Dans la mythologie grecque, le persil jaillissait du sang d'Opheltes, jeune fils du roi Lycurgue de Némée, qui fut tué par un serpent, pendant que sa gouvernante conduisait des soldats assoiffés à la source la plus proche. Pendant des siècles, les soldats grecs pensèrent qu'il suffisait de toucher du persil avant les combats pour être frappé de mort subite.

Symbole de mort, le persil était planté sur les tombes des Grecs. Ironiquement, cette coutume fut à l'origine de sa réhabilitation. Pour honorer la mémoire des personnalités d'élite, les Grecs organisaient des compétitions et couronnaient les vainqueurs de couronnes de persil. En quelques siècles, l'herbe finit par symboliser la force.

Mais l'herbe resta synonyme de malchance jusqu'au Moyen Âge. À cette époque, certains Européens la considéraient comme l'herbe du diable censée porter malheur à tous ceux qui la cultivaient, à moins de la planter le vendredi saint.

La garniture des fêtes romaines

Le persil n'était pas très répandu dans la médecine de l'Antiquité, mais le médecin romain Galien le prescrivait contre l'épilepsie et comme diurétique afin de traiter la rétention d'eau. Quant aux Romains, ils croquaient des brins de persil pendant les banquets afin de se rafraîchir l'haleine, d'où la coutume de décorer les plats de persil dans les restaurants.

Au Moyen Âge, l'abbesse et herboriste Hildegard de Bingen prescrivait des compresses de persil pour soigner l'arthrite, et du persil bouilli dans du vin dans les cas de douleurs à la poitrine et au cœur.

Au XVIIe siècle, l'herboriste britannique Nicholas Culpeper appuya les recommandations de Galien et prescrivit le persil pour «faire uriner et déclencher les règles … mieux respirer … éliminer les calculs aux reins et, par conséquent, soulager la douleur et les tourments causés par ces inconforts … et lutter contre la toux». Nicholas Culpeper préconisait aussi les compresses de persil pour les yeux enflammés et les ecchymoses, et suggérait de faire frire la plante dans du beurre et de l'appliquer sur les seins afin de soulager les mamelons douloureux à cause de l'allaitement.

L'utilisation du persil en Amérique

De 1850 à 1926, le persil était reconnu par le *U.S. Pharmacopœia* comme laxatif et diurétique pour les problèmes de reins et la rétention des liquides dus à l'insuffisance cardiaque congestive, également comme substitut de la quinine pour soigner la malaria.

Le traité des médecins éclectiques américains, le *King's American Dispensatory*, fit écho au *Pharmacopœia* et rapporta qu'en 1855, un agent chimique, l'apiol, avait été isolé de l'huile de persil. Il recommandait cette dernière pour soulager les troubles menstruels, tout en reconnaissant qu'à fortes doses elle causait de «l'intoxication, des étourdissements, des vertiges et des bourdonnements dans les oreilles».

Au début du XXe siècle, de fortes doses d'apiol étaient administrées aux femmes qui voulaient avorter et ce, malgré sa très forte toxicité.

De nos jours, les herboristes recommandent de manger du persil frais, car c'est une source importante de vitamines A et C. De plus, le persil rafraîchit l'haleine. Une infusion ou une teinture agit comme diurétique et stimulant digestif et aide à éliminer les gas intestinaux.

PROPRIÉTÉS thérapeutiques

Les racines, les feuilles et les graines de persil contiennent toutes une huile volatile, bien que celle-ci soit plus concentrée dans les graines. L'huile de persil contient deux agents chimiques principaux, l'apiol et la myristicine, qui ont tous deux une action laxative douce et diurétique importante.

HYPERTENSION ARTÉRIELLE. Les médecins prescrivent souvent des diurétiques pour traiter l'hypertension artérielle. D'ailleurs, une étude publiée dans l'*American Journal of Chinese Medicine* suggère que l'action diurétique de la plante peut aider à maîtriser la tension artérielle. En Allemagne, où la guérison par les plantes est très populaire, les tisanes de graines de persil sont prescrites très souvent comme diurétique dans le traitement de la maladie. D'autres études devront toutefois être menées avant de déterminer si le persil peut vraiment être utilisé à cette fin.

L'hypertension artérielle est une maladie grave qui exige des soins médicaux professionnels. Si vous désirez ajouter le persil à votre traitement régulier, consultez d'abord votre médecin.

Les diurétiques épuisent les réserves de potassium, nutriment essentiel au bon fonctionnement de l'organisme. Si vous utilisez fréquemment des préparations à base de persil à des fins thérapeutiques, assurez-vous de consommer des aliments riches en potassium comme les bananes et les légumes frais.

Les femmes enceintes ou celles qui allaitent devraient s'abstenir d'en prendre.

INSUFFISANCE CARDIAQUE CONGESTIVE. Les médecins prescrivent souvent des diurétiques pour combattre l'accumulation de liquides, caractéristique de cette maladie. Les maladies cardiaques exigent des soins professionnels. Si vous désirez ajouter le persil à votre traitement régulier, ne le faites que sous la surveillance de votre médecin.

RAFRAÎCHISSANT D'HALEINE. De toutes les plantes, le persil est celle qui contient le plus de chlorophylle, ingrédient que l'on trouve d'ailleurs dans bon nombre de pastilles pour l'haleine. Cela confirme l'usage que l'on en faisait du temps de la Rome antique.

SANTÉ DE LA FEMME. L'apiol et la myristicine sont tous deux des stimulants utérins. En Russie, une préparation appelée Supetin qui contient 85 % de jus de persil est utilisée pour stimuler les contractions durant la période de travail.

Les femmes enceintes peuvent consommer des quantités culinaires, mais devraient s'abstenir de prendre des préparations à base de persil à des fins thérapeutiques, sauf au terme de leur grossesse ou sous la surveillance d'un médecin qui peut assister l'accouchement. D'autres femmes pourraient essayer les tisanes de persil afin de déclencher leurs règles.

Les diurétiques peuvent apporter un certain soulagement aux ballonnements prémenstruels et à la rétention d'eau qui affectent certaines femmes. Ces dernières pourraient essayer de prendre du persil quelques jours avant leurs règles.

ALLERGIES. Une étude publiée dans le *Journal of Allergy and Clinical Immunology* a démontré que le persil inhibe la sécrétion d'histamine, agent chimique que libère l'organisme et qui déclenche des réactions allergiques. L'action antihistaminique apparente du persil pourrait apporter un certain soulagement aux personnes atteintes de rhume des foins ou d'urticaire.

FIÈVRE. On n'a jamais prouvé l'efficacité du persil contre la malaria, donc l'information qui se trouve dans le *U.S. Pharmacopœia* à ce sujet est incorrecte. Toutefois, l'apiol possède des propriétés fébrifuges, c'est-à-dire qu'elle réduit la fièvre. Ne croyez pas que le persil peut remplacer l'aspirine, mais vous pouvez l'essayer de pair avec vos médicaments réguliers.

AUTRES PROPRIÉTÉS. Le persil contient du psoralène, agent chimique connu pour son effet photosensibilisant. Cet agent est toutefois prometteur dans le traitement d'une forme de cancer de la peau.

Bien qu'il soit prématuré de croire que l'on pourrait utiliser le persil dans le traitement du cancer, les tests effectués à ce sujet sont justifiés.

Préparation et posologie

Quelques brins de persil suffisent à rafraîchir l'haleine. Pour une infusion au goût agréable, qui pourrait aider à maîtriser les taux de tension artérielle, l'insuffisance cardiaque, les allergies et la fièvre, de même que déclencher les contractions de l'accouchement, prenez 2 c. à café de feuilles séchées ou de racine, ou 1 c. à café de graines broyées par tasse d'eau bouillante. Laissez infuser pendant 10 minutes. Ne dépassez pas trois tasses par jour.

Pour une teinture, prenez 1/2 à 1 c. à café jusqu'à trois fois par jour.

Le persil en dose médicinale est déconseillé aux enfants de moins de deux ans. Les enfants plus âgés et les personnes de plus de 65 ans devraient commencer par des préparations faiblement concentrées et augmenter la dose au besoin.

Mise en garde

On a découvert que le psoralène dans le persil avait causé des irritations cutanées chez certains cultivateurs qui récoltent d'énormes quantités. Les personnes qui ont une peau sensible devraient être prudents.

Les médecins éclectiques étaient sur la bonne piste quand ils préconisaient que l'huile de persil en grandes quantités pouvait entraîner les maux de tête, les nausées, le vertige et l'urticaire, et causer des dommages au foie et aux reins. Cependant, les ouvrages médicaux sur le persil ne mentionnent aucun effet nocif.

Autres précautions

Le persil peut agir potentiellement sur la perte de poids, vu ses propriétés diurétiques. Certains régimes amaigrissants vantent les vertus des diurétiques afin de contrer la rétention d'eau. Cependant, les spécialistes en perte de poids déconseillent cette pratique, car la perte de poids au moyen de diurétiques est temporaire. Afin de s'asurer une perte de poids permanente, il faut adopter un régime alimentaire faible en gras et riche en fibres, et un programme d'exercice soutenu.

Les femmes en bonne santé qui ne sont pas enceintes et qui n'allaitent pas peuvent l'utiliser sans crainte si elles respectent les doses prescrites.

Si des symptômes de toxicité se manifestent, prenez-en moins ou cessez d'en prendre. Consultez votre médecin en cas d'effets indésirables ou si les symptômes persistent deux semaines après le début du traitement.

Une herbe qui guérit

Le persil est une petite plante bisannuelle d'un vert vif qui atteint environ 25 cm la première année et près d'un mètre la deuxième année après sa floraison. Le persil possède des racines pivotantes comme celle de la carotte et des tiges juteuses et fournies au sommet de feuilles frisées ou plates selon l'espèce. Ses petites fleurs jaunâtres se forment en ombrelles, caractéristiques des ombellifères.

Bien que bisannuelle, la plante devrait être cultivée comme une annuelle. Les graines sont lentes à germer et peuvent prendre jusqu'à six semaines. Ensemencer en tout temps, depuis le début du printemps jusqu'à l'automne. On peut commencer à faire pousser la plante à l'intérieur, puis la transplanter à l'extérieur. Les spécialistes recommandent toutefois de la planter à l'extérieur et d'enfouir les graines à moins d'un centimètre de la surface du sol.

Le persil préfère les terreaux humides, sablonneux, bien drainés qui ont un pH normal. Espacez les plants d'environ 18 cm. Le persil peut être planté en fin de saison, car il peut survivre, de même que ses plants, à un ou deux gels.

Les feuilles peuvent être récoltées lorsque les plants ont atteint 18 cm, et les fruits quand ils deviennent gris brun. Récoltez les racines à l'automne de la première année ou au printemps de la deuxième.

Une allure de ciguë

Alerte: À moins d'être un botaniste chevronné dans la nature, ne ramassez pas de persil sauvage, car il ressemble à trois plantes potentiellement nocives: la ciguë, le persil empoisonné et la petite ciguë.

PIMENT ROUGE

Un remède très épicé

Famille: *Solanaceæ*. Également la pomme de terre, la tomate, l'aubergine, le tabac et la morelle noire

Genres et espèces: *Capsicum annuum, C. frutescens*

Autres noms: Piment fort, piment vert et poivron rouge, paprika, tabasco (Louisiane)

Partie utilisée: Les fruits

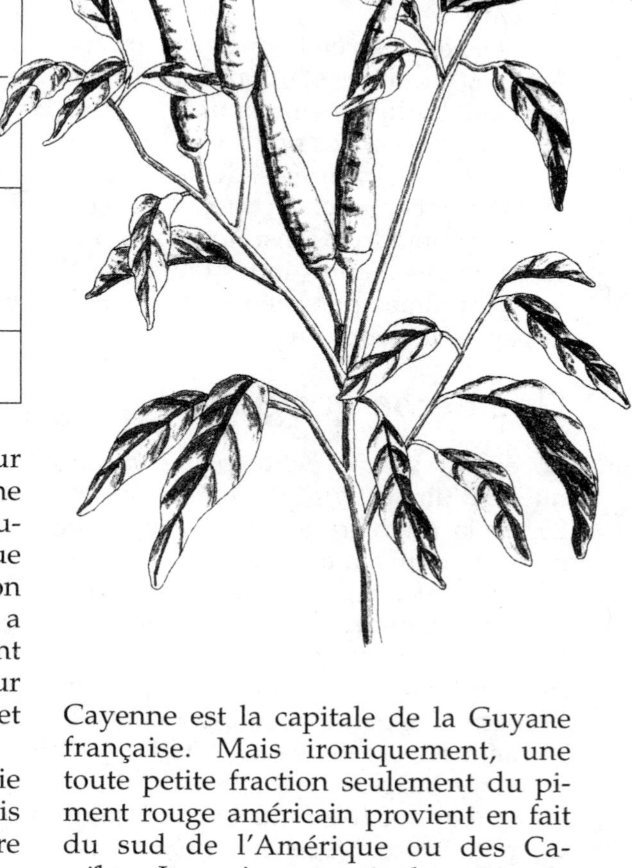

Son goût brûlant et sa couleur brillante font du piment rouge l'une des épices au monde dont on se souvient le plus. Cette plante est devenue récemment aussi «chaude» en guérison qu'elle peut l'être sur la langue. On a pu prouver que des extraits de piment rouge s'étaient révélés efficaces pour soulager certaines douleurs sévères et chroniques.

Le piment rouge fait partie en Asie des produits culinaires de base depuis les temps anciens; il est resté par contre inconnu en Europe jusqu'à ce que Christophe Colomb le rapportât de son premier voyage au Nouveau Monde.

Ne l'appelez pas Cayenne

Le terme cayenne vient d'un mot indien des Caraïbes, *Kian*. Aujourd'hui Cayenne est la capitale de la Guyane française. Mais ironiquement, une toute petite fraction seulement du piment rouge américain provient en fait du sud de l'Amérique ou des Caraïbes. La majeure partie, le poivre de Cayenne, vient de l'Inde et de l'Afrique. Le tabasco, ou poivre de Louisiane, pousse aux États-Unis, le long du golfe du Mexique. Comme une toute petite quantité seulement de piment rouge vient des environs de Cayenne, l'American Spice Trade Association estime que «cayenne» est un nom mal approprié et que cette plante devrait être appelée piment rouge.

Trop fort à supporter

L'herboriste britannique du XVIIe siècle Nicholas Culpeper écrivait que l'emploi immodéré de piment rouge «brûle si fort la bouche et la gorge qu'il est difficile de le supporter» et avertit qu'il «pourrait se révéler dangereux pour la vie». Mais utilisée avec modération, il déclarait que la plante rendait un «service considérable ... pour aider la digestion, pousser à uriner, soulager le mal de dents, éviter la carie dentaire, soulager les maux d'estomac, chasser les calculs rénaux et diminuer la perte de la vision». Culpeper incitait les femmes à mélanger du piment rouge, de la gentiane et de l'huile de laurier dans du coton, et de l'introduire dans leur vagin pour «faire venir leurs règles». Mais il avertissait que «si on mettait le piment rouge dans la matrice d'une femme après un accouchement, elle deviendrait pour toujours stérile».

Durant le XVIIIe siècle, le piment rouge était mélangé à du tabac à priser pour renforcer l'effet du tabac inhalé. L'herboriste Phillip Miller mettait en garde contre cette pratique, estimant que cette combinaison entraînait «des effets d'éternuements si violents qu'ils pouvaient rompre les vaisseaux sanguins de la tête».

En Inde, aux Indes orientales, en Afrique, au Mexique et dans les Caraïbes, le piment rouge existe depuis longtemps en tant que stimulant digestif. Cependant, son emploi ne devint jamais populaire dans les pays européens, qui avaient traditionnellement cru que les épices très fortes causaient des ulcères d'estomac.

Un réchauffant américain

Samuel Thomson, précurseur de la guérison par les plantes thomsonienne et qui connut une très grande popularité avant la guerre de Sécession, fut le premier Nord-Américain à être partisan du piment rouge dans la guérison. Thomson croyait que la plupart des maladies étaient causées par le froid et guéries par la chaleur. Pour cette raison, il prescrivait très souvent des herbes «chauffantes», et c'était le piment rouge qu'il prescrivait le plus.

Après la guerre de Sécession, les médecins américains éclectiques appelèrent le piment rouge *Capsicum* et le recommandaient en application externe pour soigner l'arthrite et les douleurs musculaires, et par voie orale comme stimulant digestif et pour traiter les rhumes, la toux, la fièvre, la diarrhée, la constipation, les nausées et les maux de dents. Les médecins éclectiques recommandaient également de mettre du piment rouge dans les chaussettes pour réchauffer les pieds. Cette méthode est encore utilisée aujourd'hui avec quelques plantes.

Les médecins éclectiques considéraient que le piment rouge n'avait aucun effet thérapeutique dans le traitement du délirium tremens, maladie se caractérisant par des hallucinations et de violents tremblements courants chez les alcooliques avancés: «Le piment doux est le meilleur produit à utiliser pour soigner le délirium tremens. Il permet à l'estomac d'absorber de la nourriture et de la garder. La meilleure façon de consommer cette plante consiste à la mettre dans une tisane ou une soupe de bœuf. On peut la prendre en grande quantité avec beaucoup de plaisir et sans risquer d'être malade.»

Les guérisseurs américains populaires recommandaient également de brosser les mains des enfants qui sucent leur pouce ou qui se rongent les ongles avec du piment rouge en poudre.

Les herboristes contemporains prescrivent des capsules de cayenne en poudre pour les rhumes, les problèmes gastro-intestinaux, et comme stimulant digestif. En application externe, ils préconisent des cataplasmes de cayenne pour l'arthrite et les douleurs musculaires.

PROPRIÉTÉS thérapeutiques

La science moderne a pu confirmer l'usage traditionnel du piment rouge comme stimulant digestif et analgésique. Le piment rouge doit ses propriétés piquantes et thérapeutiques à un agent chimique que l'on trouve dans ses fruits, la capsicaïne.

STIMULANT DIGESTIF. Le piment rouge favorise la digestion en stimulant les sécrétions de la salive et de l'estomac. La salive contient des enzymes qui dégradent les hydrates de carbone, alors que les sécrétions gastriques (sucs gastriques), qui contiennent des acides et d'autres substances, assurent la digestion des aliments.

Dans les pays où l'on sert une nourriture fade, notamment aux États-Unis dont l'alimentation est à base de steaks et de pommes de terre, on associe souvent les mets épicés aux brûlures d'estomac et aux ulcères. Ce n'est pas le cas. Dans une étude publiée dans le *Journal of the American Medical Association*, des chercheurs confirment avoir utilisé une minuscule caméra-vidéo qui permettait d'examiner les parois du tube digestif de deux groupes de personnes qui avaient consommé un repas fade ou un repas épicé aux poivrons forts. Les chercheurs ne trouvèrent aucune différence apparente entre les deux groupes et conclurent que l'on ne devait pas «associer l'ingestion de mets très épicés chez des personnes qui souffrent de problèmes gastro-intestinaux».

DIARRHÉE. Tout comme bon nombre d'épices culinaires, le piment rouge est doté de propriétés antibactériennes, ce qui explique sans doute son usage traditionnel dans les cas de diarrhée infectieuse.

DOULEUR CHRONIQUE. Pendant des siècles, les herboristes ont recommandé à leurs patients de frictionner du piment rouge sur leur peau afin de soulager leurs douleurs musculaires et articulaires.

Sur le plan médical, on appelle cette méthode rubéfaction, traitement qui produit une congestion passagère et locale, par application sur la peau, et qui distrait la personne d'une autre douleur plus forte. De nombreux rébufiants à base de capsicaïne sont vendus dans le commerce.

Récemment, on a aussi découvert que le piment rouge est doté d'importantes propriétés analgésiques qui soulagent réellement certaines douleurs chroniques. Pour des raisons inconnues, la capsicaïne intervient dans l'action de la «substance P», agent chimique présent dans les nerfs périphériques qui envoie des messages de douleur au cerveau. Bon nombre d'études récentes ont démontré que la capsicaïne est tellement efficace dans le soulagement de certaines douleurs chroniques que la Food and Drug Administration a approuvé certains produits qui en contiennent.

ZONA. Le Zostrix est le traitement le plus efficace connu à ce jour contre la douleur qui subsiste après une crise de zona ou d'herpès.

Le zona, maladie qui affecte surtout les adultes, provient du même virus, responsable de la varicelle chez les enfants. Ce virus demeure inactif dans l'organisme jusqu'à l'âge adulte. Pour des raisons inconnues, il se manifeste sous forme de zona, affection caractérisée par une irritation cutanée qui progresse de rougeurs aux ampoules, puis forme une croûte qui ressemble à la varicelle. Chez les adultes en bonne santé, une crise de zona dure environ trois semaines. En revanche, certaines personnes plus âgées ou qui souffrent de maladies comme la maladie de Hodgkin sont victimes de crises plus fortes, accompagnées de douleurs chroniques, état que les médecins appellent algies post-zostériennes. Grâce à la capsicaïne, la douleur des patients est substantiellement apaisée.

DOULEURS AUX PIEDS CAUSÉES PAR LE DIABÈTE. L'effet analgésique de la capsicaïne explique son utilisation dans le traitement de douleurs chroniques aux chevilles et aux pieds, connues sous le nom de syndrome de Gopalan ou syndrome de pieds brûlants. Dans une étude, on a remarqué que 71 % des patients atteints de diabète, traités à la capsicaïne, affichaient une nette amélioration de leur état après seulement quatre semaines. La Food and Drug Administration a récemment approuvé un médicament à base de capsicaïne comme traitement contre le syndrome.

CÉPHALÉE VASCULAIRE DE HORTON. Une étude publiée dans *Environmental Nutrition* a démontré que la capsicaïne permet de soulager la douleur causée par de telles céphalées, soit une douleur extrême d'un seul côté de la tête. Au cours de cette étude, des patients ont enduit leur narines et leur nez d'une préparation de capsicaïne. En cinq jours, 75 % d'entre eux ont rapporté une réduction notable de la douleur et des maux de tête, mais aussi une sensation de brûlure dans les narines et un écoulement nasal. Ces effets secondaires se sont cependant résorbés après une semaine.

AUTRES PROPRIÉTÉS. Le piment rouge semble réduire le taux de cholestérol et prévenir les maladies cardiaques, selon deux études, l'une publiée aux États-Unis et l'autre en Inde. Bien qu'il soit prématuré de recommander le piment rouge comme traitement dans ces cas, il est probable qu'on l'utilise à cette fin dans l'avenir.

Préparation et posologie

Assaisonnez votre nourriture, mais soyez prudent. Une trop grande quantité pourrait entraîner une sensation de brûlure dans la bouche.

Pour une infusion qui stimulera la digestion et pourrait réduire les risques d'une maladie cardiaque, prenez 1/4 à 1/2 c. à café par tasse d'eau bouillante. Buvez après les repas.

En usage externe comme analgésique, mélangez 1/4 à 1/2 c. à café par tasse d'huile végétale chaude. Appliquez et massez la région endolorie.

Le piment rouge est déconseillé aux enfants de moins de deux ans. Les enfants plus âgés devraient commencer par des préparations faiblement concentrées et augmenter la dose au besoin. Les personnes de plus de 65 ans souffrent souvent d'une perte de sensibilité du goût et des nerfs cutanés. Elles devront augmenter le dosage en conséquence.

Mise en garde

Une sensation de brûlure peut être ressentie au bout des doigts en hachant des piments rouges, état auquel on réfère comme la condition de Hunan, appelée ainsi à cause d'un homme qui en fut victime après avoir coupé une énorme quantité de piments durant la préparation d'un repas dans la région de Hunan, en Chine. Atteint de douleurs lancinantes aux mains, il dut faire appel à des soins d'urgence.

Le jus de piment rouge sur les mains ne se lave pas facilement. (Le vinaigre est la meilleure solution qui existe.) L'effet piquant de la plante peut rester sur le bout des doigts pendant des heures et causer de fortes douleurs aux yeux si on se frotte. Le port de gants de caoutchouc est donc fortement conseillé.

En France, une étude a démontré que le piment rouge accentue la résistance à l'infection. On peut mettre la poudre de certaines épices antibactériennes sur des coupures afin de prévenir l'infection. N'utilisez pas le piment rouge à cette fin, car il causerait une forte sensation de brûlure.

On n'a pas considéré le piment rouge comme déclencheur de règles depuis le XVIIe siècle. cependant, certaines recherches suggèrent que les tiges et les feuilles de la plante, et non les fruits mis en poudre, pourraient stimuler les contractions utérines chez les animaux. Les femmes enceintes ou celles qui désirent devenir enceintes devraient s'en tenir à la poudre des fruits.

Autres précautions

La Food and Drug Administration inclut le piment rouge parmi les plantes qui ne présentent aucun danger. Les femmes en bonne santé qui ne sont pas enceintes ou qui n'allaitent pas peuvent l'utiliser sans crainte si elles respectent les doses prescrites.

Le piment rouge ne devrait être consommé à des fins thérapeutiques qu'après accord avec son médecin. S'il provoque de légers troubles, tels que des maux d'estomac, de la diarrhée ou une sensation de brûlure lors des selles, prenez-en moins ou cessez d'en prendre. Consultez votre médecin en cas d'effets indésirables ou si les symptômes persistent deux semaines après le début du traitement.

Une récolte toute chaude

Le piment rouge est une vivace arbustive tropicale qui produit de petits fruits coriaces, pointus qui pendent. La plante préfère les climats tropicaux ou sous-tropicaux, mais peut aussi prospérer dans des serres ou près de fenêtres qui font face au sud.

Dans le sud de l'Europe, on peut semer les graines après les dangers de gel. Plus au nord, plantez les graines à l'intérieur huit semaines avant la fin de la période de gel, puis transplantez-les à l'extérieur. Espacez les plantes de 25 cm.

Le piment rouge préfère les sols riches, bien irrigués et le plein soleil, bien qu'il tolère l'ombre partielle. À la récolte des fruits mûrs, assurez-vous de ne pas briser les tiges. Pour sécher les piments, suspendez-les dans un endroit chaud et sec. Le séchage peut prendre quelques semaines.

PISSENLIT

Plus qu'une mauvaise herbe

Famille: *Compositæ.* Également la marguerite et le souci
Genre et espèce: *Taraxacum officinale*
Autres noms: Dent-de-lion, florin d'or, laitue de chien, couronne-de-moine, salade de taupe
Parties utilisées: La racine principalement, et aussi les feuilles

Le pissenlit est généralement si méprisé en tant que mauvaise herbe qu'il est parfois difficile de voir cette plante pour ce qu'elle est vraiment, c'est-à-dire une plante médicinale très nourrissante dont la réputation en tant que médicament remonte à plus d'un siècle.

Le pissenlit peut aider à traiter les troubles prémenstruels, l'hypertension artérielle et l'insuffisance cardiaque congestive. Cette plante prévient parfois les calculs biliaires. On lui a également découvert d'autres propriétés thérapeutiques fascinantes.

Un vieux remède chinois

Les médecins chinois prescrivaient le pissenlit déjà aux temps anciens pour traiter les rhumes, la bronchite, la pneumonie, l'hépatite, les furoncles, les ulcères, l'obésité, les problèmes dentaires, les démangeaisons et les blessures internes. Ils utilisaient également un cataplasme de pissenlit haché pour soigner le cancer du sein. Les médecins soucieux des traditions ayurvédiques de l'Inde recouraient également à cette plante pour les mêmes maladies.

Les médecins arabes du Xe siècle furent les premiers à reconnaître que le pissenlit augmentait la production d'urine.

Durant le Moyen Âge, les Européens adhéraient à la Doctrine des signatures, croyance médiévale selon laquelle l'apparence d'une plante révèle son pouvoir de guérison. D'après cette doctrine, tout ce qui avait la couleur jaune était associé à la bile du foie, donc considéré comme remède pour les troubles hépatiques. C'est pour cette raison que le pissenlit acquit une réputation en Europe dans le traitement de la jaunisse et des calculs biliaires.

La Doctrine des signatures servait également à justifier l'emploi du pissenlit comme diurétique pour soigner la rétention d'eau. Le pissenlit a une racine remplie, une tige et des feuilles. Toute chose juteuse était associée à la production d'urine. Au XVIIe siècle, le pissenlit était bien connu comme diurétique, les Anglais l'appelaient «*piss-a-bed*», du français pissenlit.

Un remède officiel

D'après certaines personnes qui exagéraient les vertus thérapeutiques des plantes, comme l'herboriste britannique du XVIIe siècle Nicholas Culpeper, la réputation médicinale du pissenlit s'étendit sur une surface aussi vaste que les pissenlits sur une pelouse non tondue. Culpeper recommandait cette plante pour tout «caractère malveillant du corps». En fait, on utilisait le pissenlit pour de si nombreuses maladies qu'il devint connu sous le nom de «remède officiel pour désordres et malaises».

Ce furent les premiers colons qui introduisirent le pissenlit en Amérique du Nord, et les Indiens l'adoptèrent rapidement comme tonique.

La racine de pissenlit était l'un des ingrédients du *Composé de légumes* de Lydia E. Pinkham, spécialité pharmaceutique très populaire du XIXe siècle utilisée pour les troubles menstruels. Comme diurétique, le pissenlit aidait sans aucun doute à soulager le ballonnement dont beaucoup de femmes souffrent avant d'avoir leurs règles. (Il n'y a pas de pissenlit dans le *Composé de Pinkham* commercialisé aujourd'hui.)

Même si le pissenlit figurait dans le *U.S. Pharmacopœia* de 1831 à 1926, beaucoup d'herboristes du XIXe siècle le méprisaient pour la mauvaise herbe qu'il était devenu. Le texte des médecins éclectiques américains, *King's American Dispensatory*, disait: «Surévaluée ... la racine de pissenlit possède peu de vertus médicinales si ce n'est une légère action diurétique.»

Les herboristes contemporains préconisent le pissenlit presque exclusivement comme diurétique pour perdre du poids, pour les troubles prémenstruels et menstruels, les pieds enflés, l'hypertension artérielle et l'insuffisance cardiaque congestive.

PROPRIÉTÉS thérapeutiques

La Food and Drug Administration continue de traiter le pissenlit comme une mauvaise herbe. Voici ce qu'en pense vraiment l'agence: «Nous n'avons aucune raison de croire que la plante possède des vertus thérapeutiques.»

L'agence a sûrement oublié de lire le texte de Ralph Waldo Emerson *Qu'est-ce qu'une mauvaise herbe?*, où ce dernier écrivait: «C'est une plante dont on n'a pas encore découvert les bienfaits.» On ne pourrait pas dire plus vrai dans le cas du pissenlit, bien que ses vertus soient bien documentées.

SYNDROME PRÉMENSTRUEL. Des études sur des animaux ont démontré que le pissenlit possède en effet des propriétés thérapeutiques. Même si les résultats obtenus sur les animaux ne s'appliquent pas toujours aux humains, ce n'est pas le cas du pissenlit. Les diurétiques permettent d'éliminer les ballonnements que cause le syndrome prémenstruel. Essayez donc le pissenlit quelques jours avant vos règles afin de voir s'il vous soulage.

PERTE DE POIDS. Dans une étude, des animaux à qui l'on avait fait consommer du pissenlit ont perdu 30 % de leur masse corporelle. Les diurétiques contribuent à la perte de rétention d'eau. Cependant, les spécialistes déconseillent cette pratique, car la perte de poids au moyen de diurétiques est temporaire. Ils préconisent plutôt un régime alimentaire faible en gras et riche en fibres, et un programme d'exercice soutenu.

HYPERTENSION ARTÉRIELLE. Les médecins prescrivent souvent des diurétiques pour traiter l'hypertension artérielle. Le pissenlit pourrait s'avérer favorable à cette fin. Bien sûr, l'hypertension artérielle est une affection grave qui exige des soins médicaux professionnels. Consultez d'abord votre médecin avant d'en consommer.

INSUFFISANCE CARDIAQUE CONGESTIVE. Les médecins prescrivent souvent des diurétiques dans le cas de cette maladie. Le pissenlit pourrait s'avérer un remède efficace de pair avec d'autres médicaments ou traitements prescrits par votre médecin.

Comme l'hypertension artérielle, l'insuffisance cardiaque congestive est une maladie grave qui exige des soins professionnels. Si vous désirez essayer le pissenlit de pair avec votre traitement régulier, consultez d'abord votre médecin.

PRÉVENTION DU CANCER. Une tasse de feuilles de pissenlit fraîches contient 7 000 UI de vitamine A, soit une fois et demie la dose alimentaire recommandée et plus que l'on obtiendrait dans une carotte. Le pissenlit contient aussi de la vitamine C. Ces deux vitamines sont des antioxydants qui aident à prévenir les lésions cellulaires qui, selon les scientifiques, pourraient causer le cancer. On peut ajouter des feuilles de pissenlit aux salades, aux soupes et aux ragoûts.

INFECTIONS MYCOSIQUES. Une étude a démontré que le pissenlit inhibe la croissance de champignons responsables d'infections mycosiques (*Candida albicans*).

STIMULANT DIGESTIF. La Doctrine des signatures était sur la bonne piste. Deux études allemandes suggèrent que le pissenlit stimule les sécrétions biliaires, lesquelles facilitent l'émulsion des graisses.

En Allemagne, où la guérison par les plantes est très populaire, les médecins prescrivent souvent le pissenlit pour stimuler les sécrétions de bile et prévenir les calculs biliaires. Le produit allemand Chol-Grandelat® à base de pissenlit, de lait de chardon et de rhubarbe est souvent prescrit dans le cas de calculs biliaires. (Ce produit n'est pas en vente partout.)

AUTRES PROPRIÉTÉS. Le pissenlit peut aussi contribuer à réduire le taux de glucose sanguin, et, par conséquent, permettre une meilleure maîtrise du diabète, maladie grave qui exige des soins médicaux professionnels. Consultez votre médecin si vous désirez prendre du pissenlit.

Des études révèlent que les racines de pissenlit possèdent des propriétés anti-inflammatoires, conférant à la plante une certaine valeur thérapeutique dans le traitement de l'arthrite. Une étude japonaise lui prête une action anti-tumorale, bien qu'il soit prématuré de considérer la plante comme un traitement possible contre le cancer.

Pensez-y bien avant d'utiliser la plante comme diurétique dans le but de perdre du poids. Le poids ainsi perdu revient toujours, car le corps humain, principalement composé de liquides, s'ajuste en diminuant son débit urinaire.

En outre, l'usage prolongé de diurétiques peut être dangereux, car ils épuisent les réserves de potassium, nutriment essentiel au bon fonctionnement de l'organisme. Les personnes qui prennent des diurétiques devraient s'assurer de consommer des aliments riches en potassium comme des bananes et des légumes frais.

Heureusement, la perte de potassium est plus faible avec le pissenlit qu'avec d'autres diurétiques, car la plante elle-même est riche en potassium. Néanmoins, si vous en faites un usage prolongé, ajustez votre régime alimentaire en conséquence.

Les femmes enceintes ou qui allaitent devraient éviter les diurétiques.

Préparation et posologie

Mangez les feuilles en salade ou comme légume.

Si vous utilisez le pissenlit comme diurétique (syndrome prémenstruel, hypertension artérielle ou insuffisance cardiaque congestive) ou comme stimulant digestif, prenez-le sous forme d'infusion, de décoction ou de teinture. Le pissenlit a un goût relativement agréable et un peu amer.

Pour une infusion, prenez 15 g de feuilles séchées par tasse d'eau bouillante. Laissez infuser pendant 10 minutes. Ne dépassez pas trois tasses par jour.

Pour une décoction de racines, portez à ébullition 2 à 3 c. à café de racine en poudre par tasse d'eau pendant 15 minutes. Laissez refroidir. Ne dépassez pas trois tasses par jour.

Pour une teinture, prenez 1 à 2 c. à café jusqu'à trois fois par jour.

Afin de repousser les infections mycosiques, ajoutez quelques poignées de feuilles séchées de pissenlit à votre bain.

Le pissenlit est déconseillé aux enfants de moins de deux ans. Les enfants plus âgés et les personnes de plus de 65 ans devraient commencer par des préparations faiblement concentrées et augmenter la dose au besoin.

Mise en garde

Le pissenlit peut entraîner des irritations cutanées chez les personnes qui ont la peau sensible.

La Food and Drug Administration inclut le pissenlit parmi les plantes qui ne présentent aucun danger. Les femmes en bonne santé qui ne sont pas enceintes, qui n'allaitent pas et qui ne prennent pas de diurétiques peuvent l'utiliser sans crainte si elles respectent les doses prescrites.

Le pissenlit ne devrait être consommé à des fins thérapeutiques qu'après accord avec son médecin. S 'il provoque de légers troubles, tels que des maux d'estomac ou de la diarrhée, prenez-en moins ou cessez d'en prendre. Consultez votre médecin en cas d'effets indésirables ou si les symptômes persistent deux semaines après le début du traitement.

Un secret bien gardé

Il est préférable de ne pas dire à vos voisins que vous cultivez le pissenlit.

Tout bon jardinier le sait, le pissenlit pousse comme une mauvaise herbe au ras du sol. Cette plante vivace possède des racines pivotantes profondes, une rosette de feuilles dentées qui partent de la base et une tige lisse et creuse qui atteint entre 12 et 24 cm. La tige est couronnée d'une seule fleur jaune qui produit des centaines de *fruits en touffe*. Les racines, les feuilles et la tige contiennent toutes un liquide laiteux. Récoltez les jeunes feuilles à mesure qu'elles poussent, car les feuilles plus matures ont un goût très amer. Les herboristes recommandent de récolter les racines à la fin de la deuxième année. Afin d'éviter que la plante ne s'étende, coupez les fleurs avant que les touffes de graine ne se forment.

Les graines de pissenlit ne sont pas toujours disponibles. Vous pouvez vous en procurer dans certains catalogues. Semez les graines au début du printemps. Elles poussent bien dans presque tous les sols, mais préfèrent les terreaux humides, bien drainés.

PLANTAIN

Une plante aux propriétés laxatives

Famille: *Plantaginaceæ.* Également environ 250 autres espèces

Genre et espèce: *Plantago psyllium*

Autres noms: Grand plantain, plantain des oiseaux, plantain lancéolé, herbe à cinq coutures, plantain moyen, langue-d'agneau

Partie utilisée: Les graines

Le plantain figure parmi les laxatifs les plus sûrs et les plus doux. Cette réputation lui a permis de s'imposer comme plante médicinale il y a plusieurs siècles. Tout récemment, des scientifiques ont découvert que le plantain avait aussi une action très bénéfique dans le cas du cholestérol.

Il ne faut pas confondre le plantain avec le *Muca paradisiaca*, sorte de palmier qui produit un fruit semblable à la banane.

Remède de la nature et appel de la nature

Pendant des siècles, les médecins chinois respestueux des traditions et les médecins ayurvédiques de l'Inde ont utilisé les graines et les feuilles de plusieurs espèces asiatiques de *Plantago* pour traiter la diarrhée, les hémorroïdes, la constipation, les problèmes urinaires et plus récemment l'hypertension artérielle.

Le plantain s'est imposé dans la médecine par les plantes européennes du XVIe siècle comme remède contre la diarrhée et la constipation. Au XVIIe siècle, l'herboriste britannique Nicholas Culpeper recommandait les graines pour soulager les inflammations, la goutte, les hémorroïdes et les mamelons douloureux des mères qui allaitent (les mastites).

Les médecins européens finirent par adopter le plantain, mais cette plante ne fut populaire en Amérique du Nord qu'après la Première Guerre mondiale. Aujourd'hui, le plantain est l'un des ingrédients les plus courants dans de nombreux laxatifs.

PROPRIÉTÉS thérapeutiques

Près de 30 % des enveloppes de graines de plantain est formé d'une substance qui absorbe l'eau et qu'on appelle mucilage. Les graines de plantain ont la propriété de gonfler dans l'eau. Elles peuvent ainsi atteindre plus de dix fois leur taille d'origine et deviennent gélatineuses. C'est grâce au mucilage que le plantain est utilisé dans les cas de diarrhée et de constipation.

DIARRHÉE. Le plantain absorbe l'excès de liquides dans le tube digestif et augmente le volume des selles.

CONSTIPATION. L'action laxative du plantain augmente le volume des selles. Quand les selles sont importantes, elles viennent appuyer contre la paroi du côlon et stimulent les ondes de contractions dans l'intestin (péristaltisme). Certains cas de constipation sont dus à des selles denses, dures et difficiles à évacuer. L'action absorbante du plantain diminue la densité des selles et aide à lubrifier le passage. Des études démontrent qu'une cuillerée à café de graines de plantain trois fois par jour procure un soulagement important.

HÉMORROIDES. Le plantain soulage aussi les démangeaisons provoquées par des hémorroïdes sanguinolentes, selon un rapport publié dans *Diseases of the Colon and Rectum*, confirmant les recommandations de Nicholas Culpeper.

CHOLESTÉROL. On a tout récemment découvert que le plantain pouvait réduire le taux de cholestérol dans le sang. Les personnes qui prennent 1 c. à café trois fois par jour pendant huit jours voient leur taux de cholestérol diminuer de façon notable, rapporte une étude publiée dans *Archives of Internal Medicine*. Des chercheurs en ont conclu que les personnes dont le taux de cholestérol est élevé pourraient bénéficier de l'action thérapeutique du plantain, ce qui leur éviterait de prendre des médicaments.

Une étude similaire réalisée pendant 12 semaines et publiée dans le *Journal of the American Medical Association* démontre que le plantain réduit le taux de cholestérol de 5 %. Selon les spécialistes des maladies cardiaques, une baisse de 1 % du taux de cholestérol signifie une diminution de 2 % du risque de crise cardiaque. Par conséquent, une réduction de 5 % du taux de cholestérol correspond à une diminution de 10 % du risque de crise cardiaque.

Par ailleurs, le plantain présente moins de danger que les médicaments destinés à réduire le taux de cholestérol. Si vous prenez ces médicaments, demandez à votre médecin l'autorisation de prendre des graines de plantain ou d'en consommer parallèlement à votre traitement usuel. Au moment de la publication de cet ouvrage, plusieurs grands fabricants de céréales ont fait part de leur intention d'inclure les graines de plantain dans les céréales du matin déjà riches en fibres.

AUTRES PROPRIÉTÉS. Une étude a révélé que le plantain protège les animaux de laboratoire contre l'action nuisible des additifs alimentaires toxiques dans l'intestin. Comme le plantain augmente le volume des selles chez les animaux, les substances chimiques toxiques adhèrent moins aux tissus intestinaux sensibles et, par conséquent, risquent moins de les affecter. Selon les chercheurs, ce mécanisme explique qu'un régime alimentaire riche en fibres diminue le risque de cancer colo-rectal. Bien qu'aucune étude ne démontre une quelconque action préventive du plantain dans ce type de cancer, première cause de décès chez les non-fumeurs, l'American Cancer Society recommande un régime alimentaire riche en fibres, et particulièrement en plantain afin de prévenir ce type de cancer.

Le plantain réduit le taux de glucose chez les animaux de laboratoire, ce qui laisse envisager des applications possibles chez l'homme atteint de diabète.

Préparation et posologie

Si vous utilisez le plantain comme laxatif ou pour faire diminuer le taux de cholestérol, prenez 1 c. à café de graines avec beaucoup d'eau, trois fois par jour, à chaque repas. Le plantain est inodore et presque insipide, mais sa texture grumeleuse n'est pas toujours appréciée. Si vous prenez une préparation commerciale, suivez le mode d'emploi.

Le plantain est déconseillé aux enfants de moins de deux ans. Si votre bébé ou votre enfant semble constipé, consultez un médecin.

Mise en garde

Le plantain n'a aucune efficacité en soi comme laxatif, pour diminuer le taux de cholestérol et éventuellement prévenir le cancer. Les graines ne gonflent qu'en présence de l'eau. Si vous prenez du plantain mais ne buvez pas assez d'eau, vos intestins risquent d'être bloqués par un gros bouchon de plantain. La personne à qui cela est arrivé a dû subir une intervention chirurgicale à l'abdomen.

Respirer de la poussière de graines de plantain peut aussi provoquer des réactions allergiques. Par conséquent, si vous êtes allergique au plantain, vous pourriez à un moment donné être victime d'une crise après en avoir consommé. Les réactions allergiques sont extrêmement rares, mais si vous avez des difficultés à respirer après avoir consommé cette plante, faites-vous soigner d'urgence.

Le plantain n'a jamais été utilisé pour déclencher les règles, contrairement à d'autres espèces de plantago. Comme la constipation est l'un des principaux inconforts de la grossesse, les femmes enceintes devraient éviter de consommer du plantain ou d'autres laxatifs. Elles leur préféreront des aliments riches en fibres tels que les fruits, les légumes et le pain de grains entiers.

Le plantain ne devrait être consommé à des fins thérapeutiques qu'après accord avec son médecin. S'il provoque de légers troubles, tels que des maux d'estomac ou de la diarrhée, prenez-en moins ou cessez d'en prendre. Consultez votre médecin s'il provoque des effets indésirables ou si les symptômes persistent deux semaines après le début du traitement.

Une plante difficile à cultiver

Le plantain est une plante annuelle qui peut atteindre 70 cm de haut et produit de discrètes fleurs blanches en été. Ces fleurs donnent naissance à de petites cosses de graines brunes.

En général, le plantain utilisé aux États-Unis provient de la France. Bien qu'on en trouve facilement chez les pépiniéristes, le plantain est rarement cultivé comme une plante de jardin. Il ressemble à une mauvaise herbe et, si les cosses ne sont pas récoltées avant d'éclater, le vent éparpille les graines, ce qui est très ennuyeux quand on sait que chaque cosse contient jusqu'à 15 000 graines et que la plante prolifère très vite.

POIVRE DE LA JAMAÏQUE

Le remède par excellence des Antilles

Famille: *Myrtaceæ*. Également la myrte
Genres et espèces: *Pimenta officinalis, P. dioica*
Autres noms: Piment, pimenta, poivre jamaïcain
Partie utilisée: Les baies vertes presque mûres

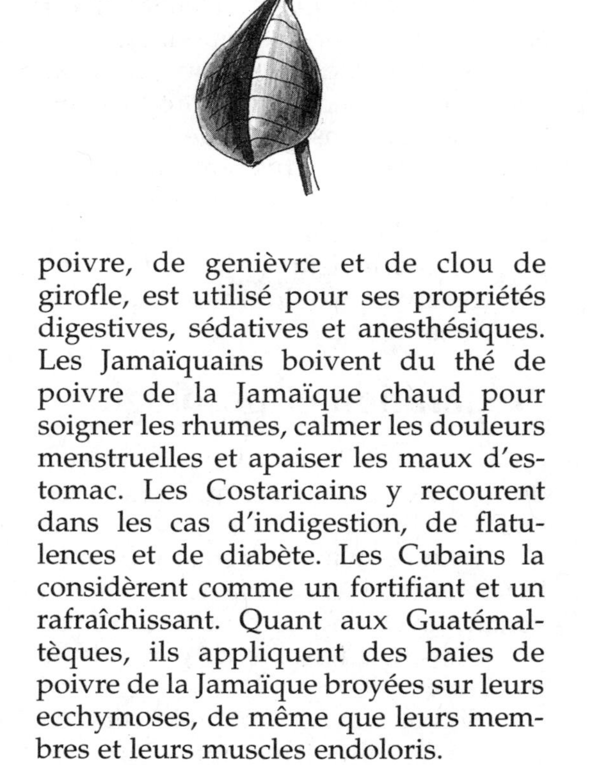

Nous avons tous, à un moment donné, rêvé des Antilles pour ses plages sablonneuses, son soleil brûlant, ses voiliers et sa musique de calypso sous ses brises tropicales. Peu de gens savent cependant qu'on y trouve d'excellentes méthodes de guérison par les plantes.

La médecine populaire est une tradition centenaire dans les Antilles. Pour ses nombreux usages thérapeutiques, elle a toujours eu recours au poivre de la Jamaïque. En outre, la plante qui pousse dans ses contrées est bien connue pour ses usages culinaires.

Le poivre de la Jamaïque, qui combine les arômes de cannelle, de poivre, de genièvre et de clou de girofle, est utilisé pour ses propriétés digestives, sédatives et anesthésiques. Les Jamaïquains boivent du thé de poivre de la Jamaïque chaud pour soigner les rhumes, calmer les douleurs menstruelles et apaiser les maux d'estomac. Les Costaricains y recourent dans les cas d'indigestion, de flatulences et de diabète. Les Cubains la considèrent comme un fortifiant et un rafraîchissant. Quant aux Guatémaltèques, ils appliquent des baies de poivre de la Jamaïque broyées sur leurs ecchymoses, de même que leurs membres et leurs muscles endoloris.

PROPRIÉTÉS thérapeutiques

Les baies de poivre de la Jamaïque contiennent une huile qui est la source de tous ses pouvoirs de guérison.

STIMULANT DIGESTIF. L'huile de poivre de la Jamaïque contient de l'eugénol, agent chimique que l'on retrouve dans le clou de girofle et dans plusieurs autres plantes médicinales. L'eugénol facilite le travail des enzymes digestifs.

ANTI-DOULEURS. Il est prouvé que l'eugénol se révèle très efficace pour calmer la douleur. D'ailleurs, les Guatémaltèques appliquent les baies broyées sur les muscles et les articulations endolories.

ANESTHÉSIANT. L'eugénol est également un anesthésique local dont se servent les dentistes pour geler les dents et les gencives. Le produit chimique est un constituant de nombreux médicaments vendus en pharmacie pour les maux de dents. L'huile de poivre de la Jamaïque peut être appliquée directement sur les dents et sur les gencives douloureuses comme traitement d'urgence.

Préparation et posologie

Pour assaisonner les aliments, prenez du poivre de la Jamaïque réduit en poudre.

Pour les maux de dents, appliquez l'huile directement sur la dent ou sur la gencive avec un peu de ouate. Versez une goutte à la fois. Prenez garde de ne pas avaler.

Si vous avez des problèmes de digestion, faites une infusion avec 1 ou 2 c. à thé de poudre de poivre de la Jamaïque par tasse d'eau bouillante. Laissez infuser de 10 à 20 minutes et filtrez. Ne dépassez pas trois tasses par jour. Vous constaterez que le poivre de la Jamaïque dégage une belle et chaude harmonie d'arômes: cannelle, poivre, genièvre et clous de girofle.

Il est déconseillé de donner du poivre de la Jamaïque aux enfants de moins de deux ans. Les enfants plus âgés et les personnes de plus de 65 ans devraient commencer par des préparations faiblement concentrées et augmenter la dose au besoin.

Mise en garde

Le poivre de la Jamaïque en poudre donne du goût aux aliments. Cependant, il faut éviter de boire son huile fortement concentrée. Une seule cuillerée à café peut causer des nausées, des vomissements, voire des convulsions.

Bien que l'huile de poivre de la Jamaïque soit efficace en application externe, il est préférable de ne pas l'utiliser à cette fin. Chez les personnes qui ont la peau sensible, surtout celles qui ont tendance à faire de l'eczéma, l'huile risque de provoquer des inflammations.

Le poivre de la Jamaïque est un anti-oxydant doux. Les anti-oxydants empêchent la dégénérescence des cellules qui, selon les scientifiques, serait à l'origine du cancer. Par ailleurs, des tests en laboratoire ont révélé que l'eugénol joue un rôle protecteur contre les tumeurs. On peut donc affirmer que le poivre de la Jamaïque pourrait favoriser l'apparition du cancer et, simultanément, protéger de ses effets. À ce jour, les chercheurs ne savent toujours pas quel rôle prime. Dans ces conditions, il est préférable que les personnes qui sont atteintes d'un cancer ou qui l'ont été s'abstiennent de prendre du poivre de la Jamaïque.

Selon la Food and Drug Administration américaine, le poivre de la Jamaïque est une plante médicinale qui ne présente aucun danger. Les femmes en bonne santé qui ne sont pas enceintes et qui n'allaitent pas peuvent l'utiliser sans crainte si elles respectent les doses prescrites. Concernant son usage à des fins thérapeutiques, il ne faut consommer le poivre de la Jamaïque qu'après accord avec son médecin. Si elle provoque de légers troubles, tels que des maux d'estomac ou de la diarrhée, prenez-en moins ou cessez d'en prendre. Consultez votre médecin en cas d'effets indésirables ou si les symptômes persistent deux semaines après le début du traitement.

Au sud de la frontière

Originaire d'Amérique centrale et des Antilles et cultivé aujourd'hui exclusivement en Amérique du Sud, le poivre de la Jamaïque mesure 12 m et possède de larges feuilles coriaces et oblongues. Il produit des baies de 1 cm de grosseur en juillet et en août.

POMMIER

Une pomme par jour, la santé pour toujours

Famille: *Rosaceæ*. Également la rose, l'amande et la fraise
Genres et espèces: *Malus sylvestris* ou *Malus pyrus*
Autres noms: Aucun
Partie utilisée: Le fruit

Selon un vieil adage, «Une pomme par jour éloigne le médecin pour toujours». Ce vieux dicton dit vrai, surtout si le médecin en question est un gastro-entérologiste, un cardiologue ou un oncologiste. La pomme se révèle un remède utile dans les cas de diarrhées et de constipation. Elle aide également à prévenir les maladies cardiaques, le cancer et certains types d'accidents vasculaires cérébraux.

Bien que peu d'herboristes méconnaissent ses vertus thérapeutiques, la pomme est depuis longtemps reconnue pour son pouvoir de guérison.

Les vertus curatives que lui conféraient les anciens herboristes ont d'ailleurs été confirmées scientifiquement. Il est donc temps de redonner à la pomme ses lettres de noblesse.

Un traitement à la fois ancien et moderne

Les Égyptiens, les Grecs et les Romains adoraient les pommes et en cultivaient de nombreuses variétés. Mais ce sont les médecins ayurvédiques de l'Inde ancienne qui les ont utilisées les premiers dans le traitement de la diarrhée. Aujourd'hui, on préconise la compote de pomme dans ce cas particulier. Quant aux médecins chinois respectueux des traditions, ils ont recouru aux écorces de pommier pendant des siècles pour traiter le diabète. Cette autre propriété thérapeutique est également reconnue par la science moderne.

Au Moyen Âge, l'abbesse et herboriste allemande Hildegard de Bingen conseillait aux personnes en bonne santé de manger des pommes crues pour se donner du tonus et des pommes cuites comme traitement d'urgence pour toutes maladies.

Environ à la même époque en Angleterre, un autre dicton avait cours: «Manger une pomme avant d'aller au lit fera du médecin un homme bien mal loti». Le dicton est toujours d'actualité.

Les Anglais ne disaient pas que des vérités au sujet de la pomme. Nicholas Culpeper, herboriste britannique du XVIIe siècle, recommandait les pommes «pour les estomacs irrités et bilieux, les inflammations de la poitrine et des poumons, de même que pour l'asthme». Il suggérait également de manger des pommes bouillies mélangées avec du lait comme soulagement des plaies provoquées par la poudre à canon.

Les Américains n'avaient pas de pommes, mais les Pèlerins rapportèrent des graines avec eux, et le fruit devint aussi rapidement américain que la célèbre tourte aux pommes.

La médecine populaire américaine s'est développée autour des pommes, de l'écorce de pommier et du cidre de pommes. Il y a un siècle, les médecins éclectiques recommandaient de manger des pommes fraîches pour la constipation, des pommes cuites au four ou à l'étouffée pour les fièvres légères, des décoctions d'écorces de pommier pour la fièvre intermittente (malaria) et du cidre de pomme «comme boisson rafraîchissante pour les personnes fiévreuses».

PROPRIÉTÉS thérapeutiques

La médecine moderne reconnaît à la pomme des qualités indéniables grâce à sa pulpe qui est riche en pectine, un substance fibreuse soluble qui s'y trouve.

DIARRHÉE. Des études révèlent que la pectine est antidiarrhéique. La bactérie intestinale la transforme en un agent protecteur et calmant pour la muqueuse intestinale irritée. En outre, en augmentant le volume des selles, elle permet de traiter à la fois la diarrhée et la constipation.

Certaines diarrhées sont causées par une infection bactérienne. Une étude démontre que la pectine de la pomme combat certains types de bactéries susceptibles de provoquer de la diarrhée. Il n'est pas étonnant d'associer le mot pectine à «pectate», composant que l'on retrouve dans le Kaopectate®, une préparation antidiarrhéique en vente libre en pharmacie.

CONSTIPATION. Les médecins recommandent une alimentation riche en fibres pour augmenter le volume des selles. C'est en effet le volume des selles qui stimule les intestins et prévient la constipation.

MALADIES CARDIAQUES ET ACCIDENTS VASCULAIRES CÉRÉBRAUX. La pectine diminue le taux de cholestérol sanguin qui est souvent responsable des maladies cardiaques et des accidents vasculaires cérébraux. Le cholestérol que contient la pectine agit dans les intestins avant d'être éliminé. Aussi, manger une pomme après de la viande et des produits laitiers est une bonne façon de réduire le taux de cholestérol.

CANCER. La Société américaine du cancer recommande une alimentation riche en fibres afin de prévenir certaines formes de cancer, particulièrement le cancer du côlon. Selon une étude publiée dans le *Journal of the National Cancer Institute*, la pectine circonscrit certains composés cancérigènes du côlon et accélère leur élimination hors de l'organisme.

DIABÈTE. Une alimentation riche en fibres est excellente pour les diabétiques. Plusieurs études démontrent que la pectine permet de contrôler le taux de glucose sanguin.

INTOXICATION AU PLOMB. Des études européennes confirment que la pectine aide à éliminer le plomb et le mercure, ainsi que d'autres métaux lourds particulièrement toxiques. Les citadins et les personnes qui vivent dans un univers pollué ont une raison supplémentaire de manger une pomme chaque jour.

PLAIES INFECTÉES. Bien que la pectine soit le principal composant médicinal de ce fruit, les feuilles contiennent un antibiotique, le phlorétine. Si, par exemple, vous vous faites une petite entaille au doigt dans le verger, froissez quelques feuilles et appliquez-les immédiatement sur la plaie.

Préparation et posologie

La pomme est un fruit dont les vertus thérapeutiques sont énormes. Les pommes vertes ont un goût plutôt acidulé, mais elles ont plus de croquant. Les pommes rouges sont habituellement plus douces, mais elles peuvent être farineuses.

Lavez les pommes avec de l'eau et du savon avant de les manger afin d'enlever les pesticides.

Mise en garde

Le professeur James A. Duke, responsable des plantes médicinales au Département d'agriculture américain, également poète, résume ainsi les bienfaits des pommes :

«Une pomme par jour garde le
médecin dans sa cour,
C'est du moins ce que les gens
racontent dans les alentours.
Mais un beau jour, nous avons lu dans
un livre
qu'un homme avait mangé les pépins
avant de faire du cidre,
Il mourut sur-le-champ, dans la
froidure,
Tout simplement, empoisonné au
cyanure.»

L'histoire est étrange, mais non moins véridique. Les pépins de la pomme contiennent un taux élevé de cyanure, poison mortel. Il suffit d'une demi-tasse pour tuer un adulte et beaucoup moins pour les enfants et les personnes âgées. Bon nombre de parents savent que les jeunes enfants qui mangent le cœur de la pomme ont souvent mal au ventre. Certes, les pépins qui se trouvent dans le cœur du fruit présentent de faibles risques d'empoisonnement, mais il vaut mieux prévenir les enfants et éviter qu'ils avalent les pépins.

Mangez des pommes fraîches tant que vous voulez, mais gardez-vous bien d'avaler les pépins. Si les pommes causent de légers troubles, tels que de la diarrhée ou de la constipation, mangez-en moins ou cessez d'en manger. Consultez votre médecin en cas d'effets indésirables ou si les symptômes persistent au bout d'une semaine.

N'essayez pas de soigner le diabète, le cholestérol, une affection du côlon uniquement avec des plantes médicinales. Dans le cas de ces affections, les pommes complètent une médication allopathique.

Cultivez votre variété préférée

Les archéologues ont découvert que les humains apprécient les pommes depuis au moins 6 500 ans avant notre ère. Les pommes préhistoriques, petites, sèches et farineuses, ressemblaient à nos pommes sauvages. Avec les progrès de l'agriculture, les pommes sont devenues l'un des premiers fruits hybridés qui ait poussé dans les vergers.

Aujourd'hui, on trouve notamment dans les 50 États américains environ 300 variétés de pommes. Pour certaines variétés, on doit tenir compte de conditions très spécifiques. Consultez un pépiniériste pour connaître les variétés qui conviennent le mieux à votre environnement.

Un pommier adulte peut atteindre 12 m de haut et s'étendre sur 144 m.c. Cependant, les pommiers nains qui produisent des fruits de grosseur normale, absolument délicieux, mesurent entre 1,80 m et 3,65 m de haut, et s'étendent sur seulement 13 m. c., parfois moins.

Plantez la racine mère dans un endroit ensoleillé. Arrosez fréquemment. Greffez au moment de la plantation, puis une fois par an. À chaque variété correspond un engrais précis et un pesticide. Consultez votre pépiniériste.

POULIOT

Une excellente plante à mauvaise réputation

Famille: *Labiatæ.* Également la menthe
Genres et espèces: *Mentha pulegium* (en Europe), *Hedeoma pulegioides* (en Amérique)
Autre nom: Pouliot de montagne
Parties utilisées: Les feuilles et la partie supérieure des fleurs

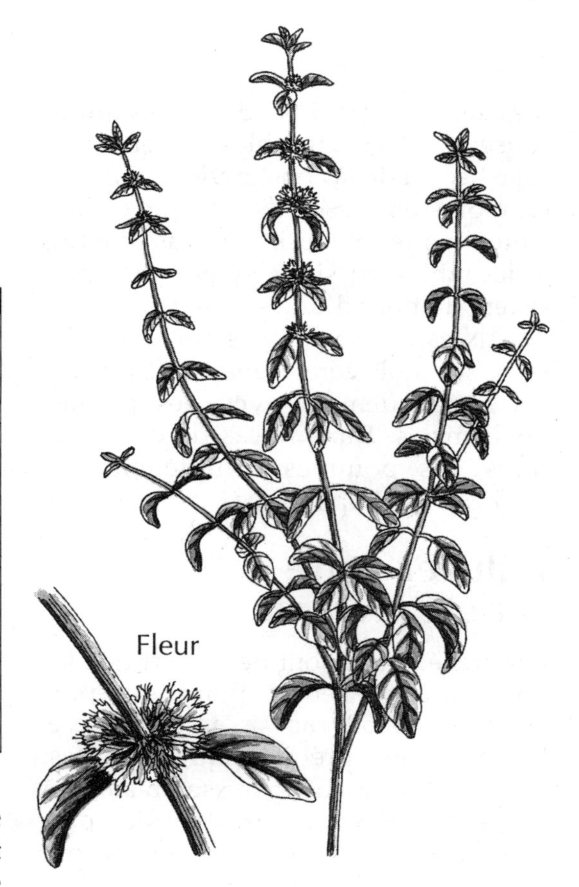

Le pouliot ne mérite pas sa mauvaise réputation. Ses détracteurs estiment que la plante peut être mortelle même en petites quantités. Il est vrai que deux cuillerées à café d'huile de pouliot peuvent être fatales. Par contre, l'herbe séchée n'est pas toxique. Ses feuilles fortement aromatisées ainsi que la partie supérieure des fleurs sont des décongestionnants qui ne présentent aucun danger, d'excellents remèdes contre la toux et des stimulants digestifs.

Un insecticide naturel

Le pouliot devint populaire pendant le premier siècle de notre ère, après que le naturaliste romain Pline l'Ancien eut noté qu'il éloignait les puces, d'où sa réputation d'insecticide naturel. Quand on le frotte ou qu'on en applique un peu sur la peau, il éloigne d'autres insectes, d'où ses noms communs d'herbe à tiques et de plante à moustiques.

Non seulement Pline l'Ancien faisait valoir l'efficacité du pouliot contre les puces, mais il le préconisait comme remède contre la toux et stimulant digestif. Il recommandait de suspendre la plante dans les chambres des malades, convaincu que son arôme favorisait la guérison. Le médecin grec Dioscoride confirma les recommandations de Pline l'Ancien et ajouta que le pouliot était excellent pour stimuler les règles et expulser le placenta.

Au début du Moyen Âge, le pouliot était réservé à de bien étranges usages. Le médecin et philosophe saint Albertus Magnus écrivait que l'on pouvait faire «revivre en une heure» des abeilles en train de se noyer en les recouvrant de cendres de pouliot bien chaudes…

Les herboristes britanniques louent ses vertus

Au XVIe siècle, John Gerard reconnaissait les vertus du pouliot comme expectorant. Il déclarait: «Le pouliot mélangé à du miel nettoie les poumons et aide la poitrine à éliminer ses humeurs les plus grossières.»

L'herboriste britannique du XVIIe siècle Nicholas Culpeper recommandait la plante pour d'autres maladies: «Mélangé à du vin, le pouliot est très précieux pour les personnes qui se font piquer ou mordre par des bêtes venimeuses … les personnes qui s'évanouissent reviennent à elles dès qu'on leur tapote les narines d'un peu de pouliot et de vinaigre mélangés … séché et brûlé, il renforce les gencives et soulage les personnes qui souffrent de la goutte … utilisé comme pansement, il guérit les furoncles.»

Les Américains l'adoptent

Ce furent les premiers colons américains qui introduisirent le pouliot européen (*M. pulegium*) en Amérique du Nord. À leur arrivée, ils découvrirent que les Indiens utilisaient la plante (*H. pulegioides*) comme eux. En usage externe, ils s'en servaient pour panser les plaies et repousser les insectes. Par voie orale, elle servait à soigner les rhumes, la grippe, la toux, la congestion. Les femmes l'utilisaient pour déclencher leurs règles et avorter. Les guérisseurs recommandaient aussi de porter des guirlandes de pouliot aromatiques autour de la tête pour soulager les maux de tête et les étourdissements.

Au début du XIXe siècle, les herboristes adeptes de Thomson conseillèrent d'insérer quelques feuilles de pouliot dans les narines pour arrêter les saignements de nez. Après la guerre de Sécession, les médecins éclectiques américains adoptèrent la plante comme remontant, traitement de la fièvre, stimulant digestif et pour déclencher les règles. Dans leur traité, le *King's American Dispensatory*, ils la mentionnèrent comme «un excellent remède contre les petits rhumes» et la recommandèrent pour l'arthrite, la coqueluche, les coliques du nourrisson … et l'hystérie, ou troubles menstruels.

Aux environs de 1887, ces médecins furent parmi les premiers à se servir de l'huile de pouliot qui, selon eux, était plus facile à utiliser que la plante. Toutefois, ils reconnaissaient ses risques potentiels. D'ailleurs, le *King's American Dispensatory* rapporte un cas d'empoisonnement causé par l'ingestion d'une cuillerée à soupe de pouliot.

De 1831 à 1916, le pouliot figurait dans le *U.S. Pharmacopœia* comme un remontant, un stimulant digestif et un déclencheur de règles. De 1916 à 1931, l'huile de pouliot était décrite comme un irritant intestinal et comme une plante qui aide les femmes à avorter.

De nos jours, les herboristes déconseillent de consommer de l'huile de pouliot en raison de sa toxicité. Par contre, ils recommandent la plante en usage externe, c'est-à-dire comme insecticide et comme traitement des coupures et des brûlures. Ils conseillent aussi de consommer la plante, et non l'huile, pour déclencher les règles et dans les cas de rhumes, de toux, de maux d'estomac, de flatulences, d'anxiété.

PROPRIÉTÉS thérapeutiques

L'huile de pouliot contient une substance chimique, la pulégone, qui repousse les insectes, déclenche les règles et aide les femmes à avorter.

INSECTICIDE. L'huile de pouliot entre dans la composition de plusieurs insecticides naturels. Il semble qu'elle repousse les mouches, les moucherons, les moustiques, les puces et les tiques.

DÉCONGESTIONNANT ET ANTITUSSIF. L'arôme puissant que dégage une infusion de pouliot agit comme décongestionnant et éventuellement comme expectorant, d'où sa réputation de menthe aromatique.

STIMULANT DIGESTIF. Le pouliot contient aussi des substances chimiques similaires au menthol de la menthe poivrée et, par conséquent, détend le tube digestif. Toutefois, son action apaisante pour l'estomac est moins forte que celle de la menthe poivrée.

Préparation et posologie

Pour repousser les insectes, broyez un peu de pouliot fraîchement coupé et frottez-le sur tout le corps ou préparez une crème à partir d'une teinture de pouliot et faites-la pénétrer dans la peau.

Pour un collier anti-puces, essayez une guirlande de pouliot ou suspendez un sachet à l'un de vos colliers.

Pour une infusion destinée à soulager la toux, la congestion ou les maux d'estomac, utilisez de 1 à 2 c. à café d'herbe séchée par tasse d'eau bouillante. Laissez infuser de 10 à 15 minutes. Ne dépassez pas deux tasses par jour. L'arôme rappelle celui de la menthe poivrée tout en étant plus pénétrant et moins appétissant. Le goût est chaud et agréable. Il est amer au début, puis se fait de plus en plus rafraîchissant.

Pour une teinture, prenez de 1/4 à 1/2 c. à café jusqu'à deux fois par jour.

Le pouliot est déconseillé aux enfants de moins de deux ans. Les enfants plus âgés et les personnes de plus de 65 ans devraient commencer par des préparations faiblement concentrées et augmenter la dose au besoin.

Mise en garde

Depuis que l'huile de pouliot a été distillée, il y a plus de cent ans, afin d'aider les femmes à avorter, le pouliot a mauvaise réputation à cause de son huile fortement toxique. Certes, la pulégone stimule réellement les contractions utérines, mais la dose nécessaire pour avorter est presque une dose mortelle, ce que les femmes ont appris à leur détriment. Le journal médical britannique *Lancet* a rapporté un cas d'empoisonnement suite à un avortement en 1897. Depuis lors, environ une douzaine de cas semblables ont été cités dans des ouvrages médicaux.

Il suffit d'une demi-cuillerée à café d'huile de pouliot pour provoquer des convulsions, et selon un rapport paru dans le *Journal of the American Medical Association,* une jeune femme enceinte de 18 ans est décédée deux heures après avoir ingéré deux cuillerées à café d'huile de pouliot, malgré un traitement d'urgence.

Il est clair que les femmes enceintes qui veulent accoucher à terme devraient éviter l'huile de pouliot. À vrai dire, cette huile est à proscrire en toutes circonstances.

Bien que de petites quantités d'huile de pouliot puissent être mortelles, l'huile reste un extrait extrêmement concentré de la plante. Il n'y a donc aucun risque à boire quelques tasses de pouliot que l'on fait infuser. Norman Farnsworth, spécialiste en pharmacognosie, estime qu'il faudrait boire une infusion de 283 litres de pouliot fortement dosé pour obtenir une seule dose d'huile de pouliot potentiellement toxique.

Autres précautions

Les femmes en bonne santé qui ne sont pas enceintes et qui n'allaitent pas peuvent utiliser le pouliot, et non son huile, sans crainte si elles respectent les doses prescrites.

Le pouliot ne devrait être consommé à des fins thérapeutiques qu'après accord avec son médecin. S'il provoque de légers troubles, tels que des maux d'estomac ou de la diarrhée, prenez-en moins ou cessez d'en prendre. Consultez votre médecin en cas d'effets indésirables ou si les symptômes persistent deux semaines après le début du traitement.

Un meilleur rendement dans un bon terroir

Malgré leurs disparités, le pouliot américain et le pouliot européen produisent une huile presque identique et sont utilisés indifféremment.

L'espèce européenne est une plante vivace qui se multiplie par stolons souterrains. Ses tiges carrées peuvent atteindre 30 cm. Ses feuilles ovales et opposées sont lisses ou légèrement velues. Des verticilles de petits lilas serrés apparaissent au milieu de l'été.

L'espèce européenne se multiplie grâce à des boutures de stolons au début du printemps ou de l'automne ou de boutures de tiges enracinées pendant l'été. Les deux espèces aiment être exposées au soleil dans des terreaux riches, bien arrosés, sablonneux et légèrement acides. Toutefois, l'espèce européenne tolère un peu d'ombre. Le pouliot européen a besoin de place pour se multiplier. Ses stolons émergent de terre après la floraison.

Le pouliot américain est une plante annuelle dont les tiges carrées peuvent atteindre 45 cm. Ses feuilles ressemblent à celles du pouliot européen. Cependant, ses fleurs qui éclosent en été sont généralement plus petites et plus bleutées.

Le pouliot américain se cultive à partir de graines plantées au printemps ou à l'automne. Recouvrez-les de 6 mm de terre. Espacez les plants d'environ 13 cm.

Récoltez les feuilles et la partie supérieure des fleurs des deux plantes au moment de la floraison. À l'automne, coupez-les à quelques centimètres au-dessus du sol et suspendez-les pour les faire sécher.

PRÊLE

Une plante précieuse

Famille: *Equisetaceæ.* Espèce disparue, sauf la prêle
Genre et espèce: *Equisetum arvense*
Autres noms: Prêle des champs, queue-de-cheval, queue-de-rat, queue-de-renard, petite prêle
Partie utilisée: Les tiges

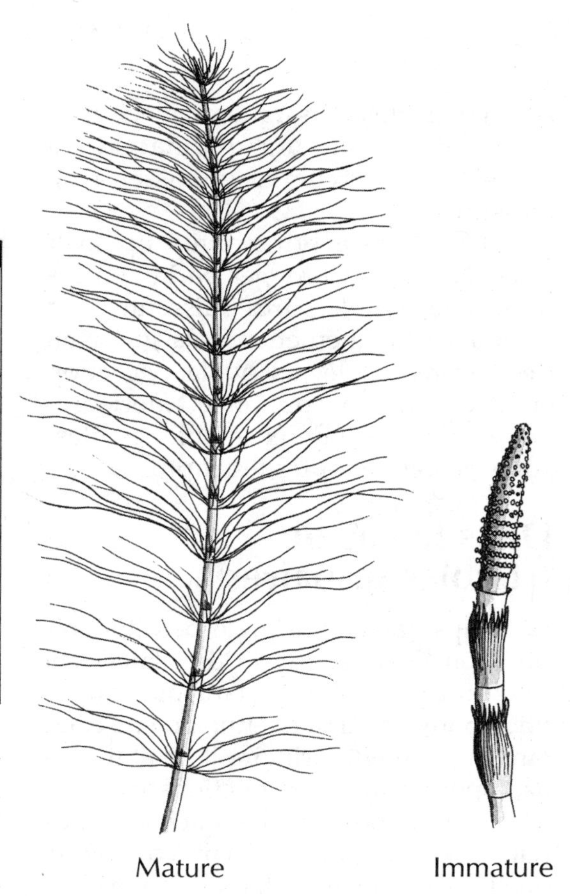

Tout ce qui est or ne brille pas nécessairement. Prenez par exemple la prêle. Cette habitante des marécages très proche du bambou est capable d'absorber de l'or dissout dans de l'eau. Les herboristes se sont intéressés à elle parce que les médecins prescrivaient souvent à leurs patients des préparations contenant de l'or pour soigner la polyarthrite. La prêle est utilisée depuis très longtemps comme remède pour soulager les douleurs articulaires.

Bien des siècles avant que l'on ne réalise que la prêle contenait de l'or, les anciens avaient découvert sa valeur en tant que détergent abrasif. Au fil des siècles, la prêle fut utilisée pour récurer les casseroles, faire briller l'étain, et sabler ou «raboter» le bois, d'où ses noms populaires: pâte à récurer, rase-herbe et plante d'étain.

Pendant les famines, les Romains mangeaient des pousses de prêle, qui ressemblent à des asperges, mais qui n'ont pas aussi bon goût et ne sont pas aussi nutritives. (Les randonneurs trouveront dans des guides pratiques des recommandations sur les pousses dures et filandreuses de cette plante.)

Les médecins chinois respectueux des traditions utilisent cette plante pour traiter les blessures, les hémorroïdes, l'arthrite et la dysenterie.

Le médecin romain Galien estimait que la prêle soignait les tendons et les ligaments sérieusement atteints et aidait à arrêter les saignements de nez. La plante acquit une réputation au cours des siècles comme guérisseuse de blessures.

L'herboriste britannique du XVIIe siècle Nicholas Culpeper parlait en ces termes de la prêle: «Très puissante pour arrêter les saignements ... la guérison des ulcères ... le jus ou la décoction étant bus ... ou appliquée extérieurement ... Elle soude ensemble les blessures et soigne toutes les ruptures.»

Dans le cas de troubles urinaires

Le temps passa et la prêle perdit sa réputation de guérisseuse de plaies. On reconnut sa valeur en tant que diurétique pour traiter la rétention d'eau et en tant que remède urinaire. Elle était utilisée pour traiter les mictions douloureuses, la gonorrhée, les infections des reins et de l'appareil urinaire, de même que l'insuffisance cardiaque congestive.

Les médecins éclectiques du XIXe siècle prescrivirent la prêle comme diurétique et antiseptique urinaire dans les cas d'incontinence, de gonorrhée, de calculs rénaux, d'infections du rein, de problèmes urinaires et d'insuffisance cardiaque congestive.

Les homéopathes recommandèrent à leurs patients de petites doses de la plante pour les problèmes urinaires, notamment les infections de la vessie, l'incontinence et l'infection de l'urètre.

Les herboristes contemporains la préconisent en application externe pour les blessures et par voie orale pour les problèmes urinaires et les problèmes de la prostate.

PROPRIÉTÉS thérapeutiques

La prêle n'est pas une plante médicinale importante, bien qu'elle possède certaines propriétés thérapeutiques intéressantes.

ARTHRITE. La prêle absorbe l'or dissout dans l'eau mieux que toute autre plante, jusqu'à environ 100 g par tonne de tiges fraîches. Bien sûr, la quantité d'or potable que contient une tasse d'infusion de prêle est très faible. Cependant, de faibles quantités d'or servent à traiter la polyarthrite rhumatoïde, usage qu'en faisaient les Chinois pour traiter cette maladie. Consultez d'abord votre médecin si vous désirez prendre de la prêle de pair avec votre traitement régulier.

DIURÉTIQUE. La prêle contient un agent chimique diurétique faible, l'équisétonine, ce qui confirme l'usage traditionnel de la plante comme stimulant urinaire.

EMPLOI CONTESTÉ. La prêle contient également de la nicotine et certains herboristes la préconisent comme substitut aux personnes qui veulent cesser de fumer. Cependant, la quantité de nicotine qui s'y trouve est tellement faible, 0,00004 %, qu'elle n'assouvirait pas le désir de fumer. Les chewing-gums à base de nicotine que l'on peut se procurer sur ordonnance sont un meilleur choix.

Préparation et posologie

Afin d'éliminer la rétention d'eau ou de soulager le polyarthrite rhumatoïde, sous surveillance médicale, consommez une tisane ou prenez une teinture. Pour une infusion, prenez 1 à 2 c. à café de prêle séchée par tasse d'eau bouillante. Laissez infuser pendant 10 minutes. Ne dépassez pas deux tasses par jour. La prêle n'a presque pas de goût.

Pour une teinture, prenez 1/2 à 1 c. à café jusqu'à deux fois par jour.

La prêle est déconseillée aux enfants de moins de deux ans. Les enfants plus âgés et les personnes de plus de 65 ans devraient commencer par des préparations faiblement concentrées et augmenter la dose au besoin.

Mise en garde

Le prêle a une forte teneur en sélénium. En trop grande quantité, le sélénium peut entraîner une malformation congénitale. Dans des marais en aval de régions agricoles très fertilisées, la prêle pourrait contenir des taux de sélénium dangereux. Les femmes enceintes devraient s'abstenir d'en prendre.

La prêle contient également un agent chimique, l'équisétine, qui est toxique pour le système nerveux. Les animaux à qui on a fait consommer de la prêle ont été atteints de fièvre, de faiblesse musculaire, d'une fréquence anormale du pouls, et ils ont perdu du poids. Certains en sont même morts. Des réactions ont également été rapportées dans le cas d'enfants qui soufflaient dans des tiges de prêle pour s'amuser ou qui avaient ingérés son jus. Ne laissez pas les enfants jouer avec cette plante.

Autres précautions

À cause des problèmes associés aux animaux mentionnés ci-haut, la Food and Drug Administration inclut la prêle parmi les plantes dont la fiabilité reste à prouver.

Les femmes en bonne santé qui ne sont pas enceintes, qui n'allaitent pas et qui ne prennent pas d'autres diurétiques peuvent l'utiliser sans crainte si elles respectent les doses prescrites.

La prêle ne devrait être consommée à des fins thérapeutiques qu'après accord avec son médecin. Si elle provoque de légers troubles, tels que des maux d'estomac ou de la diarrhée, prenez-en moins ou cessez d'en prendre. Consultez votre médecin en cas d'effets indésirables ou si les symptômes persistent deux semaines après le début du traitement.

Le géant des marais

La prêle est la seule survivante de plantes géantes semblables aux fougères qui couvraient la terre il y a plus de 200 millions d'années. Les rhizomes grimpants de la plante produisent des tiges creuses et sillonnées, presque dénudées de feuilles, qui atteignent environ 2 m de haut. Au sommet de la tige se développent des sporanges groupés en épi (chatons) qui ont la forme d'une queue de cheval, d'où l'un des noms de la plante.

On peut se procurer de la prêle chez un pépiniériste spécialisé. Des boutures peuvent aussi être prises des racines sauvages, au printemps, quand les tiges en forme d'épis ont atteint quelques centimètres.

Placez les plants ou les boutures juste sous la surface des sols marécageux et gardez-les mouillés. Afin d'éviter que la plante ne s'étende, contenez-la au moyen d'une feuille de métal enfoncée dans le sol à une profondeur d'environ 40 cm.

Récoltez les tiges à l'automne.

Assurez-vous que les tiges sont hors de la portée des enfants.

QUATRE-ÉPICES

Traitement de la fièvre cent pour cent américain

Famille: *Myricaceæ*. Également la myrte
Genre et espèce: *Myrica cerifera*
Autres noms: Myrte de cire, candleberry et arbuste à suif
Partie utilisée: Écorce de racine

Lorsque les premiers colons américains découvrirent le quatre-épices dans l'est du pays, ils en firent des bougies parfumées. Sur la terre d'Amérique, le quatre-épices n'était une plante médicinale que pour les Indiens Choctaw du sud des États-Unis. Ces derniers faisaient bouillir les feuilles et buvaient la décoction qui se révélait un excellent remède contre la fièvre. Plus tard, les colonisateurs de la Louisiane adoptèrent la plante et se mirent à boire la cire de quatre-épices avec de l'eau chaude qui, selon un rapport médical publiée en 1722, procurait «un certain soulagement dans les cas les plus graves de dysenterie».

Presque aussi efficace que le piment rouge

C'est un herboriste de la Nouvelle-Angleterre, Samuel A. Thomson, qui, au début du XIXe siècle, fit connaître le quatre-épices. Inventeur des premières spécialités pharmaceutiques, l'herboriste comparait cette plante au piment fort et vantait sa capacité à produire de la chaleur dans tout le corps. L'herboriste la recommandait pour soigner les rhumes, la grippe et bon nombre d'autres maladies infectieuses, en plus de la diarrhée et de la fièvre.

Après la guerre de Sécession, les principes d'herboristerie de Samuel A. Thomson furent détrônés par les théories plus scientifiques du mouvement éclectique. Les médecins adeptes de ce mouvement conseillaient d'appliquer l'herbe astringente sur les gencives qui saignent et d'en boire une préparation dans les cas de diarrhée, de dysenterie, de maux de gorge, de scarlatine, de problèmes menstruels et même de typhoïde.

Bien que le quatre-épices ait depuis longtemps perdu la faveur populaire, certains herboristes la recommandent en usage externe pour les varices et par voie orale pour les diarrhées, la dysenterie, les rhumes, les grippes, les gingivites et les maux de gorge. L'un d'entre eux la présente comme «l'une des plantes les plus utiles de la médecine botanique» et va jusqu'à recommander d'introduire de la ouate imbibée de thé de quatre-épices dans le vagin afin de traiter les hémorragies utérines. Ne suivez pas ce conseil. Consultez de préférence votre médecin en cas de saignements utérins inhabituels.

PROPRIÉTÉS thérapeutiques

Il y a deux cents ans, le quatre-épices était réputé pour ses propriétés médicinales. Cependant, la plupart de ses vertus curatives ont été oubliées avec le temps. Pourtant, la science a démontré que cette plante originaire de l'Amérique est précieuse dans les cas de fièvre et de diarrhée.

DIARRHÉE. L'écorce de racine de quatre-épices contient un antibiotique, la myristicine, très efficace pour combattre un grand nombre de bactéries et de protozoaires. L'action de la myristicine confirme l'usage traditionnel du quatre-épices dans les cas de diarrhée et de dysenterie.

Le quatre-épices contient aussi des tannins astringents qui le rendent encore plus efficace dans le traitement des diarrhées.

FIÈVRE. La myristicine fait tomber la fièvre comme l'affirment les Indiens Choctaw.

AUTRES PROPRIÉTÉS. La myristicine favorise la sécrétion biliaire et pourrait également s'avérer fort utile dans le traitement des maladies du foie et de la vésicule biliaire, mais aucune recherche ne l'a encore prouvé.

Préparation et posologie

Pour une décoction, faites bouillir 1 c. à café de racine de quatre-épices en poudre dans un demi-litre d'eau pendant 10 à 15 minutes. Ajoutez un peu de lait et buvez froid. Ne dépassez pas deux tasses par jour. La préparation est astringente et a un goût amer. Pour une préparation plus douce, il vous suffira de prendre 1/2 c. à café jusqu'à deux fois par jour.

Le quatre-épices est déconseillé aux enfants de moins de deux ans. Les enfants plus âgés et les personnes de plus de 65 ans devraient commencer par des préparations faiblement concentrées et augmenter la dose au besoin.

Mise en garde

À cause de sa forte teneur en tannin, le quatre-épices est également déconseillé aux personnes qui ont déjà eu le cancer. D'après certaines études, le tannin pourrait favoriser l'apparition du cancer et, simultanément, protéger de ses effets. On a beaucoup parlé de leur action cancérigène. Notamment, une étude publiée dans le *Journal of the National Cancer Institute* a montré que les tannins pouvaient causer l'apparition de tumeurs malignes chez les animaux de laboratoire. Par ailleurs, ces mêmes tannins préviendraient ces mêmes tumeurs.

L'action des tannins dans le cancer reste à déterminer. Certes, de petites quantités ne sont pas préjudiciables, mais on a noté un taux de cancer de l'estomac anormalement élevé chez les Asiatiques qui consomment beaucoup de thé, lequel contient de fortes doses de tannins. Pour en neutraliser l'effet, il faut ajouter du lait. C'est d'ailleurs ce que font les Anglais qui, contrairement aux Asiatiques, ne souffrent que peu ou pas de cancer de l'estomac. Par conséquent, les personnes qui ont été touchées par le cancer, essentiellement le cancer de l'estomac et le cancer du côlon, doivent s'abstenir de prendre des préparations à base de quatre-épîces. Les autres ne devraient pas dépasser les doses prescrites pour les infusions et les décoctions. Pour plus de sûreté, il est bon d'ajouter un peu de lait.

Autres effets indésirables

En grandes quantités, l'écorce de racine de quatre-épices risque de provoquer des maux d'estomac, des nausées et des vomissements. Les personnes qui souffrent de problèmes gastro-intestinaux chroniques comme la colite devraient en limiter la consommation. Le quatre-épices modifie la transformation du sodium et du potassium dans l'organisme. Les personnes qui doivent surveiller leur taux de sodium et de potassium, celles qui souffrent de maladies des reins, d'hypertension artérielle ou d'insuffisance cardiaque congestive devraient d'abord consulter leur médecin.

Les femmes en bonne santé qui ne sont pas enceintes ou qui n'allaitent pas, de même que les personnes qui ont un taux normal de sodium et de potassium, qui ne souffrent pas de problèmes gastro-intestinaux et qui n'ont jamais eu le cancer de l'estomac ou du colon, peuvent l'utiliser sans crainte si elles respectent les doses prescrites.

Le quatre-épices ne devrait être consommé à des fins thérapeutiques qu'après accord avec le médecin. S'il provoque de légers troubles, tels que la nausée ou des vomissements, prenez-en moins ou cessez d'en prendre. Consultez votre médecin en cas d'effets indésirables ou si les symptômes persistent deux semaines après le début du traitement.

Une plante qui aime la Floride

Le quatre-épices couvre une bonne partie du territoire américain: depuis l'État du New Jersey jusqu'aux Grands Lacs, en passant par les États de la Floride et du Texas. Au sud-est, on remarque un petit arbre vert aux feuilles persistantes qui peut atteindre plus de 10 m. Plus au nord, la plante est plus petite. Autour des Grands Lacs, elle ne dépasse que rarement 91 cm.

Son écorce est grisâtre, ses branches sont cireuses et ses feuilles sont denses, étroites et dentées. Elles libèrent un arôme suave quand on les froisse.

L'arbre produit des glands résineux. Les fleurs jaunes éclosent au printemps et produisent des fruits qui ressemblent à des noix recouvertes de cire. À une certaine époque, cette cire servait à fabriquer les bougies.

Le quatre-épices pousse à partir de graines semées au printemps ou au début de l'automne. Cette plante aime la tourbe et le plein soleil, bien qu'elle tolère les sols sablonneux plus pauvres aux alentours des ruisseaux et dans les régions marécageuses. Les plants ont besoin d'être taillés. Ce sont en fait les seuls soins qu'ils nécessitent.

L'écorce de racine ne se ramasse qu'après quelques années.

RÉGLISSE

Des bienfaits controversés

Famille: *Leguminosæ.* Également les fèves et les pois
Genre et espèce: *Clycyrrhiza glabra*
Autres noms: Réglisse officinale, réglisse glabre, bois doux, racine douce, bois sucré
Parties utilisées: Les rhizomes et les racines

La réglisse est l'une des plantes médicinales les plus bénéfiques et les plus controversées qui soient. Ses partisans avancent que cette plante est utilisée en toute sécurité partout dans le monde depuis des milliers d'années pour soigner la toux, les rhumes, l'urticaire, l'arthrite, les ulcères, l'hépatite, la cirrhose et les infections. Tout en reconnaissant à la réglisse une certaine efficacité, ses détracteurs maintiennent que «ses effets indésirables potentiellement nocifs» en font une plante dangereuse.

Les extraits de réglisse utilisés en confiserie ont, dans certains cas, nui à la santé de certaines personnes qui en avaient consommé de grandes quantités. Pour les adultes en bonne santé qui en consomment modérément, les bienfaits de cette plante aux propriétés curatives compensent largement ses risques.

Une douce racine rebaptisée

La réglisse est largement mentionnée dans le premier grand herbier chinois, le *Pen Tsao Chin (Le grand classique des plantes médicinales*), écrit il y a plus de 5 000 ans.

Depuis lors, la réglisse est l'une des plantes médicinales les plus populaires en Chine. Les médecins chinois la prescrivent pour soulager les maux de gorge et pour soigner la toux, la malaria, l'intoxication alimentaire, les problèmes respiratoires et les douleurs utérines, les problèmes de foie et certains types de cancers. Les herboristes chinois mélangent un peu de cette plante réputée pour sa douce saveur aux remèdes à base de plantes plus amers.

La réglisse a également marqué l'Occident. Au cours du troisième siècle avant notre ère, Hippocrate louait les vertus de la réglisse pour la toux, l'asthme et d'autres problèmes respiratoires. Il l'appelait la douce racine, en grec *glukos riza*, qui devint *Glycyrrhiza*. Ce terme désignait le genre de la plante. Les Romains lui donnèrent le nom de *Liquiritia*, puis réglisse.

Parmi les trésors trouvés dans la tombe du roi Tut, les archéologues ont trouvé un sac de bâtonnets de réglisse. Plus de 1 300 ans après les funérailles du roi, le médecin grec Dioscoride prescrivait du jus de réglisse pour les refroidissements, les maux de gorge, les douleurs thoraciques et gastro-intestinales.

Une plante de prédilection dans le monde entier

L'abbesse et herboriste allemande Hildegard de Bingen prescrivait la réglisse pour les problèmes de cœur et d'estomac. Les herbiers allemands et italiens du XIVe et du XVe siècle mentionnaient fréquemment la plante comme remède respiratoire.

L'herboriste britannique du XVIIe siècle Nicholas Culpeper considérait la réglisse comme un «excellent remède ... pour ceux qui souffrent de toux sèche ou d'enrouement, de respiration sifflante ou d'essoufflement, de phtisis (tuberculose), de brûlures mictionnelles et de douleurs dans les seins et les poumons».

À leur arrivée, les premiers colons nord-américains découvrirent que les Indiens soignaient leur toux avec une infusion de réglisse. Ils l'utilisaient aussi comme laxatif, comme traitement des maux d'oreilles et pour masquer le goût amer des autres plantes.

Les médecins éclectiques américains du XIXe siècle prescrivaient la réglisse pour les problèmes urinaires, la toux, les rhumes et d'autres affections bronchiques et pectorales (affections thoraciques).

À cette même époque, les herboristes américains considéraient la réglisse comme un bon traitement des troubles menstruels. Ils l'incorporaient dans le *Composé de légumes* de Lydia E. Pinkham, remède très répandu au XIXe siècle pour soulager les douleurs menstruelles. Ce composé est toujours utilisé dans la préparation du produit.

On a également recours à la réglisse pour traiter plusieurs types de cancers dans différents pays.

De nos jours, les herboristes recommandent la réglisse pour ses effets calmants sur les voies respiratoires, le tube digestif et les voies génito-urinaires. Elle est également très appréciée comme traitement des ulcères. Les herboristes continuent de préconiser la réglisse pour masquer l'amertume des autres plantes médicinales. Quelques-uns mentionnent l'importance de son action hormonale et recommandent la plante dans le traitement de la maladie d'Addison, caractérisée par une production anormalement faible d'hormones par la glande surrénale.

PROPRIÉTÉS thérapeutiques

Comme le dit bien son nom grec *glukos riza*, ou racine sucrée, la réglisse est cinquante fois plus douce que le sucre. La réglisse contient une substance chimique exceptionnelle, l'acide glycyrrhétinique ou AG, dont les bienfaits sont nombreux. Toutefois, on ne s'accorde pas sur la nature de ses risques.

REMÈDE CONTRE LA TOUX. Plusieurs études confirment l'usage traditionnel de la réglisse comme remède contre la toux. L'acide glycyrrhétinique a des propriétés antitussives. En Europe, cet acide entre dans la composition d'un grand nombre de remèdes contre la toux.

ULCÈRES. En 1946, un pharmacien hollandais remarqua que les bonbons à la réglisse et les remèdes contre la toux étaient très populaires auprès de ses clients atteints d'ulcères gastro-intestinaux. Ces derniers lui avouèrent que la réglisse les soulageait mieux et plus longtemps que les médicaments habituels. Intrigué, le pharmacien publia un rapport dans un journal médical hollandais.

Quelque temps plus tard, des études publiées dans *Lancet* et dans le *Journal of the American Medical Association* révélèrent qu'un concentré d'acide glycyrrhétinique extrait de la réglisse pouvait traiter les ulcères chez les animaux et les humains. Malheureusement, cet acide provoque un gonflement des chevilles, symptôme courant de rétention aqueuse. La rétention d'eau peut être plus grave qu'on le croit. Elle peut provoquer de l'hypertension artérielle et compromettre la vie des femmes enceintes ou qui allaitent, des personnes atteintes de diabète, de glaucomes, d'hypertension artérielle, de maladies cardiaques ou celles qui ont des antécédents d'accidents vasculaires cérébraux.

Vers la fin des années soixante-dix, la médecine institutionnelle disposait d'un médicament extraordinairement efficace et l'un des plus couramment prescrits dans le monde, la cimétidine. Comment l'acide glycyrrhétinique se compare-t-il à la cimétidine? Plusieurs études les ont comparés. La cimétidine s'est révélée plus efficace dans le cas d'ulcères d'estomac, mais les deux substances ont eu des effets semblables dans les cas d'ulcères de l'intestin grêle (ulcères duodénaux). De plus, l'extrait de réglisse a montré une supériorité dans la prévention des récidives. Cependant, le problème de la rétention d'eau propre à l'acide n'est toujours pas résolu.

Quelques années plus tard, les chercheurs ont pu expliquer pourquoi l'acide glycyrrhétinique provoque de la rétention d'eau. La substance chimique agit comme l'aldostérone, hormone surrénale qui exerce son action sur le métabolisme du sel et de l'eau. En grandes quantités, cette hormone peut provoquer une maladie potentiellement dangereuse, le pseudoaldostéronisme, qui se manifeste par des maux de tête, de la léthargie, de la rétention d'eau, de l'hypertension artérielle et, éventuellement, de l'insuffisance cardiaque.

Malheureusement, les scientifiques ont découvert qu'ils pouvaient à la fois profiter des bienfaits de la réglisse en cas d'ulcères et éliminer ses effets indésirables en la débarrassant de 97 % de son acide glycyrrhétinique. C'est ainsi qu'ils ont créé un nouveau médicament végétal, la réglisse déglycyrrhizique.

Comme les journaux européens et britanniques publièrent des études démontrant que la réglisse déglycyrrhizique réussissait à traiter les ulcères sans provoquer des effets indésirables, les chercheurs américains, qui avaient jugé l'acide glycyrrhétinique trop dangereux, procédèrent à de nouvelles études. Malheureusement, vers la fin des années soixante-dix, ces études, fondées sur une préparation inadéquate de réglisse déglycyrrhizique, leur permirent de démontrer la totale inefficacité de la réglisse déglycyrrhizique dans le traitement des ulcères, d'où une perte d'intérêt pour ce genre de médicament aux États-Unis. On découvrit un peu plus tard que les préparations de réglisse déglycyrrhizique dites inefficaces ne produisaient que très peu de substance médicamenteuse (biodisponibilité réduite)

Aujourd'hui, la réglisse déglycyrrhizique ne tient qu'une petite place dans la recherche sur les ulcères, mais les chercheurs européens continuent de publier des résultats impressionnants. Une étude réalisée pendant 12 semaines sur 874 patients atteints d'ulcères duodénaux, publiée dans l'*Irish Medical Journal* a démontré que la réglisse déglycyrrhizique agissait plus rapidement que la cimétidine et ne produisait aucun effet indésirable.

Si de futures études viennent corroborer ces résultats, les médecins américains pourront peut-être un jour utiliser la réglisse déglycyrrhizique pour traiter les ulcères duodénaux. Entretemps, les personnes atteintes d'ulcères qui souhaitent incorporer de la réglisse dans leur traitement devraient en discuter avec leur médecin.

ARTHRITE. La réglisse a également des propriétés anti-inflammatoires et anti-arthritiques. Une étude a démontré qu'à l'instar de crèmes à l'hydrocortisone, l'acide glycyrrhétinique sert à traiter les inflammations cutanées, telles que l'eczéma. Ces découvertes ont permis de démontrer qu'une consommation de réglisse a des effets anti-inflammatoires et particulièrement anti-arthritiques. Les personnes atteintes d'arthrite qui aimeraient en faire l'essai devraient en discuter avec leur médecin.

HERPÈS. La réglisse stimulerait la production d'interféron dans les cellules, composé anti-viral propre à l'organisme, rapporte une étude publiée dans *Microbiologie et Immunologie*. Il n'est donc pas surprenant que d'autres études confirment que l'interféron combat le virus *Herpes simplex* responsable de l'herpès génital et des boutons de fièvre. On peut donc tenter de soigner l'herpès en versant un peu de poudre de racine de réglisse sur la plaie bien nettoyée.

INFECTION. Bon nombre d'études réalisées en laboratoire démontrent que la réglisse combat également les bactéries responsables des maladies (staphylocoques et streptocoques) ainsi que les champignons responsables des infections vaginales (*Candida albicans*). Verser un peu de poudre de racine de réglisse sur la plaie bien nettoyée permet de prévenir l'infection.

HÉPATITE ET CIRRHOSE. Les médecins chinois utilisent la réglisse depuis des siècles afin de traiter les problèmes de foie. Des études asiatiques révèlent que la plante permet d'enrayer l'hépatite et d'améliorer le fonctionnement du foie chez les personnes atteintes de cirrhose. L'hépatite et la cirrhose sont des maladies graves qui exigent des soins professionnels. Si vous désirez prendre de la réglisse pour soigner une maladie du foie, discutez-en avec votre médecin.

AUTRES PROPRIÉTÉS. Compte tenu de ses propriétés stimulantes du système immunitaire, il n'est pas surprenant que la réglisse révèle une activité anti-tumorale en présence de mélanomes cancérigènes chez des animaux de laboratoire. Il serait prématuré de considérer cette plante comme un traitement dans le cas de tumeurs, mais il n'est pas exclu qu'elle le soit un jour.

Préparation et posologie

Pour empêcher les plaies de s'infecter, versez de la poudre de réglisse sur les plaies bénignes après les avoir nettoyées avec de l'eau et du savon. Procédez de la même façon avec les boutons de fièvre. Toutefois, consultez d'abord votre médecin.

Afin de soulager les maux de gorge, ajoutez une pincée de réglisse pour adoucir l'infusion de votre choix.

Si vous tenez à utiliser la réglisse pour soigner une maladie du foie, un ulcère ou de l'arthrite, discutez-en d'abord avec votre médecin. Pour une décoction qui aurait peut-être des effets anti-infectieux, faites bouillir doucement 1/2 c. à café de poudre de réglisse par tasse d'eau pendant 10 minutes. Ne dépassez pas deux tasses par jour.

Pour une teinture, prenez de 1/2 à 1 c . à café jusqu'à deux fois par jour.

La réglisse est déconseillée aux enfants de moins de deux ans. Les enfants plus âgés et les personnes de plus de 65 ans devraient commencer par des préparations faiblement concentrées et augmenter la dose au besoin.

Mise en garde

Les journaux médicaux américains ont tardé à rapporter les succès de la réglisse. Par contre, ils ont tout de suite insisté sur le fait qu'elle provoque du pseudoaldostéronisme. Le problème est réel et certaines personnes devraient éviter de consommer de la réglisse. Mais à faibles doses, la plante ne présente aucun danger.

Aucun rapport ne mentionne que les bâtonnets de réglisse ou de la poudre de réglisse aient nui à la santé. Par contre 25 rapports publiés dans des ouvrages médicaux du monde entier mentionnent que des extraits de réglisse fortement concentrés utilisés dans des bonbons, des laxatifs et du tabac sont fortement préjudiciables. La plupart sont dus à des abus de réglisse.

Rappelez-vous cependant que la plupart des réglisses américaines contiennent de l'anis et non de la réglisse. On trouve de la réglisse pure dans les magasins spécialisés. Le *Journal of the American Medical Association* a rapporté le cas d'un homme qui aurait mangé de 28 à 55 g de bonbons à la réglisse pure par jour, pendant sept ans. Un jour, il s'est senti si faible et souffrait tellement de troubles hormonaux qu'il a fallu l'hospitaliser. Une autre personne qui avait mangé plus d'un demi-kilo de bonbons à la réglisse par jour, pendant neuf jours, a dû elle aussi être hospitalisée.

Produits parfumés à la réglisse

Une femme s'est sentie défaillir après avoir ingéré 4 c. à café par jour, pendant trois mois, du *Composé de légumes* de Lydia Pinkham. (Comme remède contre les règles douloureuses, quelques jours par mois suffisent). Selon un rapport paru dans le *New England Journal of Medicine*, elle s'est sentie mieux deux semaines après avoir abandonné le composé.

Chiquer du tabac parfumé à la réglisse peut aussi être préjudiciable. On rapporte qu'un homme aurait chiqué une douzaine de sachets d'environ 80 g par jour et avalé sa salive au lieu de la cracher. Éprouvant une grande fatigue, il a dû se faire hospitaliser. Toutefois, des substances autres que la réglisse comme la nicotine peuvent être en cause.

Ces cas permettent de tirer les conclusions suivantes: les femmes enceintes, celles qui allaitent ainsi que les personnes qui ont des antécédents de diabète, de glaucome, d'hypertension artérielle, d'accident vasculaire cérébral ou de maladie cardiaque devraient limiter leur consommation de réglisse. La réglisse risque en effet d'augmenter leur tension artérielle et de nuire gravement à leur santé.

Par ailleurs, presque tous les rapports faisant état de problèmes de santé graves incriminent des doses massives d'extraits de réglisse fortement concentrés et non la plante. Les personnes en bonne santé peuvent utiliser la plante avec prudence, mais elles devraient apprendre à connaître les symptômes de consommation excessive, tels que les maux de tête, les boursouflures du visage, les chevilles enflées, la fatigue et la léthargie.

Autres précautions

Malgré ses risques potentiels largement décriés, la Food and Drug Administration inclut la réglisse parmi les plantes qui ne présentent aucun danger. Les femmes en bonne santé qui ne sont pas enceintes, n'allaitent pas, ne souffrent pas de diabète, de glaucome, d'hypertension artérielle, qui n'ont pas d'antécédents de maladie cardiaque ou d'accident vasculaire cérébral, ne prennent aucun médicament de type digitalique peuvent l'utiliser sans crainte si elles respectent les doses prescrites pendant de courtes périodes.

La réglisse ne devrait être consommée à des fins thérapeutiques qu'après accord avec son médecin. Si elle provoque de légers troubles, tels que des maux d'estomac ou de la diarrhée, prenez-en moins ou cessez d'en prendre. Consultez votre médecin en cas d'effets indésirables ou si les symptômes pesistent deux semaines après le début du traitement.

Une plante magnifique

La réglisse est une plante vivace droite et robuste qui mesure entre 1 et 2 m. De petites folioles alternes de 2,5 cm et des fleurs pourpres d'environ 1,5 cm qui éclosent au milieu de l'été donnent à la plante son élégante beauté. Les plants prêts à être coupés ont une longue racine pivotante qui se répand en rhizomes grimpants horizontaux (stolons). Ces stolons se multiplient et donnent naissance à d'autres pousses et à d'autres racines qui s'enchevêtrent dans le sol. Les racines de réglisse ont une écorce brune et un jus sucré et jaune.

Les fortes gelées tuent les plants de réglisse. La réglisse aime le soleil et les climats chauds, mais on peut aussi la cultiver dans des pots d'environ 1,20 m de profondeur et uniquement dans des serres. La réglisse de serre a souvent besoin de lumière artificielle.

La réglisse se multiplie à partir de boutures de racines qui comprennent des yeux. Plantez-les verticalement à environ 1,50 cm du sol et espacez les plants de 50 cm. Les massifs devraient être riches, bien travaillés, bien fumés, bien drainés et bien délimités. Une fois plantée, la réglisse peut énormément proliférer. Essayez de limiter sa croissance.

La réglisse a simplement besoin d'être désherbée. Sa croissance est ralentie les deux premières années. Récoltez les rhizomes et les racines à l'automne de la troisième ou de la quatrième année. L'année où vous prévoyez de faire votre récolte, pincez les fleurs en les ramenant légèrement vers l'arrière. La floraison prive quelques racines d'un peu de sève sucrée. Coupez les racines épaisses en deux pour les faire sécher. Laissez sécher les racines à l'ombre, pendant six mois.

REINE-DES-PRÉS

Un analgésique naturel

Famille: *Rosaceæ*. Également la rose, l'amande, la pomme, la framboise et la cerise

Genres et espèces: *Filipendula ulmaria,* autrefois la *Spiraea ulmaria*

Autres noms: Ulmaire, spirée ulmaire, spirée filipendule, barbe-de-chêne, ormière, vignette

Parties utilisées: Les feuilles et la partie supérieure des fleurs

C'est très rare de trouver une armoire à pharmacie sans aspirine, mais c'est encore plus rare de rencontrer quelqu'un qui sait que l'on doit le mot «aspirine» à la belle et aromatique reine-des-prés.

Un rafraîchissant d'air original

Au Moyen Âge, on utilisait couramment la reine-des-prés pour rafraîchir l'air parce qu'elle dégage le parfum délicat de l'amande. On l'appelait «plante qui s'éparpille». Elle était répandue autour des maisons au temps où l'on prenait rarement un bain et où les animaux de la ferme logeaient sous le même toit que les humains. Par la suite, le parfum doux de cette plante et ses belles fleurs la placèrent dans les bouquets de la mariée. Plus tard, les herboristes recommandèrent la reine-des-prés pour traiter les fièvres, l'arthrite, l'épilepsie et les maladies respiratoires.

Ce furent les premiers colons qui introduisirent la plante en Amérique du Nord, et les médecins éclectiques du XIXe siècle la considéraient «un excellent astringent … pour la diarrhée». Elle est moins dangereuse pour l'estomac que les autres agents de cette espèce. Ils la prescrivaient également pour les douleurs menstruelles et pour les écoulements vaginaux.

De la salicine à l'aspirine

En 1839, un chimiste allemand découvrit que les bourgeons de la reine-des-prés contenaient de la salicine, substance chimique comparable à l'écorce blanche du saule isolée onze ans plus tôt. La salicine est un puissant analgésique qui soulage la douleur, réduit la fièvre, et qui a des propriétés anti-inflammatoires. Malheureusement, la salicine, ainsi que d'autres substances chimiques de la même famille, en particulier l'acide salicylique, cause également des effets secondaires risqués, notamment des ennuis gastriques et des bourdonnements d'oreilles. Prise en grande quantité, elle peut même entraîner la paralysie respiratoire et la mort.

Les chimistes commencèrent à faire des essais avec l'acide salicylique, espérant préserver ses effets bénéfiques tandis qu'ils minimisaient ses risques. En 1853, des chimistes allemands travaillant sur un extrait de reine-des-prés synthétisèrent l'acide acétylsalicylique. Le nouveau médicament avait toujours les effets secondaires de l'acide salicylique, mais était beaucoup plus puissant. Pour lui donner un nom, ils prirent le «a» de acétyl, la substance chimique qu'ils ajoutaient à l'extrait, et «spirin» du mot latin pour désigner reine-des-prés, *Spiraea*, et arrivèrent au mot *aspirine*. La nouvelle du développement de l'aspirine fut publiée dans un obscur journal médical allemand et oubliée pendant presque 50 ans.

Bayer le fait mieux

À la fin des années 1890, un chimiste allemand, Felix Hoffman, fut contrarié en constatant le peu d'efficacité du médicament que l'on avait prescrit à son père victime de polyarthrite. Hoffman travaillait alors dans la compagnie pharmaceutique Fredrich Bayer. Il se mit à dépouiller les journaux à la recherche d'un meilleur traitement pour l'arthrite. Il tomba sur de vieux comptes rendus sur l'aspirine et prépara le médicament. Son père en consomma et son état s'améliora de jour en jour. Tout d'abord, les administrateurs de la compagnie Bayer ne crurent pas que le médicament d'Hoffman pouvait soigner l'arthrite, mais ils se rendirent compte finalement de son efficacité. En 1889, ils introduisirent l'acide acétylsalicylique en Europe et en Amérique du Nord sous la marque de fabrique Aspirine®.

L'aspirine devint rapidement le médicament de choix bien connu qu'on se mit à utiliser chaque jour pour se soigner de bien des maux et malaises.

Les herboristes contemporains recommandent la reine-des-prés pour les rhumes et la grippe, les nausées, les brûlures d'estomac et les autres troubles digestifs, les douleurs musculaires, l'insuffisance cardiaque congestive et la diarrhée infantile.

PROPRIÉTÉS thérapeutiques

La reine-des-prés nous a donné l'aspirine et ses bienfaits thérapeutiques, mais ne croyez surtout pas que vous obtiendrez les mêmes effets en consommant la plante.

ANALGÉSIQUE. La reine-des-prés ne procure pas les mêmes effets analgésiques, fébrifuges et anti-inflammatoires que l'aspirine. En fait, la plante contient peu de salicylate. Même des infusions de reine-des-prés en grande quantité ne suffiraient pas à réduire la fièvre ou à enrayer la douleur. Les teintures contiennent plus de salicylate et ont donc de meilleures propriétés analgésiques.

En revanche, la reine-des-prés n'engendre pas l'effet indésirable principal de l'aspirine, les maux d'estomac. En fait, des études récentes en Europe ont démontré que la plante protège les animaux de laboratoire des ulcères causés par l'aspirine, découverte déjà confirmée par les médecins éclectiques qui prétendaient que le plante était «douce pour l'estomac».

Si vous préférez les remèdes naturels aux comprimés, essayez la reine-des-prés dans les cas de maux de tête, d'arthrite, de douleurs menstruelles, de fièvres légères, ainsi que d'autres douleurs ou inflammations, surtout si l'aspirine vous donne des maux d'estomac. La plante pourrait avoir un effet favorable.

DIARRHÉE. Une étude européenne a démontré que la reine-des-prés est efficace contre la bactérie (*Shigella dysenteriæ*) responsable de la diarrhée, ce qui confirme l'usage que l'on en faisait dans ce cas.

AUTRES PROPRIÉTÉS. L'aspirine prévient la coagulation interne souvent responsable des crises cardiaques. L'action de la reine-des-prés sur les maladies du cœur n'a pas fait l'objet de recherches, mais les propriétés thérapeutiques de la plante pourraient laisser croire qu'elle aurait un effet comparable.

Une autre étude révèle que la salicine réduit les taux de glucose sanguin, conférant à la plante des vertus thérapeutiques qui permettraient de mieux maîtriser le diabète.

Préparation et posologie

Pour une infusion agréable et astringente, prenez 1 à 2 c. à café de plante séchée par tasse d'eau bouillante. Laissez infuser pendant 10 minutes. Ne dépassez pas trois tasses par jour.

Pour une teinture, prenez 1/2 à 1 c. à café jusqu'à trois fois par jour.

La reine-des-prés est déconseillée aux enfants de moins de deux ans. Les enfants plus âgés et les personnes de plus de 65 ans devraient commencer par des préparations faiblement concentrées et augmenter la dose au besoin.

Mise en garde

Des études européennes récentes sur des animaux suggèrent que la reine-des-prés peut stimuler les contractions utérines. On ne lui a jamais attribué au cours de l'histoire la vertu de pouvoir déclencher les règles, bien que l'on ait associé l'aspirine à certains cas de malformation congénitale. Les femmes enceintes devraient s'abstenir d'en prendre.

Dans les cas d'enfants de moins de 16 ans qui souffrent de rhumes, de grippes ou de varicelle, on associe l'aspirine au syndrome de Reye, maladie rare, mais potentiellement mortelle. La reine-des-prés n'a jamais été liée à ce syndrome, mais, puisqu'elle contient de l'aspirine, les parents devraient s'abstenir d'en donner aux enfants fiévreux atteints de ces affections.

Autres précautions

La Food and Drug Administration inclut la reine-des-prés parmi les plantes dont la fiabilité reste à prouver. Les femmes en bonne santé qui ne sont pas enceintes, qui n'allaitent pas, qui ne souffrent pas d'ulcères ou de gastrite et qui ne prennent pas de médicaments à base d'aspirine peuvent l'utiliser sans crainte si elles respectent les doses prescrites.

La reine-des-prés ne devrait être consommée à des fins thérapeutiques qu'après accord avec son médecin. Si elle provoque de légers troubles, tels que des maux d'estomac ou de la diarrhée, prenez-en moins ou cessez d'en prendre. Consultez votre médecin en cas d'effets indésirables ou si les symptômes persistent deux semaines après le début du traitement.

La *reine* des prés

La reine-des-prés est une plante vivace dont les tiges mesurent moins d'un mètre à près de deux mètres. Ses feuilles ressemblent à celles de l'orme et la plante produit d'énorme grappes de petites fleurs blanches ou roses qui s'épanouissent tout au long de l'été et qui dégage un parfum rappelant l'amande. La reine-des-prés est la plus grande et la plus jolie de toutes les plantes qui l'entourent.

La reine-des-prés pousse à l'état sauvage dans le marais, le long des rives, dans les forêts humides et dans les prés, depuis Terre-Neuve, au Canada, jusqu'aux plaines de l'Ohio, aux États-Unis. Elle se reproduit bien à partir de boutures et de rhizomes. Elle préfère les sols riches, humides et bien drainés, et l'ombre partielle. Récoltez les feuilles et la partie supérieure des fleurs lorsque la plante fleurit.

RHUBARBE

Plus que de la compote

Famille: *Polygonaceæ.* Également le sarrasin

Genres et espèces: *Rheum officinale, R. palmatum* pour la rhubarbe de jardin, *R. rhaponticum,* à action plus douce

Autre nom: Rhubarbe médicinale

Partie utilisée: Les racines

La rhubarbe est une plante bizarre. On se sert de ses racines en médecine. Avec ses tiges, on confectionne des gâteaux au goût délicieux. Mais ses feuilles sont vénéneuses.

Un laxatif asiatique très puissant

Les médecins chinois utilisent la rhubarbe depuis les temps anciens. Ils la prescrivaient en application externe dans le traitement des coupures et des brûlures et par voie orale en petites quantités pour soigner la dysenterie. Ils découvrirent aussi que de grandes quantités de rhubarbe avaient une action laxative très puissante et déclenchaient les règles. Au fil des siècles, les Indiens, les Russes et les Européens adoptèrent la rhubarbe en tant que plante médicinale et découvrirent que leurs propres espèces indigènes produisaient des effets semblables, mais moins puissants.

L'herboriste du XVIIe siècle Nicholas Culpeper approuvait l'action laxative de la rhubarbe. Il la recommandait en application externe comme un «remède très efficace pour soigner les croûtes et les plaies qui suppurent». De plus, Culpeper déclarait que la rhubarbe «soigne la jaunisse … fait uriner … est très efficace pour la gonorrhée …

et aide à soigner la goutte, la sciatique ... les maux de dents ... les calculs rénaux ... et la perte de la vue».

Plus tard, les herboristes rejetèrent la plupart des recommandations de Culpeper et l'on recommença à prescrire des racines de rhubarbe en petites doses pour traiter la diarrhée et en plus grandes doses comme laxatif.

Beaucoup utilisée contre la dysenterie

Les médecins éclectiques américains du XIXe siècle utilisèrent tout d'abord la rhubarbe pour soigner la diarrhée et la dysenterie. Le *King's American Dispensatory* notait son efficacité contre la constipation, mais disait qu'«elle provoque parfois des crampes». Ils considéraient également que la plante aidait à traiter les maladies du foie et le délirium tremens.

La dysenterie bactérienne était une maladie courante, et souvent fatale, dans l'Afrique orientale britannique avant les guerres mondiales. En 1921, le médecin R.W. Burkitt, basé à Nairobi, écrivait dans *Lancet* qu'il avait traité la dysenterie avec de la rhubarbe pendant trois ans: «Je ne connais aucun autre médicament ayant un tel effet magique. Quiconque a utilisé de la rhubarbe ne voudrait jamais avoir recours à quelque chose d'autre ... dans cet atroce fléau tropical.»

Les herboristes contemporains sont très divisés en ce qui concerne la rhubarbe. Certains en recommandent en faibles doses pour la diarrhée et en fortes doses pour la constipation. D'autres le recommandent seulement en laxatif.

PROPRIÉTÉS thérapeutiques

Les Chinois de l'Antiquité étaient sur la bonne piste quand ils disaient que la rhubarbe avait un double effet.

DIARRHÉE. Des études démontrent que la rhubarbe consommée en faible quantité permet de traiter la diarrhée.

CONSTIPATION. Consommée en grande quantité, la plante exerce une action laxative puissante. La rhubarbe contient des agents chimiques laxatifs, les anthraquinones, semblables à ceux du nerprun, du cascara sagrada et du séné.

Cependant, la rhubarbe, de même que d'autres laxatifs à base d'anthraquinones, devraient être utilisés en dernier recours contre la constipation. Augmentez d'abord votre consommation de fruits et de légumes, buvez plus de liquides et faites plus d'exercice physique. Si cela ne réussit pas, essayez un laxatif naturel qui augmente le volume des selles comme le plantain (voir p. 291). Si ce remède naturel n'agit pas favorablement, essayez une forme plus douce d'anthraquinones comme le cascara sagrada (voir p. 125). En dernier recours, consultez votre médecin avant de prendre du nerprun (voir p. 320), du séné (voir p. 423) ou de la rhubarbe.

SANTÉ DE LA FEMME. Des études ont révélé que la rhubarbe stimule les contractions utérines chez les animaux, ce qui confirme l'usage qu'en faisaient les Chinois comme déclencheur de règles. Les femmes enceintes devraient donc éviter d'en prendre.

D'autres pourraient l'essayer afin de déclencher leurs règles.

Préparation et posologie

Dans le cas d'une diarrhée, préparez-vous une décoction en portant à ébullition 1/2 c. à café de racine en poudre par tasse d'eau pendant 10 minutes. Prenez 1 c. à soupe à la fois au besoin. Ne dépassez pas une tasse par jour.

Pour une teinture, prenez 1/4 c. à café par jour.

Dans le cas de constipation, préparez-vous une décoction en portant à ébullition 1 à 2 c. à café de racine en poudre par tasse d'eau pendant 10 minutes. Prenez 1 c. à soupe à la fois, jusqu'à une tasse par jour.

Pour une teinture, prenez 1/2 à 1 c. à café par jour.

La rhubarbe est déconseillée aux enfants de moins de deux ans. Les enfants plus âgés et les personnes de plus de 65 ans devraient commencer par des préparations faiblement concentrées et augmenter la dose au besoin.

Mise en garde

Alerte médicale: À cause de son action laxative puissante, les personnes qui souffrent de problèmes intestinaux chroniques comme les ulcères ou la colite ne devraient pas consommer de rhubarbe en grande quantité.

Les femmes enceintes ou qui allaitent devraient s'abstenir de prendre des laxatifs à base d'anthraquinones.

Sous forme de laxatif, la rhubarbe ne devrait pas être consommée pendant plus que deux semaines, car elle peut entraîner le syndrome du côlon paresseux, affection où l'on ne peut évacuer ses selles sans une stimulation chimique.

Les tiges de rhubarbe sont utilisées dans les compotes, mais les lames de ses feuilles contiennent de l'acide oxalique, substance toxique qui peut provoquer une sensation de brûlures dans la bouche et dans la gorge, des nausées, des vomissements, de la faiblesse et d'autres symptômes. Certains décès ont aussi été rapportés.

L'urine peut devenir jaune foncé ou rouge si l'on consomme de la rhubarbe.

Autres précautions

Les femmes en bonne santé qui ne sont pas enceintes, qui n'allaitent pas et qui ne prennent pas d'autres formes de laxatifs peuvent l'utiliser sans crainte si elles respectent les doses prescrites.

La rhubarbe ne devrait être consommée à des fins thérapeutiques qu'après accord avec son médecin. Si elle provoque de légers troubles, tels que des maux d'estomac ou de la diarrhée, prenez-en moins ou cessez d'en prendre. Consultez votre médecin en cas d'effets indésirables ou si les symptômes persistent deux semaines après le début du traitement.

Une plante géante

La rhubarbe médicinale est une plante vivace à très larges feuilles qui atteint environ 3 m. Ses racines épaisses qui sont brunes à l'extérieur et jaunâtres à l'intérieur se ramifient. Ses tiges ramifiées, rondes et creuses, sont coiffées d'épis formés de nombreuses petites fleurs. La rhubarbe médicinale n'est pas une plante de jardin.

L'espèce de jardin n'atteint qu'un mètre. Elle possède d'épaisses racines rougeâtres à l'extérieur et jaunâtres à l'intérieur, de même que des tiges pourprées. On considère que la rhubarbe de jardin est moins puissante sur le plan médicinal. Si vous l'utilisez à cette fin, prenez les quantités suggérées ci-haut et augmentez-les au besoin.

La rhubarbe de jardin requiert une période de repos pendant l'hiver. Elle pousse mal dans le Sud où les hivers sont chauds. Espacez les graines ou les divisions de racine de plus d'un mètre à la fin du printemps dans des parterres assez profonds et bien irrigués, en plein soleil ou à l'ombre partielle. Couvrez les plants de compost ou de paillis pendant l'hiver.

Récoltez les tiges pour la compote la deuxième année, et les racines, la quatrième.

ROSE

Des conseils pratiques

Famille: *Rosaceæ.* Également la framboise, la mûre , la prune, la pêche et l'amande
Genres et espèces: *Rosa canina, R. rugosa, R. centifolia*
Autres noms: De nombreuses espèces
Partie utilisée: Les fruits

Encensée depuis l'aube des temps, la rose est la reine des fleurs. Toutefois, cette plante n'est appréciée comme plante médicinale qu'une fois que ses pétales velouteux sont tombés et qu'apparaissent ses fruits gros comme des cerises que l'on appelle cynorhodons.

Les cynorhodons, aussi appelés gratte-culs, contiennent de la vitamine C dont les quantités ne sont pas connues. Certains herboristes considèrent les fruits de la rose comme l'une des meilleures sources de vitamine C naturelle. Certains scientifiques se moquent de ces affirmations et prétendent qu'il faudrait boire au moins une douzaine de tasses de cynorhodons par jour pour obtenir suffisamment de vitamine C, et davantage pour soigner le rhume et la grippe.

Bien que les herboristes aient surestimé l'importance de la vitamine C, la rose peut s'avérer utile dans les cas de rhumes et de grippe.

Des fleurs médicinales

Les roses étaient les fleurs préférées des anciens Égyptiens qui utilisaient les pétales odorants comme désodorisants et l'eau de rose comme parfums.

Dans la Grèce antique, Hippocrate recommandait de mélanger des roses à de l'huile pour soigner les maladies de l'utérus. Les médecins ayurvédiques de l'Inde ont pendant longtemps considéré les pétales de rose comme rafraîchissants et astringents, d'où les cataplasmes pour soigner les blessures et les inflammations. Les médecins ayurvédiques utilisaient également les pétales de rose et l'eau de rose comme laxatifs.

Les herboristes occidentaux ont confirmé ces divers usages. L'abbesse et herboriste allemande Hildegard de Bingen recommandait une infusion de cynorhodons comme traitement d'urgence dans un très grand nombre de maladies. Au XVIIe siècle, l'herboriste britannique Nicholas Culpeper était convaincu que la plante pouvait constiper et la qualifait d'astringente. Il écrivait qu'elle «fortifie l'estomac, empêche de vomir, calme les irritations de la gorge causées par la toux … La rose agit sur tous les types de flux (diarrhées) … et rend de précieux services dans la consomption (tuberculose)».

Au fil des siècles, les herboristes européens recommandèrent des infusions de pétales de rose séchés pour les maux de tête, les étourdissements, les ulcères buccaux et les douleurs menstruelles.

La vitamine C revient en force

Les Américains ont toujours été de grands amoureux des roses. D'ailleurs, ce sont des roses qui ont été plantées en premier autour de la Maison-Blanche. Cependant, les herboristes américains ont toujours tenu la rose pour une plante médicinale médiocre. Les médecins éclectiques du XIXe siècle excluaient les pétales de rose de leurs traitements. Ils réduisaient le fruit en purée et se servaient du mélange pour fabriquer toutes sortes de pilules.

Les roses disparurent presque complètement des herbiers au début du XXe siècle. Vers les années 1930, on découvrit la vitamine C. En même temps, on constata que le fruit du rosier pouvait en contenir de grandes quantités.

De nos jours, les herboristes vantent les mérites des cynorhodons comme sources de vitamine C. Un herbier très connu mentionne: «Les cynorhodons de la rose sont riches en vitamine C, bien plus riches que les oranges à quantité égale. Certaines personnes prétendent que nous devrions boire plusieurs infusions de cynorhodons par jour». Grâce à leur teneur en vitamine C, les herboristes conseillent de consommer les fruits du rosier quand on a le rhume ou la grippe. Certains d'entre eux recommandent la plante comme laxatif doux

PROPRIÉTÉS thérapeutiques

Il n'y a aucun problème à ajouter les cynorhodons à votre régime alimentaire quotidien. Cependant, ne croyez pas que ses fruits rouge vif ou les tisanes à base du fruit vous fourniront la quantité de vitamine C nécessaire au bon fontionnement de votre organisme, surtout si vous prenez cette vitamine afin de guérir un rhume ou une grippe.

Les cynorhodons contiennent une quantité importante de vitamine C. Cependant, le procédé de séchage détruit de 45 % à 90 % de la vitamine, et l'on obtient seulement 40 % de la quantité restante dans une infusion. Le taux de vitamine C est quand même élevé, mais substantiellement moindre que le promettent certains herbiers.

Bon nombre de compagnies productrices de vitamine C prétendent que leur produit est fait à base de cynorhodons. En fait, il n'existe aucun produit où l'on utilise exclusivement les fruits de la fleur. Dans des préparations commerciales de vitamine C, les cynorhodons sont combinés à des acides ascorbiques en provenance d'autres sources.

RHUMES ET GRIPPE. Certaines études scientifiques souscrivent à l'utilisation de la vitamine C pour soulager les symptômes et écourter la durée d'un simple rhume. Les études qui en vantent les bienfaits, notamment celles publiées dans le *Canadian Medical Association Journal* et le *New England Journal of Medicine*, préconisent une dose de 2 000 mg ou plus par jour, du moment où l'on ressent les premiers symptômes jusqu'à ce qu'ils disparaissent.

Cette forte dose dépasse largement le dosage usuel recommandé de 60 mg. Il serait peu réaliste de croire que l'on pourrait obtenir un telle quantité à partir de préparations à base de cynorhodons.

Cependant, de telles tisanes peuvent accroître davantage la quantité totale de vitamine C que prennent les personnes atteintes de rhumes et de grippes. En outre, une tisane chaude aide à soulager les maux de gorge, la congestion nasale et la toux associée à ces affections. Elles réchauffent aussi la gorge, ce qui peut diminuer la réplication du virus. (Les virus du rhume se reproduisent au maximum dans un environnement de 32 °C.)

Préparation et posologie

Pour une infusion au goût agréable et légèrement astringente qui favoriserait la guérison d'un rhume ou d'une grippe, prenez 2 à 3 c. à café de cynorhodons séchés et hachés par tasse d'eau bouillante. Laissez infuser pendant 10 minutes et buvez au besoin.

Pour une teinture, prenez 1/2 à 1 c. à café au besoin.

Des infusions de cynorhodons diluées peuvent être données sans crainte aux enfants de moins de deux ans.

Mise en garde

Des doses excessives de vitamine C peuvent causer de la diarrhée chez certaines personnes. En outre, elles peuvent fatiguer les reins. Les personnes qui jouissent d'une bonne fonction rénale n'en seront pas affectées, mais d'autres personnes atteintes de maladies du rein devraient consulter leur médecin avant de prendre de grandes quantités de cynorhodons.

La Food and Drug Administration inclut la rose parmi les plantes qui ne présentent aucun danger. Les femmes en bonne santé qui ne sont pas enceintes ou qui n'allaitent pas peuvent l'utiliser sans crainte si elles respectent les doses prescrites.

Consultez un médecin si les symptômes du rhume ou de la grippe persistent pendant deux semaines, si une fièvre se manifeste vers la fin de l'affection ou si vous expectorez du flegme brun ou rouge.

Récoltez les cynorhodons

Les roses poussent sous tous les climats. Bien que leurs fleurs se fanent plus vite, les espèces plus «anciennes» dégagent une odeur plus forte que les nouvelles espèces hybrides. Consultez un pépiniériste au sujet de l'espèce qui convient le mieux à votre milieu. Profitez pleinement des fleurs, puis récoltez et faites sécher les cynorhodons.

ROMARIN

Un préservatif naturel au goût agréable

Famille: *Labiatæ*. Également la menthe

Genre et espèce: *Rosmarinus officinalis*

Autres noms: Rose marine, encensier, romarin des troubadours, herbe aux couronnes

Partie utilisée: Les feuilles

Des milliers d'années avant la réfrigération, les peuples anciens remarquèrent que la viande enveloppée dans des feuilles de romarin broyées se conservaient plus longtemps. De plus, le romarin transmettait à la viande une odeur fraîche et un parfum très agréable. Le romarin demeure toujours très apprécié dans les plats de viande et son pouvoir de conservation est à la source de son utilisation dans la guérison par les plantes

Plus tard, on s'est mis à penser que, tout comme le romarin conservait la viande, il pourrait également conserver la mémoire. En Grèce, les étudiants portèrent des guirlandes de romarin pendant leurs périodes d'examens. Les siècles passant, on utilisa le romarin pendant la cérémonie du mariage comme symbole de la fidélité des époux et lors des funérailles pour aider la famille à se souvenir du mort. Dans la pièce de Shakespeare, *Hamlet*, Ophélie donne à Hamlet un brin de romarin en lui disant: «Voici du romarin ... pour que tu te souviennes.»

Symbole de l'amour

Pendant le Moyen Âge, le romarin que l'on associait à la cérémonie du mariage, est devenu un gage d'amour. Si une jeune personne en tapotait une autre avec un brin de romarin couronné d'une fleur ouverte, ce couple avait toutes les chances de tomber amoureux.

Quand on plaçait le romarin sous son oreiller, on pensait qu'il pourrait repousser les cauchemars. Planté autour d'une maison, il pourrait en éloigner les sorcières.

Mais, au XVIe siècle, le fait de planter du romarin autour de chez soi devint en Angleterre un sujet de discorde au sein du foyer: cette pratique signifiait que c'était la femme qui portait la culotte dans le ménage. Les hommes arrachaient les plantes de romarin pour bien prouver que c'étaient eux, et non leur femme, qui menaient à la maison.

Les Anciens se servaient du romarin comme n'importe quelle autre plante aromatique et de conservation pour lutter contre les maux de tête, les problèmes gastro-intestinaux et respiratoires. Les médecins chinois respectueux des traditions mélangeaient du romarin à du gingembre pour soigner les maux de tête, les indigestions, l'insomnie et la malaria.

La potion de Hongrie

En 1235, la reine Élisabeth de Hongrie devint paralysée. Selon la légende, un ermite fit tremper un demi-kilo de romarin dans quatre litres et demi de vin pendant plusieurs jours. Il frotta ensuite les membres de la reine avec cette préparation et elle fut guérie. La combinaison romarin-vin devint célèbre sous le nom d'Eau de la Reine de Hongrie. Son usage externe s'étendit pendant des siècles pour venir à bout de la goutte et des pellicules, pour prévenir la calvitie et pour soigner les affections de la peau. (Les siècles passant, le pouliot et la marjolaine furent incorporés à que ce qui devint la potion de Hongrie).

Un usage restreint en Amérique du Nord

Ce furent les premiers colons qui introduisirent le romarin en Amérique du Nord. Puis un guide médical, *The American New Dispensatory,* recommanda les feuilles de la plante, les fleurs et la potion de Hongrie pour soulager «les affections touchant les nerfs et les règles, les accidents vasculaires cérébraux, les paralysies et les vertiges».

Chose étrange, ces grands adeptes de la guérison par les plantes, les médecins éclectiques, laissent peu de place au romarin. Dans leur texte, *King's American Dispensatory,* ils suggèrent de prendre du romarin pour faciliter la digestion et déclencher les règles, mais ils déclarent que le romarin «est rarement utilisé, sauf comme parfum».

Les guérisseurs populaires de l'Amérique centrale utilisent l'huile de romarin pour éloigner les insectes et pour déclencher les règles.

De nos jours, les herboristes estiment que le romarin peut stimuler la circulation du sang, la digestion et le système nerveux. Ils le recommandent pour soulager les maux de tête, les douleurs musculaires, et sous forme de gargarisme pour soigner une mauvaise respiration. En usage externe, le romarin peut prévenir la calvitie et il détend beaucoup le corps quand on l'ajoute à son eau du bain.

PROPRIÉTÉS thérapeutiques

Rien ne prouve le rôle joué par le romarin dans la fidélité entre époux ou la vivacité de la mémoire. Cependant les Anciens ont raison de reconnaître sa capacité de conservation des aliments.

INTOXICATION ALIMENTAIRE. Les viandes se gâtent en partie parce que leur gras s'oxyde et devient rance. Le romarin, ainsi que son huile, contient des substances chimiques très antioxydantes. En fait, on peut rapprocher la capacité de conservation du romarin de celle des conservants commerciaux alimentaires, BHA et BHT.

Quand vous partez en pique-nique, mettez du romarin dans la nourriture que vous emportez. Elle restera fraîche. Mélangez le bœuf haché, le thon, les pâtes et les salades de pommes de terre avec des feuilles de romarin broyées.

STIMULANT DIGESTIF. Comme la plupart des herbes culinaires, le romarin aide la paroi du muscle lisse du tube digestif à se détendre, faisant de la plante un antispasmodique. Les Anciens avaient leur digestion facilitée quand ils en ajoutaient à leurs aliments.

DÉCONGESTIONNANT. Tout comme d'autres plantes aromatiques, le romarin peut soulager la congestion du nez et des bronches qui survient à la suite d'un rhume, d'une grippe ou d'une allergie.

PRÉVENTION DE L'INFECTION. Le romarin contient des agents chimiques qui permettent de combattre les bactéries responsables de l'infection, de la décomposition des aliments et des champignons. Si vous vous faites de petites coupures en jardinant, pressez sur la partie blessée quelques feuilles fraîches broyées de manière à nettoyer la plaie et à la panser.

SANTÉ DE LA FEMME. Les antispasmodiques soulagent non seulement le tube digestif, mais d'autres muscles lisses comme celui de l'utérus. En agissant comme un antispasmodique, le romarin calmerait théoriquement les contractions de l'utérus. De leur côté, certains chercheurs italiens ont découvert qu'il produisait l'effet contraire.

Les femmes enceintes devraient éviter les préparations médicinales de cette herbe. D'autres femmes enceintes peuvent utiliser le romarin si elles ont du retard dans leurs règles.

Préparation et posologie

Si vous avez des maux d'estomac ou le nez bouché, préparez-vous donc une infusion de romarin. Mettez 1 c. à café d'herbe broyée dans une tasse d'eau bouillante. Laissez infuser pendant 10 à 15 minutes. Ne dépassez pas trois tasses par jour.

Pour une teinture, utilisez 1/4 à 1/2 c. à café d'herbe de romarin broyée. Pas plus de trois fois par jour.

Les préparations de romarin dilué doivent être données avec prudence aux enfants de moins de deux ans.

Mise en garde

Le romarin ne présente aucun danger s'il est consommé dans la nourriture. Cependant, l'huile de romarin, même prise en petite quantité, peut irriter l'estomac, les reins et l'intestin. Une personne qui en absorberait énormément pourrait s'empoisonner.

La Food and Drug Administration inclut le romarin parmi les plantes qui ne présentent aucun danger. Les femmes en bonne santé qui ne sont pas enceintes ou qui n'allaitent pas peuvent l'utiliser sans crainte si elles respectent les doses prescrites.

Le romarin devrait être consommé à des fins thérapeutiques qu'après avoir eu l'accord d'un médecin. S'il provoque chez vous de légers troubles, tels que des maux d'estomac ou de la diarrhée, prenez-en moins ou cessez d'en prendre. Consultez votre médecin en cas d'effets indésirables ou si les symptômes persistent deux semaines après le début du traitement.

Un joli jardin

Le romarin est une plante vivace ligneuse sentant le pin. Elle a des feuilles persistantes. Cette plante peut atteindre 90 cm aux États-Unis et elle produit en été de petites fleurs bleu pâle. Dans l'ouest des États-Unis, on peut voir souvent les murs des jardins recouverts de romarin grimpant (*R. prostatus*).

On peut faire pousser le romarin à partir de graines, mais sa germination peut engendrer certains problèmes. De plus, les semis se développent lentement. Pour cette raison, la plupart des cultivateurs de plantes préfèrent commencer avec des boutures. Si vous ensemencez des graines, plantez-les en été à 15 cm d'intervalle. Plantez vos boutures dans un sol sablonneux, en ne laissant sortir de terre pas plus d'un tiers de la brindille.

Le romarin préfère la lumière, un sol sablonneux et bien drainé, et être en plein soleil. Si vous l'arrosez trop, les racines peuvent se briser. Le romarin survit la plupart du temps à des températures de 32 °C sans soin particulier. Si vous habitez dans un pays où les hivers sont plus froids, paillez vos plantes à l'automne ou faites pousser le romarin dans des pots. Rentrez les pots quand l'hiver arrive et placez-les devant une fenêtre exposée au sud.

Dès que les plantes sont bien poussées, coupez-en les brindilles et arrachez-en les feuilles.

SAFRAN

Coûteux, mais précieux

Famille: *Iridaceæ.* Également l'iris, le glaïeul et le crocus
Genre et espèce: *Crocus sativus*
Autres noms: Safran cultivé, safran d'Espagne, safran bâtard
Partie utilisée: Le stigmate du pistil

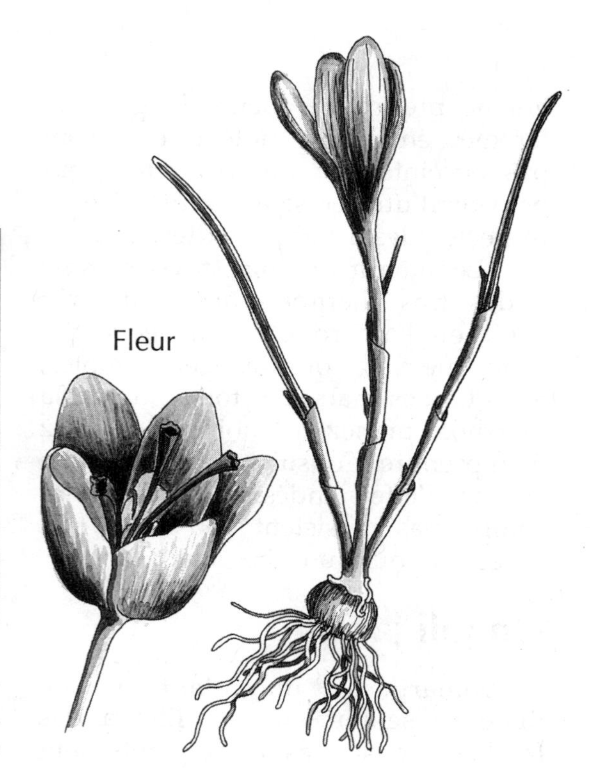

Le safran est l'épice de couleur dorée qui, pendant des siècles, a valu son pesant d'or. Aujourd'hui, cette plante n'a rien perdu de sa renommée et il vaut encore très cher. Comme l'or, la valeur du safran a pendant longtemps fluctué et il y a tout lieu de croire que sa valeur augmentera à nouveau en raison de sa capacité à réduire certains facteurs de risques de maladies cardiaques.

165 000 fleurs par kilo

Les Arabes introduisirent le safran en Espagne vers le VIIIe siècle. Depuis lors, ce pays en est l'un des plus gros exportateurs. Les fleurs violettes, semblables au lis, contiennent trois stigmates de couleur jaune orange qui donnent à la plante sa valeur. Utilisés comme teintures, épices, remèdes et parfums, les stigmates du safran sont très recherchés depuis les temps anciens. Il faut environ 165 000 fleurs pour produire un kilo de safran. On comprend pourquoi cette plante a toujours été si coûteuse.

En raison de sa valeur marchande, le safran a fait l'objet de nombreuses falsifications. On l'a souvent confondu avec le carthame, couramment appelé faux safran, safran du teinturier ou safran bâtard qui produit aussi un colorant orangé.

Un aromate égyptien

Le safran était la plante préférée des Égyptiens. Les nobles portaient des robes teintes au safran, s'enduisaient le corps de parfums au safran, consommaient des aliments épicés au safran et l'utilisaient comme aromate dans le cas de douleurs respiratoires et gastro-intestinales.

Les médecins ayurvédiques de l'Inde antique utilisaient le safran pour favoriser la circulation du sang, soulager les douleurs au foie et aux reins, traiter le choléra et déclencher les règles. Ils lui reconnaissaient aussi des pouvoirs aphrodisiaques. Les médecins chinois le prescrivaient dans les cas de dépressions, de douleurs menstruelles et de complications au moment de l'accouchement.

Bien que le safran fût cultivé dans l'Espagne maure, il était peu répandu en Europe du Nord après les Croisades. Cependant, vers le XIVe siècle, il était si recherché comme teinture, épice, parfum et remède que les marchands d'épices européens étaient mieux connus sous les nom de marchands de safran.

Sous la Doctrine des signatures, croyance médiévale selon laquelle l'apparence d'une plante révèle son pouvoir de guérison, toutes les plantes de couleur jaune était associées à la bile et, par conséquent, étaient censées soigner les maladies du foie. Les guérisseurs recommandaient le safran dans les cas de jaunisse. Ils s'en servaient aussi pour traiter l'insomnie et le cancer.

Une plante hautement prisée

L'herboriste John Gerard considérait le safran comme un sauveur: «Pour tous ceux qui sont sur le point de trépasser, le safran redonne un souffle de vie.»

Au XVIIe siècle, l'herboriste britannique Nicholas Culpeper qualifiait la plante d'«élégante, de vivifiante et d'tile». De plus, il déclarait: «Le safran tonifie le cœur … et il est d'un grand secours pour les douleurs aux seins … et les douleurs menstruelles. Il est excellent pour l'estomac, facilite la digestion, nettoie les poumons et soigne bien le rhume.» Malgré tout, Culpeper estimait que le safran n'était pas sans danger: «Quand le dosage est trop important, il rend la tête lourde et assoupit. J'ai vu des personnes trépasser, après avoir vainement essayé de réprimer des fous rires nerveux.»

En 1851, les scientifiques isolèrent la crocétine, constituant le plus actif du safran, que les médecins éclectiques américains du XIXe siècle prescrivaient pour soulager les douleurs menstruelles, déclencher les règles et traiter les fièvres des enfants. Cependant, les médecins américains qui étaient aussi botanistes considéraient le safran comme une plante «trop coûteuse» et estimaient que la plante était si souvent falsifiée qu'il fallait se méfier des préparations n'ayant du safran que le nom.

De nos jours, les herboristes recommandent le safran comme sédatif, expectorant et stimulant sexuel. Ils lui reconnaissent aussi un effet calmant et digestif. Il serait aussi excellent pour déclencher les règles.

PROPRIÉTÉS thérapeutiques

Culpeper avait peut-être raison quand il prétendait que le safran «tonifie beaucoup le cœur». Certes, la plante coûte cher, mais beaucoup moins que certains médicaments coagulants injectés directement dans le cœur à la suite d'une crise cardiaque ou d'un pontage. Au fond, les personnes qui consomment suffisamment de safran font des économies, car cette plante peut contribuer à réduire certains risques de maladies cardiaques.

CHOLESTÉROL. Des études réalisées sur des animaux auxquels on a injecté de la crocétine révèlent une diminution importante du taux de cholestérol. Évidemment, les personnes qui prennent du safran par voie orale n'en retireront pas les mêmes bienfaits que les animaux traités à l'aide du constituant actif de la plante. Cependant, il a été démontré que la plante a un effet protecteur dans les cas de maladies cardiaques. Le taux de maladies cardiaques (ou d'accidents vasculaires cérébraux) reste faible chez certains Espagnols malgré une alimentation relativement riche en graisses. Certains spécialistes attribuent ce phénomène à leur abondante consommation d'huile d'olive. Cependant, un article publié dans la revue médicale britannique *Lancet* préconise le safran, également très présent dans la cuisine espagnole, en raison de ses importantes propriétés préventives.

DÉPÔT SUR LES PAROIS ARTÉRIELLES. La crocétine augmente également le taux d'oxygène dans le sang. Des chercheurs supposent que cet apport d'oxygène ralentit la formation des dépôts sur les parois artérielles responsables des maladies cardiaques.

HYPERTENSION ARTÉRIELLE. Des études réalisées sur des animaux en Chine démontrent que le safran réduit la tension artérielle. Aux États-Unis, la crocétine sert à traiter l'hypertension artérielle chez les chats. Ces découvertes confirment que le safran réduit un autre facteur de risque important de maladies cardiaques.

SANTÉ DE LA FEMME. Le safran pourrait stimuler l'utérus, ce qui confirmerait son efficacité dans le déclenchement des règles. Les femmes enceintes ne devraient pas consommer du safran à des fins thérapeutiques. Les autres peuvent en faire l'essai pour provoquer leurs règles.

Préparation et posologie

Pour la prévention des maladies cardiaques ou pour le déclenchement des règles, prenez 12 ou 15 stigmates par tasse d'eau bouillante. Laissez infuser 10 minutes. Ne dépassez pas une tasse par jour. Le safran a un goût agréable et fortement aromatisé, mais il devient amer quand on le prend en grandes quantités.

Le safran en doses médicinales est déconseillé aux enfants de moins de deux ans. Les enfants plus âgés et les personnes de plus de 65 ans devraient commencer par des préparations faiblement concentrées et augmenter la dose au besoin.

Mise en garde

La crocétine a été utilisée pour provoquer les avortements. Malheureusement, elle est toxique en grandes quantités. Plusieurs décès de femmes qui tentaient de mener leur bébé à terme lui sont imputables.

Cependant, les ouvrages médicaux ne mentionnent aucun danger quand les dosages sont respectés.

La Food and Drug Administration inclut le safran parmi les plantes ne présentant aucun danger. Les femmes en bonne santé qui ne sont pas enceintes ou qui n'allaitent pas peuvent l'utiliser sans crainte si elles respectent les doses prescrites.

Le safran ne devrait être consommé à des fins thérapeutiques qu'après accord avec son médecin. S'il provoque de légers troubles, tels que des maux d'estomac ou de la diarrhée, prenez-en moins ou cessez d'en prendre. Consultez votre médecin en cas d'effets indésirables ou si les symptômes persistent deux semaines après le début du traitement.

Conservez les stigmates

Le safran est cultivé à partir du bulbe. C'est une plante d'agrément vivace et attrayante qui dépasse rarement 45 cm. Le safran n'a pas de véritable tige. Ce qui semble être la tige est en fait la partie tubulaire de l'enveloppe de la fleur (la corolle) entourée de feuilles ressemblant à des brins d'herbe.

Plantez le bulbe du safran à l'automne ou au printemps, à environ 7,5 cm, la racine bien enfoncée dans un sol léger, bien drainé et en plein soleil. Espacez les plants de 15 cm. La plante fleurit pendant une courte période à la fin de l'été ou au début de l'automne. Ramassez avec soin les stigmates à trois pointes et laissez-les sécher. Conservez-les dans une bouteille de verre bien scellée que vous laisserez dans un endroit frais et sec.

SALSEPAREILLE

Une réputation hors de l'ordinaire

Famille: *Liliaceæ.* Également le lys
Genres et espèces: *Smilax officinalis, S. febrifuga,* et d'autres espèces
Autres noms: Salsepareille d'Europe, smilax rude, liseron épineux, liset piquant, gramon de montagne
Parties utilisées: Les rhizomes et les racines

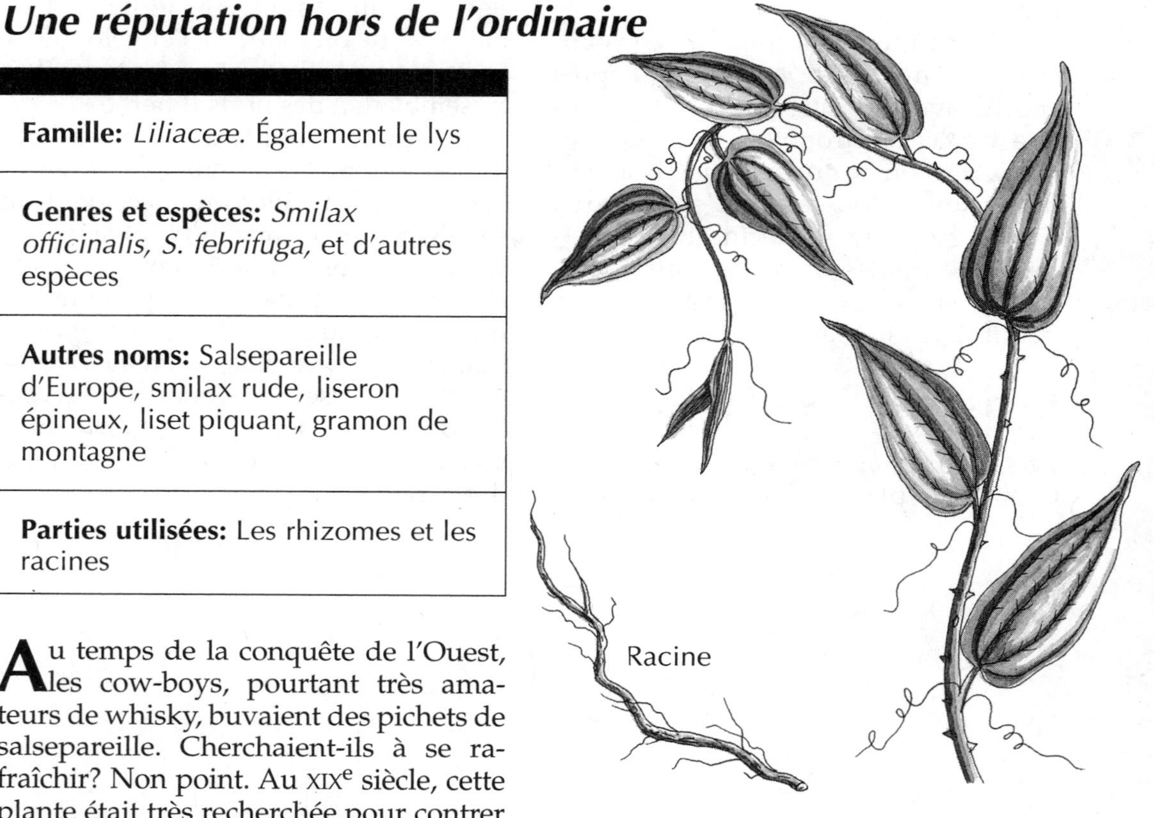

Au temps de la conquête de l'Ouest, les cow-boys, pourtant très amateurs de whisky, buvaient des pichets de salsepareille. Cherchaient-ils à se rafraîchir? Non point. Au XIXe siècle, cette plante était très recherchée pour contrer les ravages de la syphilis et les cow-boys en commandaient massivement aux tenanciers de bars au retour de la maison de tolérance la plus proche.

Selon les scientifiques, la salsepareille n'est d'aucune efficacité contre la syphilis et beaucoup estiment qu'elle n'a aucune propriété thérapeutique. Mais des études laissent entrevoir une certaine utilité comme diurétique.

Un lien étroit

Les Grecs et les Romains de l'Antiquité considéraient la salsepareille comme un antidote contre les poisons. Mais la plante ne put jouir d'une certaine popularité comme plante médicinale qu'au XVIe siècle. À cette époque, les explorateurs espagnols découvrirent l'espèce antillaise, une plante rampante (*parra*) dont les particularités étaient d'être épineuse (*zarza*) et petite (*illa*), d'où le nom salsepareille. Les Indiens Caraïbes et de l'Amérique du Nord y recouraient pour les maladies de peau, les problèmes urinaires et pour se fortifier afin de rester jeunes et de se maintenir en bonne santé physiquement et sexuellement.

En 1494, une épidémie de syphilis d'une violence inouïe dévasta toute l'Europe et décima des milliers de gens un peu comme le fait le SIDA aujourd'hui. Convaincus que les voyageurs avaient importé la syphilis du Nouveau Monde, les Européens cherchèrent à l'éradiquer à l'aide de plantes originaires de l'Amérique. Ils portèrent leur choix sur la salsepareille.

Vers 1530, les conquistadors expédièrent de la salsepareille mexicaine en Espagne et vers 1600, la plante était largement utilisée dans toute l'Europe comme fortifiant et traitement de la syphilis. C'est ainsi que la salsepareille et la syphilis devinrent étroitement liées.

La popularité de la salsepareille monta en flèche. Au XVIIe siècle, l'herboriste britannique Nicholas Culpeper en faisait un traitement de choix contre la syphilis que les Britanniques appelaient «la maladie des Français». Se faisant l'écho des herboristes de l'Antiquité, il déclarait: «Il suffit de donner du jus des baies à un nouveau-né pour le protéger contre les morsures de serpents.» Nicholas Culpeper recommandait aussi la salsepareille pour soigner «les problèmes oculaires, les rhumes de cerveau, les flatulences, les pustules et les autres douleurs aux tendons et aux articulations».

Vers l'an 1800, bon nombre de médecins déclarèrent la salsepareille totalement inefficace contre la syphilis, mais leurs propos ne trouvèrent aucun écho. Des enregistrements commerciaux datant du milieu du XIXe siècle indiquent que la Grande-Bretagne importait chaque année jusqu'à 70 tonnes de salsepareille, la majeure partie étant consacrée au traitement de la syphilis.

Un purificateur sanguin

Dans l'Amérique du XIXe siècle, les maladies transmises sexuellement n'étaient jamais mentionnées dans les conversations de salons. Pourtant, la syphilis faisait des ravages et les médecins expérimentaient un grand nombre de plantes et de produits pharmaceutiques pour en venir à bout. On utilisait le terme poli de «purificateurs de sang» pour désigner les traitements de la maladie. L'un des plus répandus était la salsepareille d'Ayer, dont on disait qu'elle soignait «les maladies du foie, de l'estomac, des reins, de même que la tuberculose, les tumeurs, les rhumatismes, les états de faiblesse strictement féminins, la stérilité, les pustules et la syphilis».

La salsepareille figurait dans le *U.S. Pharmacopœia* comme traitement de la syphilis, de 1820 à 1882, mais après la guerre de Sécession, la vague anti-salsepareille gagna du terrain et vers la fin du XIXe siècle, la plupart des médecins ne reconnaissaient aucun de ses bienfaits.

Bien qu'aucune recherche scientifique n'ait pu confirmer les usages traditionnels de la plante, les herboristes continuent aujourd'hui de recommander la salsepareille pour les refroidissements, la toux, la fièvre et la goutte. Certains prétendent même qu'elle contient une hormone mâle, la testostérone. La plante n'est plus recommandée comme traitement de la syphilis.

PROPRIÉTÉS thérapeutiques

À notre grande surprise, la salsepareille, jadis très populaire, a fait l'objet de très peu de recherche. La plupart des études furent menées des années trente aux années cinquante, et peu d'entre elles furent renouvelées. Les scientifiques lui ont cependant découvert certaines vertus thérapeutiques. La salsepareille contient des agents chimiques, les saponines, qui ont une action diurétique, d'où sa longue association avec l'appareil génital.

SYPHILIS. Certains chercheurs occidentaux sont convaincus que la salsepareille est inefficace contre la syphilis, bien que des études chinoises non confirmées prétendent le contraire. Peut-être que les Chinois, et 500 années d'herboristerie, avaient complètement tort. Ou, peut-être, les médecins du XIXe siècle étaient sur la bonne piste quand ils disaient que les effets de la salsepareille ne se manifestent pas immédiatement. C'est une théorie que l'on devrait davantage étudier, vu la hausse des cas de syphilis au cours des dernières années.

HYPERTENSION ARTÉRIELLE. Les médecins prescrivent souvent des diurétiques dans le cas d'hypertension artérielle, maladie grave qui exige des soins professionnels. Si vous désirez prendre la salsepareille de pair avec votre traitement régulier, faites-le sous la surveillance de votre médecin.

Les diurétiques épuisent les réserves de potassium, nutriment essentiel au bon fonctionnement de l'organisme. Les personnes qui prennent de la salsepareille devraient s'assurer de consommer des aliments riches en potassium comme des bananes et des légumes frais.

INSUFFISANCE CARDIAQUE CONGESTIVE. Les médecins prescrivent souvent des diurétiques dans le cas de cette maladie. La salsepareille pourrait s'avérer un remède efficace de pair avec d'autres médicaments ou traitements prescrits par votre médecin.

SANTÉ DE LA FEMME. Les femmes enceintes ou qui allaitent devraient s'abstenir de prendre des diurétiques. Cependant, la salsepareille peut aider à soulager les femmes incommodées par les ballonnements prémenstruels (rétention d'eau).

AUTRES PROPRIÉTÉS. Des études préliminaires partout dans le monde ont suggéré que la salsepareille pourrait se révéler efficace dans le traitement du psoriasis et de la lèpre.

EMPLOIS CONTESTÉ. Les saponines présentent certaines propriétés chimiques similaires à la testostérone, hormone sexuelle chez l'homme, et aux stéroïdes anabolisants. Quelques rédacteurs ont même écrit que la salsepareille contient de la testostérone. Ce n'est pas vrai.

La salsepareille a également été très populaire auprès des culturistes qui, à l'encontre des recommandations médicales, la consomment afin d'augmenter leur masse musculaire, croyant qu'elle contient des stéroïdes anabolisants. La salsepareille ne contient aucun stéroïde anabolisant.

Préparation et posologie

Pour une décoction, prenez 1 à 2 c. à café de racines en poudre par tasse d'eau bouillante. Portez à ébullition, puis laissez infuser de 10 à 15 minutes. Ne dépassez pas trois tasses par jour.

La salsepareille a d'abord un goût agréable, puis amer.

Pour une teinture, prenez 1/4 à 1/2 c. à café jusqu'à trois fois par jour.

La salsepareille est déconseillée aux enfants de moins de deux ans. Les enfants plus âgés et les personnes de plus de 65 ans devraient commencer par des préparations faiblement concentrées et augmenter la dose au besoin.

Mise en garde

Certains régimes amaigrissants vantent les vertus des diurétiques afin de contrer la rétention d'eau. Cependant, les spécialistes déconseillent cette pratique, car la perte de poids au moyen de diurétiques est temporaire. Afin de s'assurer une perte de poids permanente, il faut adopter un régime alimentaire faible en gras et riche en fibres, et suivre un programme d'exercice soutenu.

En grande quantité, les saponines de la salsepareille peuvent causer des sensations de brûlure dans la bouche et dans la gorge, de même qu'une irritation gastrique et intestinale.

Autres précautions

La Food and Drug Administration inclut la salsepareille parmi les plantes qui ne présentent aucun danger. Les femmes en bonne santé qui ne sont pas enceintes ou qui n'allaitent pas peuvent l'utiliser sans crainte si elles respectent les doses prescrites.

La salsepareille ne devrait être consommée à des fins thérapeutiques qu'après accord avec son médecin. Si elle provoque de légers troubles, tels que des maux d'estomac ou de la diarrhée, prenez-en moins ou cessez d'en prendre. Consultez votre médecin en cas d'effets indésirables ou si les symptômes persistent deux semaines après le début du traitement.

La vigne des Antilles

La salsepareille n'est pas une herbe de jardin. Cette plante vivace possède une tige sarmenteuse, en zigzag, anguleuse et munie d'épines. Ses feuilles persistantes sont pétiolées, en cœur et luisantes. Ses petites fleurs vertes, jaunes ou blanches sont dioïques, c'est-à-dire que les fleurs mâles et femelles éclosent sur différentes plantes. Les rhizomes et les racines longues et délicates, parties médicinales de la plante, poussent sous terre.

SARRIETTE

Un calmant subtil pour les enfants

Famille: *Labiatæ.* Également la menthe
Genres et espèces: *Satureja hortensis* (en été), *S. montana* (en hiver)
Autres noms: Sarriette vivace, sarriette sauvage, sarriette des montagnes, savourée, pebre d'aï.
Partie utilisée: Les feuilles

Son parfum épicé et son goût rappellent le thym. La sarriette est une plante très utilisée dans les saucisses, les farces, les soupes et les plats de haricots. Comme d'autres plantes aromatiques culinaires, on s'en sert depuis les temps anciens comme remède contre la toux et comme calmant pour l'estomac. Mais quand on la compare à ses cousins les menthes, la sarriette a une action moins puissante. Les adultes préfèrent souvent la menthe poivrée, mais on peut utiliser la sarriette en toute sécurité et avec confiance pour soigner chez les enfants la toux, les rhumes et les maux de ventre.

Une histoire de plantes

La sarriette d'été est une plante annuelle qui ne devient jamais très haute. La sarriette d'hiver est une plante vivace également toute petite. Les puristes insistent sur le fait que la plante d'été a un arôme plus doux et plus délicat; cependant, la plupart des cuisiniers et des herboristes d'aujourd'hui utilisent ces deux plantes indifféremment. Mais ce ne fut pas toujours le cas, en particulier dans la chambre à coucher.

Pour des raisons perdues dans l'histoire, les Romains de l'Antiquité associaient la sarriette d'été aux satyres de la mythologie, ces créatures lubriques moitié-homme et moitié-bouc, qui organisaient des orgies en l'honneur de Dionysos, dieu du vin. Le résultat: le naturaliste romain Pline l'Ancien donna le nom d'aphrodisiaque à la sarriette d'été tandis que la plante d'hiver fut appelée dépresseur sexuel. Rien de surprenant si la sarriette d'été était plus populaire.

Les Romains introduisirent la sarriette d'été à travers l'Europe où elle devint rapidement une épice populaire. Les tribus germaniques aimaient son parfum dans les haricots et l'appelaient plante d'haricots (*bohnendraut*). Depuis ce jour, les Allemands considèrent que la sarriette est un remède efficace pour les inconvénients (les flatulences) que causent les haricots. Les Saxons qui s'établirent en Angleterre pensaient que la sarriette donnait du goût à chaque aliment. De là est venu son non anglais *savory*.

Coliques infantiles et maladies d'enfants

Au XVIIe siècle, la sarriette d'été a perdu sa connotation associée à la luxure. Les variétés d'été et d'hiver commencèrent à être utilisées de façon interchangeable et appelées simplement «sarriette». Nicholas Culpeper écrivait que «la sarriette chasse le vent de l'estomac et des intestins ... et est bonne pour l'asthme et les autres affections de la poitrine. Ce n'est pas le meilleur remède pour la colique ou les dérangements de l'estomac.» Il recommandait également la sarriette comme stimulant pour «chasser les mauvais esprits». En application externe, Culpeper recommandait les cataplasmes de sarriette pour la sciatique et «la paralysie des membres».

Ce furent les premiers colons qui introduisirent la sarriette en Amérique du Nord où on l'utilisa surtout comme stimulant digestif et comme remède pour la toux, le rhume et la diarrhée, particulièrement chez les enfants. Les médecins éclectiques américains du XIXe siècle distillaient aussi l'huile de cette plante et l'utilisaient comme essence de girofle pour soigner les maux de dents.

Les herboristes contemporains limitaient généralement leurs recommandations à l'indigestion et à la diarrhée. Mais certains suggèrent encore la sarriette d'été comme stimulant sexuel, particulièrement pour les femmes, même si aucune recherche n'a été faite à ce sujet.

PROPRIÉTÉS thérapeutiques

La sarriette contient un expectorant, le cinéol, et des agents chimiques qui détendent le tube digestif.

STIMULANT DIGESTIF. Bien que ces agents chimiques lui confèrent des propriétés de stimulant digestif, les scientifiques conviennent que la sarriette a une action moins puissante que les menthes. Son effet plus doux confirme l'usage traditionnel que l'on en faisait dans le traitement des certaines maladies infantiles.

Préparation et posologie

Pour une infusion dans le but de traiter la toux, les rhumes et les malaises d'estomac chez les enfants, prenez 2 c. à café de sarriette séchée par tasse d'eau bouillante. Laissez infuser pendant 10 minutes. Ne dépassez pas trois tasses par jour. La sarriette a un goût agréable, tout comme le thym, sauf qu'il est plus poivré. Les adultes peuvent prendre 4 c. à café par tasse.

Pour une teinture, prenez 1/2 c. à café jusqu'à trois fois par jour pour les enfants et 1 c. à café pour les adultes.

Mise en garde

Les ouvrages médicaux sur la sarriette d'hiver ou d'été ne mentionnent pas d'effets nocifs.

La Food and Drug Administration inclut la sarriette parmi les plantes qui ne présentent aucun danger. Les femmes en bonne santé qui ne sont pas enceintes ou qui n'allaitent pas peuvent l'utiliser sans crainte si elles respectent les doses prescrites.

La sarriette ne devrait être consommée à des fins thérapeutiques qu'après accord avec son médecin. Consultez votre médecin en cas d'effets indésirables ou si les symptômes persistent deux semaines après le début du traitement.

La savoureuse sarriette

La sarriette d'été est une plante annuelle qui atteint environ 35 cm de haut. Elle possède d'étroites tiges veloutées, de couleur pourpre, des feuilles élancées et de petites fleurs blanches ou roses qui s'épanouissent depuis le milieu de l'été jusqu'au premier gel. La sarriette d'hiver est une broussaille vivace ligneuse qui atteint environ 25 cm. Ses feuilles ressemblent à celles de sa proche cousine, mais sont d'un vert plus foncé. Ses fleurs qui éclosent du milieu à la fin de l'été sont blanches ou de couleur lavande.

Les deux espèces se cultivent facilement à partir de graines ou de boutures, et poussent bien dans des pots. La sarriette d'été préfère les sols bien humides et bien drainés. Semez les graines à moins d'un centimètre dans le sol, en plein soleil et espacez les plants d'environ 22 cm. Arrosez fréquemment.

La sarriette d'hiver prend plus de temps à pousser. Elle préfère des sols plus légers et plus secs. Arrosez légèrement. Même si cette plante est une vivace, elle pourrait ne pas survivre à l'hiver de certaines régions.

Les feuilles des deux espèces peuvent être récoltées lorsque les plantes atteignent environ 14 cm. À la floraison, coupez-les au ras du sol, séchez-les et arrachez les feuilles. Gardez dans des contenants fermés hermétiquement, dans un endroit frais et sec.

SAUGE

La plante des sages

Famille: *Labiatæ.* Également la menthe
Genre et espèce: *Salvia officinalis*
Autres noms: Grande sauge, herbe sacrée, thé d'Europe, thé de Provence et de Grèce
Partie utilisée: Les feuilles

Il y a de fortes chances pour que le parfum riche et suave qui se dégage d'une volaille farcie provienne de la sauge. Des milliers d'années avant que les Pèlerins américains farcissent la première dinde de l'Action de grâces, des gens du monde entier célébraient les pouvoirs thérapeutiques de cette plante aromatique. Le nom générique de sauge, *Salvia,* vient d'un mot latin qui signifie «pour guérir».

On utilisa la sauge pour traiter de si nombreuses maladies qu'elle acquit la réputation de panacée. Le botaniste de renom Varro Tyler alla même jusqu'à écrire: «Si quelqu'un consulte un assez grand nombre d'herbiers ... chaque maladie connue des humains devra y figurer comme étant guérie par la sauge.» Cependant, la sauge ne soigne pas tout, mais la recherche démontre qu'elle possède certaines valeurs en tant qu'antisudorifique, préservatif, traitement des blessures et stimulant digestif.

La plante immortelle

Les Grecs et les Romains de l'Antiquité furent les premiers à utiliser la sauge pour conserver leur viande. Ils croyaient également que cette plante pouvait augmenter l'acuité de la mémoire, comme une autre plante préservative très puissante, le romarin. Mais la sauge acquit une réputation médicinale plus vaste. Le naturaliste romain Pline l'Ancien la prescrivait pour les morsures de serpent, l'épilepsie, les vers intestinaux, les maladies de poitrine, ainsi que comme déclencheur de règles. Le médecin grec Dioscoride considérait que c'était un diurétique et un déclencheur de règles, et recommandait des feuilles de sauge en cataplasmes pour soigner les plaies.

Autour du XXe siècle, des médecins arabes crurent que la sauge prolongeait la vie jusqu'à l'immortalité. Après les croisades, cette croyance arriva en Europe, au Moyen Âge, où les étudiants de l'école médicale la plus prestigieuse de Salerne, en Italie, récitaient: «Pour quelle raison un homme faisant pousser de la sauge dans son jardin mourrait-il?» La même pensée se retrouvait dans un proverbe anglais du Moyen Âge que l'on peut traduire ainsi: «Celui qui voudra vivre toujours devra manger de la sauge en mai.»

Les Français appelaient la plante «toute bonne» et avaient leur propre adage: «La sauge détend les nerfs et, par sa puissance, pourrait soigner la paralysie et faire disparaître la fièvre.» Charlemagne ordonna de faire pousser de la sauge dans les jardins de plantes médicinales des fermes impériales.

Plante prescrite à grande échelle

Autour de l'an 1000 de notre ère, un herbier islandais recommandait la sauge pour les infections de la vessie et les calculs rénaux. L'abbesse et herboriste allemande Hildegard de Bingen prescrivait la sauge pour les maux de tête et les maladies gastro-intestinales, ainsi que pour les maladies respiratoires, d'un rhume banal à la tuberculose.

Pendant le XVIe siècle, les explorateurs allemands firent connaître la sauge aux Chinois qui la prisèrent tellement qu'ils échangèrent 7 kilos de leur propre thé pour chaque kilo de ce nouveau médicament européen. Les médecins chinois utilisaient la sauge pour traiter l'insomnie, la dépression, les douleurs gastro-intestinales, la maladie mentale, les douleurs menstruelles et la mastite chez les femmes qui allaitent.

Les médecins ayurvédiques de l'Inde respectueux des traditions utilisaient la sauge indienne pour les mêmes raisons. Ils la prescrivaient également pour soigner les hémorroïdes, la gonorrhée, la vaginite, les maladies des yeux.

L'herboriste John Gerard disait que la sauge est «particulièrement bonne pour la tête et le cerveau. Elle accélère les sens et la mémoire, renforce les sinus, guérit les personnes qui sont paralysées et supprime tout tremblement des membres.» L'herboriste britannique du XVIIe siècle Nicholas Culpeper appuyait Gerard et recommandait la sauge «bouillie dans de l'eau ou du vin pour désinfecter les bouches et les gorges douloureuses, les ulcères, ou les parties génitales de l'homme ou de la femme».

L'Amérique adopte la plante

Ce furent les premiers colons qui introduisirent la sauge en Amérique du Nord, où elle fut largement utilisée par les guérisseurs populaires pour traiter l'insomnie, l'épilepsie, la rougeole, le mal de mer et les vers intestinaux.

Les médecins éclectiques américains du XIXe siècle prescrivirent d'abord la sauge en cas de fièvre, puis également en cataplasmes pour soigner l'arthrite et en tisane comme «anti-aphrodisiaque inestimable pour éviter des maladies vénériennes excessives ... utilisée parallèlement avec d'autres ... aides morales, si nécessaire».

Des textes médicaux américains publiés avant les années 1920 recommandaient la tisane de sauge en gargarisme pour les maux de gorge et des cataplasmes de feuilles de sauge pour les entorses et les enflures.

Les herboristes modernes préconisaient la sauge en usage externe pour les plaies et les morsures d'insectes; en gargarisme pour les saignements de gencives, les maux de gorge, la laryngite, l'amygdalite; et dans une infusion pour diminuer la transpiration, sevrer un enfant et traiter les vertiges, la dépression, les règles irrégulières et les malaises intestinaux.

PROPRIÉTÉS thérapeutiques

La sauge contient un huile aromatique à laquelle on reconnaît une certaine valeur thérapeutique. Elle possède une propriété unique, comparativement à toute autre plante thérapeutique: elle réduit la transpiration.

ANTISUDORIFIQUE. De nombreuses études ont démontré que la sauge réduit la transpiration de plus de 50 %, son action maximale se manifestant deux heures après l'ingestion. Cet effet explique pourquoi la sauge est réputée comme traitement contre la fièvre, laquelle entraîne une transpiration abondante et assèche le lait maternel. De nos jours, un produit à base de sauge, le Salysat®, a été mis sur le marché en Allemagne.

TRAITEMENT DES BLESSURES. La sauge a une action favorable contre de nombreuses bactéries responsables de maladies testées en laboratoire, ce qui confirme l'usage que l'on en faisait dans le traitement des blessures. De nos jours, les médecins déconseilleraient de panser les plaies au moyen de feuilles de sauge comme le préconisait Dioscoride, mais, dans le cas de coupures et d'égratignures légères, vous pouvez placer quelques feuilles de sauge fraîche sur la plaie jusqu'à ce que vous puissiez la nettoyer et la panser.

PRÉSERVATIF. Les viandes pourrissent en partie parce que leur graisses deviennent rances (oxydation). Tout comme le romarin, la sauge contient des antioxydants puissants qui ralentissent la détérioration. Ces antioxydants, comparables à certains préservatifs commerciaux, confirment l'usage traditionnel de la sauge comme préservatif.

L'action de préservation de la sauge peut aider à prévenir l'intoxication alimentaire. Mélangez-la à de la viande hachée, des pâtes ou des mayonnaises.

STIMULANT DIGESTIF. Comme d'autres épices culinaires, la sauge aide à détendre les parois du muscle lisse du tube digestif, lui conférant ainsi des propriétés antispasmodiques, ce qui confirme l'usage traditionnel de la plante pour traiter les problèmes gastro-intestinaux.

DIABÈTE. Une étude allemande a démontré que la sauge peut réduire le taux de glucose sanguin chez les diabétiques qui consomment des infusions à jeun. Le diabète est une maladie grave qui exige des soins professionnels. Si vous désirez prendre de la sauge de pair avec votre traitement régulier, consultez d'abord votre médecin.

MAUX DE GORGE. La sauge contient des tannins astringents, ce qui explique l'usage que l'on en faisait pour traiter les aphtes buccaux, le saignement des gencives et les maux de gorge. En Allemagne, où la guérison par les plantes est très populaire, les médecins prescrivent un gargarisme chaud à leurs patients pour les maux de gorge et les amygdalites.

SANTÉ DE LA FEMME. Des études suggèrent que l'huile de sauge peut stimuler l'utérus, ce qui explique son usage traditionnel pour déclencher les règles. Les femmes enceintes devraient s'abstenir d'en prendre, alors que d'autres pourraient l'essayer en vue de déclencher leur règles.

Préparation et posologie

Pour des soins d'urgence, appliquez des feuilles de sauge fraîches broyées sur les coupures et les égratignures jusqu'à ce que vous puissiez les nettoyer et les panser.

Pour une infusion qui soulagera les maux d'estomac ou pourrait aider à maîtriser le diabète, prenez 1 à 2 c. à café de feuilles séchées par tasse d'eau bouillante. Laissez infuser pendant 10 minutes. Ne dépassez pas trois tasses par jour. Cette infusion peut aussi être utilisée comme gargarisme. La sauge a un goût agréable et aromatique, un peu âcre.

Pour une teinture, prenez 1/2 à 1 c. à café jusqu'à trois fois par jour. La teinture peut réduire le taux de transpiration.

La sauge en dose médicinale est déconseillée aux enfants de moins de deux ans. Les enfants plus âgés et les personnes de plus de 65 ans devraient commencer par des préparations faiblement concentrées et augmenter la dose au besoin.

Mise en garde

Les ouvrages médicaux sur la sauge mentionnent certains effets indésirables, notamment l'inflammation de la lèvre et des muqueuses de la bouche.

La sauge contient un agent toxique chimique, le thujone. En grande quantité, il peut entraîner de nombreux symptômes qui peuvent aller jusqu'à des convulsions. Cependant, la chaleur des infusions de la sauge élimine en majeur partie le thujone, ce qui réduit le facteur de risques associés à l'infusion.

Alerte médicale: l'huile de sauge peut être toxique et ne doit pas être ingérée.

Autres précautions

La Food and Drug Administration inclut la sauge parmi les plantes qui ne présentent aucun danger. Les femmes en bonne santé qui ne sont pas enceintes ou qui n'allaitent pas peuvent l'utiliser sans crainte si elles respectent les doses prescrites.

La sauge ne devrait être consommée à des fins thérapeutiques qu'après accord avec son médecin. Si elle provoque de légers troubles, tels que des maux d'estomac ou de la diarrhée, prenez-en moins ou cessez d'en prendre. Consultez votre médecin en cas d'effets indésirables ou si les symptômes persistent deux semaines après le début du traitement.

Un bon conseil de jardinier

Cette plante vivace est un sous-arbrisseau à tiges rameuses qui atteint environ 1 m. Ses tiges sont carrées, velues et ligneuses à la base, et herbacés vers le sommet. Ses feuilles de couleur gris vert sont oblongues et velues. Selon l'espèce, les petites fleurs de la sauge qui éclosent en été sont roses, blanches, bleues ou pourpres.

La sauge peut être cultivée à partir de graines ou de boutures, et met quelques semaines à germer. Plantez les graines à 1 cm de la surface de la terre. La plante met deux ans avant d'atteindre une taille normale à partir de graines. C'est la raison pour laquelle les spécialistes recommandent de planter des boutures d'environ 10 cm que l'on récolte à l'automne pour les transplanter au printemps suivant.

La sauge pousse bien dans tous les sols, mais préfère les sites bien drainés et le plein soleil. Irriguez bien le sol jusqu'à ce que la plante atteigne sa pleine maturité. La sauge doit être remplacée tous les trois ou quatre ans, parce que les plants deviennent ligneux et moins productifs. Si vos hivers donnent des températures sous zéro, recouvrez votre sauge de paillis à l'automne.

Récoltez les feuilles avant que les bourgeons ne s'ouvrent en coupant la plante à 10 cm du sol. Ne gardez que les tiges des feuilles. Séchez la plante, puis entreposez-la dans des contenants hermétiquement fermés.

SAULE BLANC

Un excellent antidouleur

Famille: *Salicaceæ.* Également le peuplier
Genre et espèce: *Salix alba*
Autres noms: Saule commun, saule argenté, osier blanc, sandre, aubier
Partie utilisée: L'écorce

Pour le commun des mortels, le saule blanc est cet arbre majestueux à l'ombre duquel il fait bon se reposer. Pour les herboristes, c'est un arbre précieux dont l'écorce recèle un agent chimique, la salicine, qui servait autrefois à fabriquer ce puissant analgésique qu'est l'aspirine®. (Le terme salicine vient de *Salix,* genre de la plante.)

Symbole de joie et de tristesse

Dans l'Antiquité, le saule blanc jonchait les rives du Nil et les Égyptiens en faisaient un symbole de joie. Les Hébreux adoptèrent cet arbre magnifique et Dieu leur ordonna de célébrer les moissons d'automne sous des abris temporaires couverts de branches de saule blanc: «Vous prendrez … des branches de saule blanc … et vous vous réjouirez pendant sept jours».

Le saule blanc devint un symbole de tristesse après la destruction du premier temple de Jérusalem, qui marqua les débuts de l'exil des juifs à Babylone. Dans le psaume 137, il est dit: «Près des rives de Babylone où nous nous sommes assis, nous avons pleuré en nous souvenant de Zion. Sur les branches des saules blancs, nous avons suspendu nos harpes, car ceux qui nous ont fait prisonniers sur ces terres nous ont demandé de chanter notre douleur.» Depuis lors, cet arbre élégant porte aussi le nom de saule pleureur.

Pour calmer la douleur et tempérer les ardeurs

Les médecins chinois utilisent le saule blanc comme analgésique depuis l'an 500 avant notre ère, mais cet usage ne s'est répandu en Europe que cinq siècles plus tard. Dioscoride, médecin grec qui vivait au premier siècle de notre ère, fut le premier Occidental à recommander l'écorce de saule blanc pour soulager les douleurs et les inflammations, mais ses conseils ne furent pas suivis. Un siècle plus tard, le médecin romain Galien ne la recommandait que pour «tempérer les humeurs», usage pour le moins aléatoire.

Plusieurs siècles plus tard, les herboristes prescrivaient l'écorce de saule blanc pour soigner un grand nombre de maladies, y compris la perte du désir sexuel. Nicholas Culpeper, herboriste britannique du XVIIe siècle, déclarait: «Les feuilles, l'écorce et les graines du saule blanc servent à étancher le sang, soulagent l'envie de vomir, aident à uriner, guérissent les verrues, ravivent le teint, et gardent le visage et la peau lisses et sans boutons ... Les feuilles froissées et bouillies dans du vin tempèrent les ardeurs sexuelles de l'homme et de la femme et peuvent même ôter tout désir si l'on en boit pendant longtemps.» À cette époque, le saule blanc ne servait que très rarement d'analgésique mais Nicholas Culpeper se fit l'ardent défenseur d'un certain Stone qui démontrait la «grande efficacité de la plante ... pour soulager la fièvre intermittente (malaria)». Culpeper ne tarda pas à conclure que l'écorce de saule blanc allait très vite devenir «objet de la plus haute estime».

Le commentaire avait des accents prémonitoires. En effet, dès le XVIIIe siècle, on eut très fréquemment recours à l'écorce de saule blanc pour soigner toutes sortes de fièvres et ses effets analgésiques redevinrent populaires. Ce furent les premiers colons américains qui introduisirent l'arbre en Amérique du Nord. À leur grand étonnement, ils découvrirent que plusieurs tribus indiennes utilisaient l'écorce du saule blanc pour soulager et soigner les refroidissements et la fièvre.

De la salicine à l'aspirine

Vers 1828, les chimistes français et allemands procédèrent à l'extraction de la salicine, substance chimique présente dans l'écorce de saule blanc. Dix ans plus tard, un chimiste italien purifia l'acide salicylique, précurseur de l'aspirine. Bien que le saule blanc renfermât ce puissant analgésique, les chimistes fabriquèrent la première aspirine à partir de la reine-des-prés, autre plante riche en acide salicylique. C'est en 1839 qu'on découvrit de la salicine dans la reine-des-prés. Au milieu du XIXe siècle, des chercheurs démontrèrent que la salicine et l'acide salicylique font toutes deux diminuer la fièvre et soulagent la douleur et les inflammations. Malheureusement, ces deux substances ont des effets indésirables potentiellement dangereux. Elles peuvent ainsi provoquer des nausées, de la diarrhée, des saignements, des ulcères d'estomac, des bourdonnements d'oreilles (tinnitus) et, à fortes doses, elles peuvent causer la paralysie respiratoire et entraîner la mort.

Les chimistes créèrent l'acide acétyl-salicylique, ou aspirine, à partir de l'acide salicylique extraite de la reine-des-prés (voir p. 384). Leur intention était de profiter des bienfaits de l'acide salicylique tout en minimisant ses effets indésirables.

C'est ainsi que l'aspirine est devenue le médicament de prédilection de milliers de gens et qu'on l'utilise pour un grand nombre de maladies courantes.

De nos jours, les herboristes recommandent l'écorce de saule blanc pour soulager les maux de tête, la fièvre, l'arthrite et toutes sortes de douleurs et d'inflammations.

PROPRIÉTÉS thérapeutiques

Contrairement aux affirmations de Nicholas Culpeper, l'écorce de saule blanc ne guérit pas la malaria, mais c'est réellement de l'aspirine végétale. Elle contient plus de substances chimiques actives, les salicylates, que la reine-des-prés, ce qui en fait un remède naturel plus puissant.

FIÈVRES, DOULEURS, INFLAMMATIONS. Essayez de remplacer l'aspirine par du saule blanc. Mais comme l'aspirine contient plus de salicylates, ne vous attendez pas à ce que la plante soit aussi efficace.

SANTÉ DE LA FEMME. Comme l'aspirine, le saule blanc contient assez de salicylates pour contrer l'action d'autres substances chimiques, les prostaglandines, responsables des douleurs menstruelles.

Les femmes enceintes ne devraient pas consommer du saule blanc. Des études réalisées sur des animaux ont révélé une corrélation entre la consommation d'aspirine et un plus grand nombre de malformations congénitales. Bien que la plante ne soit pas aussi efficace que l'aspirine, il vaut mieux ne pas courir de risques.

AUTRES PROPRIÉTÉS. Selon une étude réalisée en laboratoire, le saule blanc peut réduire le taux de glucose sanguin, mais l'action de la plante sur le diabète reste à confirmer.

Préparation et posologie

Pour une infusion qui vous permettra de soulager les douleurs, la fièvre et les inflammations, laissez tremper 1 c. à café d'écorce de saule blanc en poudre par tasse d'eau froide pendant huit heures. Filtrez. Ne dépassez pas trois tasses par jour. Le saule blanc a un goût amer et astringent. Ajoutez-y du miel et du citron, ou mélangez-le à une autre préparation à base de plante pour en rehausser la saveur .

Les infusions de saule blanc sont déconseillées aux enfants de moins de deux ans ou aux jeunes de moins de 16 ans qui souffrent de rhume, de grippe ou de varicelle. Les enfants plus âgés et les personnes de plus de 65 ans devraient commencer par des préparations faiblement concentrées et augmenter la dose au besoin.

Mise en garde

Chez certains sujets, l'aspirine provoque des maux d'estomac, mais selon la plupart des herboristes, l'écorce de saule blanc n'a que très rarement ces effets indésirables. Si vous souffrez de maux d'estomac, de nausées ou de bourdonnements d'oreille, diminuez la dose ou cessez de prendre de l'écorce de saule blanc.

Le saule blanc est déconseillé aux personnes qui souffrent de troubles gastro-intestinaux, tels que les ulcères et la gastrite.

Les enfants de moins de 16 ans qui prennent de l'aspirine pour soigner un rhume, une grippe ou la varicelle risquent de contracter le syndrome de Reye, maladie affectant le cerveau, le foie et les reins et pouvant entraîner la mort. Bien que le saule blanc n'ait jamais été tenu responsable du syndrome de Reye, abstenez-vous d'en donner aux enfants qui souffrent de rhume, de grippe ou de varicelle en raison de son action très similaire à l'aspirine.

Autres précautions

Les femmes en bonne santé qui ne sont pas enceintes, qui n'allaitent pas, qui n'ont ni ulcères ni gastrite et qui ne prennent aucun médicament contenant des salicylates peuvent utiliser sans crainte l'écorce de saule blanc si elles respectent les doses prescrites.

Le saule blanc ne devrait être consommé à des fins thérapeutiques qu'après accord avec son médecin. S'il provoque de légers troubles, tels que des maux d'estomac ou des bourdonnements d'oreilles, prenez-en moins ou cessez d'en prendre. Consultez votre médecin en cas d'effets indésirables ou si les symptômes persistent deux semaines après le début du traitement.

Une moisson de saules blancs

Au fil de l'histoire, un grand nombre de saules parmi les 500 espèces existantes ont été utilisés comme plantes médicinales. Toutefois, au cours des 200 dernières années, seul le saule blanc a été le plus fréquemment utilisé. Cet arbre mesure environ 25 m et possède une écorce coriace, de couleur brun grisâtre. Ses branches souples, couvertes de feuilles longues et minces, donnent à l'arbre son élégance.

Presque toutes les terres de jardin bien humides conviennent au saule blanc. Cet arbre a cependant besoin de beaucoup d'ensoleillement. Achetez des jeunes arbres chez un pépiniériste ou plantez quelques branches (celles de la première année) une fois qu'elles auront fait leurs racines dans l'eau. Vous pouvez aussi utiliser des boutures d'environ 30 cm de long que vous aurez coupé au printemps ou à l'automne et laissé tremper dans l'eau, le temps qu'elles fassent leurs racines. Le saule blanc ne peut être transplanté. Il pousse vite et doit être taillé régulièrement.

Retirez l'écorce des plus vieilles branches pendant la taille et faites sécher.

SCUTELLAIRE

Un tranquillisant américain

Famille: *Labiatæ*. Également la menthe
Genre et espèce: *Scutellaria lateriflora*
Autre nom: Aucun
Partie utilisée: Les feuilles

La scutellaire, plante réputée calmer les gens déprimés, est au centre d'une très grande controverse. Un certain herboriste reconnu considère cette plante aux fleurs bleues originaire d'Amérique du Nord comme le meilleur tranquillisant qui soit. Cependant, une foule de sceptiques prétendent au contraire qu'elle est sans effet.

À vrai dire, il se pourrait bien que l'emploi de la scutellaire comme tranquillisant ait tout de même quelque fondement.

Mauvaise herbe de chien enragé

Depuis des siècles, les médecins chinois prescrivent la scutellaire asiatique (*S. baikalensis*) comme tranquillisant sédatif et la recommandent pour traiter les convulsions.

Introduite en Occident en 1772, la scutellaire a d'abord été préconisée pour soigner la rage. Selon un médecin fort expérimenté de Nouvelle-Angleterre, elle aurait eu la propriété de prévenir et de soigner la redoutable «hydrophobie». Pendant les cent années qui suivirent, les herboristes lui trouvèrent des vertus de stimulant digestif et de tranquillisant.

Au XIXe siècle aux États-Unis, les médecins éclectiques recommandaient la plante essentiellement comme tranquillisant et sédatif pour l'insomnie et la nervosité, mais aussi pour la malaria, les convulsions et le délirium tremens des alcooliques.

De 1863 à 1916, la scutellaire figura dans le *U.S. Pharmacopœia* en tant que tranquillisant. De 1916 à 1947, on la retrouva dans le *National Formulary*, le livre de référence des pharmaciens.

Les herboristes contemporains recommandent la scutellaire comme tranquillisant et l'appliquent à l'insomnie, la tension nerveuse, les troubles prémenstruels, le sevrage aux drogues et à l'alcool.

Certains d'entre eux étendent ses vertus aux fièvres et aux convulsions.

Propriétés thérapeutiques

Les scientifiques américains condamnent presque tous à l'unanimité la scutellaire. Ils n'ont jamais oublié les conclusions mal fondées du passé disant que la scutellaire sert à traiter la rage. L'évaluation de la Food and Drug Administration à ce sujet confirme le rapport publié dans *The Dispensatory of the United States* en 1943: «La scutellaire est une plante dépourvue de toutes vertus thérapeutiques. Elle ne produit aucun effet lorsqu'on la consomme et, par conséquent, n'a aucune valeur médicinale.»

TRANQUILLISANT, SÉDATIF. Bien sûr, ce rapport fut publié en 1943. Depuis lors, certains chercheurs européens et russes ont confirmé les vertus thérapeutiques de la plante comme tranquillisant. Des médecins européens acceptent aujourd'hui de l'utiliser comme tranquillisant et sédatif. La scutellaire est d'ailleurs l'un des ingrédients qui se trouvent dans bon nombre de somnifères commerciaux vendus dans toute l'Europe.

AUTRES PROPRIÉTÉS. Deux études japonaises sur des animaux ont démontré que la scutellaire augmente le taux du «bon» cholestérol (lipoprotéines de haute densité ou HDL). À mesure que le HDL augmente, les risques de crise cardiaque diminuent. Ces découvertes permettent de croire que la plante pourrait s'avérer bénéfique dans la prévention de maladies cardiaques ou d'accidents vasculaires cérébraux chez l'homme.

Des médecins chinois prétendent avoir réussi à soigner l'hépatite avec de la scutellaire. Il est trop tôt pour vanter les vertus thérapeutiques de la plante dans le cas de cette maladie hépatique grave, mais des études plus poussées sont justifiées à son sujet.

Préparation et posologie

Pour une infusion tranquillisante, prenez 1 à 2 c. à café d'herbe séchée par tasse d'eau bouillante. Laissez infuser pendant 10 minutes. Ne dépassez pas trois tasses par jour. La scutellaire a un goût amer. Ajoutez-y du sucre, du miel et du citron, ou mélangez-la à une préparation à base de plante pour en rehausser la saveur.

La scutellaire est déconseillée aux enfants de moins de deux ans. Les enfants plus âgés et les personnes de plus de 65 ans devraient commencer par des préparations faiblement concentrées et augmenter la dose au besoin.

Mise en garde

Les ouvrages médicaux sur la scutellaire ne mentionnent pas d'effets nocifs, bien qu'en grande quantité, elle puisse causer un état de confusion, des vertiges, des secousses musculaires, voire des convulsions.

La Food and Drug Administration inclut la scutellaire parmi les plantes dont la fiabilité reste à prouver. Les femmes en bonne santé qui ne sont pas enceintes ou qui n'allaitent pas peuvent l'utiliser sans crainte si elles respectent les doses prescrites.

La scutellaire ne devrait être consommée à des fins thérapeutiques qu'après accord avec son médecin. Si elle provoque de légers troubles, tels que des maux d'estomac ou de la diarrhée, prenez-en moins ou cessez d'en prendre. Consultez votre médecin en cas d'effets indésirables ou si les symptômes persistent deux semaines après le début du traitement.

Un somnifère naturel

Bon nombre d'espèces de scutellaire poussent en Europe, mais la variété américaine est celle que l'on utilise dans la guérison par les plantes. On l'appelle souvent scutellaire de Virginie, bien qu'elle croisse partout aux États-Unis et au sud du Canada.

La scutellaire est une plante vivace gracile d'environ un demi-mètre de haut qui possède une tige carrée et des feuilles dentées opposées. Les fleurs sont bilabiales, et sa lèvre supérieure est dotée d'un appendice allongé qui ressemble à une coiffe.

La plante peut être cultivée à partir de graines ou de divisions de racine que l'on plante tôt au printemps. Espacez les plants de 15 cm. La scutellaire, qui exige peu de soins, préfère les sols bien drainés et le plein soleil. Bien qu'elle soit une plante vivace, la scutellaire ne vit pas plus de trois ans.

Récoltez les feuilles au milieu de l'été.

SÉNÉ

Un puissant laxatif

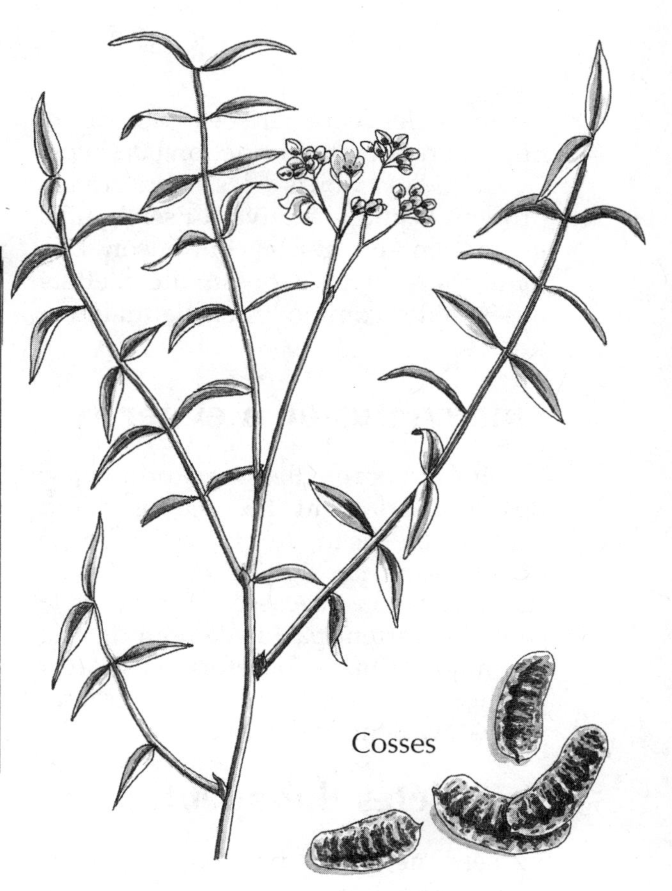

Famille: *Caesalpinioideæ.* Également le bois du Brésil
Genres et espèces: *Cassia senna, C. acutifolia* (d'Alexandrie et de Karthoum), *C. Angustifolia* (de l'Inde), *C. marilandica* (espèce américaine)
Autre nom: Cassia
Parties utilisées: Les folioles et les cosses de graines

Le séné est un puissant laxatif, si puissant qu'on le considère comme un purgatif. Dès le IXe siècle, les médecins arabes vantaient son action stimulante au niveau intestinal, mais leurs descriptions laissent supposer qu'il a aussi été utilisé pendant des siècles, du Moyen-Orient à l'Inde.

Le séné est connu en Europe comme plante médicinale depuis les Croisades et il continue d'être utilisé depuis lors.

Le purgatif par excellence

Au XVIIe siècle, l'herboriste britannique Nicholas Culpeper, qui avaient tendance à prescrire une plante pour chaque maladie, déclarait que le séné «nettoie l'estomac, débarrasse la tête, le cerveau, les poumons, le cœur, le foie et la rate de la mélancolie et du flegme ... elle chasse la mauvaise humeur, aiguise les sens, déclenche l'hilarité, purifie le sang (traite les maladies vénériennes) et se révèle très efficace contre les fièvres chroniques». D'autres herboristes plus prudents se contentent de recommander le séné comme laxatif seulement.

Les Indiens d'Amérique reconnaissaient l'action laxative du séné, mais ils l'utilisaient essentiellement dans le traitement de la fièvre. Les médecins éclectiques du XIXe siècle, influencés par la médecine indienne, considéraient le séné comme une plante «très utile pour toutes les formes de maladies caractérisées par de la fièvre et requérant une action laxative».

De nos jours, les herboristes prônent l'action laxative du séné, mais ils mettent en garde contre son très mauvais goût et la possibilité d'effets indésirables comme les douleurs intestinales.

Une confusion à éviter

Le séné et la cannelle sont produits par des arbustes dont l'écorce se défait comme une peau, ce qui, en arabe, se dit *quetsiah,* qui signifie couper et en français cassia ou casse. Le séné et la cannelle portent parfois le nom de cassia aujourd'hui. Toutefois, ces deux plantes ont des actions très différentes et ne devraient pas être confondues.

Propriétés thérapeutiques

Le séné ne guérit pas les fièvres, ne «débarasse pas la tête» ni ne «déclenche l'hilarité». Bien au contraire, vous en regretterez l'usage si vous n'êtes pas prudent.

LAXATIF. Tout comme l'aloès, le nerprun et le cascara sagrada, le séné contient des agents chimiques, les anthraquinones, qui stimulent le côlon. La plante est également l'un des ingrédients que l'on trouve dans bien des laxatifs vendus dans le commerce.

Cependant, le séné, de même que d'autres laxatifs à base d'anthraquinones, devraient être utilisés en dernier recours contre la constipation. Augmentez d'abord votre consommation de fibres, buvez plus de liquides et faites plus d'exercice physique. Si cela ne réussit pas, essayez un laxatif naturel qui augmente le volume des selles comme le plantain (voir p. 353). Si ce remède naturel n'agit pas favorablement, essayez une forme plus douce d'anthraquinones comme le cascara sagrada (voir p. 125). En dernier recours, consultez votre médecin avant de prendre du séné.

Préparation et posologie

À cause du goût fort désagréable du séné, les herboristes déconseillent la consomation de la plante à son état naturel et recommandent plutôt les produits à base de séné vendus dans le commerce.

Les personnes audacieuses peuvent essayer le séné naturel en prenant 1 à 2 c. à café de feuilles séchées par tasse d'eau bouillante. Laissez infuser pendant 10 minutes. Ne dépassez pas une tasse par jour, le matin ou le soir, pendant quelques jours seulement. La saveur du séné est désagréable. Ajoutez-y du sucre, du miel et du citron, ou mélangez-le avec des plantes qui masqueront sa saveur désagréable comme l'anis, le fenouil, la menthe poivrée, la camomille, le gingembre, la coriandre, la cardamone et la réglisse.

Certains spécialistes prétendent que les cosses ont une action plus douce. Laissez infuser quatre cosses dans une tasse d'eau tiède de 6 à 12 heures. Ne dépassez pas une tasse par jour, le matin ou le soir, pendant quelques jours seulement.

Pour une teinture, prenez 1/2 à 1 c. à café le matin ou le soir, pendant quelques jours seulement.

Le séné est déconseillé aux enfants de moins de deux ans à des fins thérapeutiques. Les enfants plus âgés et les personnes de plus de 65 ans devraient commencer par des préparations faiblement concentrées et augmenter la dose au besoin.

Mise en garde

À cause de son action puissante, le séné est à proscire aux personnes qui sont atteintes de troubles gastro-intestinaux comme les ulcères, la colite et les hémorroïdes.

Les femmes enceintes et celles qui allaitent devraient également s'abstenir d'en prendre.

Le séné ne devrait pas être consommé pendant plus de deux semaines, car il peut entraîner le syndrome du côlon irritable, affection où l'on ne peut évacuer ses selles sans une stimulation chimique.

En grande quantité, le séné provoque des diarrhées, des nausées, des vomissements et de grandes douleurs accompagnées éventuellement de déshydratation.

L'usage prolongé de la plante peut aussi entraîner l'hyppocratisme digital. Un article paru dans le *Lancet* a rapporté qu'une femme avait développé la maladie après avoir pris 40 comprimés par jour pendant 15 ans. Ses doigts sont revenus à la normale lorsqu'elle cessa l'utilisation de la plante.

Le séné peut causer une irritation cutanée chez les personnes qui ont la peau sensible.

Autres précautions

La Food and Drug Administration inclut le séné parmi les plantes dont la fiabilité reste à prouver. Les femmes en bonne santé qui ne sont pas enceintes et qui n'allaitent pas peuvent utiliser le séné à l'occasion sans crainte si elles respectent les doses prescrites.

Le séné ne devrait être consommé à des fins thérapeutiques qu'après accord avec son médecin. S'il provoque de légers troubles, tels que des douleurs abdominales, prenez-en moins ou cessez d'en prendre. Consultez votre médecin en cas d'effets indésirables ou si les symptômes persistent deux semaines après le début du traitement.

Une plante qui ne pousse pas partout

Le séné n'est pas une plante de jardin. C'est un petit arbriseau ligneux qui atteint environ 1 m. Il possède des tiges à rameaux, des feuilles pointues et des graines encastrées dans des cosses. L'espèce utilisée à des fins médicinales pousse dans la région de Tennevelly, au sud de l'Inde. Une espèce pousse cependant sur la côte est des États-Unis.

THÉ

La plante médicinale la plus populaire

Famille: *Theaceæ*. Également le camélia	
Genre et espèce: *Camellia sinensis*	
Autres noms: Thé vert, thé noir	
Partie utilisée: Les feuilles	

Après l'eau, le thé est la boisson la plus consommée au monde. C'est aussi la plante médicinale la plus prisée. Pour beaucoup de gens, c'est un stimulant léger. On recommande aussi les infusions de thé comme traitement d'appoint pour les diarrhées, pour la prévention de la carie dentaire, et comme décongestionnant des bronches.

Le temps du thé

Le thé est utilisé en médecine chinoise depuis au moins 3 000 ans pour traiter les maux de tête, la diarrhée, la dysenterie, les rhumes, la toux, l'asthme, ainsi que d'autres maladies respiratoires.

Dès le VIIIe siècle, le thé était devenu la boisson la plus courante aux Indes et en Indonésie. En 1610, la Dutch East India Company l'importa en Europe. En 1640, en Angleterre, il connut un énorme succès: les gens de la classe privilégiée et la noblesse prirent l'habitude de prendre le thé noir vers seize heures comme stimulant. D'où l'expression actuelle en anglais *tea time*.

Les Chinois appelaient le thé noir *pekho*. Les Anglais adoptèrent ce nom qu'ils écrivirent toutefois *pekœ*. Ils étaient tellement fervents de la boisson qu'ils la renommèrent «thé», du mot grec *thea*, qui signifie déesse.

Dur temps pour le thé

La passion des Anglais pour le thé fut telle qu'elle stimula la colonisation de l'Inde, de Ceylan et de Hongkong. À la fin du XVIIIe siècle, le thé faisait partie intégrante de la culture anglaise, et la Grande-Bretagne ne tolérait aucune menace à son monopole. En 1773, le Parlement anglais imposa une taxe sur le thé importé dans ses colonies nord-américaines. Outragés par cette désinvolture, les résidants du Massachusetts provoquèrent une émeute. Ils prirent d'assaut les bateaux de thé amarrés dans le port de Boston et jetèrent par-dessus bord d'énormes quantités de thé stockées dans la cargaison. Cet incident, connu sous le nom de *Boston Tea Party*, déclencha la guerre de l'Indépendance américaine.

En Europe et en Amérique du Nord, le thé a d'abord été utilisé comme breuvage stimulant. Cependant les herboristes ont continué d'exploiter ses vertus médicinales adoptées depuis des millénaires par les Chinois. Les guérisseurs populaires recommandent également le thé pour les maux de tête, la diarrhée, les rhumes, la toux et les problèmes respiratoires.

Ironie du sort, peu d'herbiers contemporains répertorient le thé parmi les plantes médicinales. En fait, la plupart des gens ne considèrent pas le thé comme une plante. Ils demandent couramment: «Voudriez-vous du café, du thé ou de la tisane?» sans se rendre compte que le café et le thé servis sous forme de boissons proviennent de plantes et que toutes ces boissons sont des infusions.

PROPRIÉTÉS thérapeutiques

Le thé contient trois agents chimiques stimulants, notamment la caféine, la théobromine et la théophylline, qui expliquent certains de ses usages thérapeutiques dans la guérison par les plantes.

RHUMES, CONGESTION ET ASTHME. Les stimulants du thé sont des bronchodilatateurs qui facilitent la respiration en dilatant les voies respiratoires, ce qui confirme son usage traditionnel dans le traitement des troubles respiratoires. Les médecins prescrivent souvent des produits pharmaceutiques à base de théophylline pour traiter l'asthme.

DIARRHÉE. Le thé contient des tannins astringents, ce qui explique la capacité de fixation du thé dans le cas de la diarrhée.

CARIE DENTAIRE. Le thé est également une excellente source de fluorure qui permet de prévenir la carie dentaire. Les thés verts et noirs contiennent plus de fluorure que l'eau fluorée, selon une étude publiée dans le *Wellness Letter* de l'université de la Californie, à Berkeley. Il semble que les tannins dans le thé permettent de combattre la carie dentaire.

RADIATION. Parmi les tannins du thé se trouvent des substances appelées catéchines, qui pourraient prévenir les dommages causés aux tissus par la radiothérapie. Une étude démontre que le thé pourrait empêcher le strontium-90, substance radioactive, d'infiltrer la mœlle osseuse, diminuant ainsi les risques de cancer chez les personnes qui ont été exposées à des radiations nucléaires. Certaines expériences ont aussi révélé que le thé aide à prévenir la leucémie chez des animaux de laboratoire soumis à de telles radiations.

AUTRES PROPRIÉTÉS. Le café augmente peut-être le taux de cholestérol, mais une étude sur des animaux de laboratoire publiée dans le *Journal of Nutrition Science* révèle que le thé peut le réduire. La plante pourrait avoir le même effet chez les humains.

Les tannins ont une certaine action antivirale. Des études chinoises prétendent que le thé peut aider à traiter l'hépatite, maladie grave qui exige des soins professionnels. Le thé n'est pas nocif durant la convalescence; il peut même s'avérer bénéfique.

Préparation et posologie

Pour une infusion agréablement amère qui pourrait prévenir la carie dentaire, soulager les problèmes respiratoires ou traiter la diarrhée, prenez 1 à 2 c. à café d'herbe séchée par tasse d'eau bouillante. Laissez infuser pendant 10 à 15 minutes. Ne dépassez pas trois tasses par jour.

De faibles infusions peuvent être données avec prudence aux enfants de moins de deux ans. Les enfants plus âgés et les personnes de plus de 65 ans devraient commencer par des préparations faiblement concentrées et augmenter la dose au besoin.

Mise en garde

Une tasse de thé contient près de la moitié de la caféine d'une tasse de café moulu. La caféine est une substance accoutumante qui entraîne de la nervosité, de l'agitation, de l'insomnie et d'autres effets indésirables possibles (voir *Café*, p. 101).

De nombreuses études révèlent que les tannins ont une action à la fois cancérigène et anticancérigène. Leur rôle dans les cancers chez l'homme est toutefois aléatoire. Des études révèlent que le taux de cancer de la gorge est très élevé chez les personnes qui consomment du thé en grande quantité. Cependant, ces résultats ne semblent pas s'appliquer aux Anglais, grands amateurs de thé. Les spécialistes conviennent que la coutume anglaise d'ajouter du lait à son thé exerce un effet protecteur, car le lait neutralise les tannins. Peut-être est-ce une bonne idée de boire son thé à l'anglaise.

Autres précautions

Les femmes en bonne santé qui ne sont pas enceintes ou qui n'allaitent pas peuvent l'utiliser sans crainte si elles respectent les doses prescrites.

On associe cependant la caféine à certaines malformations congénitales. Les femmes enceintes devraient s'abstenir d'en prendre. En grande quantité, le thé peut causer des malaises gastro-intestinaux.

Le thé ne devrait être consommé à des fins thérapeutiques qu'après accord avec son médecin. Si elle provoque de légers troubles, tels que des maux d'estomac, prenez-en moins ou cessez d'en prendre. Consultez votre médecin en cas d'effets indésirables ou si les symptômes persistent deux semaines après le début du traitement.

En provenance de l'Orient

Le thé n'est pas une plante de jardin. Il est principalement cultivé en Inde, au

Sri Lanka et en Indonésie. Le thé peut atteindre près de 10 m à l'état sauvage. Cependant, l'espèce domestique est taillée à une hauteur de 1 m. Ses feuilles sont récoltées jeunes. Séchées ou roulées rapidement, on obtient du thé vert. Si on laisse s'amorcer une fermentation, on obtient du thé noir (*pekœ*).

THÉ DES JÉSUITES

Un stimulant fort en vitamine C

Famille: *Aquifoliaceæ*. Également le houx
Genres et espèces: *Ilex paraguayensis* ou *I. paraguariensis*
Autres noms: Maté, thé du Paraguay
Partie utilisée: Les feuilles

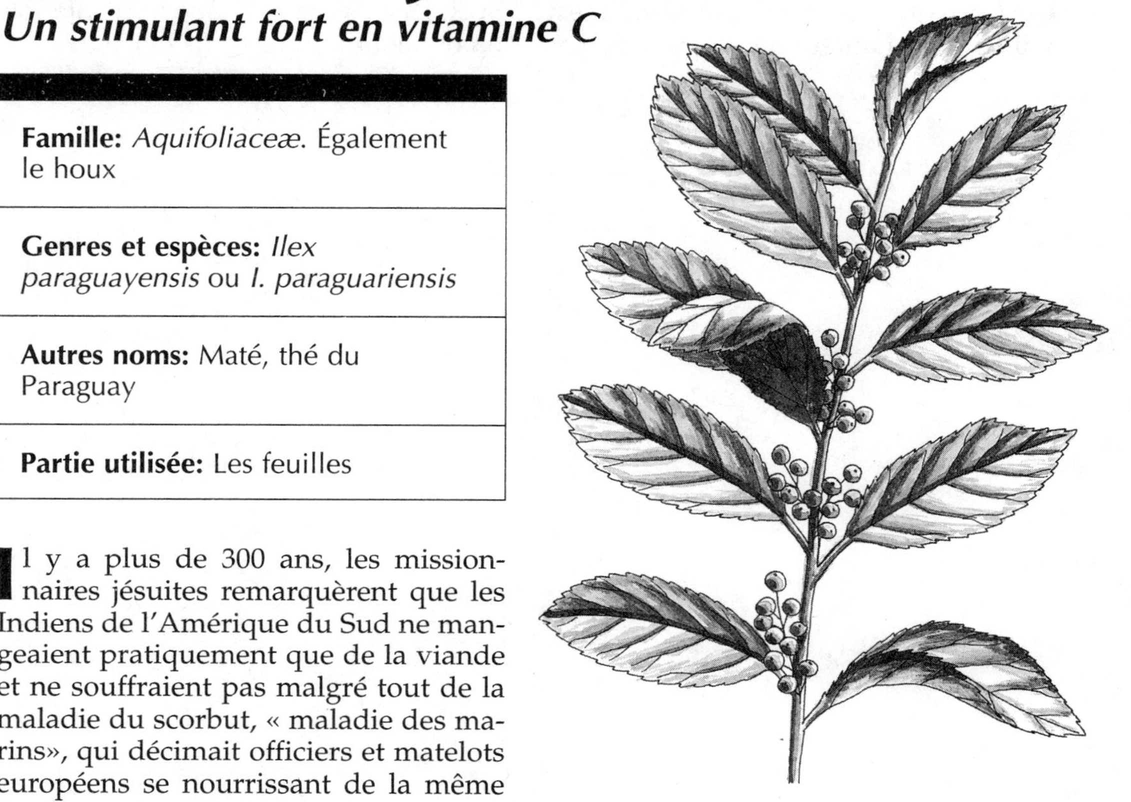

Il y a plus de 300 ans, les missionnaires jésuites remarquèrent que les Indiens de l'Amérique du Sud ne mangeaient pratiquement que de la viande et ne souffraient pas malgré tout de la maladie du scorbut, « maladie des marins», qui décimait officiers et matelots européens se nourrissant de la même façon en mer. Les jésuites en déduirent que c'était le thé qu'ils buvaient dans des tasses fabriquées à partir de calebasses qui protégeait les Indiens de cette maladie. Ils le nommèrent *maté*, mot espagnol signifiant calebasse, et commencèrent à cultiver cet arbrisseau semblable au houx et à en boire le thé amer qu'ils fabriquaient à l'aide de ses feuilles coriaces.

Le thé des jésuites, également appelé maté ou thé du Paraguay, fut introduit aux États-Unis durant les années 70, et considéré comme substitut non caféiné du café. Cela est faux; en effet, le thé des jésuites ou maté comprend de la caféine. Il contient également de la vitamine C , ce qui le rend plus nutritif que d'autres plantes à base de caféine (café, thé, cola et cacao).

Le thé des jésuites

Les jésuites firent connaître le maté aux pionniers européens. Aujourd'hui, il est l'une des boissons stimulantes préférées des Sud-Américains. Il est même plus populaire que le thé ou le café en Argentine, au Paraguay et en Uruguay. En fait, plus de 200 variétés de maté sont vendues en Argentine. On prétend même que chaque Argentin en consomme environ 25 kg par année. En Uruguay, ce chiffre double. D'autre part, les Sud-Américains ajoutent souvent du maté dans leur pain et la plante est l'un des ingrédients les plus utilisés pour l'une des boissons préférées de l'Amérique du Sud.

Les Sud-Américains estiment que le maté ou thé des jésuites est non seulement un stimulant agréable, mais aussi un coupe-faim et un diurétique qui traite les rétentions d'eau. Aucune recherche scientifique confirme ces faits, mais on continue d'utiliser le maté en Amérique du Sud comme stimulant digestif. Les gauchos (cowboys) argentins ne consomment souvent que de la viande et du maté, tout comme les Indiens autrefois.

PROPRIÉTÉS thérapeutiques

Une tasse de thé des jésuites, ou de maté, de 175 ml contient environ 50 mg de caféine, soit autant qu'une tasse de thé ou une canette de boisson gazeuse. Le café instantané contient un peu plus de caféine, soit 65 mg par tasse. Le café moulu contient deux à trois fois plus de caféine, soit 100 à 150 mg par tasse. Pour plus de renseignements au sujet des bienfaits de la caféine, voir *Café*, à la page 101.

Puisque le thé des jésuites ne contient qu'un tiers de la caféine qui se trouve dans une tasse de café moulu de même format, ses effets en seraient parallèlement diminués.

RHUME ET GRIPPE. De nombreux spécialistes recommandent la vitamine C en cas de rhumes. Le thé des jésuites possède une teneur élevée en vitamine C, ce qui en fait une boisson nutritive et stimulante. Les jésuites avaient raison de croire que le maté prévenait le scorbut. Si vous souffrez d'un rhume, boire du maté vous procurera une source additionnelle de vitamine C.

SYNDROME PRÉMENSTRUEL. Les diurétiques peuvent apporter un certain soulagement aux femmes qui souffrent de ballonnements prémenstruels causés par la rétention d'eau. Ces personnes devraient boire du thé des jésuites quelques jours avant leurs règles.

Préparation et posologie

Pour un infusion douce-amère, mettez une c. à café d'herbes séchées par tasse d'eau bouillante. Laissez infuser 10 minutes. Ne dépassez pas trois tasses par jour. Certaines personnes détestent l'odeur du thé des jésuites, d'autres finissent par l'apprécier. Ajoutez-y du miel et du citron au besoin.

Le maté ou thé des jésuites est déconseillé aux enfants de moins de deux ans. Les enfants plus âgés et les personnes de plus de 65 ans devraient commencer par des préparations faiblement concentrées et augmenter la dose au besoin.

Mise en garde

La caféine peut créer une accoutumance et elle peut nuire à la santé si elle est consommée en grande quantité (voir *Café*, à la page 101). Cependant, puisque chaque tasse de thé a une teneur en caféine moins élevée, sa consommation ne devrait présenter aucun danger.

Le maté ou thé des jésuites contient des tannins qui ont en même temps une action cancérigène et anti-cancérigène. Une étude réalisée en Uruguay et publiée dans le *Journal of the National Cancer Institute* démontre que les consommateurs de maté présentent des risques élevés de cancer de l'œsophage. En Uruguay, chaque personne consomme en moyenne 50 kg de la plante par année, mais il est impossible d'en discerner la quantité chez les gros buveurs. Cette découverte toutefois ne s'applique pas vraiment aux habitants de l'Amérique ou de l'Europe qui ne boivent du thé que très rarement. Cependant, l'usage du thé des jésuites est à proscrire chez les personnes atteintes d'un cancer de l'œsophage.

Autres précautions

Les femmes en bonne santé qui ne sont pas enceintes, qui n'allaitent pas ou qui ne prennent aucune substance ou médicament à base de caféine, peuvent consommer du maté ou thé des jésuites sans crainte si elles respectent les doses prescrites.

Cette plante ne devrait être consommée à des fins thérapeutiques qu'après accord avec son médecin. S'il provoque de légers troubles, tels que des maux d'estomac ou de la diarrhée, prenez-en moins ou cessez d'en prendre. Consultez votre médecin en cas d'effets indésirables ou si les symptômes persistent deux semaines après le début du traitement.

Originaire de l'Amérique du Sud

Le thé des jésuites, ou maté, est cultivé en Amérique du Sud. Il pousse à l'état sauvage près des ruisseaux, mais il se cultive également, surtout en Argentine. C'est un arbrisseau vivace, qui possède des feuilles souples, ovales, dentées et coriaces. Il produit des fruits rouges, noirs ou jaunes de la taille d'un grain de poivre noir environ.

THYM

Une plante vraie

Famille: *Labiatæ*. Également la menthe
Genres et espèces: *Thymus vulgaris, T. serpylmum*
Autres noms: Farigoule, barigoule, frigoule et pote
Parties utilisées: Les feuilles et la partie supérieure des fleurs

On trouve généralement du thym sur les étagères à épices de toutes les cuisines, mais des millions d'Américains possèdent également dans leur armoire à pharmacie de l'huile de cette plante. Son utilisation dans les rince-bouche et les décongestionnants n'est pas une coïncidence. Il y a longtemps que l'on utilise le thym comme antiseptique, remède contre la toux et soulagement digestif.

Agneau sacrifié aux herbes

Comme plusieurs autres plantes aromatiques de cuisine, le thym était utilisé autrefois pour conserver la viande. On le répandait sur les animaux sacrifiés afin de les rendre plus présentables aux dieux. On introduisit le thym dans la préparation de mets comme supplément à cause de ses propriétés de conservation de la viande. Les Romains s'en servirent également comme médicament pour traiter la toux et les vers intestinaux, et pour soulager la digestion.

Charlemagne ordonna de faire pousser le thym dans tous ses jardins impériaux à la fois pour ses vertus culinaires et médicinales. L'abbesse et l'herboriste allemande du Moyen Âge Hildegard de Bingen choisit cette plante pour soigner les affections de la peau. Elle fut la première à l'utiliser comme antiseptique.

Signes de courage

Pendant le Moyen Âge, on associa le thym au courage. Les femmes de la noblesse de cette époque, pour être à la mode, brodaient sur leurs écharpes des brins de thym qu'elles donnaient à leurs chevaliers favoris quand ils partaient pour les Croisades.

Au fil des siècles, on se servit du thym comme antiseptique lors de catastrophes et on faisait dormir les personnes victimes de «mélancolie» (dépression) sur des oreillers remplis de thym.

Ce furent les anatomistes qui les premiers nommèrent thymus l'organe glandulaire dans le cou parce qu'il leur rappelait la fleur du thym.

Au XVIe siècle, l'herboriste John Gerard recommandait le thym en cas de lèpre et pour «soigner la sciatique … les douleurs dans la tête … et l'épilepsie».

Plus tard, l'herboriste britannique Nicholas Culpeper déclarait que le thym était «excellent pour les troubles nerveux … les maux de tête … et soulageait quelque peu les personnes victimes de cauchemars». Il estimait qu'il déclenchait les règles, aidait les femmes enceintes à accoucher plus rapidement et sans complications et supprimait la dépression du post-partum. Culpeper recommandait également le thym en tant que «noble fortifiant des poumons … un remède de prédilection pour les personnes qui manquent de souffle … Il chasse du corps le flegme … soulage beaucoup l'estomac et favorise les flatulences».

Le thymol, une huile antiseptique

À la fin du XVIIe siècle, les boutiques d'apothicaires vendaient de l'huile de thym comme antiseptique d'actualité sous le nom d'huile d'origanum. En 1719, un chimiste allemand, Caspar Neumann, extrayait le composant actif de l'huile de thym et l'appelait camphre de thym. En 1853, le chimiste M. Lallemand le nommait thymol, nom qu'il possède toujours aujourd'hui.

Du milieu du XIXe siècle jusqu'à la Première Guerre mondiale, le thymol connut une grande popularité comme antiseptique. Le texte des médecins éclectiques américains *King's American Dispensatory*, le louait: «Beaucoup considèrent que le thymol est supérieur au phénol (antiseptique rendu célèbre en 1867 par le père de l'asepsie, Joseph Lister). Il prévient la putréfaction ou l'arrête si elle est déjà commencée. Dissout dans l'eau, il se transforme en un désinfectant inestimable pour nettoyer les chambres des malades. Les médecins éclectiques de cette époque prescrivaient le thym en infusion pour les maux de tête, les dérangements gastro-intestinaux, «l'hystérie» (les crampes menstruelles) et pour déclencher les règles.

La crise de la Première Guerre mondiale

Les vertus thérapeutiques du thymol furent remises en question après la Première Guerre mondiale. La majeure partie de la réserve mondiale de thymol était distillée en Allemagne, et quand les Anglais et les Français déclarèrent la guerre à l'Allemagne, ils eurent à se battre pour surmonter une énorme pénurie de l'antiseptique qui pouvait sauver tant de vies sur les champs de bataille. Le thymol a été remplacé entre-temps par des produits qui permettaient de lutter contre les microbes plus puissants, mais il est utilisé dans la composition de plusieurs rince-bouche antiseptiques.

Les herboristes contemporains recommandent le thym en application externe pour désinfecter les blessures et par voie orale pour soigner l'indigestion, le mal de gorge, la laryngite, la toux, la coqueluche et la nervosité.

PROPRIÉTÉS thérapeutiques

L'huile aromatique du thym contient deux substances chimiques, le thymol et le carvacol, qui justifient sa valeur médicinale. Elles jouent toutes les deux un rôle important dans la conservation, la lutte contre les microbes et contre la moisissure. Elles ont également des propriétés expectorantes et elles peuvent agir comme stimulants digestifs.

ANTISEPTIQUE. Le thym combat plusieurs bactéries responsables de maladies et des champignons en éprouvettes, ce qui explique son usage traditionnel comme antiseptique, bien que les infusions de plantes séchées soient nulle part aussi puissantes que le thymol en huile ou distillé. De plus, comme premier soulagement dans le cas de blessures de jardin, vous pouvez utiliser quelques feuilles fraîches de thym broyées sur des coupures mineures et des égratignures afin de les désinfecter et de les panser.

STIMULANT DIGESTIF. Plusieurs études montrent que le thymol et le carcavol détendent le tissu du muscle lisse du tube digestif, donnant ainsi au thym des propriétés antispasmodiques. L'action de ces agents chimiques confirme l'action reconnue du thym en tant que stimulant digestif.

SANTÉ DE LA FEMME. Les antispasmodiques détendent non seulement le muscle lisse du tube digestif, mais aussi d'autres muscles lisses comme celui de l'utérus. Pris en petite quantité, ils diminuent les douleurs menstruelles. Les médecins éclectiques croient d'ailleurs en son action dans ce cas précis. Mais consommés en grande quantité, l'huile de thym et le thymol sont reconnus comme stimulant utérin.

Les femmes enceintes peuvent se servir du thym à des fins culinaires, mais en petites quantités. Elles doivent éviter d'utiliser l'huile de la plante.

ANTITUSSIF. Les chercheurs allemands ont corroboré l'emploi traditionnel du thym comme expectorant et aujourd'hui, en Allemagne, pays où la guérison par les plantes est répandue, on prescrit souvent des préparations à base de thym pour détendre les voies respiratoires et traiter la toux, la coqueluche et l'emphysème. L'herboriste médical allemand Rudolph Fritz Weiss écrit: «Le thym joue le même rôle pour la trachée et les bronches que la menthe pour l'estomac et les intestins.»

Préparation et posologie

Dans le cas de blessures de jardinage, pressez des feuilles fraîches broyées sur la blessure afin de la désinfecter et de la panser. Une fois les blessures bien nettoyées, appliquez dessus comme antiseptique quelques gouttes de teinture à base de thym.

Pour une infusion qui soulagera la toux et, éventuellement, les douleurs menstruelles, mettez 2 c. à café de thym broyé par tasse d'eau bouillante. Laissez infuser pendant 10 minutes. Ne dépassez pas trois tasses par jour. Le thym est un aromate agréable qui, une fois consommé, laisse dans la bouche un léger goût de clou de girofle.

Pour une décoction, prenez 1/2 à 1 c. à café jusqu'à trois fois par jour.

Les infusions de thym sont déconseillées aux enfants de moins de deux ans. Les enfants plus âgés et les personnes de plus de 65 ans devraient commencer par des préparations faiblement concentrées et augmenter la dose au besoin.

Mise en garde

Vous pouvez utiliser la plante du thym, mais pas son huile. Quelques cuillerées à café seulement d'huile de thym peuvent être toxiques et causer des maux de tête, des nausées, des vomissements, un état de faiblesse, un dérèglement de la glande thyroïde, et des problèmes au cœur et aux poumons.

Une étude menée sur les animaux a montré que le thym supprimait l'activité de la thyroïde chez les rats. Nous recommandons aux personnes qui ont des problèmes de thyroïde de consulter leur médecin avant d'utiliser le thym.

Le thym et l'huile de thym peuvent causer de l'urticaire chez les personnes sensibles.

Autres précautions

La Food and Drug Administration inclut le thym parmi les plantes qui ne présentent aucun danger.

Les femmes en bonne santé qui ne sont pas enceintes, qui n'allaitent pas ou qui n'ont pas de problème de thyroïde peuvent l'utiliser sans crainte si elles respectent les doses prescrites.

Le thym ne devrait être consommé à des fins thérapeutiques qu'après accord avec son médecin. S'il provoque de légers troubles, tels que des maux d'estomac ou de la diarrhée, prenez-en moins ou cessez d'en prendre. Consultez votre médecin en cas d'effets indésirables ou si les symptômes persistent deux semaines après le début du traitement.

Comment faire pousser du thym

Le thym est une plante vivace aromatique avec de nombreuses branches. C'est un arbrisseau d'à peine 1/2 m de haut. Ses feuilles sont petites, pratiquement sans tiges et ses fleurs lilas ou roses s'épanouissent au milieu de l'été.

Cette plante robuste peut pousser à partir de graines et de boutures. Les graines ont besoin d'une température de 20 °C pour germer. Cette opération donne souvent de meilleurs résultats si on la fait débuter à l'intérieur. Pour les boutures, coupez des tiges en trois parties de 7 cm (nouvelles pousses) et mettez-les dans du sable humide. Les racines devraient apparaître au bout de deux semaines. Le meilleur temps pour transplanter les boutures est le printemps. Déracinez une plante avec soin en préservant le plus possible la terre de ses racines. Divisez-la en deux ou trois et replantez les à 30 cm d'intervalle dans un sol humide.

Une fois planté, le thym exige peu

d'attention. Il préfère un sol bien drainé, plutôt sec. Les massifs de thym deviennent ligneux au bout de quelques années. Pour éviter cela, il faudrait périodiquement diviser les racines. Un arrosage trop fréquent, surtout des feuilles, diminue le parfum du thym. Le thym supporte les périodes de gel, mais si vous vivez dans un pays où l'hiver est particulièrement froid, vous devriez utiliser des paillis. En effet, le thym ne peut pas pousser s'il fait au-dessous de 5 °C.

Il faut ramasser les feuilles et les parties supérieures des fleurs juste avant que les fleurs s'épanouissent. Faites-les sécher et mettez-les dans des contenants hermétiques afin de conserver l'huile de la plante.

TUSSILAGE

Le plus ancien antitussif

Famille: *Compositæ*. Également la marguerite, le pissenlit et le souci

Genre et espèce: *Tussilago farfara*

Autres noms: Pas-d'âne, pied-de-cheval, chasse-toux, taconnet, herbe de Saint-Quirin, herbe aux pattes

Parties utilisées: Les feuilles et les fleurs

Le tussilage a été l'antitussif de prédilection de la guérison par les plantes en Asie et en Europe pendant plus de 2 000 ans. Il est toujours utilisé aujourd'hui. Outre ses vertus thérapeutiques contre la toux, les médecins chinois le prescrivaient pour l'asthme, les rhumes, la grippe, la congestion des voies respiratoires et aussi pour le cancer du poumon.

Les médecins ayurvédiques traditionnels de l'Inde recommandaient aux personnes qui souffraient de toux, de céphalées et de congestion nasale d'aspirer de la poudre de tussilage. Dans les cas de toux et d'asthme, le médecin grec de l'Antiquité Dioscoride et les romains Pline l'Ancien et Galien recommandaient de fumer la plante, traitement qui semble aujourd'hui un peu farfelu. Cette pratique s'est poursuivie pendant plus de 1 500 ans. Au XVIIe siècle, l'herboriste britannique Nicholas Culpeper vantait avec la même exagération habituelle les vertus du tussilage non seulement pour la respiration sifflante, l'essoufflement et la toux, mais aussi pour la fièvre, les inflammations et les «brûlures vaginales».

Les apothicaires

À Paris, du temps de la Révolution française, le tussilage était tellement populaire que ses fleurs dorées étaient l'emblème des enseignes qu'accrochaient les apothicaires devant leur commerce.

Ce furent les premiers colons qui introduisirent le tussilage en Amérique du Nord. Les Indiens d'Amérique l'adoptèrent comme antitussif. Dans les cas de coqueluche, ces colons trempaient des couvertures dans des sceaux où avait infusé du tussilage et en enveloppaient les personnes malades. Au XIXe siècle, les médecins éclectiques américains prescrivaient le tussilage pour tous les troubles respiratoires et digestifs.

Les herboristes contemporains recommandent la plante pour les problèmes respiratoires. Certains prétendent que les cataplasmes de feuilles fraîches broyées peuvent être appliqués sur des brûlures, de l'enflure et des inflammations.

PROPRIÉTÉS thérapeutiques

L'opinion des scientifiques sur le tussilage est très controversée. Dans le texte médical allemand *Herbal Medicine*, on le présente comme le remède de prédilection pour la toux, en ajoutant que l'infusion de tussilage est particulièrement efficace dans les cas d'emphysème. Cependant, Varro Tyler, un herboriste reconnu croit que la plante est cancérigène et conteste ses vertus thérapeutiques (voir *Mise en garde*).

TOUX ET ASTHME. Le tussilage peut être prescrit dans les cas de troubles respiratoires de maintes façons. Il contient un constituant, le mucilage, qui peut soulager les voies respiratoires.

Une étude allemande sur des animaux de laboratoire a démontré que la plante augmente l'activité des poils microscopiques des tubes respiratoires qui aident à expulser le mucus.

Une autre expérience montre que la plante supprime une substance qu'on appelle facteur d'activation des plaquettes de l'organisme, laquelle pourrait provoquer des crises d'asthme.

Préparation et posologie

Consultez d'abord votre médecin si vous désirez exploiter les pouvoirs antitussifs traditionnels du tussilage. L'usage de cette plante continue d'être controversé, surtout aux États-Unis. Le tussilage, de même que la consoude, ont été bannis au Canada et ses détracteurs américains essaient de la faire interdire dans leur pays.

Dans les pays européens où l'usage du tussilage est très répandu, on consomme la plante sous forme d'infusions ou de teintures. Comme son goût est un peu amer, on y ajoute souvent du miel.

Le tussilage est déconseillé aux enfants de moins de deux ans.

Les herboristes plus prudents recommandent l'orme rouge pour soulager la toux (voir p. 326).

Mise en garde

Le tussilage contient des agents chimiques, les pyrrolizidines, qui, en grandes quantités, peuvent nuire à la fonction hépatique et causer la maladie veino-occlusive du foie. Cette affection se caractérise par un resserrement des vaisseaux sanguins du foie qui l'empêche de bien fonctionner. En outre, des animaux de laboratoire à qui l'on a fait consommer de grandes quantités de tussilage ont développé un cancer du foie, selon une étude publiée dans le *Journal of the National Cancer Institute.*

La découverte de substances à risque dans le tussilage lui a valu sa réputation de plante dangereuse, voire cancérigène. En Allemagne, où la médecine par les plantes est très populaire, on continue de prescrire la plante et les médecins croient qu'à court terme, son usage ne présente aucun danger.

Une récente étude de laboratoire révèle que le tussilage n'attaque pas les chromosomes humains, ce qui suggérerait qu'elle n'est pas cancérigène. Ces cancérigènes sont presque toujours la cause de dommages aux chromosomes.

D'autre part, les pyrrolizidines peuvent provoquer des dommages au foie. Toute personne qui a des antécédents d'alcoolisme ou de maladie du foie devraient s'abstenir de consommer la plante.

Autres précautions

La Food and Drug Administration inclut le tussilage parmi les plantes dont la fiabilité reste à prouver. Les femmes en bonne santé qui ne sont pas enceintes, qui n'allaitent pas, qui n'ont pas d'antécédent d'alcoolisme ou de maladie du foie et qui ne prennent aucun médicament toxique pour le foie peuvent utiliser le tussilage sans crainte si elles respectent les doses prescrites. Le tussilage ne devrait être consommé à des fins thérapeutiques qu'après accord avec son médecin. S'il provoque de légers troubles, tels que des maux d'estomac ou de la diarrhée, prenez-en moins ou cessez d'en prendre. Consultez votre médecin en cas d'effets indésirables ou si la toux persiste deux semaines après le début du traitement, également si vous faites de la fièvre ou si vous expectorez un flegme brunâtre qui contient du sang.

Des feuilles inhabituelles

Le tussilage est unique parmi les plantes qui guérissent: ses fleurs précèdent la croissance de ses feuilles. Ses fleurs dorées sont parmi les premières fleurs sauvages à apparaître au printemps. Ses grandes feuilles en forme de sabot de cheval ne poussent qu'une fois les fleurs fanées.

Le tussilage est une plante vivace dont les fleurs ressemblent au souci. Cette plante pousse facilement et peut même envahir un jardin. Elle pousse bien en pot.

La plante se reproduit à partir de bouts de racines que l'on plante au printemps ou à l'automne. Elle préfère les sols argileux et humides, les endroits ensoleillés ou partiellement ombragés. Les fleurs devraient être récoltées lorsqu'elles sont écloses puis séchées. Les feuilles doivent être récoltées lorsqu'elles atteignent la maturité.

VALÉRIANE

Un tranquillisant naturel

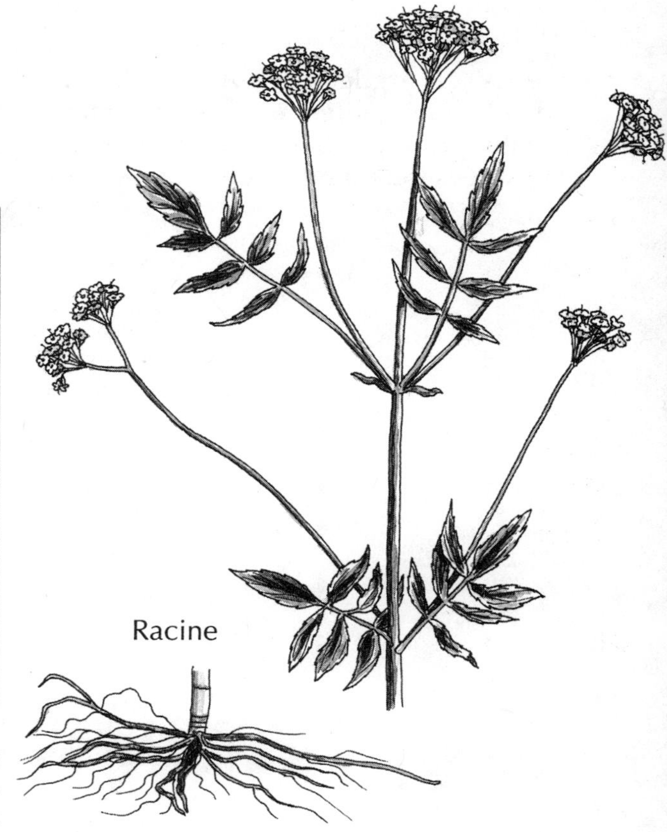

Famille: *Valerianaceæ*. Également le nard
Genre et espèce: *Valeriana officinalis*
Autres noms: Herbe aux chats, herbe aux coupures, herbe à la femme battue, guérit-tout, *phu*
Parties utilisées: Le rhizome et la racine

Au XIIIe siècle, des rats infestèrent le village de Hamelin, en Allemagne. Pour en venir à bout, les aînés firent appel à un musicien ambulant, un charmeur de rats. Ils espéraient ainsi que sa musique attirerait les rongeurs et les conduirait jusqu'à la rivière située à la sortie du village. Mais lorsque le charmeur de rats revint pour se faire payer, les aînés d'Hamelin refusèrent. Pour se venger, il joua de la flûte et charma les enfants du village qui le suivirent jusqu'à la montagne où ils disparurent pour toujours.

Les pouvoirs du charmeur de rats sont entièrement musicaux dans les versions modernes de cette histoire. Mais, en Allemagne, la tradition populaire lui accorda un talent d'herboriste accompli. En effet, le charmeur de rats hypnotisa non seulement les rats et les enfants au son de sa flûte, mais il les attira aussi au moyen de racines de valériane. (La valériane peut en réalité charmer rats et chats, car elle contient les mêmes agents chimiques que ceux de l'herbe aux chats.)

Une odeur nauséabonde

La valériane a une odeur désagréable, et les autorités de l'Antiquité grecque et romaine, notamment Dioscoride, Pline l'Ancien et Galien, l'appelaient *phu*. Le terme *valeriana*, dérivé du latin *valere*, qui veut dire fort, est apparu vers le Xe siècle.

Dioscoride recommandait la valériane comme diurétique et comme antidote. Pline l'Ancien de son côté considérait que la plante soulageait la douleur. Galien la prescrivait comme décongestionnant. Avec le temps, cette plante fut nommée valériane. Les premiers herboristes européens prétendaient que c'était une panacée et pour cette raison l'appelaient aussi *guérit-tout*. L'abbesse et l'herboriste allemande Hildegarde de Bingen recommandait l'herbe comme tranquillisant et stimulant pour le sommeil environ 100 ans avant que le charmeur de rats ne l'utilisât comme hypnotisant.

Remède contre l'épilepsie et la peste

À la fin du XVIe siècle, la popularité de la valériane augmenta lorsqu'un médecin italien déclara qu'il avait soigné son épilepsie en l'utilisant. En 1597, l'herboriste John Gerard écrivait qu'en Écosse: «Aucun bouillon ni médicament ... n'aurait de valeur thérapeutique si on n'y ajoutait pas de valériane.» Gerard recommandait vivement la plante pour les congestions de la poitrine, les convulsions, les ecchymoses et les chutes.

Au XVIIe siècle, l'herboriste britannique Nicolas Culpeper ajoutait d'autres qualités à la valériane: «La décoction de la racine ... a des vertus curatives particulières pour soigner la peste ... elle provoque les règles chez la femme ... et elle est surtout indiquée pour lutter contre la toux ... elle est excellente dans le cas de plaies ou de blessures ...» Plus tard, les herboristes européens considéraient que cette plante pouvait servir comme stimulant digestif et pour traiter «l'hystérie» (troubles menstruels).

Le tranquillisant par excellence

Les premiers colons découvrirent que de nombreuses tribus indiennes utilisaient les racines pulvérisées d'une espèce américaine de valériane pour traiter les blessures. Cette pratique indienne fut portée à l'attention de Samuel Thomson, fondateur de la médecine thomsonienne, très populaire avant la guerre de Sécession. Thomson parlait de la valériane comme «le meilleur remède contre la tension nerveuse».

La valériane fut inscrite comme tranquillisant dans le *U.S. Pharmacopœia* en 1820 et elle y resta jusqu'en 1942. Elle fut également inscrite dans le *National Formulary*, guide des pharmaciens, jusqu'en 1950.

Au XIXe siècle, les médecins éclectiques américains prescrivaient la valériane comme «calmant ... pour les crises d'épilepsie, les affections spasmodiques légères et l'hypocondrie». Cependant, dans le *King's American Dispensatory*, leur texte mettait quiconque en garde contre l'utilisation en fortes doses de la valériane qui pouvait causer de l'agitation, de la nervosité, des étourdissements, des nausées et des hallucinations.

Pendant la Première Guerre mondiale, les Européens victimes de troubles nerveux à la suite de bombardements fréquents consommaient de la valériane.

Les herboristes contemporains confirment ce que rapporte David Hoffmann dans son traité *Holistic Herbal*: «L'une des herbes tranquillisantes des plus utiles.» De nos jours, les herboristes recommandent cette plante dans les cas de nervosité, d'anxiété, d'insomnie, de maux de tête et de crampes intestinales.

En Allemagne, où la guérison par les herbes est très pratiquée, la valériane est un ingrédient actif dans plus de 100 tranquillisants en vente libre et dans certains somnifères, quelque-uns étant même préparés spécialement pour les enfants.

PROPRIÉTÉS thérapeutiques

Toutes les parties de la valériane contiennent des agents chimiques, les valépotriates, qui possèdent, paraît-il, des propriétés sédatives reconnues. Leur concentration semble plus forte dans les racines. Les valépotriates sont insolubles. De nombreux somnifères à base de valériane sont des produits à base d'eau, ils ne peuvent donc contenir que quelques traces de ces agents chimiques, ce qui fait dire à certaines personnes très critiques envers les bienfaits thérapeutiques des plantes que la valériane n'a aucune vertu curative.

Toutefois, en 1981, des chercheurs ont découvert certains agents chimiques hydrosolubles à propriété sédative apparente dans la valériane, corroborant l'usage traditionnel de cette plante en tant que tranquillisant ou somnifère.

SÉDATIF. Au cours d'une expérience, des chercheurs ont administré à 128 insomniaques 400 mg d'extrait de racine de valériane ou d'un placebo. Les personnes qui avaient consommé cette plante remarquèrent une nette amélioration de la qualité de leur sommeil et n'éprouvèrent aucune sensation de fatigue le lendemain matin. D'autres expériences ont rapporté les mêmes résultats.

Certains chercheurs ont comparé les effets de la valériane aux médicaments à base de benzodiazépine, comme le Valium®. Toutefois, la valériane est un sédatif plus doux et plus sécuritaire.

- Le Valium® peut créer une dépendance. En effet, avec le temps, ses consommateurs finissent par le tolérer et doivent en augmenter les doses pour obtenir les effets désirés. Une personne qui cesse de consommer du Valium® peut éprouver des symptômes de sevrage: nervosité, insomnie, maux de tête, nausées et vomissements. En revanche, la valériane ne crée jamais de dépendance, même si dans certains cas elle produit une accoutumance psychologique. Son interruption n'entraîne aucun symptôme de sevrage.
- L'effet du Valium® se multiplie si l'on ajoute à sa consommation l'alcool et les barbituriques. C'est ce qui arrive souvent dans les cas de tentatives de suicide. Par contre, l'effet sédatif de la valériane augmente très peu si on la mélange avec de l'alcool et des barbituriques.
- Le Valium® provoque souvent une sensation de fatigue le matin. En très grande quantité, la valériane peut produire les mêmes effets, mais pas en doses médicinales.
- Enfin, les enfants nés de femmes qui ont pris du Valium® pendant qu'elles étaient enceintes courent un risque plus élevé d'une division du voile du palais. En ce qui concerne la valériane, aucun cas de malformations congénitales n'a été rapporté.

HYPERTENSION ARTÉRIELLE. Des études réalisées sur des animaux montrent que la valériane réduit la tension artérielle. Ces résultats ne s'appliquent pas nécessairement aux humains, mais si vous souffrez d'hypertension artérielle, obtenez d'abord l'accord de votre médecin avant de l'ajouter à votre traitement régulier.

AUTRES PROPRIÉTÉS. Des études menées sur des animaux laissent supposer que la valériane possède des propriétés anticonvulsives, ce qui confirme l'usage que l'on en fait dans le traitement de l'épilepsie.

Plusieurs rapports montrent également que la plante peut avoir des effets anti-tumoraux semblables à ceux de la moutarde azotée. Elle pourrait un jour jouer un rôle important dans le traitement du cancer.

Préparation et posologie

Pour une infusion aux effets sédatifs, qui pourrait aider à réduire votre tension artérielle, utilisez 2 c. à café de racines en poudre par tasse d'eau bouillante. Laissez infuser de 10 à 15 minutes. Buvez une tasse avant de vous coucher. La valériane a un goût déplaisant. Ajoutez du sucre, du miel et du citron ou mélangez-la à une préparation à base de plantes afin d'en améliorer la saveur.

Pour une teinture, prenez 1/2 à 1 c. à café avant de vous coucher.

La valériane est déconseillée aux enfants de moins de deux ans. Les enfants plus âgés et les personnes de plus de 65 ans devraient commencer par des préparations faiblement concentrées et augmenter la dose au besoin.

Mise en garde

La valériane en grande quantité peut causer des maux de tête, des étourdissements, une vision brouillée, de la nervosité, des nausées et de la fatigue le matin.

La Food and Drug Administration inclut la valériane parmi les plantes qui ne présentent aucun danger. Les femmes en bonne santé, qui n'allaitent pas et qui ne prennent aucun autre tranquillisant ou sédatif, peuvent l'utiliser sans crainte si elles respectent les doses prescrites.

La valériane ne devrait être consommée à des fins thérapeutiques qu'après accord avec son médecin. Si elle provoque de légers troubles, tels que des maux de tête ou d'estomac, prenez-en moins ou cessez d'en prendre. Consultez votre médecin en cas d'effets indésirables ou si les symptômes persistent deux semaines après le début du traitement.

Comment protéger ses plants

La valériane médicinale est une plante vivace tenace qui atteint environ 1 m à 1,50 m. Ses racines se présentent sous la forme de fibres longues et cylindriques qui proviennent du rhizome principal. Sa tige est droite, creuse et ramifiée. Les feuilles de la valériane ressemblent à celles de fougères. Ses petites fleurs, blanches, roses ou lavande poussent en grappes comme une ombrelle et fleurissent de la fin du printemps à l'été. Séchées, les racines de valériane ont une odeur déplaisante.

La valériane peut pousser à partir de graines ou de boutures de racines. Les graines ont une durée de vie limitée. Elles germent au bout d'environ 20 jours. Les racines peuvent être divisées au printemps ou à l'automne. Espacez les plants de 25 cm. La valériane pousse dans divers sols, mais elle préfère les terreaux riches, humides et bien drainés. Elle pousse bien en plein soleil ou partiellement à l'ombre. Une fois à maturité, les plants se reproduisent et s'étendent à partir des racines. Les racines peuvent étouffer les plants plus vieux, et la plante perd alors de sa vitalité. Espacez les plantes lorsque vous récoltez les racines.

La valériane a le même effet sur les chats que l'herbe aux chats. Les félins intoxiqués peuvent détruire les plants. Utilisez donc un grillage au besoin.

Récoltez les racines à l'automne de leur deuxième année. Divisez les racines épaisses en deux afin de favoriser le séchage. L'odeur désagréable des racines de la valériane se développe à mesure que les racines sèchent.

VARECH

Un remède marin

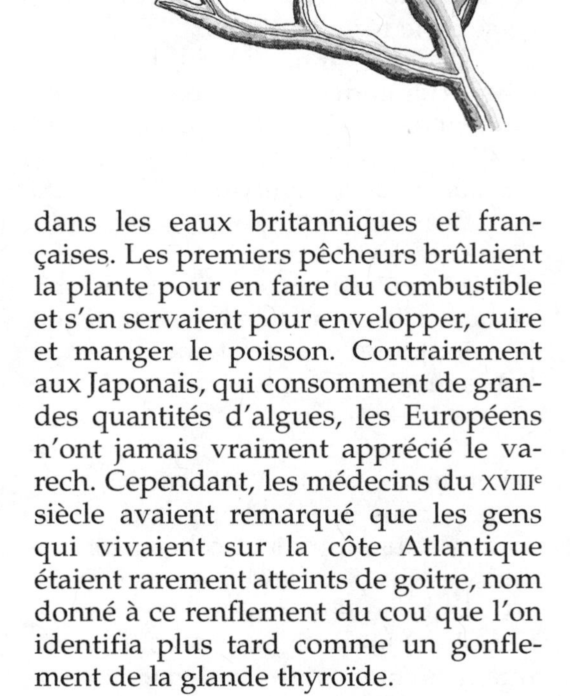

Famille: *Fucaceæ.* Également les autres algues
Genres et espèces: *Fucus vesiculosus* et espèces de trois autres *Laminaria, Macrocystis* et *Nereocystis*
Autres noms: Varech vésiculeux, goémon, laitue marine
Parties utilisées: Les parties qui ressemblent à des tiges et à des feuilles

Le varech, très riche en iode, fut le traitement par excellence du goitre, gonflement de la glande thyroïde causé par une carence en iode. Quelques herbiers modernes mentionnent encore l'iode comme traitement de la thyroïde. Mais aujourd'hui, le varech est mieux connu comme une plante qui protège contre les radiations, les maladies cardiaques et les métaux lourds toxiques.

L'ami du pêcheur

Le varech est une sorte d'algue brune à longues feuilles qui peut atteindre 60 m de long. Il est très répandu au large des côtes du Japon, de l'Europe et de l'Amérique du Nord.

Autrefois, les marins rencontraient souvent des bancs d'algues dans les eaux britanniques et françaises. Les premiers pêcheurs brûlaient la plante pour en faire du combustible et s'en servaient pour envelopper, cuire et manger le poisson. Contrairement aux Japonais, qui consomment de grandes quantités d'algues, les Européens n'ont jamais vraiment apprécié le varech. Cependant, les médecins du XVIIIe siècle avaient remarqué que les gens qui vivaient sur la côte Atlantique étaient rarement atteints de goitre, nom donné à ce renflement du cou que l'on identifia plus tard comme un gonflement de la glande thyroïde.

L'iode fait perdre du poids

En 1750, un médecin britannique lança un remède contre le goitre composé de varech carbonisé et d'une préparation

d'huile végétale. Ce remède se révéla efficace, mais il fallut attendre 1812 pour comprendre le phénomène chimique. Cette année-là, des chimistes découvrirent que la plante contenait de l'iode et des médecins constatèrent que le goitre avait pour origine une carence en iode.

Pendant plusieurs décennies, les Européens et les Nord-américains récoltèrent le varech pour son iode. Ils arrachaient les feuilles des algues agrippées aux rochers à chaque marée basse, d'où le nom usuel d'algue coupée. Avec le temps, d'autres sources d'iode se sont substituées au varech et on a cessé de le récolter.

Dans les années 1860, les médecins britanniques et français remarquèrent que les gens qui consommaient de l'iode à d'autres fins thérapeutiques perdaient facilement du poids. Ayant un effet stimulant pour la thyroïde, l'iode accélérait leur métabolisme et les aidait à brûler leurs calories plus rapidement. C'est ainsi que le varech acquit la réputation de traitement contre l'obésité. Ce traitement est encore préconisé de nos jours.

Les médecins éclectiques américains du XIXe siècle n'utilisaient pas le varech, mais ils faisaient grand cas de son iode. Ils utilisaient celle-ci comme antiseptique pour les blessures et prescrivaient une teinture d'iode pour la tuberculose, les problèmes de foie et de rate, la syphilis, les écoulements vaginaux, les douleurs menstruelles, les retards dans les règles, les tumeurs ovariennes, le gonflement des testicules et l'élargissement de l'utérus.

Ces médecins savaient aussi qu'un excès d'iode peut causer une intoxication appelée iodisme caractérisée par de la fièvre, des vomissements, une soif persistante, de la diarrhée, des douleurs abdominales, un déséquilibre du rythme cardiaque (arythmie) ainsi que le priapisme, érection prolongée et douloureuse non reliée au désir sexuel.

De nos jours, seulement quelques herboristes recommandent le varech pour soigner le goitre ainsi que d'autres problèmes thyroïdiens, notamment l'arthrite et l'obésité.

PROPRIÉTÉS thérapeutiques

C'est incontestable: le varech contient beaucoup d'iode. Avant qu'on ne découvre le sel iodé, à l'époque où une carence en iode était monnaie courante, le varech passait pour un produit du ciel. De nos jours, plus personne ne semble souffrir de carence en iode dans nos pays industrialisés. Pour fonctionnner normalement, l'organisme n'a besoin que de très peu d'iode, soit 150 microgrammes par jour, quantité que le sel iodé fournit largement. Les suppléments d'iode ne sont pas toxiques tant qu'on n'exagère pas leur consommation. Un excès d'iode peut toutefois causer de l'iodisme. Mais cette maladie grave ne risque pas de se manifester si l'on se contente de manger du varech.

Le varech est considéré aujourd'hui comme une plante médicinale, car il contient une autre substance chimique, l'alginate de sodium ou alginate, particulièrement adapté aux maladies caractéristiques du XXe siècle, telles que l'exposition aux radiations, l'intoxication aux métaux lourds et les maladies cardiaques.

PROTECTION CONTRE LES RADIATIONS. L'alginate de sodium présent dans le varech protège contre l'absorption du strontium-90 radioactif, sous-produit utilisé dans les explosions nucléaires, dans les usines d'armements et les centrales nucléaires. Le strontium-90, l'un des nombreux métaux lourds toxiques, s'accumule dans le tissu osseux et serait responsable de plusieurs cancers, dont la leucémie, le cancer des os et la maladie de Hodgkin. On sait aujourd'hui que les essais nucléaires réalisés au sol ont libéré un grand nombre de strontium-90. Les accidents nucléaires, dont ceux de Three Mile Island et de Tchernobyl, en ont également libéré de très grandes quantités. À vrai dire, tant de strontium-90 a été libéré dans l'atmosphère que le tissu osseux de chaque être humain en contient des taux facilement détectables.

Plusieurs études sur les animaux démontrent que les suppléments d'alginate réduisent le taux d'absorption du strontium-90 d'au moins 83 %. Cette action anti-strontium du varech s'appliquerait aussi aux enfants et aux adultes, selon un rapport publié dans l'*International Journal of Radiation Biology*.

La Commission de l'énergie atomique américaine (aujourd'hui la Nuclear Regulatory Commission) préconise de consommer 87 g de varech par semaine ou 2 c. à café de suppléments d'alginate par jour afin de se protéger contre le strontium-90.

Cependant, l'alginate de sodium protège essentiellement contre l'absorption de métaux lourds «récemment ingérés». Son action n'est bénéfique que dans le tube digestif. L'alginate n'agit que peu ou pas quand l'exposition est relativement ancienne. Il n'élimine pas vraiment le strontium et d'autres polluants qui se sont déjà déposés dans le tissu osseux et d'autres tissus. Cependant, puisque nous continuons d'être exposés au strontium-90 et aux métaux lourds des centrales nucléaires, le varech ou les suppléments d'alginate sont à conseiller surtout aux personnes qui travaillent dans une centrale nucléaire, qui habitent à proximité ou qui sont exposées à du métal lourd dans leur travail.

MÉTAUX LOURDS TOXIQUES. Le strontium-90 n'est que l'un des nombreux métaux lourds toxiques. Des études réalisées à l'université McGill de Montréal, au Canada, démontrent que le varech protège aussi l'organisme contre d'autres métaux lourds, tels que le barium, le cadmium, le plutonium et le cesium.

MALADIES CARDIAQUES. Des études réalisées sur des animaux révèlent que le varech peut réduire le taux de cholestérol et la tension artérielle. De plus, le varech est riche en sodium, substance qui peut augmenter la tension artérielle chez certaines personnes. Les personnes qui ne supportent pas le sel et qui font de l'hypertension artérielle devraient éviter le varech en grandes quantités. Celles pour qui le sel n'est pas contre-indiqué peuvent intégrer la plante à leur programme de prévention des maladies cardiaques.

PRÉVENTION DE L'INFECTION. Sans être un antibiotique végétal, le varech empêche la croissance de certains champignons et de bactéries.

Souvent, les coupures et les blessures exposées à l'eau de mer mettent du temps à guérir et ont tendance à s'infecter. Le varech peut s'avérer précieux comme pansement d'urgence dans les cas de blessures survenues en mer, sur un bateau, pendant une partie de pêche, en faisant du surf ou de la plongée sous-marine.

EMPLOIS CONTESTÉS. Il n'est pas prouvé que le varech soigne l'arthrite, aide au fonctionnement du foie et de la rate, et traite les infections sexuelles ou les problèmes de reproduction.

Si la thyroïde fonctionne normalement, le varech ne peut faire perdre du poids.

Préparation et posologie

Pour la plupart des gens, le varech a un goût désagréable. Pour profiter au maximum de son action protectrice contre la pollution, il est préférable de le prendre en comprimés. On en trouve facilement dans les pharmacies ou les magasins d'aliments naturels et de suppléments vitaminiques. Suivez le mode d'emploi.

Pour une infusion, utilisez de 2 à 3 c. à café de feuilles séchées réduites en poudre par tasse d'eau bouillante. Laissez infuser 10 minutes. Ne dépassez pas trois tasses par jour.

Contentez-vous d'une préparation de varech très peu dosée pour les enfants de moins de deux ans. Les enfants plus âgés et les personnes de plus de 65 ans devraient commencer par des préparations faiblement concentrées et augmenter la dose au besoin.

Mise en garde

Si vous êtes curieux de nature, faites-vous des plats à base de varech conseillés par un grand nombre de livres de cuisine japonais ou essayez les sushis qui en contiennent énormément.

La Food and Drug Administration inclut le varech parmi les plantes qui ne présentent aucun danger. Les femmes en bonne santé, qui n'allaitent pas et qui ne souffrent ni de problèmes thyroïdiens ni d'hypertension artérielle, peuvent l'utiliser sans crainte si elles respectent les doses prescrites.

Le varech ne devrait être consommé à des fins thérapeutiques qu'après accord avec son médecin. S'il provoque de légers troubles, tels que des maux d'estomac ou de la diarrhée, prenez-en moins ou cessez d'en prendre.

Consultez votre médecin en cas d'effets indésirables ou si les symptômes persistent deux semaines après le début du traitement.

Le varech ne se récolte pas, il s'achète

Le varech pousse dans les eaux froides au large des côtes de l'Atlantique et du Pacifique de l'Amérique du Nord. Il dégage une odeur forte et nauséabonde quand il est frais, mais il suffit de le faire cuire pour le désodoriser. Les biologistes déconseillent de consommer le varech récolté près des côtes, car il risque d'être contaminé par des polluants industriels. Achetez-le plutôt.

VERVEINE

Des bienfaits thérapeutiques fort appréciés

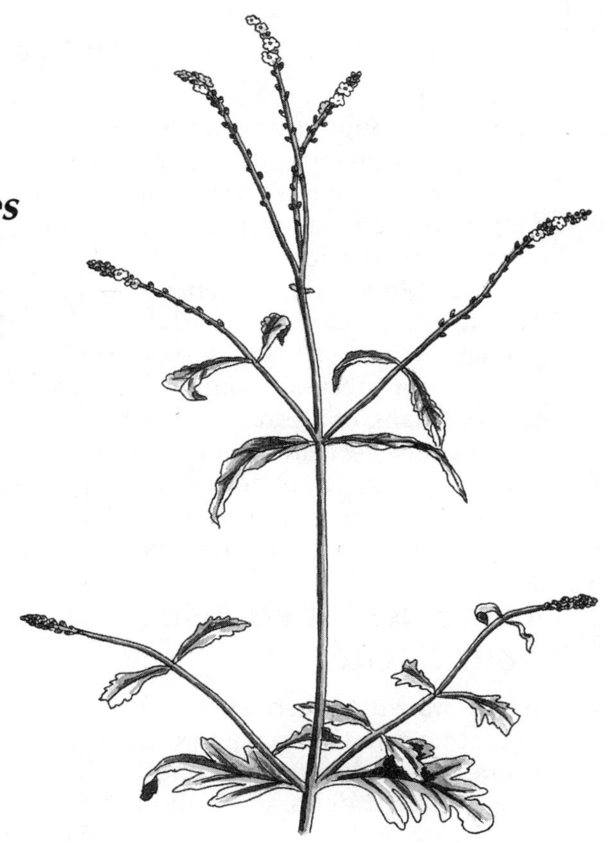

Famille: *Verbenaceæ*. Également le teck
Genres et espèces: *Verbena officinalis* en Europe, *V. hastata* en Amérique
Autres noms: Herbe sacrée, herbe aux sorciers, herbe à tous maux et herbe de sang
Parties utilisées: Les feuilles, les fleurs, les racines

Au Moyen Âge, les plantes médicinales étaient souvent appelées des herbes simples, et les herboristes, des personnes simplettes. On prescrivait la verveine si souvent et pour traiter tant d'affections qu'on la considéra comme une source de joie pour les simples d'esprit. La verveine semble agir comme une aspirine douce qui permet de soulager les douleurs et les inflammations mineures.

L'herbe sacrée

Selon la mythologie égyptienne, la verveine poussa des larmes d'Isis, déesse de la fertilité, qui pleurait son frère et mari Osiris, assassiné. Mille ans plus tard, la verveine entra dans la mythologie chrétienne comme une plante que l'on avait pressée sur les plaies du Christ pour en arrêter le saignement. D'où son nom d'herbe sacrée.

Hippocrate recommanda la verveine pour soigner la fièvre et la peste. Les médecins à la Cour de Théodose 1er, dit le Grand, la recommandèrent pour traiter les tumeurs de la gorge (probablement le goitre). Leur étrange prescription conseillait de couper de la racine de verveine en deux, d'en attacher une partie autour de la gorge du patient et de suspendre l'autre audessus du feu. À mesure que la chaleur et la fumée ratatineraient la racine suspendue, la tumeur se résorberait.

Les Romains répandirent la verveine à travers l'Europe où elle connut une grande popularité auprès des druides de l'Angleterre préchrétienne qui s'en servirent lors de leurs incantations magiques; elle acquit ainsi le nom d'herbe aux sorciers.

Au Moyen Âge, l'abbesse et herboriste allemande Hildegard de Bingen prescrivait une décoction de verveine et de vermouth pour soigner les infections du sang et les maux de dents.

Le mot verveine vient de la langue celte, *ferfæn*, de fer, et de *fæn*, une pierre, référence à l'utilisation de la verveine pour soigner les calculs rénaux.

Traitement médiéval pour l'acné

Au cours du Moyen Âge, la verveine devint un remède courant pour soigner l'acné. Les personnes victimes de boutons restaient dehors la nuit en tenant une poignée d'herbe enveloppée dans un morceau de tissu. Au passage d'une étoile filante, elles frottaient ce dernier sur leurs boutons et les pustules disparaissaient.

Puis la verveine étendit ses vertus thérapeutiques à d'autres affections de la peau. Au XVIIe siècle, un herboriste britannique, Nicholas Culpeper, écrit: «Les feuilles de verveine écrasées, ou le jus ajouté à du vinaigre, peut merveilleusement nettoyer la peau, et faire disparaître les pellicules.» Culpeper recommandait également la verveine pour soigner la jaunisse, la goutte, la toux, l'asthme, les saignements de gencives, l'essoufflement, les calculs rénaux, l'hydropisie (insuffisance cardiaque congestive) et, utilisée avec de la graisse de porc, elle aurait soulagé l'enflure et la douleur génitale.

Un remède pour les blessures de guerre

Ce furent les premiers colons qui introduisirent la verveine en Amérique du Nord, et elle devint très vite sauvage. Ils découvrirent d'autre part que les Indiens d'Amérique utilisaient une variété de verveine locale, connue aussi sous le nom de hysope, pour soigner la fièvre et les douleurs gastro-intestinales ainsi que pour éclaircir une urine trouble.

Pendant la guerre d'Indépendance américaine, les médecins militaires utilisèrent beaucoup la verveine pour soulager la douleur, et faciliter l'expectoration des poumons et les vomissements. Un siècle plus tard, les médecins éclectiques américains prescrivent la verveine en cas de fièvre, de rhumes, de toux, de vers intestinaux, de règles irrégulières, d'ecchymoses et comme fortifiant pendant la convalescence des maladies graves.

Les herboristes contemporains recommandent la verveine comme tranquillisant et comme expectorant. Ils s'en servent en outre pour déclencher les règles, et pour traiter la fièvre, la dépression, les attaques, les plaies, les caries dentaires et les saignements de gencives.

PROPRIÉTÉS thérapeutiques

Quand ils doutent, les médecins disent souvent à leur patient: «Prenez deux cachets d'aspirine et appelez-moi demain matin.»

Un herboriste pourrait recommander la verveine de la même manière.

Pas étonnant que cette plante fût appelée la plante des simples d'esprit!

SOULAGEMENT DE LA DOULEUR ET DE L'INFLAMMATION. Chimiquement, la verveine est très différente de l'aspirine, mais des études allemandes et japonaises prétendent qu'elle agit de la même façon, c'est-à-dire qu'elle soulage une petite douleur et qu'elle réduit quelque peu l'inflammation. C'est pour cette raison qu'on l'utilise pour soigner les maux de tête et de dents, de même que les ecchymoses.

LAXATIF. Une étude estime que cette plante peut avoir les mêmes effets qu'un laxatif doux.

EMPLOIS CONTESTÉS. Aucune étude n'a jamais démontré que l'on pouvait utiliser la verveine pour faire disparaître les pellicules, les vomissements, pour déclencher les règles ou éliminer les calculs rénaux. On reconnaît seulement que cette plante peut soulager les douleurs mineures.

Préparation et posologie

Pour une infusion au goût âcre qui hâte la guérison de la migraine, de l'arthrite légère et d'autres douleurs mineures, utilisez 2 c. à café de plante séchée par tasse d'eau bouillante. Laissez infuser de 10 à 15 minutes. Ne dépassez pas trois tasses par jour. Ajoutez du sucre ou du miel pour enlever l'âcreté de la plante, et du citron, ou mélangez-la avec une préparation à base de plante.

Pour une teinture, utilisez 1/2 à 1 cuillerée à café de verveine jusqu'à trois fois par jour.

Les doses thérapeutiques de ces plantes sont déconseillées aux enfants de moins de deux ans. Les enfants plus âgés et les personnes de plus de 65 ans devraient commencer par des préparations faiblement concentrées et augmenter la dose au besoin.

Mise en garde

Des études européennes sur les animaux montrent que la verveine réduit le rythme cardiaque, resserre les bronches et stimule l'intestin et l'utérus. C'est pourquoi, elle n'est pas recommandée à ceux qui souffrent de troubles cardiaques. Elle est contre-indiquée également aux asthmatiques et à toute personne atteinte de troubles respiratoires. En outre, elle risque d'aggraver l'état des personnes qui souffrent de troubles gastro-intestinaux chroniques, de colite par exemple. Enfin, les femmes enceintes ne devraient pas consommer de la verveine de manière à éviter des stimulations prématurées de l'utérus, à moins qu'elles ne soient sur le point d'accoucher. Dans ce cas, cependant, elles ne devraient en prendre que sous surveillance médicale.

Autres précautions

Bien que les deux espèces de verveine produisent les mêmes effets, la Food and Drug Administration inclut la *V. officinalis* parmi les plantes qui ne présentent aucun danger, cependant la *V. hastata* reste parmi les plantes à sûreté indéterminée. Les femmes en bonne santé qui ne sont pas enceintes ou qui n'allaitent pas peuvent l'utiliser sans crainte si elles respectent les doses prescrites.

La verveine ne devrait être consommée à des fins thérapeutiques qu'après accord avec son médecin. Si elle provoque de légers troubles, tels que des maux d'estomac ou de la diarrhée, prenez-en moins ou cessez d'en prendre. Consultez votre médecin en cas d'effets indésirables ou si les symptômes persistent deux semaines après le début du traitement.

Une récolte sans effort

La verveine est une plante vivace de 90 cm de haut aux racines fines, droites et rigides. On la reconnaît à ses feuilles allongées et dentées au pied de sa tige, puis lancéolées et profondément lobées vers le haut. Du début de l'été au milieu de l'automne, la plante donne des épis que couronnent de petites fleurs bleues ou lilas. D'où son nom de verveine bleue.

On plante les graines de la verveine au printemps une fois la période de gel passée. Ainsi la plante poussera bien. Même si elle entre dans la catégorie des plantes vivaces, la verveine a une vie très courte; cependant, elle s'auto-reproduit. On choisira de préférence un terreau riche, humide et un site bien ensoleillé.

On récolte fleurs et feuilles au moment où la verveine fleurit.

VIORNE

L'herbe des esclavagistes

Famille: *Caprifoliaceæ*. Également le chèvrefeuille et le sureau
Genre et espèce: *Viburnum prunifolium*
Autres noms: Viorne à feuilles de prunier, écorce des crampes
Partie utilisée: L'écorce

L'histoire de la viorne, arbrisseau originaire de l'Amérique, est plutôt sombre. Son écorce brun rougeâtre a toujours été réputée pour son efficacité à soigner les maladies gynécologiques. Cette réputation est d'ailleurs confirmée par de récentes recherches.

Bien avant l'arrivée des Blancs sur le continent nord-américain, les Indiennes préparaient des décoctions d'écorce de viorne pour soulager les douleurs menstruelles, calmer les douleurs du post-partum et atténuer les troubles reliés à la ménopause. Surtout, elles s'en servaient pour prévenir les fausses couches.

Dès le début de l'esclavagisme dans les États du Sud, l'écorce de viorne fut utilisée à mauvais escient. Les propriétaires des esclaves l'imposaient aux femmes qui voulaient se faire avorter. Les esclaves constituaient en effet une main d'œuvre précieuse, et leurs propriétaires tenaient à ce que les femmes, «les génitrices», mettent au monde le plus d'enfants possible. Il arrivait souvent qu'ils violent les femmes noires pour le plaisir et afin d'augmenter le nombre de leurs esclaves.

Bon nombre de ces femmes tentaient de se faire avorter malgré tout en signe de protestation contre l'esclavage. Elles avaient alors recours aux racines de cotonniers qu'elles cultivaient. Le *King's American Dispensatory*, célèbre livre médical des médecins éclectiques du XIXe siècle, déclare à ce sujet: «Il était fréquent que les planteurs obligent les femmes esclaves qui étaient enceintes à boire quotidiennement une infusion de viorne pour contrecarrer l'action abortive de la racine de cotonnier.»

Action apaisante sur «l'utérus irritable»

Un médecin du Mississipi, adepte du mouvement éclectique, fit connaître la viorne dans le nord du pays. Très vite, elle devint la plante de référence pour les douleurs gynécologiques. Pour leur part, les médecins éclectiques l'appréciaient grandement: «comme tonique de l'utérus, elle est indiscutablement d'une grande utilité ... elle a la même action sur les douleurs menstruelles ... c'est un excellent remède pour les troubles liés à la ménopause ... Mais sa plus grande force est de prévenir les fausses couches. Ainsi, un certain nombre de femmes ont pu, grâce à l'action apaisante de la viorne sur l'utérus, mettre leur enfant au monde à terme.»

Aujourd'hui, les herboristes continuent de prescrire la viorne contre les douleurs menstruelles et les risques d'avortement. Certains d'entre eux encouragent les femmes à boire du thé de viorne pendant leur grossesse.

PROPRIÉTÉS thérapeutiques

Voici un des nombreux cas où la science moderne va plus ou moins dans le même sens que la sagesse populaire. Il s'avère en effet que la viorne pourrait traiter avec succès les problèmes gynécologiques. Cette plante est toutefois déconseillée aux femmes enceintes.

DOULEURS MENSTRUELLES. Selon un rapport publié dans le magazine britannique *Nature*, la viorne contient un relaxant utérin, la scopolétine, d'où son efficacité dans le cas de douleurs menstruelles. En Allemagne, où l'utilisation des plantes médicinales est plus populaire qu'aux États-Unis, les préparations à base de viorne sont réputées pour leur effet calmant au point de vue gynécologique. Ces préparations n'existent pas aux États-Unis, mais la plante se trouve facilement.

PRÉVENTION DES FAUSSES COUCHES. Le recours à la viorne pour éviter les fausses couches ne date pas d'hier. Par son action relaxante de l'utérus, cette plante se révèle en effet un remède des plus efficace.

Malheureusement, la viorne contient aussi de la salicine, un proche parent de l'aspirine. Comme cette dernière peut être responsable d'anomalies congénitales, on la déconseille fortement déconseillé aux femmes enceintes.

FIÈVRE, MAUX DE TÊTE, ARTHRITE ET AUTRES AFFECTIONS. Il semble également que la salicine fasse baisser la fièvre et qu'elle soulage la douleur.

Préparation et posologie

Pour les douleurs menstruelles, la fièvre, les maux de tête et des douleurs d'origines diverses, faites une décoction ou une infusion de viorne.

Pour la décoction, prenez 2 c. à café d'écorce séchée par tasse d'eau. Faites bouillir 10 minutes. Laissez refroidir. Ne dépassez pas trois tasses par jour. Comme la préparation a un goût extrêmement amer, ajoutez du miel et du citron, ou encore mélangez-la à du thé.

Pour une tisane, ne dépassez pas 2 c. à café trois fois par jour.

Mise en garde

Comme l'aspirine, la salicine contenue dans la viorne est un analgésique qui contribue à son action calmante contre les douleurs menstruelles. Cependant, l'aspirine prise pendant la grossesse, a été tenue responsable de malformations du fœtus.

L'aspirine est un analgésique très dangereux pour le fœtus, surtout au début de la grossesse. Compte tenu de ce danger et afin de prévenir les risques de naissance prématurée, le réputé herbier britannique *Potter's New Cyclopædia of Botanical Drugs and Preparations* déconseille de consommer de la viorne sous quelque forme que ce soit avant les cinq dernières semaines de la grossesse.

Les femmes qui craignent un accouchement prématuré devraient en parler à leur obstétricien. La plupart des médecins conseillent de rester alitée et de boire abondamment. Ils suggèrent également d'éviter la stimulation des seins et les relations sexuelles. Les médicaments, y compris les herbes médicinales, doivent être utilisées en dernier recours et avec l'accord du médecin.

Il est déconseillé aux parents de donner de la viorne aux enfants de moins de 16 ans qui font des rhumes et des grippes avec fièvre ou qui ont la varicelle. En effet, la salicine qu'elle contient pourrait aggraver le risque de syndrome de Reye, une maladie infantile rare, mais mortelle.

Par ailleurs, de fortes doses de viorne risquent de provoquer des maux d'estomac, des nausées, des vomissements et un tintement d'oreilles (tinnitus), surtout chez les personnes qui réagissent bien à l'aspirine.

Les femmes en bonne santé qui ne sont pas enceintes ou qui n'allaitent pas peuvent l'utiliser sans crainte si elles respectent les doses prescrites.

La viorne ne devrait être consommée à des fins thérapeutiques qu'après accord avec le médecin. Si de légers troubles, tels que des maux d'estomac ou des bourdonnements d'oreilles se font sentir, prenez-en moins ou cessez d'en prendre. Consultez votre médecin en cas d'effets indésirables ou si les douleurs menstruelles persistent deux mois après le début du traitement.

Retirez l'écorce des branches

Dans le nord des États-Unis, la viorne se présente comme un arbuste à feuilles caduques très prolifique, dont l'écorce est d'un brun rougeâtre. Au Sud, c'est un arbrisseau. Les feuilles sont dentées et ovales. Leurs extrémités sont pointues et elles ressemblent à des feuilles de prunier. Elles rougissent à l'automne. Les fleurs, grandes, blanches et très attrayantes, se ramassent en grappes. La viorne fleurit du début du printemps jusqu'à la fin de l'été, suivant les régions.

La viorne préfère les sols riches, humides et bien drainés. Elle aime être exposée en plein soleil. Cependant, elle tolère un sol plus pauvre, et même un peu d'ombre, si le taux d'humidité est convenable. L'écorce des branches se récolte l'été, l'écorce du tronc, à l'automne. Séchez-la à l'ombre.

CHAPITRE 6

PRÉCAUTIONS ET TRAITEMENT: UN GUIDE D'UTILISATION SIMPLE ET PRATIQUE DES PLANTES QUI GUÉRISSENT

Quelle plante utiliseriez-vous si vous souffriez d'un rhume ou d'un mal de tête? Existe-t-il une plante dont les propriétés digestives soulagent les coliques infantiles? Connaissez-vous une potion à base d'herbes qui vous permettrait de vous détendre après une pénible journée de travail?

Le présent ouvrage fait état de plus de 100 usages différents, répertoriés dans trois tableaux distincts, intitulés «Affections», «Action thérapeutique» et «Autres usages».

Le tableau intitulé «Affections» présente les plantes destinées à prévenir ou à traiter des maladies ou des symptômes particuliers. Certaines plantes, qui figurent dans le tableau intitulé «Action thérapeutique», peuvent remplacer certains médicaments comme les antibiotiques et les sédatifs. Le tableau «Autres usages» décrit certaines utilisations moins connues des plantes médicinales, notamment les insectifuges.

Quelques mesures préventives

Veuillez lire le Chapitre 5 avant de recourir à une plante médicinale, quelle qu'elle soit, car les tableaux qui suivent ne mentionnent que les effets indésirables les plus graves. Vous devriez, si possible, connaître les propriétés thérapeutiques d'une plante avant de l'utiliser.

Dans les cas de maladies chroniques comme l'angine, l'asthme, l'arthrite ou l'hypertension artérielle, n'utilisez les plantes médicinales conjointement avec votre traitement habituel que si votre médecin vous y autorise. Ces dernières peuvent en effet provoquer des réactions allergiques chez les personnes les plus sensibles. Les huiles sont plus concentrées que les plantes, et l'ingestion de quantités même minimes peut causer des effets indésirables.

Précautions particulières concernant les femmes

À quelques exceptions près, les femmes enceintes et celles qui allaitent ne devraient pas consommer des plantes médicinales à des fins thérapeutiques, car elles risquent de nuire à la formation du fœtus et à la santé du nourrisson.

La plupart des plantes à propriétés digestives sont antispasmodiques, c'est-à-dire qu'elles détendent la paroi musculaire lisse du tube digestif. Comme l'utérus est un muscle lisse, on s'attend à ce que les plantes antispasmodiques soulagent aussi cet organe. Or, la plupart des plantes qui facilitent la digestion ont de tous temps servi à stimuler l'utérus, c'est-à-dire à déclencher les menstruations. Par conséquent, leur utilisation risque de provoquer une fausse couche. Toutefois, cette contradiction évidente semble être reliée au dosage. Par exemple, le gingembre a démontré sa fiabilité à des doses précises dans le cas de nausées matinales de la grossesse, mais de très fortes doses (environ 20 fois le dosage prévu pour soulager l'estomac) risquent de provoquer des contractions utérines.

La plupart des plantes qui facilitent la digestion ont également une application culinaire. Les femmes enceintes et celles qui essaient de concevoir peuvent s'en servir pour relever leurs mets. Par contre, elles devraient éviter d'en consommer à des fins thérapeutiques, tant que l'ambiguïté des effets sur l'utérus n'aura pas été résolue et même si, dans le cas de la plupart des plantes considérées, l'action utérine n'a pas été confirmée expérimentalement. Les femmes enceintes devraient éviter de se soigner à l'aide de plantes médicinales sans l'accord et le suivi médical de leur obstétricien.

Symptômes

Affections	Plantes	Précautions
Acné	Huile de basilic	
Acouphène (bourdonnement d'oreilles)	Ginkgo	
Anxiété	Achillée Agripaume	La *mélisse* réagit avec la thyréostimuline. Consultez votre

Affections	Plantes	Précautions
Anxiété *(suite)*	Camomille Céleri Fleur de la passion Herbe aux chats Laurier Mélisse Merise Scutellaire	médecin si vous êtes atteint d'un problème de la thyroïde. L'usage prolongé de *céleri* risque d'épuiser la réserve de potassium.
Arthrite	Angélique Camomille Chaparral Curcuma Échinacéa Eupatoire Fenugrec Genièvre Gentiane Gingembre Millepertuis Prêle Réglisse Reine-des-prés	L'*angélique* peut causer de l'urticaire au soleil. Le *fenugrec* a une action œstrogénique non négligeable. Les femmes à qui les médecins interdisent la pilule contraceptive et celles qui ont des antécédents de cancer du sein devraient d'abord consulter leur médecin. L'usage prolongé de *prêle* et de *genièvre* risque d'épuiser les réserves de potassium. L'usage prolongé de quantités importantes de *réglisse* peuvent provoquer une rétention d'eau, de l'hypertension artérielle, des céphalées et un déséquilibre hormonal (pseudo-hyperaldostéronisme). Le *millepertuis* est un inhibiteur de la monoamine-oxydase, un type de médicament qui réagit avec bon nombre d'aliments et d'autres médicaments. (Voir p. 321) La *verveine* peut ralentir le rythme cardiaque et resserrer les

(suite page suivante)

Symptômes — *Suite*

Affections	Plante	Précautions
Arthrite *(suite)*	Saule blanc Verveine	voies respiratoires. Consultez votre médecin si vous êtes atteint d'une maladie cardiaque ou d'asthme.
Asthme	Angélique Anis Cacao Café Cola Ginkgo Thé Tussilage	L'*anis* a une action œstrogénique non négligeable. Les femmes à qui leur médecin a interdit la pilule contraceptive et celles qui ont des antécédents de cancer du sein devraient d'abord consulter leur médecin. L'usage prolongé de quantités importantes de *tussilage* peut provoquer une maladie véno-occlusive épathique, une affection sérieuse qui nuit au bon fonctionnement du foie. Le *cacao*, le *café*, le *cola* et le *thé* contiennent de la caféine qui peut causer de l'insomnie et éventuellement créer une accoutumance.
Blessures	(usage externe) Achillée Ail Aloès Arbousier Capselle Consoude Curcuma Échinacéa Eucalyptus Fleur de la passion Guimauve Hamamélis Hydrocotyle asiatique	

Affections	Plantes	Précautions
	Menthe Millepertuis Mûre Orme rouge	
Boutons de fièvre (Voir également Herpès)		
Bronchite (Voir également Toux)	Ail Échinacéa Épine vinette Hydrastis	
Brûlures	(usage externe sur brûlure légère) Achillée Aloès Camomille Consoude Échinacéa Fleur de la passion Guimauve Hydrocotyle asiatique Millepertuis	Nettoyez bien la brûlure avec de l'eau froide avant d'utiliser ces plantes médicinales en application externe. Les brûlures graves exigent des soins médicaux.
Brûlures causées par l'eau bouillante (Voir Brûlures)		
Cancer de la prostate	Anis Cimifuga Clou rouge Fenouil	Le *cimifuga* ralentit le rythme cardiaque. Consultez d'abord votre médecin si vous souffrez d'une maladie cardiaque.
Choléra	Épine vinette Hydrastis	
Cholestérol, taux élevé de	Ail Curcuma Fenugrec Gingembre	Le *fenugrec* a une action œstrogénique non négligeable. Les femmes à qui leur médecin interdit la pilule contraceptive et

(suite page suivante)

Symptômes — *Suite*

Affections	Plantes	Précautions
Cholestérol, taux élevé de *(suite)*	Ginseng Luzerne Piment rouge Plantain Pomme Safran Scutellaire Thé	celles qui ont des antécédents de cancer du sein devraient d'abord consulter leur médecin. Le *thé* contient de la caféine qui peut causer de l'insomnie et éventuellement créer une accoutumance.
Cirrhose	Ginseng Réglisse	L'usage prolongé de quantités importantes de *réglisse* peut causer de la rétention d'eau, de l'hypertension artérielle, des céphalées et un déséquilibre hormonal (pseudo-hyperaldostéronisme).
Claudication intermittente (douleur aux jambes)	Ginkgo	
Coliques	Aneth Coriandre Orme rouge Sarriette	
Conjonctivite	Épine vinette	
Constipation	Cascara sagrada Nerprun Persil Plantain Pomme Rhubarbe Séné Verveine	Le *nerprun,* la *rhubarbe,* la *cascara sagrada* et le *séné* peuvent provoquer des douleurs intestinales. L'usage prolongé du *persil* risque d'épuiser les réserves de potassium. La *verveine* peut ralentir le rythme cardiaque et resserrer les voies respiratoires. Consultez d'abord votre médecin si vous

Affections	Plantes	Précautions
Constipation *(suite)*		souffrez de maladie cardiaque ou d'asthme.
Conjonctivite aiguë contagieuse (Voir également Conjonctivite)		
Coup de soleil (Voir également Brûlures)		
Décalage horaire	Cacao Café Cola Éphédra Ginseng Thé Thé des jésuites	L'*éphédra* peut élever la tension artérielle. Les personnes atteintes d'hypertension ne devraient pas l'utiliser. Le *cacao*, le *café*, le *cola*, le *thé des jésuites* et le *thé* contiennent de la caféine qui peut rendre insomniaque et créer éventuellement une accoutumance.
Dégénération maculaire (affection qui entraîne la cécité)	Ginkgo	
Dépression	Millepertuis	Le *millepertuis* est un inhibiteur de la monoamine-oxydase, un type de médicament qui réagit avec bon nombre d'aliments et d'autres médicaments. (Voir p. 321)
Diabète	Ail Céleri Fenugrec Ginseng Pomme Sauge	L'usage prolongé de *céleri* risque d'épuiser les réserves de potassium. Le *fenugrec* a une action œstrogénique non négligeable. Les femmes à qui leur médecin a interdit la pilule contraceptive et

(suite page suivante)

Symptômes — *Suite*

Affections	Plantes	Précautions
Diabète *(suite)*		celles qui ont des antécédents de cancer du sein devraient d'abord consulter leur médecin.
Diarrhée	Aneth Arbousier Épine vinette Framboise Hydrastis Molène vulgaire Mûre Plantain Pomme Quatre-épices Reine-des-prés Rhubarbe Thé	Le *quatre-épices* peut déséquilibrer les taux de potassium et de sodium corporels. Consultez d'abord votre médecin si vous souffrez de tension artérielle, d'une maladie cardiaque ou de troubles du rein. La *rhubarbe* en grande quantité peut avoir un effet laxatif. Le *thé* contient de la caféine qui peut rendre insomniaque et créer éventuellement une accoutumance. L'usage prolongé d'*arbousier* risque d'épuiser les réserves de potassium.
Douleur (Voir également Anesthésique dans le tableau intitulé «Action thérapeutique»)	Fleur de la passion Piment rouge Reine-des-prés Saule blanc Verveine Viorne	La *verveine* peut ralentir le rythme cardiaque et resserrer les voies respiratoires. Consultez d'abord votre médecin si vous souffrez d'une maladie cardiaque ou d'asthme.
Emphysème	Thym Tussilage	L'usage prolongé de *tussilage* en grande quantité peut provoquer une maladie véno-occlusive épathique, une affection qui nuit au bon fonctionnement du foie.
Empoisonnement dû au plomb	Ail Pomme	

Affections	Plantes	Précautions
Étourdissements	Gingembre Ginkgo	
Fièvre	Persil Quatre-épices Reine-des-prés Saule blanc Viorne	Le *quatre-épices* peut déséquilibrer les taux de potassium et de sodium corporels. Consultez d'abord votre médecin si vous souffrez d'hypertension artérielle, d'une maladie cardiaque ou d'un trouble du rein. L'usage prolongé du *persil* risque d'épuiser les réserves de potassium.
Flatulences	Aneth	
Giardiase	Aunée Épine vinette Hydrastis	
Goutte (Voir également Douleur causée par la goutte)	Ortie	
Hémorragie du post-partum	Capselle Hydrastis	La *capselle* peut causer de violentes contractions utérines.
Hémorroïdes	(usage externe seulement) Capselle Hamamélis Molène vulgaire Mûre Plantain	
Hépatite	Réglisse	L'usage prolongé de *réglisse* en grande quantité peut provoquer de la rétention d'eau, de l'hypertension artérielle, des céphalées et un déséquilibre hormonal (pseudo-hyperaldostéronisme).

(suite page suivante)

Symptômes — *Suite*

Affections	Plantes	Précautions
Herpès — boutons de fièvre, herpès génital (Voir également Douleur due à l'herpès)	(usage externe) Arbousier Consoude Huile de menthe Hysope Marjolaine Mélisse Réglisse (pour usage interne) Échinacéa Ginseng	
Hypertension artérielle (Voir également Diurétiques dans le tableau intitulé «Action thérapeutique»)	Agripaume Ail Cimifuga Épine vinette Gingembre Gui Matricaire Safran Valériane	Le *cimifuga* peut ralentir le rythme cardiaque. Consultez d'abord votre médecin si vous souffrez d'insuffisance cardiaque congestive. Le *gui* peut ralentir le rythme cardiaque et la tension artérielle. Consultez d'abord votre médecin si vous souffrez d'une maladie cardiaque. La *valériane* est un sédatif et peut causer de la somnolence.
Impuissance (causée par un apport sanguin faible)	Ginkgo	
Incontinence urinaire	Canneberge	
Infection d'oreille	Échinacéa	
Infection mycosique (Candidose)	Ail Camomille Cannelle Échinacéa Épine vinette Hydrastis Pissenlit	L'usage prolongé du *pissenlit* risque d'épuiser les réserves de potassium.

Affections	Plantes	Précautions
Insomnie	Achillée Agripaume Céleri Fleur de la passion Houblon Mélisse Merise Scutellaire Valériane	La *mélisse* réagit avec la thyréostimuline. Consultez d'abord votre médecin si vous souffrez de problèmes de la thyroïde. L'usage prolongé du *céleri* risque d'épuiser les réserves de potassium.
Insuffisance cardiaque congestive (Voir également Diurétiques dans le tableau intitulé «Action thérapeutique»)	Aubépine	
Lèpre (maladie de Hansen)	Ail Hydrocotyle asiatique	
Mal de dents (Voir également Douleur)	(usage externe) Huile de poivre de Jamaïque Huile de clou de girofle	N'utilisez qu'une ou deux gouttes de ces huiles, car leur ingestion même en quantité minime peut causer un empoisonnement.
Mal de gorge	Fenugrec Guimauve Molène vulgaire Orme rouge Réglisse Sauge	Le *fenugrec* a une action œstrogénique non négligeable. Les femmes à qui leur médecin interdit la pilule contraceptive et celles qui ont des antécédents de cancer du sein devraient d'abord consulter leur médecin. L'usage prolongé de *réglisse* en grande quantité peut provoquer de la rétention d'eau, de l'hypertension artérielle, des céphalées et un déséquilibre

(suite page suivante)

Symptômes — *Suite*

Affections	Plantes	Précautions
Mal de gorge *(suite)*		hormonal (pseudo-hyperaldostéronisme).
Mauvaise haleine	Chaparral Luzerne Persil	L'usage prolongé du *persil* risque d'épuiser les réserves de potassium.
Maux de tête (Voir également Douleur)	Matricaire (pour migraine) Piment rouge (pour céphalée vasculaire)	
Migraine (Voir également Maux de tête)		
Nausée	Gingembre	
Nausées du matin	Framboise Gingembre Menthe	Les femmes enceintes ne devraient consommer ces plantes à des fins thérapeutiques qu'après accord avec leur médecin.
Pied d'athlète	Ail	
Prévention de l'intoxication alimentaire	Ail Aneth Angélique Bardane Camomille Cannelle Clou de girofle Échinacéa Épine vinette Ginseng Herbe aux chats Hydrastis Menthe Molène vulgaire Pomme Quatre-épices Reine-des-prés	L'*angélique* peut causer de l'urticaire au soleil. Le *quatre-épices* peut déséquilibrer les taux de potassium et de sodium corporels. Consultez d'abord votre médecin si vous souffrez d'hypertension artérielle, de maladie cardiaque ou d'un trouble du rein. Le *millepertuis* est un inhibiteur de la monoamine-oxydase, un type de médicament qui réagit avec bon nombre d'aliments et d'autres médicaments. (Voir p. 321)

Affections	**Plantes**	**Précautions**
Prévention de l'intoxication alimentaire *(suite)*	Romarin Sauge Thym	
Prévention de l'infection urinaire	Canneberge Cannelle	
Prévention de la carie dentaire	Chaparral Menthe Thé	
Prévention des accidents vasculaires cérébraux (Voir également Hypertension artérielle et Cholestérol dans la présente liste, et Diurétiques dans le tableau intitulé «Action thérapeutique»)	Ginkgo	
Prévention des fausses couches	Framboise	
Prévention des maladies des gencives	Chaparral Myrrhe Ortie Persil	
Prévention des maladies du foie	Curcuma Ginseng Réglisse	L'usage prolongé de *réglisse* en grande quantité peut provoquer de la rétention d'eau, de l'hypertension artérielle, des céphalées et un déséquilibre hormonal (pseudo-hyperaldostéronisme).
Prévention des ulcères	Camomille Papaye	

(suite page suivante)

Symptômes — *Suite*

Affections	Plantes	Précautions
Prévention du cancer	Ail Chaparral Ginseng Luzerne Pomme	L'usage prolongé de la *prêle* risque d'épuiser les réserves de potassium.
Psoriasis	Échinacéa Hydrocotyle asiatique	
Règles abondantes	Capselle Hydrastis	La *capselle* peut causer de violentes contractions utérines.
Retard des règles	Agripaume Capselle Céleri Fenugrec Persil Rhubarbe Safran	La *capselle* peut causer de violentes contractions utérines. Le *fenugrec* a une action œstrogénique non négligeable. Les femmes à qui leur médecin a interdit la pilule contraceptive et celles qui ont des antécédents de cancer du sein devraient d'abord consulter leur médecin. Le *gui* peut ralentir le rythme cardiaque et affecter la tension artérielle. Consultez d'abord votre médecin si vous souffrez de maladie cardiaque. La *rhubarbe* peut provoquer des douleurs intestinales violentes. L'usage prolongé de *céleri* ou de *persil* risque d'épuiser les réserves de potassium.
Rhume des foins	Ortie Persil	L'usage prolongé d'*ortie* et de *persil* risque d'épuiser les réserves de potassium.

Affections	Plantes	Précautions
Rhume et grippe (Voir également Toux)	Échinacéa Eupatoire Gingembre Guimauve Hysope Rose Sarriette	La *sarriette* convient particulièrement aux enfants, car elle est très douce.
Saignement	Achillée Capselle Hamamélis Mûre	La *capselle* peut causer de violentes contractions utérines.
Stress	Achillée Agripaume Camomille Céleri Fleur de la passion Ginseng Herbe aux chats Laurier Mélisse Merise Scutellaire	La *mélisse* réagit avec la thyréostimuline. Consultez d'abord votre médecin si vous êtes atteint de ce problème de thyroïde. L'usage prolongé de *céleri* risque d'épuiser les réserves de potassium.
Surdité des personnes âgées (surdité cochléaire)	Ginkgo	
Syndrome prémenstruel (Voir également Diurétiques dans le tableau intitulé «Action thérapeutique»)	Arbousier Buchu Céleri Genièvre Ortie Persil Pissenlit Prêle Salsepareille	Toutes les herbes dotées d'une action diurétique risquent d'épuiser les réserves de potassium. L'utilisation de diurétiques pour perdre du poids est à proscrire. L'usage prolongé d'*arbousier* risque d'épuiser les réserves de potassium.
Toux	Angélique Anis	L'*angélique* peut causer de l'urticaire au soleil.

(suite page suivante)

Symptômes — *Suite*

Affections	Plantes	Précautions
Toux *(suite)*	Cacao Café Cola Éphédra Eucalyptus Fenugrec Guimauve Hysope Marrube Merise Molène vulgaire Origan Orme rouge Pouliot Réglisse Sarriette Thé Thé des jésuites Thym Tussilage	L'*anis* et le *fenugrec* ont une action œstrogénique non négligeable. Les femmes à qui leur médecin a interdit la pilule contraceptive et celles qui ont des antécédents de cancer du sein devraient d'abord consulter leur médecin. L'usage prolongé d'importantes quantités de *tussilage* peut provoquer une maladie véno-occlusive hépatique, une affection qui nuit au bon fonctionnement du foie. L'*éphédra* peut élever la tension artérielle. Les personnes atteintes d'hypertension ne devraient pas l'utiliser. L'usage prolongé de *réglisse* en grande quantité peut provoquer de la rétention d'eau, de l'hypertension artérielle, des céphalées et un déséquilibre hormonal (pseudo-hyperaldostéronisme). Le *cacao*, le *café*, le *cola*, le *thé des jésuites* et le *thé* contiennent de la caféine qui peut rendre insomniaque et créer éventuellement une accoutumance.
Toux quinteuse ou coqueluche	Échinacéa	
Traitement contre le cancer	Chaparral Gui	Le *gui* peut ralentir le rythme cardiaque et affecter la tension artérielle. Consultez votre

Affections	Plante	Précautions
Traitement contre le cancer suite)		médecin si vous êtes atteint d'une maladie cardiaque.
Traitement de l'infection urinaire	Ail Aneth Arbousier Cannelle Épine vinette Hydrastis	L'usage prolongé d'*arbousier* risque d'épuiser les réserves de potassium.
Traitement des accidents vasculaires cérébraux	Ginkgo	
Traitement des maladies cardiaques (Voir également Hypertension artérielle et Cholestérol dans la présente liste, et Diurétique dans le tableau intitulé «Action thérapeutique»)	Aubépine Fleur de la passion Ginkgo	
Traitement des ulcères	Camomille Réglisse	L'usage prolongé de *réglisse* en grande quantité peut causer de la rétention d'eau, de l'hypertension artérielle, des céphalées et un déséquilibre hormonal (pseudo-hyperaldostéronisme).
Troubles de la ménopause	Anis Cimifuga Clou rouge Fenouil Fenugrec	L'*anis*, le *cimifuga*, le *fenouil* et le *fenugrec* ainsi que le *clou rouge* ont une action œstrogénique non négligeable. Les femmes à qui leur médecin a interdit la pilule contraceptive et celles qui ont des antécédents du cancer du sein devraient d'abord consulter leur médecin.

(suite page suivante)

Symptômes — *Suite*

Affections	Plantes	Précautions
Troubles de la ménopause *(suite)*		Les femmes qui souffrent de maladie cardiaque devraient d'abord consulter leur médecin avant d'utiliser le *cimifuga*, car ce dernier peut ralentir le rythme cardiaque.
Troubles menstruels (Voir également Douleurs)	Achillée Anis Cimifuga Clou rouge Fenouil Fenugrec Matricaire Viorne	L'*anis*, le *cimifuga*, le *fenouil*, le *fenugrec* et le *clou rouge* ont une action œstrogénique. Les femmes à qui le médecin a interdit la pilule contraceptive et celles qui ont des antécédents de cancer du sein devraient d'abord consulter leur médecin. Les femmes qui souffrent de maladie cardiaque devraient d'abord consulter leur médecin avant d'utiliser le *cimifuga*, car ce dernier peut ralentir le rythme cardiaque.
Ulcères buccaux (aphtes) (Voir également Stimulant du système immunitaire dans le tableau «Action thérapeutique»)	Mûre	
Urétrite	Arbousier	L'usage prolongé d'*arbousier* risque d'épuiser les réserves de potassium.
Urticaire	Persil	L'usage prolongé du *persil* risque d'épuiser les réserves de potassium.

Affection	Plantes	Précautions
Varices	Hydrocotyle asiatique	
Vertiges (Voir également Étourdissements)	Gingembre Ginkgo	

Utilisations

Utilisation	Plantes	Précautions
Anesthésique	(usage externe) Huile de cannelle Huile de clou de girofle Huile d'estragon Huile de menthe Huile de poivre de Jamaïque Mélisse	
Anti-bactéries	Camomille Cannelle Échinacéa Eupatoire Gingembre Ginseng Mélisse Millepertuis	La *mélisse* réagit avec la thyréostimuline. Consultez d'abord votre médecin si vous êtes atteint de problèmes de la thyroïde. Le *millepertuis* est un inhibiteur de la monoamine-oxydase, un type de médicament qui réagit avec bon nombre d'aliments et d'autres médicaments. (Voir p. 321)
Anti-inflammatoire	Angélique Camomille Chaparral Curcuma Échinacéa Eupatoire Fenugrec Genièvre	L'*angélique* peut causer de l'urticaire au soleil. Le *fenugrec* a une action œstrogénique non négligeable. Les femmes à qui leur médecin a interdit la pilule contraceptive et celles qui ont des antécédents de cancer devraient d'abord consulter leur médecin. L'usage prolongé de *verveine*, de prêle et de genièvre risque d'épuiser les réserves de potassium. L'usage prolongé de *réglisse* en grande quantité peut provoquer

Utilisation	**Plantes**	**Précautions**
Anti-inflammatoire *(suite)*	Gentiane Gingembre Millepertuis Prêle Réglisse Reine-des-prés Verveine Viorne	de la rétention d'eau, de l'hypertension artérielle, des céphalées et un déséquilibre hormonal (pseudo-hyperaldostéronisme). Le *millepertuis* est un inhibiteur de la monoamine-oxydase, un type de médicament qui réagit avec bon nombre d'aliments et d'autres médicaments. (Voir p. 321) La *verveine* peut ralentir le rythme cardiaque et resserrer les voies respiratoires. Consultez d'abord votre médecin si vous souffrez d'une maladie cardiaque ou d'asthme.
Antibiotique (contre les infections bactériennes, telles que les angines streptococciques)	Ail Aneth Bardane Camomille Cannelle Clou de girofle Échinacéa Épine vinette Eupatoire Ginseng Herbe aux chats Hydrastis Menthe Millepertuis Myrrhe Pomme Quatre-épices Réglisse	Le *quatre-épices* peut déséquilibrer les taux de potassium et de sodium corporels. Consultez d'abord votre médecin si vous souffrez d'hypertension artérielle, d'une maladie cardiaque ou d'un trouble du rein. L'usage prolongé de la *réglisse* en grande quantité peut provoquer de la rétention d'eau, de l'hypertension artérielle, des céphalées et d'un déséquilibre hormonal (pseudo-aldostéronisme). Le *millepertuis* est un inhibiteur de la monoamine-oxydase, un type de médicament qui réagit avec bon nombre d'aliments et

(suite page suivante)

Utilisations — *Suite*

Utilisation	Plantes	Précautions
Antibiotique *(suite)*	Reine-des-prés	d'autres médicaments. (Voir p. 321)
Antibiotique (contre les infections de protozoaires tels que le *Giardia intestinalis)*	Ail Aunée Curcuma Échinacéa Épine vinette Hydrastis Quatre-épices	Le *quatre-épices* peut déséquilibrer les taux de potassium et de sodium corporels. Consultez d'abord votre médecin si vous souffrez d'hypertension artérielle, d'une maladie cardiaque ou d'un trouble du rein.
Antibiotique (contre les infections fongiques, telles que les infections mycosiques)	Ail Aloès Bardane Camomille Cannelle Clou de girofle Échinacéa Hydrastis Mélisse Millepertuis Pissenlit Réglisse	L'usage prolongé de *pissenlit* risque d'épuiser les réserves de potassium. Le *millepertuis* est un inhibiteur de la monoamine-oxydase, un type de médicament qui réagit avec bon nombre d'aliments et d'autres médicaments. (Voir p. 321)
Antibiotique (contre les infections parasitaires, telles que les vers intestinaux)	Ail Aunée Clou de girofle Huile de basilic	
Antidépresseur	Millepertuis	Le *millepertuis* est un inhibiteur de la monoamine-oxydase, un type de médicament qui réagit avec bon nombre d'aliments et d'autres médicaments. (Voir p. 321)
Antiseptique (soulagement de brûlures légères, de coupures et de blessures)	(usage externe) Achillée Ail Aloès Camomille Cannelle	

Utilisation	Plantes	Précautions
Antiseptique *(suite)*	Chaparral Clou de girofle Coriandre Curcuma Échinacéa Estragon Eucalyptus Feuilles de pommier Fleur de la passion Herbe aux chats Houblon Laurier Mélisse Menthe Millepertuis Mûre Myrrhe Réglisse Romarin Sauge Thym Varech	
Antisudoral	Sauge	
Décongestionnant	Angélique Anis Cacao Café Cola Éphédra Eucalyptus Menthe	L'*angélique* peut causer de l'urticaire au soleil. L'*anis* a une action œstrogénique non négligeable. Les femmes à qui leur médecin a interdit la pilule contraceptive et celles qui ont des antécédents de cancer du sein devraient d'abord consulter leur médecin. L'*éphédra* peut augmenter la tension artérielle. Les personnes atteintes d'hypertension ne devraient pas l'utiliser.

(suite page suivante)

Utilisations — *Suite*

Utilisation	Plantes	Précautions
Décongestionnant *(suite)*	Pouliot Romarin Thé	Le *cacao*, le *café*, le *cola* et le *thé* contiennent de la caféine qui peut rendre insomniaque et créer éventuellement une accoutumance.
Diurétique (dans le cas de rétention d'eau et d'hypertension artérielle)	Arbousier Buchu Céleri Genièvre Ortie Persil Pissenlit Prêle Salsepareille	Toutes les herbes à action diurétique peuvent épuiser les réserves de potassium. L'utilisation de diurétiques pour perdre du poids est à proscrire.
Laxatif	Cascara sagrada Nerprun Plantain Pomme Rhubarbe Séné Verveine	Le *nerprun*, la *rhubarbe* et le *séné* peuvent causer de violentes douleurs intestinales. Le *cascara sagrada* peut aussi causer des douleurs intestinales. La *verveine* peut ralentir le rythme cardiaque et resserrer les voies respiratoires. Consultez d'abord votre médecin si vous souffrez d'une maladie cardiaque ou d'asthme.
Perte de poids	Café Éphédra	Le *café* contient de la caféine qui peut causer de l'insomnie et éventuellement créer une accoutumance. L'*éphédra* peut augmenter la tension artérielle. Les personnes souffrant d'hypertension ne devraient pas l'utiliser.
Sédatif	Achillée Agripaume	La *mélisse* réagit avec la thyréostimuline. Consultez

Utilisation	Plantes	Précautions
Sédatif *(suite)*	Céleri Fleur de la passion Houblon Mélisse Merise Scutellaire Valériane	d'abord votre médecin si vous êtes atteint de problèmes de la thyroïde. L'usage prolongé de *céleri* risque d'épuiser les réserves de potassium.
Stimulant	Cacao Café Cola Éphédra Ginseng Thé Thé des jésuites	L'*éphédra* peut élever la tension artérielle. Les personnes qui souffrent d'hypertension ne devraient pas l'utiliser. Le *cacao*, le *café*, le *cola*, le *thé des jésuites* et le *thé* contiennent de la caféine qui peut rendre insomniaque et créer éventuellement une accoutumance.
Stimulant des contractions utérines (Voir également Retard des menstruations dans la colonne «Affections» du tableau)	Capselle	L'utilisation de plantes pour provoquer les douleurs d'accouchement exige une supervision médicale.
Stimulant digestif	Achillée Aneth Angélique Anis Cacao Camomille Cannelle Carvi Clou de girofle Consoude Coriandre Curcuma	L'*angélique* peut causer de l'urticaire au soleil. L'*anis* a une action œstrogénique non négligeable. Les femmes à qui leur médecin a interdit la pilule contraceptive et celles qui ont des antécédents de cancer du sein devraient d'abord consulter leur médecin. La *mélisse* réagit avec la

(suite page suivante)

Utilisations — *Suite*

Utilisation	Plantes	Précautions
Stimulant digestif *(suite)*	Fenouil Fleur de la passion Gentiane Gingembre Guimauve Herbe aux chats Houblon Hydrastis Marjolaine Matricaire Mélisse Menthe Origan Orme rouge Papaye Piment rouge Pissenlit Poivre de la Jamaïque Pouliot Romarin Sarriette Sauge Thym	thyréostimuline. Consultez votre médecin si vous êtes atteint de problèmes de la thyroïde. Le *cacao* contient de la caféine qui peut rendre insomniaque et créer éventuellement une accoutumance. L'usage prolongé de *consoude* peut causer une maladie hépatique véno-occlusive, une affection grave qui nuit au bon fonctionnement du foie. L'usage prolongé de *pissenlit* risque d'épuiser les réserves de potassium.
Stimulant du système immunitaire	Basilic Camomille Échinacéa Épine vinette Eupatoire Gingembre Ginseng Gui Guimauve Hydrastis Hydrocotyle asiatique	L'usage prolongé de *réglisse* en grande quantité peut provoquer de la rétention d'eau, de l'hypertension artérielle, des céphalées et un déséquilibre hormonal (pseudo-hyperaldostéronisme). Le *gui* peut ralentir le rythme cardiaque et affecter la tension artérielle. Consultez d'abord votre médecin si vous souffrez de maladie cardiaque. Le *millepertuis* est un inhibiteur de la monoamine-oxydase, un

Utilisation	Plantes	Précautions
Stimulant du système immunitaire *(suite)*	Millepertuis Réglisse	type de médicament qui réagit avec bon nombre d'aliments et d'autres médicaments. (Voir p. 321)
Tranquillisant	Achillée Agripaume Camomille Céleri Fleur de la passion Herbe aux chats Laurier Mélisse Merise Scutellaire	La *mélisse* réagit avec la thyréostimuline. Consultez d'abord votre médecin si vous êtes atteint de problème de la thyroïde. L'usage prolongé de *céleri* risque d'épuiser les réserves de potassium.

Autres utilisations

Utilisation	Plantes	Précautions
Amélioration de la mémoire	Ginkgo Ginseng	
Amélioration des nutriments	Ginseng	
Amélioration du temps de réaction	Ginkgo	
Arrêt de la cigarette	Éphédra	L'*éphédra* peut augmenter la tension artérielle. Les personnes qui souffrent d'hypertension ne devraient pas l'utiliser.
Insectifuge (cafards)	Eucalyptus Laurier	
Insectifuge (mouches, puces, moucherons, moustiques)	Huile de pouliot	L'*huile de pouliot* est toxique. Ne pas en consommer.
Protection contre les métaux lourds toxiques	Ail Pomme Varech	
Protection contre les radiations	Thé Varech	Le *thé* contient de la caféine qui peut causer de l'insomnie et éventuellement créer une accoutumance.
Radiothérapie	Échinacéa Ginseng Gui Thé	Le *gui* peut ralentir le rythme cardiaque et affecter la tension artérielle. Consultez d'abord votre médecin si vous souffrez d'une maladie cardiaque. Le *thé* contient de la caféine qui peut causer de l'insomnie et éventuellement créer une accoutumance.

RÉFÉRENCES

Journaux et périodiques

Les chercheurs américains ont laissé le champ libre à leurs collègues étrangers en ce qui concerne les plantes médicinales. Bien sûr, les États-Unis réalisent un certain nombre de travaux dans le domaine mais c'est l'Allemagne, l'Europe de l'Est et l'Asie qui sont les pays les plus dynamiques en la matière. Il n'est donc pas étonnant que la plupart des travaux soient publiés en langue étrangère.

Vous trouverez dans les références ci-après, la liste des articles parus dans divers journaux et revues scientifiques de langue anglaise sur chacune des cent plantes médicinales considérées dans le présent ouvrage.

Chaque publication est présentée selon la norme scientifique en vigueur. Pour chaque journal sont mentionnés l'auteur, l'année de publication, le titre, le numéro du volume (dans quelques cas) et le numéro de la page. Pour les revues sont mentionnés l'auteur, l'année de publication, le titre de la revue, le numéro de la revue et de la page.

Les journaux cités sont disponibles dans la plupart des universités et des bibliothèques des écoles de médecine. Les journaux récents sont présentés dans des salles de lecture facilement accessibles. Habituellement, les journaux plus anciens sont entreposés à proximité de ces salles. Les sections réservées aux journaux sont faciles d'accès. Il suffit de s'informer auprès du bibliothécaire pour connaître leur fonctionnement.

Les bibliothèques qui disposent de micro-ordinateurs, de modems et de logiciels adaptés permettent de faire des recherches d'articles à partir de la banque de données informatisées MEDLINE propre à la Bibliothèque nationale de médecine ou de la banque de données Natural Products Alert (NAPRALERT) du Collège de pharmacie de l'université de l'Illinois de Chicago.

La bibliothèque Lloyd abrite l'une des plus grandes collections de publications de botanique du monde.

Achillée

Albert-Puelo, M. 1978. *Economic Botany* 32:71.

Busse, W. W. *et coll.* 1984. *Journal of Allergy and Clinical Immunology 73:801.*

Duke, J. 1987. *HerbalGram* 12:7.

Middleton, E. et G. Drzewiecki. 1984. *Biochemical Pharmacology* 33:3333.

Sama, S. K. et coll. 1976. *Indian Journal of Medical Research* 64:738.

Agripaume

Xia, Y. X. 1983. *Journal of Traditional Chinese Medicine* 3:3:185.

Ail (et oignon, poireau, ciboulette et échalote)

Amonkar, S. V. et A. Banerji. 1971. *Science* 174:1343.

Anon. 1980. *Chinese Medical Journal* 93:123.

Barona, F. E. et M. R. Tansey. 1977. *Mycologia* 69:793.

Barrie, S. A. *et coll.* 1987. *Orthomolecular Medicine* 2:1:15.
Belman, S. 1983. *Carcinogenesis* 4:8:1063.
Bordia, A. K. 1973. *Lancet* 11:1491.
—. 1978. *Atherosclerosis* (1978) 30:355.
—. 1981. *American Journal of Clinical Nutrition* 34:2100.
Bordia, A. K. et H. C. Bansal. 1973. *Lancet* II:1491.
Bordia, A. K. *et coll.* 1977. *Atherosclerosis* 26:379.
—. 1977. *Atherosclerosis* 28:155.
Boullin, D. J. 1981. *Lancet* 1:776.
Caporaso, R. *et coll.* 1983. *Antimicrobial Agents and Chemotherapy* 23:700.
Ernst, E. *et coll.* 1985. *British Medical Journal* 291:139.
Jain, R. C. 1977. *American Journal of Clinical Nutrition* 30:1380.
Jain, R. C. et D. B. Konar. 1976. *Artery* 2:6:531.
Jain, R. C. et C. R. Vyas. 1975. *American Journal of Clinical Nutrition* 28:684.
Jain, R. C. *et coll.* 1973. *Lancet* 2:1491.
Kendler, B. S. *et coll.* 1987. *Preventive Medicine* 16:5:670.
Lau, B. H. S. 1987. *Nutrition Research* 7:139.
Lybarger, J. A. *et coll.* 1982. *Journal of Allergy and Clinical Immunology* 69:448.
Makheja, A. N. *et coll.* 1979. *Lancet* 1:781.
Marsh, C. L. *et coll.* 1987. *Journal of Urology* 137:2:359.
Nagai, K. 1973. *Japanese Journal of the Association of Infectious Diseases* 47:111.
Sparins, V. L. *et coll.* 1986. *Nutrition and Cancer* 8:3:211.
Tansey, M. R. et J. A. Appleton. 1975. *Mycologia* 67:2:409.
You, W. C. *et coll.* 1989. *Journal of the National Cancer Institute* 81:162.

Aloès
Collins, C. E. And C. Collins. 1935. *American Journal of Roentgenology and Radiation Therapy* 33:396.
Ghannam, N. *et coll.* 1986. *Hormone Research* 24:288.
Haggers, J. P. *et coll.* 1979. *American Journal of Medical Technology* 41:293.
Kupchan, G. And S. Karmin. 1976. *Journal of Natural Products* 39:223.
Morrow, D. M. *et coll.* 1980. *Archives of Dermatology* 116:1064.
Rodriguez-Bigas, M. *et coll.* 1988. *Plastic and Reconstructive Surgery* 81:386.
Winters, W. D. *et coll.* 1981. *Economic Botany* 35:89.

Angélique
Ioannou, Y. M. *et coll.* 1982. *Cancer Research* 42:119.
Ivie, G. W. *et coll.* 1981. *Science* 213:909.
Opdyke, D. L. J. 1975. *Food and Cosmetic Toxicology* 13 (Suppl.):713.

Anis
Albert-Puelo, M. 1980. *Journal of Ethnophamacology* 2:337.
Duke, J. A. 1988. *HerbalGram* 15:11.
Embong, M. B. *et coll.* 1977. *Canadian Journal of Plant Science* 57:681.
Gerhbein, L. L. 1977. *Food and Cosmetic Toxicology* 15:173.
Okley, H. M. et M. F. Grundon. 1971. *Journal of the Chemical Society* 19:1157.
Opdyke, D. L. J. 1975. *Food and Cosmetic Toxicology* 13 (Suppl.):715.

Arbousier
Frohne, D. 1970. *Planta Medica* 18:1.

Aubépine
Ammon, H. P. T. et M. Handel. 1981. *Planta Medica* 43:318.

Beretz, A. *et coll.* 1980. *Planta Medica* 39:241.

Iwamoto, M. *et coll.* 1981. *Planta Medica* 42:1.

Petkov V. 1979. *American Journal of Chinese Medicine* 7:197.

Thompson, E. B. *et coll.* 1974. *Journal of Pharmaceutical Sciences* 63:1936.

Wagner, H. et J. Grevel. 1982. *Planta Medica* 45:98.

Wegrowski. J. *et coll.* 1984. *Biochemical Pharmacology* 33:3491.

Aunée

Vichkanova, S. A. 1977. *Chemical Abstracts* 87:162117.

Bardane

Bryson, P. D. *et coll.* 1978. *Journal of the American Medical Association* 239:2157.

Dombradi, G. 1970. *Chemotherapy* 15:250.

Morita, K. *et coll.* 1984. *Mutation Research* 129:1:25.

Tsujita, J. *et coll.* 1979. *Nutrition Reports International* 20:635.

Basilic

Balambal, R. *et coll.* 1985. *Journal of the Association of Physicians* (Indes) 33:507.

Drinkwater, N. R. *et coll.* 1976. *Journal of the National Cancer Institute* 57:1323.

Godhwani. B. *et coll.* 1988. *Journal of Ethnopharmacology* 24:193.

Jain, M. L. et S. R. Jain. 1972. *Planta Medica* 22:66.

Miller, E. C. *et coll.* 1983. *Cancer Research* 43:1124.

Buchu

Kaiser, R. *et coll.* 1975. *Journal of Agricultural and Food Chemistry* 29:943.

Cacao

Anon, 1989. *University of California Berkeley, Wellness Letter* 5:5:1.

Café

Anon. 1982. *American Journal of Public Health* 72:610.

Anon. 1989. *Family Practice News* Fév. 15:28.

Anon. 1980. *FDA Drug Bulletin* 10:3:19.

Anon. 1977. *Medical Letter* Août 12:19:6.

Check, W. 1979. *Journal of the American Medical Association* 241:1221.

Ferguson, T. 1980. *Medical Self-Care* 11:8.

Greadon, J. et T. Greadon. 1989. *Medical Self-Care* 50:22.

Greden, J. 1974. *American Journal of Psychiatry* 131:1089.

Rosenberg, L. *et coll.* 1989. *American Journal of Epidemiology* 128:570.

Stamford, B. 1989. *The Physician and Sportsmedicine* 17:193.

Camomille

Achterrath-Tuckerman, U. *et coll.* 1980. *Planta Medica* 39:38.

Aggag, M. E. et R. T. Yousef. 1972. *Planta Medica* 22:140.

Benner, M. H. et H. J. Lee. 1973. *Journal of Allergy and Clinical Immunology* 52:307.

Farnsworth, N. R. et B. M. Morgan. 1972. *Journal of the American Medical Association* 221:410.

Forrester, H. B. *et coll.* 1980, *Planta Medica* 40:309.

Grochulski, A. et B. Borkowski. 1972. *Planta Medica* 21:289.

Habersang, S. *et coll.* 1979. *Planta Medica* 37:115.

Hausen, B. M. *et coll.* 1984. *Planta Medica* 50:229.

Isaac, O. 1979. *Planta Medica* 35:118.

Jakovelv, V. *et coll.* 1979. *Planta Medica* 35:2:3.
—. 1983. *Planta Medica* 49:67.
Loggia R. D. *et coll.* 1982. *Pharmaceutical Research Communications* 14:153.
Szelenyi, I. *et coll.* 1979. *Planta Medica* 35:218.
Wagner, H. 1985. In: *Economic and Medicinal Plant Research* (vol. 1) United Kingdom: Academic Press.

Canneberge
Blatherwick, N. R. et M. L. Long. 1923. *Journal of Biological Chemistry* 57:815.
Dugan, C. et P. S. Cardaciotto. 1966. *Journal of Psychiatric Nursing* 8:467.
Kahn, H. D. 1967. *Journal of the American Dietetic Association* 51:251.
Konowalchuk, J. et J. I. Speirs. 1978. *Applied Environmental Microbiology* 35:1219.
Moen, D. V. 1962. *Wisconsin Medical Journal* 61:282.
Soloway, M. et R. A. Smith. 1988. *Journal of the American Medical Association* 260:1465.
Zinsser, H. H. *et coll.* 1968. *New York State Journal of Medicine* 68:3001.

Cannelle
Halbert, E. et D. G. Wheeden, 1966. *Nature* 212:1603.
Opdyke, D. L. J. 1975. *Food and Cosmetic Toxicology* 13 (Suppl.):545.
—. 1975. *Food and Cosmetic Toxicology* 13 (Suppl.):749.

Capselle
Kuroda, K. et Kaku. 1969. *Life Sciences* 8:3:151.
Kuroda, K. et K. Takagi, 1968. *Nature* 220:5168:707.
—. 1969. *Archives of International Pharmacodynamics* 178:2:382.

Carvi
Harries, N. *et coll.* 1978. *Journal of Clinical Pharmacy* 2:171.
Opdyke, D. L. J. 1973. *Food and Cosmetic Toxicology* 11:1051.

Cascara Sagrada
Breimer, D. D. et A. J. Baars. 1976. *Pharmacology* 14 (Suppl.):30.
Evans, F. J. *et coll.* 1975. *Journal of Pharmacy and Pharmacology* 27:91.
Fairbairn, J. W. *et coll.* 1977. *Journal of Pharmaceutical Sciences* 66:1300.
Fairbairn, J. W. et S. Simic. 1964. *Journal of Pharmacy and Pharmacology* 16:450.
Van Os, F. H. L. 1976. *Pharmacology* 14 (Suppl.):18.

Caulophylle faux-pigamon
Benoit, P. S. *et coll.* 1976. *Lloydia* 39:160.
Chandrasekhar, K. et G. H. R. Sarma. 1974. *Journal of Reproduction and Fertility* 38:236.
DiCarlo, F. I. *et coll.* 1964. *Journal of the Reticuloendothelial Society* 1:24.
Ferguson, H. C. et L. D. Edwards. 1954. *Journal of the American Pharmaceutical Association* 43:16.
McShefferty, J. et J. B. Stenlake. 1956. *Journal of the Chemical Society* 449:2314.

Céleri (graine de)
Adams, R. M. 1969. *Occupational Contact Dermatitis*, 190. Philadelphia: Lippincott.
Ames, B. 1983. *Science* 221:1256.
Anon. 1989. *University of California, Berkeley, Wellness Letter* 6:3:8.
Best, C. H. et D. A. Scott. 1923. *Journal of Metabolic Research* 3:177.
Bermingham, D. J. *et coll.* 1961. *Archives of Dermatology* 83:73.
Bjeldanes, L. F. et I. Kim. 1978. *Journal of Food Science* 43:143.

Bjeldanes, L. F. et I. Kim. 1977. *Journal of Organic Chemistry* 42:233.
Farnsworth, N. R. et A. B. Seligman. 1971. *Tile and Till* 57:52.
Jain, S. R. et M. R. Jain. 1973. *Planta Medica* 24:127.
Kiangsu Institute of Modern Medicine. 1977. *Encyclopedia of Chinese Drugs*, Vol. 2:1122. Shanghai, People's Republic of China: Shanghai Scientific and Technical Publications.
Sharaf, A. A. *et coll.* 1963. *Planta Medica* 2:159.

Chaparral

Boxer, S., Éd. 1987. *Discover* 8:13.
Burk, D. et M. Woods. 1963. *Radiation Research Supplement* 3:212.
Chang, J. *et coll.* 1984. *Inflammation* 8:143.
Lisanti, V. F. et B. Eichel. 1963. *Journal of Dental Research* 42:1030.
Mirjano, K. et G. Chiou. 1984. *Ophthalmic Research* 16:256.
Nakadate, T. *et coll.* 1985. *Japanese Journal of Pharmacology* 38:161.
Pardini, R. S. *et coll.* 1970. *Biochemical Pharmacology* 19:2699.
Smart, C. R. *et coll.* 1969. *Cancer Chemotherapy Reports* (1re partie) 53:147.
—. 1970. *Rocky Mountain Medical Journal* Nov.:39.

Cimifuga

Benoit, P. S. *et coll.* 1976. *Lloydia* 39:160.
Costello, C. H. et E. V. Lynn. 1950. *Journal of the American Pharmaceutical Association* 39:177.
Farnsworth, N. R. et A. B. Seligman. 1971. *Tile and Till* 57:52.
Genazzani, E. et L. Sorrentin. 1962. *Nature* 194:544.
Jarry, H. *et coll.* 1985. *Planta Medica* 55:316.
Jarry, H. et G. Harnischfeger. 1985. *Planta Medica* 55:46.

Clou de girofle

Abraham, S. K. et P. C. Kesavan. 1978. *Indian Journal of Experimental Biology* 16:518.
Hackett, P. H. *et coll.* 1985. *Journal of the American Medical Association* 253:3551.
Opdyke, D. L. J. 1975. *Food and Cosmetic Toxicology* 13 (Suppl.):545.
—. 1975. *Food and Cosmetic Toxicology* 13 (Suppl.):749.
Rasheed, A. *et coll.* 1984. *New England Journal of Medicine* 310:50.
Takechi, M. et Y. Tanaka. 1981. *Planta Medica* 42:1:69.

Clou rouge

Dewick, P. 1977. *Phytochemistry* 16:93.
Duke, J. 1989. *HerbalGram* 18/19:13.
Hartwell, J. 1970. *Lloydia* 3:97.

Cola

Yarbrough, C. C. 1974. *Journal of the American Medical Association* 230:701.

Consoude

Ames, B. *et coll.* 1987. *Science* 236:271.
Bergner, P. 1989. *Medical Herbalism* 1:1.
Furuya, T. et K. Araki. 1968. *Chemical and Pharmaceutical Bulletin* 16:2515.
Gracza, L. *et coll.* 1985. *Archives of Pharmacy* 312:1090.
Heinerman, J. 1985. *Herb Report* 2:1.
Henry Doubleday Society. 1979. *British Medical Journal* 6163:596.
Hirono, I. *et coll.* 1978. *Journal of the National Cancer Institute* 61:865.
—. 1979. *Journal of the National Cancer Institute* 63:469.
Huxtable, R. J. *et coll.* 1986. *New England Journal of Medicine* 315:1095.

Macalister, C. J. 1912. *British Medical Journal* 1:10.
Mascolo, N. *et coll.* 1987. *Phytotherapy Research* 1:28.
Ridker, P. M. *et coll.* 1985. *Gastroenterology* 8:1050.
Roitman, J. N. 1981. *Lancet* 1:944.
Steuart, G. 1987. *Herb, Spice, and Medicinal Plant Digest* 5:4:9.
Taylor, A. et N. C. Taylor. 1963.*Proceedings of the Society for Experimental Biology and Medicine* 114:772.
Weston, C. F. M. *et coll.* 1987. *British Medical Journal* 295:183.

Coriandre

Farnsworth, N. R. et A. B. Seligman. 1971. *Tile and Till* 57:52.
Mascolo, N. *et coll.* 1987. *Phytotherapy Research* 1:28.

Curcuma

Arora, R. *et coll.* 1971. *Indian Journal of Medical Research* 60:138.
Basu, A. B. 1971. *Indian Journal of Pharmacy* 33:131.
Chandra, D. et S. S. Gupta. 1972. *Indian Journal of Medical Research* 60:138.
Dhar, M. L. *et coll.* 1968. *Indian Journal of Experiemental Biology* 6:232.
Garg, S. K. 1974. *Planta Medica* 26:225.
Ghatak, N. et N. Basu. 1972. *Indian Journal of Experimental Biology* 10:235.
Kiso, Y. *et coll.* 1983. *Planta Medica* 49:185.
Kuttan, R. *et coll.* 1985. *Cancer Letters* 29:197.
Lutmoski, J. *et coll.* 1974. *Planta Medica* 26:9.
Srivastava, R. *et coll.* 1985. *Thrombosis Research* 40:413.

Échinacéa

Bergner, P. 1989. *Townsend Letter for Doctors* Juillet:353.
Stimpel. M. *et coll.* 1984. *Infection and Immunology* 46:845.
Voaden D. J. et M. Jacobson. 1972. *Journal of Medicinal Chemistry* 15:619.
Wacker, A. et W. Hilbig. 1978. *Planta Medica* 33:89.

Éphédra

Anon. 1989. *Lawrence Review for Natural Products* Juin.
Bailey, C. J. *et coll.* 1986. *General Pharmacology* 17:243.
Dulloo, A. G. et D. S. Miller. 1986. *American Journal of Clinical Nutrition* 43:388.
Kasahara, Y. *et coll.* 1985. *Planta Medica* 54:325.
Low, R. B. *et coll.* 1984. *Addictive Behaviors* 9:335.

Épine vinette

Choudhry, V. P. *et coll.* 1972. *Indian Pediatrics* 9:143.
Cordell, G. A. et N. R. Farnsworth. 1970. *Lloydia* 40:1.
Desai, A. B. *et coll.* 1971. *Indian Pediatrics* 8:462.
Gupte, S. 1975. *American Journal of Diseases of Children* 129:886.
Hahn, F. E. et J. Ciak, 1976. *Antibiotics* 3:577.
Kumazawa, Y. *et coll.* 1984. *International Journal of Immunopharmacolgy* 6:587.
Sabir, M. et N. Bhide. 1971. *Indian Journal of Physiology and Pharmacology* 15:111.
Sack, R. B. et J. L. Froehlich. 1982. *Infection and Immunology* 35:471.
Sharma, R. *et coll.* 1970. *Indian Pediatrics* 7:496.
Subbaiah. T. V. et A. H. 1967. *Amin. Nature* 215:527.
Sun, D. *et coll.* 1988. *Antimicrobial Agents and Chemotherapy* 32:1370.

Estragon
Deans, B. S. et K. P. Svoboda. 1988. *Journal of Horticultural Science* 63:503.
Robbins, R. C. 1967. *Journal of Atherosclerosis Research* 7:3.
Van Duuren, B. L. *et coll.* 1971. *Journal of the National Cancer Institute* 46:1039.

Eucalyptus
Garmon, L. 1982. *Science News* Sept. 12.
Maruzella, J. C. et P. A. Henry. 1958. *Journal of the American Pharmaceutical Association* 47:294.

Eupatoire
Benoit, P. S. *et coll.* 1976. *Lloydia* 39:160.
Lee, K. H. *et coll.* 1977. *Phytochemistry* 16:1068.
Rodriguez, E. *et coll.* 1976. *Phytochemistry* 15:1573.
Tsuda, A. *et coll.* 1963. *Canadian Journal of Chemistry* 8:1919.
Vollmar, A. *et coll.* 1986. *Phytochemistry* 25: 377.
Wagner, H. 1972. *Phytochemistry* 11:1504.

Fenouil
Albert-Puleo, M. 1980. *Journal of Ethnopharmacology* 2:337.
Forster, H. B. *et coll.* 1980. *Planta Medica* 40:4:309.
Gershbein, L. L. 1977, *Food and Cosmetic Toxicology* 15:173.
Harries, N. *et coll.* 1978. *Journal of Clinical Pharmacology* 2:171.
Marcus, C. et E. P. Lichtenstein. 1979. *Journal of Agricultural and Food Chemistry* 27:1217.
Sekizawa, J. et T. Shibamoto. 1982. *Mutation Research* 101:127.

Fenugrec
Arbo, M. S. et Al-Kafawi, A. A. 1969. *Planta Medica* 17:14.
Bever, B. O. et G. R. Zahnd. 1979. *Quaterly Journal of Crude Drug Research* 17:139.
Ribes, G. *et coll.* 1984. *Annals of Nutrition and Metabolism* 28:37.
Sauvaire, Y. et J. C. Baccon. 1978. *Lloydia* 41:588.
Singhal, P. C. *et coll.* 1982. *Current Science* 51:136.
Valette, G. *et coll.* 1984. *Atherosclerosis* 50:105.

Fleur de la passion
Aoyagi, N. *et coll.* 1974. *Chemical and Pharmaceutical Bulletin* 22:1008.
Birner, J. et J. M. Nicholls. 1973. *Antimicrobial Agents and Chemotherapy* 3:105.
Lutmoski, J. *et coll.* 1975. *Planta Medica* 27:112.
Nicholls, J. M. *et coll.* 1973. *Antimicrobial Agents and Chemotherapy* 3:110.
Speroni, E. et A. Minghetti. 1988. *Planta Medica* 54:488.

Framboise
Bamford, D. S. *et coll.* 1970. *British Journal of Pharmacology* 40:161.
Burn, J. H. et E. R. Withell. 1941. *Lancet* II:6149:1.
Fong, H. H. S. *et coll.* *Journal of Pharmaceutical Sciences* 1972 61:1818.

Genièvre
Bousquet, J. *et coll.* 1984. *Clinical Allergy* 14:249.
Janku, J. *et coll.* 1957. *Experientia* 13:255.
Mascolo, N. *et coll.* 1987. Phytotherapy *Research* 1:1:28.
Opdyke, D. L. J. 1976. *Food and Cosmetic Toxicology* 14:307.

Gentiane
Glatzel, H. 1969. *Hippokrates* 40:23: 916.

Glatzel, H. et K. Hackenberg. 1967. *Planta Medica* 15:3:223.

Gingembre

Babbar, O. P. 1982. *Indian Journal of Experimental Biology* 20:572.
Backon, J. 1986. *Medical Hypotheses* 20:271.
Bergner, P. 1989. *Townsend Letter for Doctors* Mars:115.
Cai, L. P. 1984. *Journal of New Chinese Medicine* 2:22.
Dorso, C. R. *et coll.* 1980. *New England Journal of Medicine* 303:756.
Gujral, S. *et coll.* 1978. *Nutrition Reports International* 17:183.
Hikino, H. 1985. *Economic Medicinal Plant Research* 1:53.
Mattes, H. W. D. 1980. *Phytochemistry* 19:2643.
Suekawa, M. *et coll.* 1984. *Journal of Pharmacobio-Dynamics* 7:836.
Mowrey, D. B. et D. E. Clayson. 1982. *Lancet* I:655.
Shoji, N. *et coll.* 1982. *Journal of Pharmaceutical Sciences* 71:10:1174.
Thompson, E. H. *et coll.* 1973. *Journal of Food Science* 38:652.

Ginkgo

Bauer, U. 1988. Dans *Rokan (Gingko Biloba): Recent Results in Pharmacology and Clinic*, E. W. Funfgeld, éd., 212. Berlin: Spinger-Verlag.
Braquet, P. 1987. *Drugs of the Future* 12:7:643.
Cahn, J. 1984. In: *Proceedings of the International Symposium on the Effects of Gingko Biloba on Organic Cerebral Impairment*, 43. London: John Libbey.
Chatterjee, S. S. 1984. In: *Proceedings of the International Symposium on the Effects of Gingko Biloba on Organic Cerebral Impairment*, 5. London: John Libbey.
Dubreuil, C. 1988. In: *Rokan (Gingko Biloba)*, 237.
Guillon, J. M. 1988. In: *Rokan (Gingko Biloba)*, 153.
Haguenauer, J. P. *et al* 1988. In: *Rokan (Gingko Biloba)*, 260.
Lebuisson, D. A. *et coll.* 1988. In: *Rokan (Gingko Biloba)*, 231.
Lefort, J. *et coll.* 1984. *British Journal of Pharmacology* 82:565.
Meyer, B. 1988. In: *Rokan (Gingko Biloba)*, 245.
Pidoux, B. *et coll.* 1983. *Journal of Cerebral Blood Flow and Metabolism* 3 (Suppl.):S556.
Sikora, R. *et coll.* 1989. *Journal of Urology* 141:188A.
Taillandier, J. *et coll.* 1988. In: *Rokan (Gingko Biloba)*, 291.
Vorberg, G. 1985. *Clinical Trials Journal* 22:149.
Weitbrecht, W. V. et W. Jansen. 1984. *Proceedings of the International Symposium on the Effects of Gingko Biloba on Organic Cerebral Impairment*. 91. London: John Libbey.
Wilford, J. N. 1988. *New York Times* Mars 1:C3.

Ginseng

Baldwin, C. A. *et coll.* 1986. *Pharmacy Journal* 237:583.
Baranov, A. I. 1982. *Journal of Ethnopharmacology* 6:339.
Barna, P. 1985. *Lancet* II:548.
Ben-Hur, E. et S. Fulder. 1981. *American Journal of Chinese Medicine* 9:48.
Brekhman, I. I. et I. V. Dardymov. 1969. *Annual Review of Pharmacology* 9:419.
—. 1969. *Lloydia* 32:46.

Farnsworth, N. R. *et coll.* 1985. *Economic and Medicinal Plant Research* 1:156.

Fulder, S. 1977. *New Scientist* 1:138.

Golikov, A. P. et N. Ikonnikov. 1962. In: *Proceedings of the Symposium on Eleutherococus and Ginseng*, éd. I. I. Brekhman, 51. Vladivostok, Russie: Académie des sciences.

Hallstrom, C. et S. Fulder. 1982. *Comparative Medicine of the East and West* 6:277.

Han, B. H. *et coll.* 1979. *Korean Biochemical Journal* 12:1:33.

Hong, S. P. *et coll.* 1976. *Korean Journal of Pharmacognosy* 7:111.

Hyuchenok, R. Y. 1972. *Medicines of the Far East*, Russie: Académie des sciences, 83.

Khatnashvili, T. M. 1964. In: *Materials for the Conference on Problems of Medical Therapy at the Oncology Clinic*, 163. Leningrad, Russie.

Kim, C. *et coll.* 1970. Lloydia 33:43.

—. 1976. *American Journal of Clinical Medicine* 4:163.

Kim, E. *et coll.* 1971. *Korean Journal of Pharmacognosy* 2:23.

Liberti, L. E. et A. Der Marderosian. 1978. *Journal of Pharmaceutical Sciences* 67:1487.

Matsuda, H. *et coll.* 1986. *Chemical and Pharmaceutical Bulletin* 34:1153.

—. 1986. *Chemical and Pharmaceutical Bulletin* 34:2100.

Michinori, K. *et coll.* 1981. *Journal of Natural Products* 44:405.

Oshima, Y. et K. Sato. 1987. *Journal of Natural Products* 50:188

Otsuka, H. *et coll.* 1977. *Planta Medica* 32:9.

Petkov, V. D. et A. H. Mosharrof. 1987. *American Journal of Chinese Medicine* 15:19.

Popov, I. M. et W. J. Goldwag. 1973. *American Journal of Chinese Medicine* 1:267.

Salto, H. et Y. U. Lee. 1978. *Proceedings of the Thrid International Ginseng Symposium* 3:109.

Schultz, F. H. *et coll.* 1980. *Federation Proceedings* 39:554.

—. 1981. *Proceedings of the Third National Ginseng Conference, Asheville,* Caroline du Nord 3:45.

—. 1987. *Proceedings of the First National Herb Growing and Marketing Conference, Purdue University* 1:186.

Siegel, R. K. 1979. *Journal of the American Medical Association* 241:1614.

Singh, V. K. *et coll.* 1983. *Planta Medica* 47:234.

—. 1984. *Planta Medica* 50:462.

Tong, L. S. *et coll.* 1980. *American Journal of Chemical Medicine* 8:3:254.

Yamamoto, M. *et coll.* 1974. *Proceedings of the First International Ginseng Symposium.*

—. 1983. *American Journal of Chinese Medicine* 11:88.

—. 1983. *American Journal of Chinese Medicine* 11:96.

Yokozawa, T. *et coll.* 1975. *Chemical and Pharmaceutical Bulletin* 23:3095.

Zhang, J. S. *et coll.* 1987. *Radiation Research* 112:156.

Zuin, M. *et coll.* 1987. *Journal of International Medical Research* 15:276.

Gui

Bloksma, N. *et coll.* 1979. *Immunobiology* 156:309.

Bloksma, N. *et coll.* 1982. *Planta Medica* 46:221.

Franz, H. *et coll.* 1981. *Biochemistry Journal* 195:481.

Hall, H. A. *et coll.* 1986. *Annals of Emergency Medicine* 15:1320.

Kwaja, T. A. *et coll.* 1980. *Experientia* 36:599.
Luther, P. *et coll.* 1980. *International Journal of Biochemistry* 11:429.
Mack, R. B. 1984. *North Carolina Medical Journal* 45:791.
Petkov, V. 1979. *American Journal of Chinese Medicine* 7:197.
Rentea, F. *et coll.* 1981. *Laboratory Investigations* 44:43.
Vester, F. et J. Niehaus. 1965. *Experientia* 21:197.

Guimauve

Tomoda, M. *et coll.* 1980. *Chemical and Pharmaceutical Bulletin* 28:824.
—. 1987. *Planta Medica* 53:8.

Herbe aux chats

Harvey, J. *et coll.* 1978. *Lloydia* 41:367.
Jackson, B. et A. Reed. 1969. *Journal of the American Medical Association* 207:1349.
Poundstone, J. 1969. *Journal of the American Medical Association* 208:360.
Tucker, A. et S. Tucker. 1988. *Economic Botany* 42:214.

Houblon

Fenselau, C. et P. Talalay. 1973. *Food and Cosmetic Toxicology* 11:597.
Schmalreck, A. F. *et coll.* 1975. *Canadian Journal of Microbiology* 21:205.
Wolfart, R. *et coll.* 1983. *Planta Medica* 48:120.

Hydrastis

Choudhry, V. P. *et coll.* 1972. *Indian Pediatrics* 9:143.
Cushman, M. *et coll.* 1979. *Journal of Medical Chemistry* 22:3:331.
Desai, A. B. *et coll.* 1971. *Indian Pediatrics* 8:462.
Farnsworth, N. R. et A. B. Seligman. 1971. *Tile and Till* 57:52.
Fitzpatrick, F. K. 1954. *Antibiotics and Chemotherapy* 4:5:528.
Genest, K. et D. W. Hughes. 1969. *Canadian Journal of Pharmaceutical Sciences* 4:41.
Gupta, S. 1975. *American Journal of Diseases of Children* 129:886.
Hahn, F. E. et J. Ciak. 1976. *Antibiotics* 3:577.
Hartwell, J. L. 1971. *Lloydia* 34:103.
Kumazawa, Y. *et coll.* 1984. *International Journal of Immunopharmacology* 6:587.
Lahiri, S. C. et N. K. Dutta. 1967. *Journal of the Indian Medical Association* 48:1:1.
Nishino, H. *et coll.* 1986. *Oncology* 43:131.
Sabir, M. et Bhide, N. 1971. *Indian Journal of Physiology and Pharmacology* 15:111.
Sack, R. B. et J. L. Froehlich. 1982. *Infection and Immunology* 35:471.
Sharda, D. C. 1970. *Journal of Indian Medical Association* 54:1:22.
Sharma, R. *et coll.* 1970. *Indian Pediatrics* 7:496.
Subbaiah, T. V. et A. H. Amin. 1967. *Nature* 215:527.
Sun, D. *et coll.* 1988. *Antimicrobial Agents and Chemotherapy* 32:1370.

Hydrocotyle asiatique

Bossé, J. P. *et coll.* 1979. *Annuals of Plastic Surgery* 3:1:13.
Dutta, T. et U. P. Basu. 1968. *Indian Journal of Experimental Biology* 6:181.
Fam, A. 1973. *International Surgery* 58:451.
Morisset R. *et coll.* 1987. *Phytotherapy Research* 1:3.
Natarjan, S. et P. P. Paily. 1973. *Indian Journal of Dermatology* 18:82.
Pointel, J. P. *et coll.* 1987. *Angiology* 38:46.

Ramaswamy, A. S. *et coll.* 1970. *Journal of Research in Indian Medicine* 4:160.

Tenni, R. *et coll.* 1988. *Italian Journal of Biochemistry* 37:69.

Hysope

Herrmann, E. C. et L. S. Kucera. 1967. *Proceedings of the Society for Experimental Biology and Medicine* 124:874.

Opdyke, D. L. J. 1978. *Food and Cosmetic Toxicology* 16(Suppl. 1):783.

Laurier

Garmon, L. 1982. *Science News* Sept. 12.

MacGregor, J. T. *et coll.* 1974. *Journal of Agricultural and Food Chemistry* 22:777.

Luzerne

Free, B. L. et L. D. Satterlee. 1975. *Journal of Food Science* 40:88.

Gestetner, B. *et coll.* 1971. *Journal of Science, Food, and Agriculture* 22:168.

Keeler, R. F. 1975. *Lloydia* 38:56.

Manilow, M. R. *et coll.* 1977. *American Journal of Clinical Nutrition* 30:2061.

—. 1977. *Steroids* 29:105.

—. 1978. *Atherosclerosis* 30:27.

—. 1981. *Food and Cosmetic Toxicology* 19:444.

—. 1981. *Journal of Clinical Investigations* 67:156.

—. 1981. *Lancet* I:615.

—. 1984. *Science* 216:415.

Polk, I. 1982. *Journal of the American Medical Association* 247:1493.

Roberts, J. L. et J. A. Hayashi. 1983. *New England Journal of Medicine* 308:1361.

Smith-Barbaro, P. *et coll.* 1981. *Journal of the National Cancer Institute* 67:495.

Wattenberg, L. 1975. *Cancer Research* 35:3326.

Worthington-Roberts, B. et M. A. Breskin. 1983. *American Pharmacy* 23:421.

Marjolaine

Herrmann, E. C. et L. S. Kucera. 1967. *Proceedings of the Society for Experimental Biology and Medicine* 124:874.

Van Den Broucke, C. O. et J. A. Lemli. 1980. *Planta Medica* 38:317.

Marrube

Krejci, I. et R. Zadina. 1959. *Planta Medica* 7:1.

Matricaire

Awang, D. V. C. 1989, *Canadian Pharmaceutical Journal* 122:266.

Berry, J. I. 1984. *Pharmacy Journal* 232:611.

Groenwagen, W. A. *et coll.* 1986. *Lancet* 1:44.

Heptinstall S. *et coll.* 1985. *Lancet* 1:1071.

Johnson, E. S. *et coll.* 1985. *British Medical Journal* 291:569.

Murphy, J. J. *et coll.* 1988. *Lancet* 2:189.

Romo, J. *et coll.* 1970. *Phytochemistry* 9:1615.

Mélisse

Aufmkolk, M. *et coll.* 1984. *Endocrinology* 115:527.

—. 1984. *Hormone Metabolism Research* 16:183.

Forster, H. B. *et coll.* 1980. *Planta Medica* 40:309.

Herrmann, E. C. et L. S. Kucera. 1967. *Proceedings of the Society of Experimental Biology and Medicine* 124:869.

Kucera, L. S. *et coll.* 1965. *Annals of the New York Academy of Sciences* 130:481.

Kucera, L. S. et E. C. Herrmann. 1967. *Proceedings of the Society of Experimental Biology and Medicine* 124:865.

Menthe (notamment menthe poivrée, menthe verte)

Harries, N. *et coll.* 1978. *Journal of Clinical Pharmacy* 2:171.
Herrmann, E. C. et L. Kucera. 1967. *Proceedings of the Society for Experimental Biology and Medicine* 124:874.
Marauzella, J. C. et N. A. Sicurella. 1960. *Journal of the American Pharmaceutical Association* 49:11:692.
Sanyal, A. et Varma. K. C. 1969. *Indian Journal of Microbiology* 9:1:23.

Millepertuis

Busse, W. W. *et coll.* 1984. *Journal of Allergy and Clinial Immunology* 73:801.
Hobbs, C. 1989. *HerbalGram* 18/19:24.
James, J. S. 1989. *AIDS Treatment News* Fév. 24.
—. 1989. *AIDS Treatment News* Juin 2.
—. 1989. *AIDS Treatment News* Nov. 17.
Meruelo, D. *et coll.* 1988. *Proceedings of the National Academy of Sciences* 85:5230.
Suzuki, O. *et coll.* 1984. *Planta Medica* 50:272.

Molène vulgaire

Benoit, P. S. *et coll.* 1976. *Lloydia* 39:160.
Fitzpatrick, F. K. 1954. *Antibiotics and Chemotherapy* 4:528.
Tyler, V. E. 1986. *Proceedings of the First National Herb Growing and Marketing Conference, Purdue University* 1:52.

Mûre

Alonso, R. *et coll.* 1980. *Planta Medica* Suppl.:102-106.
Fong, H. H. S. *et coll.* 1972. *Journal of Pharmaceutical Sciences* 61:1818.

Myrrhe

Arora, R. B. *et coll.* 1972. *Indian Journal of Medical Research* 60:929.
Delaveau, P. *et coll.* 1980. *Planta Medica* 40:49.
Malhotra, S. C. et M. M. S. Ahuja. 1971. *Indian Journal of Medical Research* 59:1621.
Mester, J. *et coll.* 1979. *Planta Medica* 37:367.

Nerprun

Belkin, M. *et coll.* 1952. *Journal of the National Cancer Institute* 13:742.
Breimer, D. D. et A. J. Baars. 1976. *Pharmacology* 14 (Suppl.):30;-47.
Kupchan, S. M. et A. Krim. 1976. *Lloydia* 39:223.
Van Os, F. H. L. 1976. *Pharmacology* 4 (Suppl.):18.

Origan

Simon, J. 1986. *Proceedings of the First National Herb Growing and Marketing Conference*, Purdue University 1:24.

Ortie

Duke, J. 1984. *HerbalGram* 1:4:10.
Mittman, P. 1988. (à paraître) National College of Naturopathic Medicine.

Papaye

Chen, C. *et coll.* 1981. *American Journal of Chinese Medicine* 9:205.
Singh, S. et S. Devi. 1978. *Indian Journal of Medical Research* 67:499.

Persil

Busse, W. W. *et coll.* 1984. *Journal of Allergy and Clinical Immunology* 73:801.

Middleton, E. et G. Drzewiecki. 1984. *Biochemical Pharmacology* 33:333.

Petkov, V. 1979. *American Journal of Chinese Medicine* 7:197.

Wickelgren, I. 1989. *Science News* Juillet 136:5.

Piment rouge

Anon. 1989. *Environmental Nutrition* Sept.:8.

Bernstein, J. *et coll.* 1987. *Journal of the American Academy of Dermatology* 17:93.

Graham, D. Y *et coll.* 1988. *Journal of the American Medical Association* 260:3473.

Hawk, R. J. et L. E. Millikan. 1988. *International Journal of Dermatology* 27:336.

Locock, R. A. 1985. *Canadian Pharmaceutical Journal* 118:516.

Rquebert, J. 1978. *Annales Pharmaceutiques Françaises* 36:361.

Sambaiah, K. et N. Satyanarayana. 1980. *Indian Journal of Experimental Biology* 18:898.

Visudhiphan, S. *et coll.* 1982. *American Journal of Clinical Nutrition* 35:1452.

Wang, J. P. *et coll.* 1984. *Thrombosis Research* 36:497.

Watson, C. P. N. *et coll.* 1988. *Pain* 33:333.

Pissenlit

Fransworth, N. R. et A. B. Seligman. 1971. *Tile and Till* 57:52.

Mascolo, N. *et coll.* 1987. *Phytotherapy Research* 1:1:28.

Racz-Kotilla, E. *et coll.* 1974. *Planta Medica* 26:212.

Wat, C. K. *et coll.* 1979. *Journal of Natural Products* 42:103.

Plantain

Anon. 1989. *Tufts University Diet and Nutrition Letter* 7:9:1.

Agha, F. P. *et coll.* 1984. *American Journal of Gastroenterology* 79:319.

Anderson, J. W. *et coll.* 1988. *Archives of Internal Medicine* 148:292.

Arthurs, Y. et J. F. Fielding. 1983. *Irish Journal of Medicine* 76:253.

Bell, L. P. *et coll.* 1989. *Journal of the American Medical Association* 261:1195.

Connaughton, J. et C. F. McCarthy. 1982. *Irish Journal of Medicine* 75:93.

Duckett, S. 1980. *New England Journal of Medicine* 303:583.

Ershoff, B. H. 1976. *Journal of Food Science* 41:949.

Moesgaard, F. *et coll.* 1982. *Diseases of the Colon and Rectum* 25:454.

Shub, H. A. *et coll.* 1978. *Diseases of the Colon and Rectum* 21:582.

Suhonen, R. *et coll.* 1983. *Allergy* 38:363.

Tomoda, M. *et coll.* 1987. *Planta Medica* 53:1:8.

Poivre de Jamaïque

Veek, M. E. et G. F. Russell. 1973. *Journal of Food Science* 38:1028.

Pomme

Delbarre, F. *et coll.* 1977. *American Journal of Clinical Nutrition* 30:463.

El-Nakeeb, M. A. et R. T. Yousef. 1970. *Planta Medica* 18:201.

Fisher, H. *et coll.* 1964. *Science* 146:1063.

—. 1966. *Journal of Atherosclerosis Research* 6:292.

Ginter, E. *et coll.* 1982. *International Journal of Vitamin and Nutrition Research* 21:51.

Jenkins, D. J. A. *et coll.* 1977. *Annals of Internal Medicine* 86:22.

Leveille, G. A. et H. E. Sauberlich. 1966. *Journal of Clinical Nutrition* 88:209.

Mathe, D. *et coll.* 1977. *Journal of Nutrition* 107:466.

Miranda, P. M. et D. L. Horowitz. 1978. *Annals of Internal Medicine* 88:482.
Smith-Barbaro, P. *et coll.* 1981. *Journal of the National Cancer Institute* 67:495.

Pouliot

Allen, W. T. 1987. *Lancet* II:1022.
Buechel, D. W. *et coll.* 1983. *Journal of the American Osteopathic Association* 82:793.
Early, E. F. 1961. *Lancet* II:580.
Sullivan, B. *et coll.* 1979. *Journal of the American Medical Association* 242: 2873.

Prêle

Phillipson, J. D. et C. Melville. 1960. *Journal of Pharmacy and Pharmacology* 12:506.

Quatre-épices

Kapadia, G. J. *et coll.* 1976. *Journal of the National Cancer Institute* 57:207.
Paul, B. D. *et coll.* 1974. *Journal of Pharmaceutical Science* 63:958.
Yoshizawa, S. *et coll.* 1987. *Phytotherapy Research* 1:44.

Réglisse

Abe, N. *et coll.* 1982. *Microbiology and Immunology* 26:535.
—. 1987. *European Journal of Cancer and Oncology* 23:10:1549.
Anderson, S. *et coll.* 1971. *Scandinavian Journal of Gastroenterology* 6:683.
Bardhan, K. D. *et coll.* 1978. *Gut* 19:779.
Blachley, J. D. et J. P. Knochel. 1980. *New England Journal of Medicine* 302:784.
Borst, J. G. *et coll.* 1953. *Lancet* 264:657.
Chamberlain, T. J. 1970. *Journal of the American Medical Association* 213:1343.
Chandler, R. F. 1985. *Canadian Pharmaceutical Journal* 118:420.
Cliff, J. M. et M. Thompson. 1970. *Gut* 11:167.
Conn, J. W. *et coll.* 1968. *Journal of the American Medical Association* 205:492.
Doll, R. *et coll.* 1962. *Lancet* II:793.
Epstein, M. T. *et coll.* 1977. *British Medical Journal* 19:488.
Fujisawa, K. *et coll.* 1980. *Asian Medical Journal* 23:745.
Gibson, M. R. 1978. *Lloydia* 41:348.
Glick, L. 1982. *Lancet* II:817.
Guslandi, M. *et coll.* 1980. *Clinical Therapy* 3:40.
Guslandi, M. 1981. *Lancet* I:387.
Kassir, Z. A. 1985. *Irish Medical Journal* 78:153.
LaBroody, S. J. *et coll.* 1979. *British Medical Journal* 6174:1308.
Lai, F. *et coll.* 1980. *New England Journal of Medicine* 303:463.
Lewis, J. R. 1974. *Journal of the American Medical Association* 229:460.
Martin, D. F. et J. P. Miller. 1981. *Lancet* I:609.
Mitscher, L. A. *et coll.* 1980. *Journal of Natural Products* 43:259.
Nagy, G. S. 1978. *Gastroenterology* 74:7.
Pompei, R. *et coll.* 1979. *Nature* 281:689.
—. 1980. *Experentia* 36:304.
Segal, R. *et coll.* 1985. *Journal of Pharmaceutical Sciences* 74:1:79.
Sharaf, A. et N. Goma. 1965. *Journal of Endocrinology* 31:289.
Suzuki, H. *et coll.* 1984. *Asian Medical Journal* 26:423.
Tanaka, S. *et coll.* 1987. *Planta Medica* 53:1:5.
Tangri, K. K. *et coll.* 1965. *Biochemical Pharmacology* 14:8:1277.
Trupie, A. G. G. *et coll.* 1969. *Gut* 10:299.
Wilson, J. A. C. 1972. *British Journal of Clinical Practice* 26:563.

Reine-des-prés

Fang, V. *et coll.* 1968. *Journal of Pharmaceutical Sciences* 57:2111.

Rhubarbe

Burkitt, R. W. 1921. *Lancet* Sept. 3.

Chirikdjian, J. J. *et coll.* 1983. *Planta Medica* 48:34

Dong-hai, J. *et coll.* 1980. *Pharmacology* 20 (Suppl.):128.

Fairbairn, J. W. 1976. *Pharmacology* 14 (Suppl.):48.

Romarin

Chang, S. S. 1977, *Journal of Food Science* 42:1102.

Mascolo, N. *et coll.* 1987. *Phytotherapy Research* 1:1:28.

Opdyke, D. L. J. 1974. *Food and Cosmetic Toxicology* 12 (Suppl.):977.

Rao, B. G. V. N. et S. S. Nigam. 1970. *Indian Journal of Medical Research* 58:627.

Rose

Anderson, T. W. *et coll.* 1972. *Canadian Medical Association Journal* 107:503.

—. 1975. *Canadian Medical Association Journal* 112:823.

Coulehan, J. L. *et coll.* 1974. *New England Journal of Medicine* 290:6.

—. 1976. *New England Journal of Medicine* 295:973.

Hume, R. et E. Weyers. 1973. *Scottish Medical Journal* 18:3.

Pitt, H. A. et A. M. Costrini. 1979. *Journal of the American Medical Association* 241:908.

Safran

Chisolm, G. M. *et coll.* 1972. *Atherosclerosis* 14:327.

Gainer, J. L. et G. M. Chisolm. 1974. *Atherosclerosis* 19:135.

Grisola, S. 1974. *Lancet* 7871:41.

Jones, J. R. 1975. *Experientia* 31:548.

Salsepareille

Fitzpatrick, F. K. 1954. *Antibiotics and Chemotherapy* 4:5:528.

Hobbs, C. 1988. *HerbalGram* 17:10.

Thurmon, F. M. 1942. *New England Journal of Medicine* 227:128.

Sarriette

Duke, J. 1987. *HerbalGram* 14:6.

Opdyke, D. L. J. 1976. *Food and Cosmetic Toxicology* 14(Suppl.):859.

Sauge

Chang, S. S. 1977. *Journal of Food Science* 42:1102.

Opdyke, D. L. J. 1976. *Food and Cosmetic Toxicology* 14(Suppl.):857.

Saule blanc

Anon. 1988. *American Family Physician* 38:197.

Sallis, R. E. 1989. *American Family Physician* 39:209.

Scutellaire

Kimura, Y. 1981. *Chemical and Pharmaceutical Bulletin* 20:2308.

—. 1982. *Chemical and Pharmaceutical Bulletin* 20:219.

Séné

Anon. 1978. *Morbidity and Mortality Weekly Report* 27:248.

Prior, J. et I. White. 1978. *Lancet* II:947.

Thé

Anon. 1989. *University of California, Berkeley, Wellness Letter* 5:4:1.

Anon. 1988. *HerbalGram* 15:5.

Anon. 1984. *HerbalGram* Printemps:3.

Kaiser, H. E. 1967. *Cancer* 20:614.

Kapadia, G. J. 1976. *Journal of the National Cancer Institute* 57:207.

Muramatsu, K. *et coll.* 1986. *Journal of Nutrition Science and Vitaminology* 32:613.

Yoshizawa, S. *et coll.* 1987. *Phytotherapy Research* 1:44.

Thé des jésuites

Vassalo, A. *et coll.* 1985. *Journal of the National Cancer Institute* 75:1005.

Thym

Sourgens, H. *et coll.* 1982. *Planta Medica* 45:78.

Van den Broucke, C. O. et J. A. Lemli. 1980. *Planta Medica* 38:317.

Tussilage

Bergner, P. 1989. *Medical Herbalism* 1:1:1.

Delaveau, P. *et coll.* 1980. *Planta Medica* 40:49.

Hirono, I. *et coll.* 1979. *Journal of the National Cancer Institute* 63:469.

Hwang, S. B. *et coll.* 1987. *European Journal of Pharmacology* 141:269.

Kraus, C. *et coll.* 1985. *Planta Medica* 51:89.

Roulet, M. *et coll.* 1988. *Journal of Pediatrics* 112:433.

Valériane

Bounthanh, C. *et coll.* 1981. *Planta Medica* 41:21.

Hendricks, H. *et coll.* 1981. *Planta Medica* 42:62.

Leathwood, P. *et coll.* 1982. *Pharmacology, Biochemistry, and Behavior* 17:65.

Leathwood, P. et F. Chaufford. 1985. *Planta Medica* 54:144.

Riedel, E. *et coll.* 1982. *Planta Medica* 46:219.

Varech

Biard, J. F. *et coll.* 1980. *Planta Medica* Suppl:136.

Funayama, S. et H. Hikino. 1981. *Planta Medica* 41:29.

Iritani N, et J. Nogi. 1972. *Atherosclerosis* 15:87.

Mautner, H. G. *et coll.* 1953. *Journal of the American Pharmaceutical Association* 42:5:294.

Searl, P. B. *et coll.* 1981. *Proceedings of the Western Pharmacology Society* 24:63.

Skoryna, S. C. *et coll.* 1966. *Proceedings of the Fifth International Seaweed Symposium*, 396. Elmsford, N.Y.: Pergamon Press.

—. 1964. *Canadian Medical Association Journal* 91:285.

Sutton A. *et coll.* 1971. *International Journal of Radiation Biology* 19:79.

Tanaka, Y. *et coll.* 1968. *Canadian Medical Association Journal* 99:169.

—. 1968. *Canadian Medical Association Journal* 98:1179.

Verveine

Inouye, H. *et coll.* 1974. *Planta Medica* 25:285.

Viorne

Jarboe, C. H. *et coll.* 1966. *Nature* 212:837.

—. 1967. *Journal of Medicinal Chemistry* 10:488.

Livres

Boyle, Wade. *Herb Doctors: Pioneers in 19th-Century American Botanical Medicine.* East Palestine, Ohio: Buckeye Naturopathic Press, 1988.

Brinker, Francis J. *The Toxicology of Botanical Medicines.* 2e éd. Portland, Oregon: Eclectic Medical Institute, 1987.

Conrow, Robert et Arlene Hecksel. *Herbal Pathfinders: Voices of the Herb Renaissance.* Santa Barbara, Californie: Woodbridge Press, 1983.

Coulter, Harris L. *Divided Legacy.* Berkeley, Californie: Homeopathic Educational Services, 1982.

Culpeper, Nicholas. *Culpeper's Complete Herbal and English Physician*. 1826 éd. Avon, Angleterre: Pitman Press, 1981.

Cumston, Charles Greene. *An Introduction to the History of Medicine*. New York: Dorset Press, 1987.

De Waal, M. *Medicinal Herbs in the Bible*. York Beach, Maine: Samuel Weiser, 1984.

Der Marderosian, Ara et Lawrence Liberti. *Natural Product Medicine*. Philadelphie: George F. Stickley, 1988.

Dobelis, Inge N., éd. *Magic and Medicine of Plants*. Pleasantville, New York: Reader's Digest, 1986.

Duke, James A. *Handbook of Medicinal Herbs*. Boca Raton, Floride: CRC Press, 1985.

Ehrenreich, Barbara et Deirdre English. *Witches, Midwives, and Nurses: A History of Women Healers*. Detroit: Black and Red, 1973.

Felter, Harvey Wickes et John Uri Lloyd. *King's American Dispensatory*. 18e éd., 1898. Portland, Oregon: Eclectic Medical Publications, 1983.

Foster, Steven, *Echinacea Exalted!* Brixley, Montana: Ozark Beneficial Plant Project, 1985.

—. *Herbal Bounty*. Salt Lake City: Peregrine Smith Books, 1984.

Foster, Steven et James A. Duke. *A Field Guide to Medicinal Plants: Eastern and Central North America* (Peterson Field Guide #40). Boston: Houghton Mifflin, 1990.

Fulder, Stephen. *Ginseng: Magical Herb of the East*. Northamptonshire, Angleterre: Thorsons Publishing, 1988.

Funfgeld, E. W., éd. *Rokan Ginkgo Biloba: Recent Results in Pharmacology and Clinic*. Berlin et New York: Springer-Verlag, 1988.

Gilman, Alfred G., Louis S. Goodman, Theodore W. Rall et Ferid Murad, éds., *Goodman and Gilman's The Pharmacological Basis of Therapeutics*. 7e éd. New York: Macmillan, 1985.

Grieve, Maud. *A Modern Herbal*. New York: Dover, 1971.

Griffith, H. Winter. *The Complete Guide to Vitamins, Minerals, Supplements, and Herbs*. Tucson: Fisher Books, 1988.

Hallowell, Michael. *Herbal Healing: A Practical Introduction*. Bath, Angleterre: Ashgrove Press, 1985.

Harris, Ben Charles. *Comfrey: What You Need to Know*. New Canaan, Connecticut: Keats Publishing, 1982.

Harris, Lloyd J. *The Book of Garlic*. Berkeley, Californie: Aris Books, 1979.

Herbrandson, Dee. *Shaker Herbs and Their Medicinal Uses*. New Gloucester, Maine: Shaker Heritage Society, Sabbathday Lake, 1985.

Heyn, Birgit. *Ayurvedic Medicine*. Northamptonshire, England: Thorsons Publishing, 1987.

Hoffman, David. *The Holistic Herbal*. Dorset, Angleterre: Element Books, 1983.

Hou, Joseph P. *Ginseng: The Myth and the Truth*. North Hollywood, Californie: Wilshire Book Co., 1978.

Kloss, Jethro. *Back to Eden*. Loma Linda, Californie: Back to Eden Books, 1988.

Kowalchik, Claire et William H. Hylton, éds. *Rodale's Illustrated Encyclopedia of Herbs*. Emmaus, Pennsylvanie: Rodale Press, 1987.

Kreig, Margaret B. Green *Medicine: The Search for Plants That Heal*. Chicago: Rand McNally, 1964.

Lad, Vasant et David Frawley. *The Yoga of Herbs*. Santa Fe, New Mexico: Lotus Press, 1986.

Law, Donald. *The Concise Herbal Encyclopedia*. New York: St. Martin's Press, 1973.

Leung, Albert Y. *Encyclopedia of Common Natural Ingredients Used in Food, Drugs, and Cosmetics*. New York: John Wiley & Sons, 1980.

Lewis, Walter et Memory P. F. Elvin-Lewis. *Medical Botany*. New York: John Wiley & Sons, 1974.

Lust, John. *The Herb Book*. New York: Bantam, 1974.

Marti-Ibaez, Felix: *The Epic of Medicine*. New York: Bramhall House, 1962.

McIntyre, Michael. *Herbal Medicine for Everyone*. Londres: Penguin, 1988.

Millspaugh, Charles F. *American Medicinal Plants*. 1892 éd. New York: Dover, 1974.

Morse, Flo. *The Story of the Shakers*. Woodstock, Vermont: Countryman Press, 1986.

Mowrey, Daniel B. *The Scientific Validation of Herbal Medicine*. Lehi, Utah: Cormorant Books, 1986.

—. *Next Generation Herbal Medicine*. Lehi, Utah: Cormorant Books, 1988.

Murray, Michael. *The 21st Century Herbal*. Bellevue, Washington: Vita-Line, 1987.

Reid, Daniel P. *Chinese Herbal Medicine*. Boston: Shambhala, 1987.

Schechter, Steven. *Fighting Radiation with Foods, Herbs, and Vitamins*. Brookline, Massachusetts: East West Health Books, 1988.

Simon, James E. et Lois Grant, éds. *Proceedings of the First National Herb Growing and Marketing Conference*. West Lafayette, Indiana: Purdue University Cooperative Extension Service, 1987.

—. *Proceedings of the Second National Herb Growing and Marketing Conference*. West Lafayette, Indiana: Purdue University Cooperative Extension Service, 1987.

Simon, James E., Arlene Kestner, et Maureen A. Buehrle. *Proceedings of the Fourth National Herb Growing and Marketing Conference*. Silver Spring, Pennsylvanie: International Herb Growers and Marketers Association, 1989.

Spoerke, David. *Herbal Medications*. Santa Barbara, Californie: Woodbridge Press, 1980.

Starr, Paul. *The Social Transformation of American Medicine*. New York: Basic Books, 1982.

Stuart, Malcolm, éd. *The Encyclopedia of Herbs and Herbalism*. New York: Grosset & Dunlap, 1979.

Strehlow, Wighard et Gottfried Hertzka. *Hildegard of Bingen's Medicine*. Santa Fe, New Mexico: Bear and Co., 1988.

Tannahill, Reay, *Food in History*. New York: Stein & Day, 1973.

Tierra, Michael. *The Way of Herbs*. New York: Pocket Books, 1983.

Tyler, Varro E. *The New Honest Herbal*. Philadelphie: George F. Stickley, 1987.

Tyler, Varro E., Lynn R. Brady, et James E. Robbers. *Pharmacognosy* 9e éd. Philadelphie: Lea and Febiger, 1988.

Weed, Susun S. *Wise Woman Herbal for the Childbearing Years*. Woodstock, New York: Ash Tree Publishing, 1985.

Weil, Andrew, *Natural Health, Natural Medicine*. Boston: Houghton Mifflin, 1990.

Weiner, Michael A. *Earth Medicine, Earth Food*. New York : Macmillan, 1980.

—. *Weiner's Herbal*. New York: Stein & Day, 1980.

—. *The People's Herbal*. New York: Perigee/Putnam, 1984.

Weiss, Rudolph Fritz. *Herbal Medicine*. Beaconsfield, Angleterre: Beaconsfield Publishers, 1988.

Weiss, Gaea et Shandor Weiss. *Growing and Using the Healing Herbs*. Emmaus, Pennsylvanie: Rodale Press, 1985.

Wheelwright, Edith Grey. *Medicinal Plants and Their History*. New York: Dover, 1974.

Willard, Terry. *Textbook of Modern Herbology*. Calgary, Alberta: Progressive Publishing, 1988.

Wren, R. C. Potter's *New Cyclopaedia of Botanical Drugs and Preparations*. Essex, Angleterre: C. W. Daniel, 1988.

INDEX